SAN
PIETROBURGO

1703-1825
Arte di corte dal Museo dell'Ermitage

Editore
Bruno Alfieri

Coordinamento redazionale
Alessandra Finzi

Redazione
Silvia Giacobone

Art Director
Mario Piazza

Impaginazione
Cristiana Accettola
(Achilli & Piazza e Associati)

Produzione
Massimo Fabbri

ISBN 88-85215-13-0

CL 41-0213-4

© BERENICE® Art Books
Gruppo Automobilia s.r.l.
I-20125 Milano, via Ponte Seveso 25
Tel. 02/6884393-655-928, telefax 02/6886091

Finito di stampare a Segrate (Milano)
da Grafiche Milani il 3 maggio 1991.

PRINTED AND BOUND IN ITALY

SAN PIETROBURGO

1703-1825
Arte di corte dal Museo dell'Ermitage

BERENICE

La mostra è stata realizzata con la partecipazione di:
Ordine Mauriziano
Cassa di Risparmio di Torino
Fiat S.p.A.

Ha collaborato l'Associazione Italia-URSS

SAN PIETROBURGO

1703-1825
Arte di corte dal Museo dell'Ermitage

Città di Torino
Assessorato per la Cultura

Museo Statale dell'Ermitage di Leningrado

Palazzina di Caccia,
Stupinigi, Torino

4 maggio - 8 settembre 1991

La mostra è posta sotto
l'Alto Patronato del Presidente della Repubblica
Francesco Cossiga

Si esprime gratitudine per il contributo
dato all'organizzazione della mostra a:

N.N. Gubenko
Ministro della Cultura dell'URSS

V.A. Suslov
Direttore del Museo Statale dell'Ermitage di Leningrado

V.Ju. Matvejev
Vicedirettore del Museo Statale dell'Ermitage di Leningrado

G.N. Komelova
Conservatore della Sezione d'Arte Russa del Museo Statale
dell'Ermitage di Leningrado

per l'assistenza nella preparazione della mostra
e del catalogo a:

G.V. Vilinbachov
Conservatore della Sezione di Storia della Cultura Russa
del Museo Statale dell'Ermitage di Leningrado

M.N. Kosareva
Capoconservatore della Sezione di Storia della Cultura
Russa del Museo Statale dell'Ermitage di Leningrado

I.N. Uchakova
Conservatore della Sezione di Storia della Cultura Russa
del Museo Statale dell'Ermitage di Leningrado

M.M. Jevtushenko
Assistente Tecnico della Sezione di Storia della Cultura
Russa del Museo Statale dell'Ermitage di Leningrado

G.N. Jastrebinskaja
Capo della Biblioteca Scientifica del Museo Statale
dell'Ermitage di Leningrado

per gli interventi di restauro a:

O.F. Platonov
Restauratore Capo del Museo Statale dell'Ermitage
di Leningrado

A.J. Pozdnjak
Dirigente di Restauro delle Ceramiche e dei Vetri
del Museo Statale dell'Ermitage di Leningrado

R.T. Grunina
Dirigente di Restauro delle Pitture del Museo Statale
dell'Ermitage di Leningrado

A.I. Bantikov
Dirigente di Restauro dei Metalli del Museo Statale
dell'Ermitage di Leningrado

ed infine, ai fotografi

G.P. Skachkov
L.G. Chejfez

Autori delle schede in catalogo

Vladimir Cernysev
Galina Komelova
Tamara Koršunova
Irina Kotel'nikova
Tamara Kudrjavceva
Marija Malcenko
Tamara Malinina
Galina Miroljubova
Elena Moiseenko
A.I. Mudrenko
Avgusta Pobedinskaja
Galina Princeva
Lina Tarasova
Larisa Zavadskaja

Redattori delle schede in lingua russa

Marija Malcenko
Tamara Malinina
Galina Princeva
Larisa Zavadskaja

Organizzazione della mostra a Torino

Ufficio Mostre dell'Assessorato per la Cultura
della Città di Torino

Vicesindaco e Assessore per la Cultura
Marziano Marzano

Responsabile amministrativo
Pietro Molino

Responsabile organizzativo
Antes Bortolotti

Coordinamento organizzativo
Patrizia Piovano

Organizzazione
Roberta d'Alessandro
Eva Carucci
Lucia Pochettino
dell'Assessorato per la Cultura della Città di Torino

Franca Crestani
Mauro De Bonis
dell'Associazione Italia-URSS

Assistenza tecnica al montaggio
Onofrio Sabini
Carlo Zanetti

Ufficio Stampa
Clara Gardini
Laura Tori
Rosa Carluccio

Con la collaborazione di
Renato Cigliuti del Settore Affari Generali
della Città di Torino
e di *Silvana Sanlorenzo* dell'Associazione Italia-URSS

Allestimento
Gruppo Bodino, Torino

Assicurazioni
Ingosstrakh, Mosca

Trasporti
Gondrand S.p.A., Torino

Redazione del catalogo
Patrizia Piovano, Roberta d'Alessandro

Traduzioni dal russo
Silvana Sanlorenzo, Gian Luigi Giacone, Paola Solera

Riferimenti fotografici
Roberto Goffi, Fubine, Alessandria
L.G. Chejfez, Leningrado
Klaus Pollmeier, Mülheim, Ruhr
G.P. Skachkov, Leningrado
Riccardo Gonella, Torino
Luca Volpe, Biella, Vercelli
Paolo Robino, Torino
Archivio Fotografico dei Musei Civici di Torino
Archivio Fotografico della Soprintendenza per i Beni
Artistici e Storici del Piemonte

Progetto e direzione dell'allestimento
Antes Bortolotti

Grafica
Gianfranco Torri e Armando Ceste, Torino

Multivisione *San Pietroburgo. Arte di corte dal Museo
dell'Ermitage. 1703-1825*
Deltaimaging, Società del Gruppo Videodelta S.p.A.,
Gassino Torinese, Torino

Repertorio delle immagini a cura di *Silvana Pettenati*
Testi di *Fabrizio Corrado* dei Musei Civici di Torino

Si ringraziano:

la Biblioteca Reale di Torino e in particolare la Direttrice Giovanna Bernard Giacobello; la Kulturstiftung Ruhr di Essen e in particolare il Presidente Berthold Beitz e il Direttore Paul Vogt; il Musée des Beaux-Arts di Chambéry e in particolare il Direttore Armand-Henry Amann; la Biblioteca dei Musei Civici di Torino e in particolare la Bibliotecaria Cecilia Giudici Servetti; la Biblioteca della Facoltà di Architettura del Politecnico di Torino; l'Archivio fotografico dei Musei Civici di Torino e in particolare Gabriella Gojo Pauna, Antonio Pinna, Gioacchino Volpe; l'Archivio fotografico della Soprintendenza per i Beni Artistici e Storici del Piemonte e in particolare Tiziana Calabrese; Giuseppe Carità, Cavallermaggiore; Mariella Chiusano, Torino; Franca Dalmasso, Torino; Pierre de Maistre; Oleg M. Joannisian, Leningrado; Silvia Meloni Trkulja, Firenze; Alessandro Morandotti, Milano; Mauro Natale, Ginevra; Magnolia Scudieri, Firenze; Ettore Strumia, Torino; Mary Westerman Bulgarella, Firenze.

Un particolare ringraziamento al Professor Franco Venturi per le cordiali indicazioni e l'amichevole assistenza, oltre che per il complesso dei suoi studi ai quali ci si è continuamente riferiti nel corso della preparazione del catalogo.

La presentazione delle opere d'arte provenienti dal Museo dell'Ermitage costituisce il secondo importante appuntamento realizzato dalla Città di Torino nelle sale della Palazzina di Caccia di Stupinigi: due anni fa erano i tesori della dinastia Qing, oggi sono i tesori del Palazzo d'Inverno che possiamo ammirare nella prestigiosa cornice della Palazzina.

La storia della mostra inizia nell'autunno 1988, quando la V Commissione Cultura della Città di Torino si reca in delegazione a Leningrado, nel quadro di una politica culturale tesa all'inserimento della nostra città nel circuito delle grandi iniziative internazionali. Vengono così poste le basi per un positivo rapporto di collaborazione con il museo dell'Ermitage: in quella sede, reggia degli zar e al contempo importantissimo museo d'arte, dove l'antico splendore fa da sfondo a collezioni di valore artistico incommensurabile, nasce l'idea della mostra. Essa è pensata per valorizzare quel capolavoro dell'architettura settecentesca che è la Palazzina di Caccia di Stupinigi ed esserne a sua volta esaltata, e per rispondere non soltanto alla curiosità per il gusto raffinato delle aristocrazie e delle corti imperiali, ma anche e soprattutto ad una volontà di approfondimento dei costumi di un'epoca fervida di stimoli culturali ed artistici, che presenta per molti aspetti uno svolgimento internazionalista di taglio europeo, particolarmente vicino alla nostra sensibilità.

Ci pare infine necessario sottolineare la validità della collaborazione ormai consolidata tra la Città, la Cassa di Risparmio di Torino e la Fiat S.p.A., che hanno reso possibile la realizzazione della mostra con la loro partecipazione, e l'Ordine Mauriziano che ha concesso la disponibilità della sede, restaurata grazie al fondamentale apporto della Fondazione Palazzina Stupinigi.

A quanti hanno reso possibile la mostra il nostro ringraziamento più sentito.

Il Vicesindaco
e Assessore per la Cultura
della Città di Torino
Marziano Marzano

Il Sindaco
della Città di Torino
Valerio Zanone

Il Museo Statale dell'Ermitage fu una creazione del secolo dell'Illuminismo. Alle sue origini si trova Caterina II con i suoi illuminati consiglieri russi e stranieri. Ella acquistò a Berlino nel 1764 per il Palazzo d'Inverno, nuova residenza degli zar, una splendida collezione di quadri di artisti olandesi e fiamminghi in numero di 225 tele, che costituirono l'effettivo inizio della storia dell'attuale Ermitage.

Nel corso del XVIII secolo, sotto Caterina II, accanto al Palazzo d'Inverno furono costruiti altri tre palazzi lungo la Neva per il collocamento della sempre crescente collezione di museo di corte, ai quali si dette il nome di Ermitage, seguendo la moda del secolo dell'Illuminismo, quando i monarchi preferivano riposarsi dalla rigorosa etichetta di corte nell'intimità delle persone di fiducia, nelle proprie camere, piene di svariate rarità museali.

A metà del XIX secolo, nel 1852, fu eretto un edificio speciale che ricevette il nome di Nuovo Ermitage, dove furono raccolte le collezioni principali dell'Ermitage, il quale divenne un museo aperto a tutti e accessibile a un vasto pubblico.

Oggi l'Ermitage sta accanto a collezioni museali mondiali come il Louvre, il Metropolitan Museum, il British Museum, possedendo nelle sue raccolte circa tre milioni di monumenti di diverse epoche, a partire dall'età della pietra fino al nostro secolo, di diverse civiltà e popoli.

La fama dell'Ermitage è dovuta alla pinacoteca, costituita da 50 sale di arte francese dal XVIII al XX secolo, 37 sale di quadri italiani e innumerevoli sale dedicate alle scuole olandese, fiamminga, spagnola, tedesca e ad altre scuole europee.

Percorrendo le 353 sale dell'Ermitage potrete incontrare grandi capolavori dell'arte mondiale — opere di Raffaello, Giorgione, Michelangelo, Leonardo da Vinci, Tiziano, Veronese, Rubens e molte altre opere che hanno glorificato l'umanità, e inoltre potrete conoscere la storia dell'architettura russa d'interno nelle sue più alte realizzazioni.

L'Ermitage, come il Louvre, è un museo universale. Fra le sue opere d'arte si conservano i monumenti dell'antico Egitto, della civiltà dell'Asia Centrale, della Persia, della Cina, dei popoli nomadi delle distese della steppa russa, i capolavori dell'antica Grecia e di Roma, di Bisanzio, della cultura russa, degli impressionisti francesi e molte altre opere d'arte.

Il Direttore
del Museo Statale dell'Ermitage
Vitalij A. Suslov

Quando l'Ordine Mauriziano, con la Fiat e la Cassa di Risparmio di Torino diede vita ad una Fondazione avente come scopo il restauro, ma anche il recupero funzionale, della Palazzina di Caccia di Stupinigi, ebbe ben a mente che il fine di questa azione congiunta doveva essere la maggiore fruizione da parte di tutti dell'opera juvarriana.

Il primo risultato positivo l'ottenemmo nel 1989 con la mostra *I tesori del Palazzo Imperiale di Shenyang*: valorizzazione dell'immagine di Stupinigi in Italia e all'estero, notevole afflusso di pubblico, volano per la visita al museo dell'ammobiliamento e dell'arredamento la cui sede permanente è nella Palazzina.

Quest'anno, aderendo nuovamente ad una iniziativa della Città di Torino e con la partecipazione degli stessi Enti, Stupinigi ospiterà opere provenienti dalle sale dell'Ermitage di Leningrado. Sarà una rassegna di storia e di cultura a cavallo tra il Settecento e il primo quarto dell'Ottocento. Epoca nella quale ebbero particolare vigore i rapporti tra la corte imperiale russa e le altre corti d'Europa, non esclusa quella del Regno di Sardegna che ha una parte notevole nella vita della Palazzina di Caccia.

L'accomunanza di Stupinigi, gioiello del Settecento europeo, con la particolare ricchezza delle opere di Shenyang del XVIII secolo, con gli oggetti di arte decorativa provenienti dal Palazzo Imperiale di Pietroburgo, costituisce quindi una scelta non casuale.

È un filone particolare di cultura che l'Ordine Mauriziano ritiene non debba interrompersi, ma continuare negli anni futuri attraverso le altre capitali europee.

Il Presidente
dell'Ordine Mauriziano
Dario Cravero

La mostra *San Pietroburgo. Arte di corte dal Museo dell'Ermitage. 1703-1825* è una nuova manifestazione del clima di collaborazione che si è instaurato da tempo, nel campo della cultura e dell'arte, fra le forze economiche piemontesi e gli enti locali.

L'iniziativa, promossa e organizzata dalla città di Torino, è stata realizzata con la partecipazione della Cassa di Risparmio di Torino e della Fiat, che hanno ripetuto volentieri l'esperienza positiva compiuta in precedenza con la mostra sui "tesori" del Palazzo Imperiale di Shenyang. Essa si inserisce nell'ambito dell'impegno che le due aziende hanno assunto congiuntamente per il restauro della Palazzina di Caccia di Stupinigi, che grazie alla disponibilità dell'Ordine Mauriziano, è sede della manifestazione.

La mostra si propone di offrire al pubblico una testimonianza significativa di un periodo particolarmente interessante della storia russa, oltre a rappresentare una ulteriore occasione per la valorizzazione del complesso architettonico juvarriano.

Il Presidente della
Fiat S.p.A.
Giovanni Agnelli

Il Presidente della
Cassa di Risparmio di Torino
Enrico Filippi

Sommario

PIETROBURGO
CAPITALE DELL'IMPERO RUSSO. 1703-1825
STORIA E ARCHITETTURA
Galina Komelova

Pietroburgo amo, con la sua beltà elegante
e il rilucente sfarzo delle isole intorno
e le fresche notti, terse emule del giorno,
e i suoi giardini, fiorenti e verdeggianti...

con tale entusiasmo il famoso poeta russo Pëtr Vjazemskij scriveva di Pietroburgo nel 1832. Effettivamente,
già agli inizi del XIX secolo, avendo da poco celebrato
il suo primo centenario (nel 1803), Pietroburgo era
considerata a buon diritto una delle più belle città del
mondo.

Son passati cent'anni ed ornamento
del nord, dalla brughiera acquitrinosa,
dai boschi oscuri, per incantamento
superba la città sorse e sontuosa;
dove una volta il finno pescatore,
figliastro della nordica natura,
solitario compì per ore ed ore
lungo il corso del fiume la sua dura
fatica, in acque inospiti la rezza
gettando; lì, in armonica bellezza,
s'addensan sopra le animate sponde
i palazzi, le torri, i monumenti,
e ai nostri ricchi scali bastimenti
da paesi diversi portan l'onde...

Queste strofe poetiche, che magistralmente offrono
l'immagine della giovane capitale agli inizi del XIX secolo, appartengono alla penna del più grande e più noto tra i poeti russi, Aleksandr Puškin.

Qui, a Pietroburgo, tutto attirava l'attenzione e risve-
gliava l'ammirazione: le acque gonfie della Neva con i
bei lungofiume in granito e le sponde fitte di lussuosi
palazzi ed eleganti abitazioni; il gran numero di sculture che adornavano strade e piazze; le numerose chiese
e cattedrali dai campanili a guglia che rendevano ancor più vivo il panorama della città; la profusione di
giardini e parchi; la miriade di isolette verdeggianti...

La storia di Pietroburgo è inscindibile da quella della Russia, dallo sviluppo della sua cultura, della scienza e dell'arte. Per oltre due secoli la città fu capitale

dello stato russo e, naturalmente, vi lavorarono molti
tra i maggiori architetti russi e stranieri, chiamati ad
abbellire la "Palmira del Nord", come allora era poeticamente chiamata Pietroburgo, di autentici capolavori destinati a entrare nella storia dell'architettura di
tutto il mondo.

Desta meraviglia quanto questa città sia ancora giovane. Essa manca di qualsivoglia canuta antichità e il
suo volto reca l'impronta di soli due secoli di vita. Proprio per questo, la sua bellezza e la sua grandiosità ri-
siedono innanzitutto nella severa osservanza delle proporzioni e in quell'eleganza che tanto fu cantata da
poeti russi e stranieri.

Vorremmo ricordare brevemente al lettore la storia
della nascita di questa città. Essa venne fondata da
Pietro I nel 1703, durante la guerra del Nord con la
Svezia, inizialmente come fortezza e porto, come
avamposto della Russia sulle frontiere occidentali che
si affacciavano sul mar Baltico. La scelta del luogo era
stata particolarmente fortunata: sul fiume Neva, poco
lontano dal punto in cui essa si getta nel golfo di Finlandia, bagnando rive pianeggianti e suddividendosi in
diversi rami che vengono così a creare una moltitudine
di isole. Pietro il Grande aveva compreso all'istante la
stupenda posizione del luogo, fondandovi la città che,
nel 1712, quando ancora non erano passati dieci anni
dalla fondazione, doveva divenire capitale dello stato
russo. Gradualmente, cominciarono a trasferirsi qui
tutte le istituzioni governative e l'intero ceto nobiliare.

Pietroburgo crebbe veramente con una rapidità fan-
tastica. Nessun'altra città del mondo ha conosciuto
un'edilizia di tali dimensioni e in tali tempi. Nei primi
decenni, i lavori di costruzione, rigidamente controlla-
ti, furono diretti da Domenico Trezzini (1670-1734),
nominato "architetto capo" della città. L'edificazione
obbedì fin dall'inizio agli spazi imposti dal fiume Neva,
concentrandosi attorno alla fortezza di Pietro e Paolo e
all'omonima cattedrale sorta al suo interno, entrambe
costruite nel 1703 sull'isola Zajacij, nel punto in cui la
Neva raggiunge la massima ampiezza. Sulle rive del
fiume si innalzavano le residenze dello zar (la prima fu
la Casetta d'Estate di Pietro I, successivamente segui-

*Andrej Efimovič
Martynov*, Il Palazzo
di Pietro I nel
Giardino d'Estate,
*1809-1810,
particolare. Il
progetto del Palazzo
(1710-1712) è degli
architetti D. Trezzini
e A. Schlüter.
Leningrado, Museo
dell'Ermitage.*

rono il Palazzo d'Estate e il Palazzo d'Inverno), le case della nobiltà, ancora abbastanza modeste nella loro architettura, nonché diversi edifici pubblici. Furono aperte strade larghe e prospettive, come, ad esempio, la prospettiva Nevskij, famosa in tutto il mondo e destinata ad avere nella vita della città un ruolo identico agli Champs Elysées o a rue de Rivoli a Parigi. Molto tempo dopo, già alla metà del XIX secolo, il famoso scrittore e viaggiatore francese Théophile Gautier, descrivendo il suo soggiorno a Pietroburgo, osservò che la prospettiva Nevskij era «pari... a Regent Street a Londra, l'Alcalà a Madrid, via Toledo a Napoli».

Verso la metà del XVIII secolo, sotto il regno dell'imperatrice Elisabetta Petrovna (dal 1741 al 1761), figlia di Pietro I, la città, che aveva compiuto appena cinquant'anni, mutò bruscamente il proprio volto. Al posto della città severa e affaccendata comparve una città di stupendi palazzi e magnifiche cattedrali. Il maggiore architetto della Pietroburgo di quell'epoca fu Bartolomeo Francesco Rastrelli (1700-1771), uno dei maggiori architetti dell'epoca, nativo della lontana Italia. Arrivato in Russia appena sedicenne, al seguito del padre, lo scultore Carlo Bartolomeo Rastrelli, egli vi rimase per tutta la vita. Insieme all'architetto russo Savva Čevakinskij (1713-1780), seppe creare in architettura lo stile nazionale del barocco russo, utilizzando creativamente la ricchezza sia dell'eredità antico-russa sia di quella mondiale. La città si abbellì di stupendi monumenti architettonici, che spiccavano per grandiosità e slancio, ricchezza e sfarzo del decoro, eleganza ornamentale e profusione di sculture e intarsi lignei, per la policromia e la complessiva risonanza "in maggiore".

L'apoteosi dell'arte di Rastrelli fu il Palazzo d'Inverno, edificato tra il 1754 e il 1762 nel centro stesso della città, di fronte alla fortezza di Pietro e Paolo (esso ospita oggi il Museo dell'Ermitage). Il palazzo divenne l'autentico cuore della Russia e, nella seconda metà del XVIII secolo, vi abitò per trentaquattro anni (dal 1762 al 1796) l'imperatrice Caterina II, indiscussa padrona del palazzo come dell'intera Russia. Qui si svolgevano tutti gli affari di stato, si accoglievano gli ambasciatori stranieri e si celebravano le solennità legate alla vita dello stato. «La sua corte [di Caterina II] — scrisse il conte de Ségur, ambasciatore di Francia a Pietroburgo — fu luogo di incontro di tutti i sovrani e di tutte le personalità più eminenti dell'epoca. Prima di lei, Pietroburgo, edificata ai confini del gelo e dei ghiacci, era rimasta quasi nascosta e pareva dovesse trovarsi chissà dove in Asia. Sotto il suo regno, la Russia divenne una potenza europea. Pietroburgo acquistò un posto di primo piano tra le capitali del mondo civilizzato e il trono dello zar si levò fino alle vette dei troni più potenti e importanti».

Dopo la morte di Caterina II, nel palazzo abitò per non molto il figlio Paolo I, erede e imperatore a sua

volta, che presto tuttavia preferì trasferirsi nel castello Michajlovskij, eretto appositamente per lui. Fu così che il Palazzo d'Inverno restò per breve tempo deserto. Nel 1801, tuttavia, Paolo I venne ucciso a seguito di una congiura di palazzo e salì al trono il figlio Alessandro, che doveva regnare fino al 1825. In quegli anni, come pure in quelli che seguirono, fino a tutto il 1917, il Palazzo d'Inverno ridivenne la residenza stabile degli imperatori russi.

L'epoca di Caterina II fu un periodo di grande importanza e di estremo interesse nella vita di Pietroburgo. Gli intensi lavori di edilizia continuavano, ma nella seconda metà del XVIII secolo all'elegante e sontuoso barocco venne a sostituirsi la nobile semplicità e la pacata grandiosità del classicismo, direttamente legato all'antichità, i cui ideali erano alla base della nuova tendenza artistica. Sull'architettura della capitale vennero a riflettersi naturalmente i grandi mutamenti avvenuti nella vita russa di quel tempo. Ebbero così sviluppo i principi su cui si era basata la costruzione nei primi venti anni del XVIII secolo, cioè regolarità e simmetria. A differenza di quelli sorti alla metà del XVIII secolo, comparvero edifici pubblici di nuovo tipo, l'Accademia delle Scienze, l'Accademia di Belle Arti, orfanotrofi, ospedali, istituti scolastici, teatri. I lavori venivano solertemente diretti dalla Commissione per l'edificazione in pietra di San Pietroburgo e di Mosca, istituita nel 1762 e intenzionata «a conferire alla città di San Pietroburgo quell'ordine e quella dignità nonché quella magnificenza che sono convenienti alla capitale di uno stato di tale vastità». A capo della Commissione fu nominato Aleksej Kvasov (1718-1772), un urbanista di talento sostituito alla sua morte da un altro grande architetto, Ivan Starov (1745-1808).

Nel 1762 iniziarono i lavori, destinati a protrarsi per lungo tempo, per la posa dei nuovi lungofiume di granito, che dovevano sostituire quelli vecchi in legno. A dirigere tali lavori fu chiamato l'architetto Jurij Fel'ten (1730-1801). La bellezza dei severi e diritti lungofiume era variata dalle numerose discese all'acqua, sempre realizzate in granito, e dai piccoli ponti, tutti di forma diversa, gettati sui canali.

La Neva si è vestita di granito;
sopra l'acque s'inarcano eleganti
i ponti e intorno cupo-verdeggianti
i giardini rivestono tutto il lito...

scriveva Aleksandr Puškin.

Nella seconda metà del XVIII secolo Pietroburgo divenne il maggiore centro scientifico e culturale della Russia. Eventi importanti nella vita della città e nel suo volto architettonico furono la solenne inaugurazione nel 1764 dell'Accademia di Belle Arti, quella del Teatro Grande in pietra e la fondazione dell'Ermitage, nato inizialmente come museo personale di Caterina II.

*Bartolomeo
Francesco Rastrelli,
Il Palazzo d'Inverno,
1754-1762, Facciata
sul Lungoneva.*

Bartolomeo
Francesco Rastrelli,
Il Palazzo d'Inverno,
1754-1762, Veduta
dal lato della piazza.

L'edificio dell'Accademia di Belle Arti, eretto sulla riva della Neva su progetto degli architetti Aleksandr Kokorinov (1726-1772) e Jean-Baptiste-Michel Vallin de la Mothe (1729-1800), è considerato a buon diritto una delle opere più rappresentative dell'architettura russa del XVIII secolo. La soluzione architettonica della sua facciata principale, che si apre sulla Neva, ha un che di solenne: la sua parte centrale è messa in risalto da un porticato tra le cui colonne si innalzano le statue di Ercole e di Flora. Per molti anni, come pure ai nostri giorni, l'Accademia fu uno dei principali centri della vita artistica russa.

Quasi contemporanea all'inizio della costruzione dell'Accademia di Belle Arti, nel 1764, fu la posa accanto al Palazzo d'Inverno, per editto di Caterina II, delle fondamenta del Piccolo Ermitage, su progetto di Vallin de la Mothe. In quell'anno Caterina II aveva acquistato la prima grande collezione di quadri di pittori dell'Europa occidentale, che doveva costituire la base dell'Ermitage, uno dei maggiori musei di tutto il mondo. Il 1764 è considerato l'anno di nascita del museo. La rapida crescita delle collezioni richiese la costruzione di un secondo edificio, il Grande Ermitage, eretto tra il 1775 e il 1782 sulle rive della Neva, di fianco al primo, su progetto di Jurij Fel'ten. Entrambi gli edifici sono particolarmente aggraziati. Il primo è ornato di un portico a otto colonne sormontato da un gruppo scultoreo; il secondo risponde invece ai canoni del più severo classicismo e spicca per un'architettura semplice e contenuta.

Nel 1783 fu terminato e inaugurato solennemente il Teatro Grande in pietra, edificio austero e monumentale con un portico a otto colonne. Per molti decenni esso fu il principale teatro del paese, che ebbe ospiti sia compagnie di attori nazionali, sia celebrità in tournée, tra cui compagnie e cantanti d'opera italiani. Autore del progetto fu l'architetto Antonio Rinaldi (1710?-1794), giunto dall'Italia e attivo per molti anni alla corte di Caterina. Brillante rappresentante del classicismo, Rinaldi realizzò diversi edifici della capitale, tra cui lo stupendo Palazzo di Marmo per il conte Grigorij Orlov, il favorito di Caterina II. Il palazzo venne così chiamato in quanto Rinaldi utilizzò per la sua costruzione pietre originali russe di diverso tipo, che offrivano una stupefacente gamma cromatica di grande bellezza e ricchezza e rendevano il palazzo uno degli edifici più eleganti di tutta Pietroburgo. Jean Bernoulli, nipote dei famosi astronomi, scrisse durante la sua visita a Pietroburgo nel 1776: «...nonostante sia più piccolo di altri, questo è senza dubbio il più bel palazzo di San Pietroburgo, più del palazzo imperiale».

Per il grande uomo di stato Grigorij Potëmkin, l'onnipotente principe di Tauride, altro favorito di Caterina II per lunghissimi anni, l'architetto Ivan Starov costruì uno dei più preziosi monumenti di Pietroburgo, il Palazzo di Tauride, che può essere considerato il prototipo di un infinito numero di ville nobiliari cittadine e rurali, di molti ospedali e istituti scolastici. «Esteriormente — secondo le parole del poeta Gavriil Deržavin — il palazzo non rifulge né per dorature, né per preziosi intarsi, né per altri sontuosi ornamenti; il raffinato gusto dell'antichità costituisce il suo maggior pregio: quello di essere semplice e grandioso».

Come si è già detto, all'edificazione di Pietroburgo presero parte non soltanto architetti russi, ma anche un gran numero di stranieri, tra i quali un posto eminente spetta ad artisti italiani. Abbiamo già ricordato Bartolomeo Francesco Rastrelli e Antonio Rinaldi, che per lunghi anni vissero in Russia ed ebbero un ruolo enorme nella creazione del volto della capitale del Nord. Vorremmo ancora menzionare un altro grande architetto, nativo di un sobborgo di Bergamo, Giacomo Quarenghi (1744-1817), fulgido esponente del più severo classicismo, a cui si deve un numero considerevole di edifici pietroburghesi. Tra essi ricordiamo l'Accademia delle Scienze sul lungofiume della Neva, le gallerie di negozi Serebrjanye sulla prospettiva Nevskij, l'insieme di costruzioni appartenenti alla Banca per gli Assegnati in via Sadovaja (proprio di fronte a questo edificio, nel 1967, fu posto il monumento al grande architetto), il Teatro dell'Ermitage, sempre sulla riva della Neva accanto al Palazzo d'Inverno, e altri ancora. Tra le migliori realizzazioni di Quarenghi ricordiamo l'Istituto Smol'nyj per le fanciulle nobili, decorato di uno stupendo porticato ionico con frontone. Il tratto tipico dell'arte di questo architetto è una monumentalità austera e laconica. Fu proprio Quarenghi a porre le basi di quella che doveva essere la "severa ed armoniosa" Pietroburgo, conservatasi fino ai nostri giorni e oggi centro di Leningrado.

Parlando della Pietroburgo del XVIII secolo non possiamo non ricordare stupendi monumenti scultorei, tra i quali risalta il monumento equestre a Pietro I sulla piazza del Senato, il famoso Cavaliere di Bronzo, così chiamato dall'omonimo poema di Aleksandr Puškin, opera nota in tutto il mondo e realizzata nel 1782 dallo scultore Etienne Maurice Falconet. La possente figura dell'imperatore domina con sicurezza l'energico impeto del cavallo, impennato sulle ripide rocce che formano il piedestallo. Con il braccio destro teso, egli pare voler affermare la vittoria e il trionfo della giovane Russia.

Un secondo monumento equestre a Pietro I, già realizzato tra il 1740 e il 1750 dallo scultore Carlo Bartolomeo Rastrelli, padre dell'architetto, fu inaugurato soltanto nel 1800 e posto dinanzi al castello Michajlovskij per volere di Paolo I. Possiamo ancora ricordare il monumento al generalissimo Aleksandr Kutuzov (1799-1800, di Michail Kozlovskij), che orna la piccola piazza tra il ponte Troickij e il Campo di Marte.

Uno degli ultimi edifici realizzati nel XVIII secolo fu

Bartolomeo Francesco Rastrelli, Scalone principale del Palazzo d'Inverno, *1756-1761, restaurato nel 1838 da Vasilij Petrovič Stasov.*

L. Solov'ev, Volta dello scalone principale del Palazzo d'Inverno.

*Vasilij Petrovič Stasov, Sala degli
stemmi, 1839.
Prima, Galleria della Luce di B. F.
Rastrelli, poi ricostruita da Y. Felten
nel XVIII secolo.*

22

Auguste Montferrand,
Sala di Pietro I il
Grande *(o* Sala del
Piccolo Trono*),*
1833. Ricostruita
da V. Stasov dopo
l'incendio del 1837.
Nella nicchia il
dipinto di Jacopo
Amigoni, Minerva e
Pietro, *c. 1730.*

il castello Michajlovskij, costruito per volontà del nuovo imperatore Paolo I, che tra le sue mura venne ucciso nella notte tra l'11 e il 12 marzo 1801. L'austero edificio, a suo modo dotato di grande espressività, fu opera dell'architetto Vasilij Baženov (1737-1793), al quale lo stesso Paolo I aveva fatto pervenire l'abbozzo della pianta del futuro palazzo. I lavori, tuttavia, furono diretti da Vincenzo Brenna (1745-1820), l'architetto di corte preferito da Paolo I. La costruzione è risolta nelle forme massicce, e un tantino pesanti, di un castello medioevale, circondato ai quattro lati dall'acqua (il fiume Mojka, la Fontanka e un largo fossato con ponti levatoi).

Nel 1803, già sotto il regno del figlio di Paolo I, l'imperatore Alessandro I, Pietroburgo celebrò solennemente il suo primo centenario. A quel tempo, la capitale della Russia si era trasformata in un'enorme città con duecentomila abitanti, ricca di stupendi palazzi che lasciavano stupefatti i contemporanei. Qualche anno prima, ad esempio, il compositore polacco Michail Oginski scriveva alla moglie da Pietroburgo: «Che città, mia cara amica! Anche dopo aver visto Londra, Berlino, Dresda e Vienna, sono rimasto a bocca aperta attraversando in carrozza le ampie vie di questa capitale, che soltanto cento anni fa ancora non esisteva».

È importante notare che proprio tra il 1800 e il 1825 i principi architettonici tipici dello stile del classicismo trovarono la loro più ampia concretizzazione. Il desiderio di organizzare ampi spazi, di legare nuovi edifici a quelli già esistenti, pure realizzati secondo diverse concezioni stilistiche, nonché la bellezza del paesaggio architettonico nel suo insieme — questi furono i criteri fondamentali seguiti dagli architetti del classicismo più maturo, detto frequentemente "stile impero".

I primi anni del XIX secolo videro a Pietroburgo la posa di tre costruzioni di grandi dimensioni, che ancora oggi hanno un ruolo non indifferente nel complesso urbano di Leningrado. Si tratta della Strelka dell'isola Vasil'evskij, della cattedrale di Kazan sulla prospettiva Nevskij e dell'Ammiragliato. I progetti di questi tre edifici appartengono a tre grandi architetti: Thomas de Thomon (1761-1813), Andrej Voronichin (1759-1814) e Andrejan Zacharov (1761-1811).

Grandi lavori di edilizia furono attuati sulla prospettiva Nevskij, al fine di conferire alla strada maestra della città una maggiore forza espressiva. Nel complesso architettonico della prospettiva furono inserite grandi costruzioni, insieme con nuove piazze e vie adiacenti ad essa, come ad esempio gli edifici del teatro Aleksandrinskij, del palazzo Michajlovskij e della cattedrale di Kazan. Quest'ultima fu realizzata su progetto dell'architetto Andrej Voronichin, che seppe brillantemente risolvere il compito affidatogli. Su richiesta di Paolo I, la chiesa doveva ricordare esteriormente quella di San Pietro e divenire la cattedrale principale di Pietroburgo, dedicata alla Vergine di Kazan, protettrice della casa Romanov. Voronichin, tuttavia, considerando le particolari caratteristiche di Pietroburgo, non creò un complesso architettonico chiuso, quasi isolato, come a Roma, bensì lo legò allo spazio urbano circostante. Rifacendosi al motivo del colonnato di San Pietro, ma elaborandolo secondo le particolari esigenze di Pietroburgo, egli fece rientrare leggermente la cattedrale rispetto alla prospettiva e introdusse nella composizione uno stupendo colonnato di novantasei colonne che, partendo dalla facciata laterale a nord (secondo la chiesa ortodossa l'altare doveva affacciarsi ad est, cioè verso il canale Ekaterinskij), si apriva sulla prospettiva Nevskij, creando così una piazza che veniva a fondersi con la prospettiva stessa.

La cattedrale è in pietra di colore giallo chiaro, detta "di Pudost'", dal nome del luogo di estrazione. La costruzione non è molto alta e la sua cupola argentea si innalza di 71,6 metri. L'edificio è ricchissimo di sculture, opere di numerosi artisti russi, quali Ivan Martos, Ivan Prokof'ev, Vasilij Demut-Malinovskij e altri. Tutti questi scultori, tra l'altro, decorarono con la loro arte molti altri edifici costruiti tra il 1800 e il 1825. La cattedrale di Kazan, di esatte e grandiose proporzioni, è allo stesso tempo un monumento *sui generis*, innalzato all'eroismo del popolo russo durante la guerra napoleonica (nel tempio sono conservate le bandiere nemiche, gli stendardi e le chiavi delle città conquistate durante il conflitto), e una stupenda opera architettonica che abbellisce la prospettiva Nevskij. Nel 1837, sulla piazza della cattedrale di Kazan, furono posti i monumenti al comandante in capo Michail Kutuzov (le cui ceneri riposano nella cattedrale) e ad un altro generale della guerra napoleonica, Michail Bogdanovič Barclay de Tolly. Entrambe le opere appartengono allo scultore Boris Orlovskij.

Tra il XVIII e il XIX secolo, uno dei problemi maggiori nell'edificazione di Pietroburgo fu la veste architettonica della parte centrale della città, nei pressi del Palazzo d'Inverno, nel punto in cui la Neva si divide in due bracci, formando la cosiddetta Strelka dell'isola Vasil'evskij. Il luogo aveva visto il succedersi di lavori edilizi piuttosto caotici, giacché fin dai tempi di Pietro I aveva ospitato il porto della città.

Nel 1801 la veste architettonica della Strelka e la costruzione dell'edificio della Borsa furono affidate al grande architetto Thomas de Thomon, da poco giunto a Pietroburgo (era nativo della Svizzera ma aveva ricevuto l'educazione artistica in Francia e in Italia). Il progetto di Thomon, a cui egli lavorò alcuni anni, fu approvato nel 1804 e nell'estate del 1805 fu posata la prima pietra della Borsa. L'architetto aveva proposto un terrapieno che facesse avanzare la riva di cento metri nella Neva e ne sollevasse il livello naturale per potervi ospitare una piazza a emiciclo. La Borsa ha per perimetro il modello di un edificio dell'antichità, circondato sui quattro lati da un colonnato dorico e con un salone centrale per le operazioni finanziarie. Il grande numero di sculture (il dio dei mari Nettuno, l'allegoria della Navigazione, Mercurio e altri), che ricordano simbolicamente la destinazione dell'edificio, portuale e commerciale, è tipico dell'architettura del classicismo maturo.

Di fronte alla Borsa, quasi a fiancheggiarla, furono poste due monumentali colonne doriche (alte 32 metri), veri e propri fari che indicavano l'ingresso al porto. Le colonne sono dette rostrate, poiché recano alcune raffigurazioni scultoree dei rostri di una nave.

Nel complesso, l'edificio della Borsa, con il suo profilo netto, le colonne rostrate, la piazza a emiciclo e le discese verso la Neva in granito massiccio, crea un insieme armonico, che a tutt'oggi occupa un posto dominante tra i complessi architettonici del centro di Pietroburgo.

Quasi contemporaneamente alla costruzione della Borsa ebbero inizio i lavori sulla riva opposta della Neva, dove fin dal 1740, accanto al Palazzo Imperiale, si trovavano i cantieri navali e il vecchio edificio dell'Ammiragliato. La creazione del nuovo Ammiragliato, il cui volto avrebbe dovuto rispondere a quello della capitale e in cui si pensava di collocare il Dipartimento della Marina Militare e il Ministero della Marina, fu affidata all'architetto Andrejan Zacharov (1761-1811), già famoso per altre sue opere pietroburghesi. Considerando la necessità di collegare l'edificio amministrativo con i cantieri navali, Zacharov elaborò un'originale soluzione: egli dispose i due edifici a forma di quadrilatero aperto su un lato, come fossero l'uno dentro l'altro, separandoli con un canale per il varo delle navi (in seguito, allorché i cantieri furono trasferiti dal centro della città, il canale fu interrato). Nella costruzione interna si trovavano le officine dei cantieri, mentre quella esterna, sontuosa ed elegante, rivolta verso la Neva, la prospettiva Nevskij, le piazze del Senato e del Palazzo d'Inverno, ospitava gli uffici statali.

L'Ammiragliato, edificato nelle migliori tradizioni del classicismo, occupa un posto d'onore tra i più bei complessi del centro, caratterizzato da un deciso e complesso ritmo nell'alternarsi delle varie parti delle facciate (porticati, colonnati e pareti nude), da un'aerea torre a gradini e dalla massiccia presenza di ornamenti scultorei. La torre, coronata da una guglia dorata di 72 metri con in punta una navicella pure dorata, divenne il simbolo della città, il simbolo della gloria navale russa.

L'austero e grandioso edificio del nuovo Ammiragliato richiese la ristrutturazione delle tre piazze ad esso adiacenti, la piazza del Senato, dell'Ammiragliato e del Palazzo d'Inverno. Tale ricostruzione apparteneva già a una nuova fase nell'edificazione di Pietroburgo, seguita alla guerra napoleonica del 1812, e fu legata al nome di uno degli architetti di maggior talento della prima metà del XIX secolo, Carlo Rossi (1777-1849).

Figlio di un'artista di balletto assai famosa in Europa e invitata in Russia con il suo secondo marito, il coreografo Lapicque, Carlo Rossi arrivò a Pietroburgo ancora bambino e vi visse quasi settant'anni. Il periodo più smagliante della sua arte è legato a Pietroburgo, dove furono realizzati su suoi progetti vari complessi architettonici destinati a cambiare la capitale e a definirne il volto esteriore.

Il presente articolo non ci permette di parlare più diffusamente dei molteplici lavori di Rossi. Citeremo il palazzo Michajlovskij, costruito per Michail, il fratello minore dello zar Nicola I. L'architetto, trasformando completamente un intero quartiere, creò un complesso di grandi dimensioni, ponendovi al centro il palazzo e aprendo verso la prospettiva Nevskij una nuova via, chiamata Michajlovskaja. La costruzione del palazzo ebbe inizio nel 1819 e terminò nel 1829, mentre quella dell'intero complesso durò una ventina d'anni. L'edificio è decorato con un colonnato corinzio di stupenda fattura, con un portico di otto colonne al centro. L'abbondanza di ordini architettonici diversi e di ornamenti scultorei è tipica dell'arte di Rossi e conferisce alle sue opere sontuosità, eleganza e un fascino particolare. Il palazzo ospita oggi uno dei maggiori musei dell'URSS, il Museo russo, che nel 1998 celebrerà il proprio centenario.

Lavori di grande portata furono curati da Rossi per la veste della piazza del Palazzo d'Inverno, centro della città e sede di diversi uffici amministrativi e di istituzioni governative, come lo Stato Maggiore e alcuni ministeri. L'architetto creò di fronte al Palazzo d'Inverno due grandiosi edifici che, con un emiciclo di particolare leggerezza, si affacciavano al palazzo. Univa le due costruzioni un enorme arco di trionfo (in memoria della guerra napoleonica del 1812), coronato dal cocchio della Vittoria, tirato da sei cavalli guidati dalla Gloria (la scultura è alta 8 metri).

Pietroburgo fu sempre considerata il centro della vita teatrale russa. Tra i diversi teatri, edificati agli inizi del XIX secolo, ricorderemo il teatro Aleksandrinskij, che deve il suo nome a Alessandra Fëdorovna, moglie dell'imperatore Nicola I. Fedele ai principi della creazione di grandi complessi, Rossi, a cui era stata affidata la costruzione del teatro, curò anche le vie e le piazze ad esso adiacenti. Il teatro fu inaugurato nel 1832 e divenne una delle principali scene di Pietroburgo (oggi teatro A.S. Puškin). La sua facciata principale, che si apre verso la prospettiva Nevskij con un piccolo giardino, è ornata di una loggia, sormontata dalla quadriga di Apollo, dio delle arti, e di nicchie che ospitano le statue di Tersicore e Melpomene (opera degli scultori Stepan Pimenov, Vasilij Demut-Malinovskij e dell'italiano Alessandro Triscorni). Dalla facciata opposta ha inizio la via Teatral'naja, la nuova via creata da Rossi e che oggi appunto è chiamata via dell'architetto Rossi.

Al genio dell'architetto si devono anche altri com-

Ignoto pittore,
Ritratto di Alexandr
Sergeevič Puškin,
1830-1840.
Leningrado, Museo
Puškin.

27

plessi architettonici di Pietroburgo, tra i quali ricordiamo la piazza del Senato presso l'Ammiragliato, al centro della quale sorge il famoso Cavaliere di Bronzo. Rossi curò magistralmente anche molti interni e si deve a suoi progetti la realizzazione di varie sale del Palazzo d'Inverno. Le opere di Carlo Rossi vengono a buon diritto considerate il coronamento dell'architettura russa tra il 1800 e il 1825 e la fase conclusiva del classicismo russo nell'architettura di Pietroburgo.

Negli stessi anni, lavorarono nella capitale della Russia numerosi altri architetti, che offrirono il loro prezioso contributo all'edificazione di Pietroburgo. Ricorderemo tra gli altri Vasilij Stasov (1769-1848), a cui si debbono diversi edifici di magnifica fattura, tra i quali, ad esempio, la caserma della Guardia del reggimento Pavlovskij (1817-1818), una monumentale costruzione dalle bianche colonne situata nei pressi del Campo di Marte, alcune chiese e le porte trionfali Moskovskie.

La bellezza di Pietroburgo, della stupenda "Palmira del Nord", era profondamente sentita dai contemporanei. I poeti cantavano i luminosi spazi della Neva e i maestosi edifici. I pittori immortalavano sulle loro tele e nelle opere di grafica il severo volto della città. Alcune di tali opere sono presenti in questa mostra.

A conclusione, vorremmo citare le parole di Aleksandr Puškin, cantore di Pietroburgo in più di un'opera:

Io t'amo, o creazione armoniosa
di Pietro, t'amo per le tue severe
forme, per il corso della maestosa
Neva e il granito delle sue riviere...[1]

Traduzione di Gian Luigi Giacone

[1] La traduzione dei versi tratti dal *Cavaliere di Bronzo* di A.S. Puškin è di Ettore Lo Gatto (n.d.t.).

LE RESIDENZE IMPERIALI SUBURBANE
Natalija Guseva

Le residenze imperiali suburbane, conservatesi per la maggior parte fino ai giorni nostri, costituiscono un capitolo a sé stante, non solo della storia dell'architettura e dell'arte dei giardini in Russia, ma più ampiamente della storia della nostra patria. Proprio qui ha trovato libera e piena espressione, indipendentemente da limiti di spazio o da rigidi canoni stilistici, il talento dei maggiori architetti, pittori e maestri giardinieri. A loro volta le altezze imperiali potevano qui trovare riposo, sottraendosi all'opprimente etichetta di corte ed ai sottili intrighi di palazzo, dedicandosi, all'aria aperta, come comuni mortali, ai propri svaghi e passatempi preferiti.

È noto che Pietro il Grande, il fondatore della nuova capitale russa, fin dalla gioventù preferiva alle escursioni sulla terra ferma i viaggi per mare. Nella sua "Venezia del Nord" egli tentava di instaurare fra gli abitanti e, in primo luogo, fra i cittadini agiati, obbligati a possedere piccole imbarcazioni private, l'abitudine ai comodi spostamenti per via d'acqua. Perciò, non appena il forte vento primaverile trascinava via dalla Neva e dai suoi affluenti le ultime lastre di ghiaccio, sul fiume si radunava l'intera flottiglia di piccole imbarcazioni "particolari" (cioè private) a remi e a vela. I cortigiani, alcuni di propria spontanea volontà, altri, invece, in obbedienza al volere di Pietro, intraprendevano più volte durante l'estate lunghi viaggi per mare. Lungo il percorso, i rematori su apposite imbarcazioni invitavano coloro che lo desideravano a prendere parte all'escursione. Un itinerario frequente era la navigazione sulla Neva o sulla Fontanka fino al delta della Neva, dove il fiume sfocia nel golfo di Finlandia, formando l'ampia baia della Neva.

Lungo tutto il percorso di questa improvvisata spedizione pacifica, tutti coloro che lo desideravano potevano sbarcare nei luoghi che più li attiravano per pescare, riscaldarsi presso un fuoco, ammirare i dintorni. Per ordine di Pietro, che desiderava rendere queste escursioni più piacevoli e, nello stesso tempo, attestarsi stabilmente su queste terre tradizionalmente russe e sottratte da poco alla dominazione svedese, lungo la riva meridionale, in corrispondenza con le varie tappe del percorso, cominciarono a sorgere, fin dal primo decennio del XVIII secolo, piccoli palazzi e alloggi, destinati rispettivamente allo zar e ai suoi cortigiani. Contemporaneamente vennero intraprese la bonifica dei territori circostanti e l'apertura di nuove strade.

Già verso la metà del XVIII secolo, secondo la testimonianza di alcuni stranieri di passaggio, la strada che univa Pietroburgo a Peterhof, situata sulla costa a ventinove chilometri dalla città, ricordava per la sua bellezza la strada che da Parigi conduceva a Versailles. Effettivamente Peterhof, costruita su progetto dello stesso Pietro, era la creatura più amata dall'imperatore, che la mostrava con orgoglio a tutti gli ospiti che, tra il 1720 ed il 1730, soggiornarono nella capitale. Il luogo, scelto con sicuro e felice intuito, presenta un paesaggio naturale caratterizzato da un basso litorale che, innalzandosi improvvisamente, si trasforma in una ripida parete, permettendo così di separare il complesso del Giardino Superiore da quello del Parco Inferiore. Il loro anello di congiunzione era rappresentato dal Gran Palazzo che, posto su un'altura, era visibile anche da lontano a chi vi si avvicinava provenendo dal mare. A sua volta, dalle finestre della sala centrale del palazzo si apriva un panorama meraviglioso che, da una parte, comprendeva il viale centrale del Giardino Superiore, con i boschetti accuratamente potati e le aiuole geometriche, dall'altra, verso il basso, si allargava in un'incantevole visione a volo d'uccello, che abbracciava tutto il corso del Gran Canale, dal parco fino alle lontananze grigio-argentee del mare in cui esso si perdeva. Dal 1716 tutti i lavori a Peterhof passarono sotto la sovrintendenza di Jean Baptiste Leblond, che nella sua patria, la Francia, aveva ottenuto il titolo di architetto di corte. Alla sua morte, avvenuta nel 1719, la direzione del cantiere fu affidata a Nicola Michetti, aiutante e allievo del celebre architetto italiano Carlo Fontana.

Oltre al Gran Palazzo, nel Parco Inferiore figuravano alcuni graziosi edifici quali il Marly, che si affacciava sullo specchio d'acqua di un laghetto artificiale a forma rettangolare, l'Ermitage, circondato da un fossato, ed il Monplaisir. La decorazione delle sale interne di questi palazzi, alla quale lavorarono artigiani russi ed europei di grande valore, si distingueva per la ricercatezza, la bellezza e l'eleganza degli elementi ornamentali, sullo stile dei francesi Nicolas Pineau e Jean Pillement, che qui lavorarono. Questo complesso ricordava senza dubbio la residenza del monarca francese. Ma non del tutto. Solo nelle residenze dell'imperatore russo le acque sorgive che scendevano spontaneamente da un rilievo naturale, attraverso una conduttura, si slanciavano liberamente verso l'alto nelle decine di zampilli spumosi delle fontane del Parco Inferiore, per poi ricadere, mescolandosi con l'acqua salata del mare. Questi spettacolari giochi d'acqua che, alla luce del

Peterhof
(Petrodvorec),
Fontana.

superando in sfarzo e magnificenza le residenze di molti monarchi europei, testimoniava della potenza e delle inesauribili possibilità creative della Russia. A Peterhof il luogo più amato da Pietro stesso era il Monplaisir, un palazzo in pietra, costruito su un terrapieno in prossimità delle onde, che quasi giungevano a lambirlo; in tal modo l'aria umida, mossa dal vento marino, circolava costantemente all'interno delle sue stanze. Di modeste dimensioni, con il solo pianterreno, dotato di una comoda cucina rivestita di mattonelle di maiolica, il Monplaisir ricordava le tipiche costruzioni olandesi che all'imperatore, amante della vita sobria e semplice, erano più gradite delle sale sfarzose dagli al-

sole, acquistavano uno splendore iridescente, costituivano un essenziale elemento compositivo, tale da movimentare e trasformare in un insieme armonioso l'intero complesso di parchi e palazzi. In ogni angolo del parco il visitatore stupito ed ammirato si imbatteva in piacevoli sorprese, che si presentavano sotto forma di "fontane degli scherzi", di "giardinetto cinese", di gallerie e di padiglioni a specchi. Vi erano anche autentiche stranezze, per esempio, la "curiosità idrica", uno strumento dotato di campane di cristallo che, alla caduta dell'acqua, emetteva suoni straordinariamente melodiosi.

Nell'insieme questo "paradiso sulla riva del mare",

ti soffitti. Qui, in compagnia di amici e di sostenitori, Pietro I trascorreva i momenti migliori della sua esistenza, facendo partecipe dei suoi nuovi progetti una ristretta cerchia di intimi...

La morte improvvisa, tuttavia, impedì la loro realizzazione ed il trasferimento (avvenuto nel 1729) della corte imperiale a Mosca, più vicino ai luoghi abitati da secoli, provocò la completa rovina di molti edifici, in particolare di quelli in legno, innalzati con tanta fatica.

Ma la Russia ormai non poteva più vivere senza Pietroburgo, la sua "finestra" marittima sull'Europa. Ritornati nel 1732 alla capitale settentrionale, l'imperatrice Anna Ioannovna, nipote di Pietro I, ed i suoi cor-

*Peterhof
(Petrodvorec),
Padiglione
dell'aquila imperiale.*

*Peterhof
(Petrodvorec),
Palazzo di
Monplaisir
(1714-21), terrazza
settentrionale verso il
Golfo di Finlandia.*

tigiani presero nuovamente possesso dei palazzi e delle residenze suburbane abbandonate. Queste ultime, tuttavia, negli anni della sua reggenza non subirono trasformazioni di rilievo.

In seguito Elisabetta I, obbedendo alle volontà del padre, fece conferire al "paradiso" da lui preferito proporzioni veramente imperiali e sfarzo barocco, grazie non solo al restauro di tutte le costruzioni preesistenti, ma anche all'aggiunta di ampliamenti al Monplaisir di padiglioni a specchi e di fontane. Particolari rimaneggiamenti subì il Gran Palazzo, trasformato per volontà del valente architetto italiano Bartolomeo Francesco Rastrelli da severo edificio ad un piano, in am-

erano espertissimi, fosse presente ovunque; esso, infatti, incorniciava i soffitti, le porte, gli specchi, i quadri, i mobili. Le tinte accese e cariche, la varietà delle realizzazioni, la profusione di elementi multiformi creavano un effetto di lusso e di sfarzo straordinario.

Benché si rivelasse degna erede del suo grande padre, Elisabetta non ne condivideva appieno la passione per il mare, preferendo infatti i più sicuri viaggi per via di terra.

Poiché a Pietroburgo, a causa delle sue particolari condizioni climatiche, anche d'estate le giornate calde non erano molte, Elisabetta trascorreva sempre più tempo non a Peterhof, bensì a Saarskoe Selo (più tardi

pia e composita costruzione, comprendente gallerie laterali, una chiesa a cinque cupole e il cosiddetto Padiglione dello Stemma. I pilastri, le semicolonne, gli stucchi, i frontoni curvilinei, i rosoni traforati, le balconate con i vasi da fiori, in una parola, tutto l'apparato decorativo esterno, proprio dell'architettura barocca, è qui dispiegato in un insieme di straordinaria armonia, espressione di un gioioso e vigoroso slancio vitale. Lo scalone d'onore laterale conduceva alle due interminabili fughe di stanze del primo piano, disposte parallelamente, collegate fra loro dal motivo conduttore dell'intarsio dorato. Sembrava che l'intaglio, nell'arte del quale i maestri russi, autori di gigantesche iconostasi,

Carskoe), al riparo dall'umidità e dai venti marini. La masseria di Saar (dallo svedese *saari mojs* che significa luogo elevato) sorgeva a sud della foce della Neva, a venticinque chilometri da Pietroburgo. Nel 1708 queste terre erano state donate da Pietro I alla moglie Caterina, che negli anni 1717-1723 vi aveva fatto costruire alcuni piccoli palazzi in pietra. Salita al trono, Elisabetta Petrovna decise di trasformare Carskoe Selo in residenza imperiale d'onore. Alla realizzazione del suo intento diedero un contributo determinante gli architetti Michail Zemcov, Savva Čevakinskij, Bartolomeo Francesco Rastrelli. Alla metà del XVIII secolo sul luogo dove prima sorgevano i piccoli edifici, sorse un enorme palazzo che si estendeva per 325 metri ed il cui esterno era caratterizzato da un complesso ritmo di membrature e dall'inesauribile ricchezza dei motivi ornamentali. Alla bellezza delle facciate faceva riscontro la decorazione degli interni, fra i quali spiccavano la sala da ballo a due arie, con specchi fra una finestra e l'altra, il soffitto affrescato da Giuseppe Valeriani ed il ricco intarsio dorato; la Stanza d'Ambra interamente decorata a mosaico con finissime tessere d'ambra, levigate ed intagliate (donate nel 1716 dal sovrano di Prussia Federico Guglielmo a Pietro I); la Sala dei Quadri, che ospitava una preziosa collezione di opere di artisti europei. Contemporaneamente al rifacimento

Sul lato opposto al palazzo, sul proseguimento del principale asse compositivo del parco, fra i verdi boschetti del serraglio, fu costruito il padiglione Monbijou. In tal modo, si può dire che veniva portata a compimento la creazione di un unico complesso di palazzi e parchi, dove era possibile andare a caccia, in barca, in altalena, dedicarsi a giochi all'aria aperta e persino scivolare giù da una montagna. Appositamente per Elisabetta e su progetto del Rastrelli, che difficilmente avrebbe avuto in patria l'opportunità di costruire edifici del genere, fu eretto lo stupefacente Padiglione dello Scivolo a tre piste. D'estate si poteva scendere su carrellini a rotelle, d'inverno, sul ghiaccio, con le

e alla rifinitura del palazzo venivano condotti i lavori di ampliamento del geometrico parco alla francese e di scavo di laghetti artificiali, di fossati e canali. Sulle rive del laghetto centrale si cominciò a edificare la pittoresca Grotta, mentre l'Ermitage divenne il padiglione principale del Giardino Vecchio. Questo piccolo fabbricato, tipico esempio di architettura barocca, a pianta centrale (una sala ottagonale al centro, piccole anticamere su quattro lati) serviva per ricevere gli intimi amici dell'imperatrice. Affinché i servitori non li disturbassero, una tavola già apparecchiata con svariate leccornie oltre a due canapé scendevano dal piano superiore grazie a speciali congegni meccanici.

slitte. Nelle ore serali Elisabetta, allegra e dinamica per natura, amava danzare.

Di quando in quando, a Carskoe Selo giungeva la giovane coppia degli eredi al trono (i futuri Pietro III e Caterina II). Di solito i principi ereditari vivevano separati da Elisabetta, per ricordare meno frequentemente a Sua Maestà l'inevitabile futuro. Nel 1743, all'arrivo dall'Holstein del nipote, il granduca Pëtr Fëdorovič, Elisabetta gli aveva donato Oranienbaum, un complesso di palazzi e giardini sulle rive del golfo di Finlandia, a quaranta chilometri da Pietroburgo, che era stato in passato una vasta proprietà del più valido sostenitore di Pietro I, Aleksandr Menšikov. La giova-

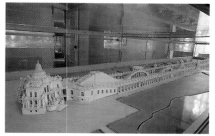

*Oranienbaum
(Lomonosov), Antonio
Rinaldi*, Padiglione
dello scivolo o delle
"Montagne russe",
c. 1760-65.

*Oranienbaum
(Lomonosov)*, Plastico
con la ricostruzione
del Padiglione e
delle "Montagne
russe".

*Alle pagine 32-33:
N. F. Čelnakov,
S. T. Vnukov e P. A.
Astem'ev da un
originale di M. M.
Machaev*, Veduta
prospettica del
Palazzo di Sua
Maestà Imperiale
*a Carskoe Selo a
25* versty *da San
Pietroburgo.*

*Oranienbaum
(Lomonosov),* Palazzo
Cinese, Sala delle
Muse. *Dipinti di
Stefano Torelli.*

*Oranienbaum
(Lomonosov),* Sala
Cinese, *Volta di
Serafino Barozzi.*

ne coppia viveva anche nel Gran Palazzo, costruito all'inizio del XVIII secolo; tuttavia, dalle memorie di Caterina apprendiamo che il marito trascorreva tutta la giornata in una piccola fortezza improvvisata, Peterstadt, eretta per lui negli anni 1756-1762. Per desiderio di Pëtr Fëdorovič, di nascosto dall'imperatrice che non approvava un simile "accampamento dell'Holstein" accanto all'erede al trono di Russia, giungevano qui eserciti speciali provenienti dalla Germania. La giovane Caterina, al contrario, faceva ogni sforzo per dimostrare il suo amore per tutto ciò che era russo: studiava con impegno la lingua dei suoi nuovi compatrioti, leggeva molto, ma ogni mattina trovava anche il tempo per lunghe passeggiate a cavallo.

dagli angoli smussati, dalle figure in rilievo; è scomparso il voluminoso intarsio dorato, ma gli stucchi continuano a ricoprire gli elementi di raccordo. Nell'insieme, il Rinaldi scelse qui quell'elegante stile di transizione, che in Europa aveva ricevuto il nome di rococò, in cui tutto contribuisce, come meglio non si potrebbe, alla creazione di una piccola, intima e nello stesso tempo lussuosa tenuta suburbana. Nell'interno, ognuna delle sale allietava lo sguardo, invitando a passatempi leggeri e piacevoli: ricami di conteria si alternavano a marmi, seriche tappezzerie cinesi erano affiancate a pannelli di legno intarsiato, ovunque pitture, stucchi, preziosi pavimenti lignei, una quantità di soprammobili di gran valore.

Oranienbaum (Lomonosov), Sala Grande. Ovale con Ritratto di Pietro I *di Marie Anne Collot.*

Divenuta imperatrice nel 1762, ella non poteva dimenticare i luoghi della sua giovinezza. Tra il 1760 e il 1765, per suo volere sorse, a sud-ovest del Gran Palazzo di Oranienbaum e su progetto dell'architetto Antonio Rinaldi, la Villa Privata, un complesso comprendente anche il Palazzo Cinese ed il Padiglione dello Scivolo, armoniosamente inserito nell'ambiente circostante. Qui dominano le tonalità intermedie: è scomparsa la rigida geometria dei parchi, benché non figuri ancora quell'imitazione del paesaggio naturale, che farà la sua apparizione solo più tardi; prevalgono ormai, in conformità ai dettami del neoclassicismo, le pareti levigate, attenuate tuttavia dai frontoni semicircolari,

Caterina amava mostrare il suo nuovo palazzo agli stranieri, ritenendo, a ragione, che esso superasse in bellezza anche il celebre Sans Souci del giardino della reggia di Potsdam; a lei piaceva accogliere con condiscendenza le loro manifestazioni di entusiasmo, alla vista di una costruzione straordinaria, sia sotto l'aspetto tecnico che architettonico, quale era il Padiglione dello Scivolo, con un pendio ondulato lungo più di cinquecento metri, affiancato da entrambi i lati da alti porticati altrettanto lunghi e adibiti al passeggio. Tuttavia l'imperatrice si recava a Oranienbaum solo per qualche breve visita; per molti anni il luogo da lei preferito per il riposo fu Carskoe Selo.

«Il mio amabile, il mio adorabile Carskoe Selo...», così scriveva Caterina, mentre Peterhof era «...detestabile, odioso...». Perché? Una risposta si può trovare, almeno in parte, nelle sue lettere. Così, nel 1762 essa annota fra l'altro: «In questo momento io amo alla follia i giardini all'inglese, la sinuosità delle linee, la morbidezza dei contorni, i bacini artificiali simili a laghi, i gruppi di isole di terra riportata e detesto profondamente la linea retta. Odio le fontane, che fanno violenza all'acqua, costringendola a seguire un corso innaturale: in una parola l'anglomania impera nella mia progettomania». Al posto del barocco si erano ormai affermati definitivamente i nuovi ideali del classicismo, alimentato dalla profonda conoscenza della cultura antica; per questo motivo a Carskoe Selo, accanto allo sfarzoso palazzo di Elisabetta, figurava quella "rapsodia greco-romana" vagheggiata da Caterina già verso il 1760 e che testimoniava non solo della prosperità dell'impero, ma anche della grandezza, della nobiltà e della illuminata saggezza di colei che lo reggeva. Creatore del nuovo complesso architettonico, comprendente le Camere di Agata, il giardino pensile ed una lunga galleria coperta adorna di colonne, fu Charles Cameron, che soggiornò a Pietroburgo nel 1780. Inglese di origine, egli aveva vissuto molti anni in Italia, dove aveva studiato l'architettura antica; tuttavia le sue conoscenze trovarono concreta applicazione solo in Russia. Le sue Camere di Agata non sono semplici *myl'nye* (cioè stanze da bagno), esistenti da tempo nelle tenute russe, ma un intero complesso sullo stile delle antiche terme, con piscine, bagni caldi e freddi, stanze per i massaggi, il riposo, la lettura: alcune piccole ed accoglienti, altre, invece, spaziose e con alti soffitti a cupola; tutte, nel loro insieme, contribuivano a creare un'atmosfera di benessere spirituale e di salute fisica, che era il tratto caratteristico degli autentici monumenti romani. Tuttavia Cameron si rivelò non un imitatore, ma una personalità creativa originale; infatti adattò con successo le sue costruzioni all'atmosfera del luogo e agli edifici preesistenti e per primo utilizzò largamente, per la decorazione delle pareti, una pietra dura proveniente da miniere russe. Questo valente architetto dedicò non poche cure alla decorazione delle camere dell'imperatrice all'interno del Gran Palazzo. Egli fu uno degli autori del cosiddetto Villaggio Cinese e del Teatro Cinese, risolti in stile pseudo-cinese, con motivi orientaleggianti quali dragoni, globi, aste con fiori e così via.

Pare che tutti i maggiori architetti abbiano partecipato fra il 1760 ed il 1780 all'abbellimento dei giardini e dei parchi di Carskoe Selo: Jurij Fel'ten, Antonio Rinaldi, Giacomo Quarenghi. Prendendo con piacere le distanze dalla severità delle costruzioni neoclassiche, in una sorta di gara di fantasia e creatività, introdussero qui una piccola pagoda, innalzata quasi miracolosamente su uno stretto ponticello gobbo, là il grazioso edificio neogotico dell'Ammiragliato, qui un chiosco a forma di fungo, là una cucina-rudere, impreziosita dall'inserimento di autentici frammenti di edifici antichi... Un posto particolare era occupato dai monumenti in memoria della vittoria nella guerra russo-turca.

Intorno agli anni 1790 giungevano spesso a Carskoe Selo i nipoti prediletti dell'imperatrice, Alessandro e Costantino, per i quali ella incaricò Giacomo Quarenghi di costruire il Palazzo di Alessandro, in pietra ed in stile severamente neoclassico e, poco più tardi, il Palazzo di Costantino, in legno.

Divenuto imperatore, Alessandro continuò a recarsi a Carskoe Selo, talvolta anche d'inverno. Conduceva vita molto appartata, circondato da due o tre servitori in tutto, «...concedendosi — secondo le parole della contessa Choiseul Gouffier — un solo svago: le escursioni nel... parco». Ciononostante egli «...ogni giorno mandava a qualche nobildonna amica cestini di frutta di varie qualità: pesche, uva, albicocche...» e ciò non gli riusciva difficile, giacché in tutte le principali tenute suburbane vi erano grandi serre. Pavel, invece, l'unico figlio legittimo di Caterina, che odiava la madre, preferiva trascorrere l'estate in altri luoghi: Gatčina e Pavlovsk. Quest'ultimo era situato nelle vicinanze di Carskoe Selo. Alla metà del XVIII secolo, vi erano qui tenute di caccia; nel 1777 le terre sulle rive della Slavjanka divennero proprietà del principe ereditario Pavel e questa zona prese il nome di "villaggio di Pavel". Ben presto sorsero i primi edifici: i palazzi in legno Paul-lust e Marienthal; contemporaneamente vennero allestite aiuole e aperte stradine e viali. Così nacque uno dei più bei parchi paesaggistici d'Europa, che si presentava come un angolo pittoresco di natura autentica, con un numero molto limitato di giochi d'acqua, chioschi, capanne rurali, ruderi, sculture decorative. Pareva che sia gli arbusti che gli alberi crescessero qui spontanei e tuttavia, ovunque si posasse lo sguardo, si apriva una prospettiva più bella dell'altra, in cui un elemento spiccava in primo piano, mentre gli altri, a guisa di quinte di teatro, lo incorniciavano.

Una nuova fase della storia di questa residenza suburbana iniziò nel 1780, quando Pavel Petrovič e Maria Fëdorovna affidarono i lavori a Charles Cameron. Sull'alta riva della Slavjanka, in luogo del ligneo edificio del Paul-lust, negli anni 1782-86, fu da lui innalzato un palazzo che ricordava nell'aspetto una splendida villa italiana, quale si incontra frequentemente nella produzione artistica del Palladio. Il corpo centrale del palazzo era sormontato da una cupola con un tamburo adorno di colonne. Inizialmente questo era un edificio a due piani, a pianta articolata, con basse gallerie a ciascuno dei lati. In seguito, dopo il 1796, gli architetti Vincenzo Brenna e Carlo Rossi ampliarono notevolmente le ali laterali del palazzo, conferendogli l'aspetto di residenza imperiale d'onore con uno spazioso cortile interno. Le sale interne del palazzo, fra le quali la

*Pavlovsk. Charles
Cameron*, Tempio
dell'Amicizia, *1782.*

*Pavlovsk. Charles
Cameron*, Il
colonnato di Apollo,
1783.

*Pavlovsk. Charles
Cameron*, Il
padiglione delle
Tre Grazie.

Sala Egizia, la Sala Italiana, la Sala Greca, che con i loro stessi nomi testimoniavano del comune orientamento neoclassico seguito nella decorazione degli interni, racchiudevano una quantità di oggetti ricevuti dalla coppia degli eredi al trono di Russia durante il loro viaggio in Europa, oppure commissionati alle migliori botteghe artigiane straniere. Nell'insieme, nonostante la rara bellezza e originalità delle soluzioni decorative del palazzo, tutto il complesso sulle rive della Slavjanka possedeva un carattere sentimental-idilliaco, che si accentuò dopo il 1788, quando venne donato da Pavel alla moglie. Secondo le parole di N.A. Sablukov «...qui sorgeva il padiglione delle Rose, simile a quello del Trianon, gli *chalets*, simili a quelli da lei ammirati in Svizzera, il mulino [la torre di Pil'] ed alcuni cortili a imitazione di quelli tirolesi e che ricordavano anche i giardini e le terrazze italiane. Il teatro e i lunghi viali si ispiravano a quelli di Fontainebleau e

Pavlovsk. Gruppo scultoreo delle Tre Grazie.

Pavlovsk. Copia di statua classica.

qua e là erano disseminati falsi ruderi... Ogni sera si organizzavano feste campestri, scampagnate, spuntini, rappresentazioni teatrali, improvvisazioni, sorprese di vario genere, balli e concerti». Amorevole madre di numerosa prole, Maria Fëdorovna teneva moltissimo alla salute e all'educazione dei figli: con l'arrivo della primavera, i giovani granduchi e le principesse cominciavano a coltivare piccoli appezzamenti loro assegnati, a scavare, sarchiare e piantare, proprio come semplici figli di contadini. Essendo appassionata cultrice di botanica e possedendo una ricchissima biblioteca su questo argomento, Maria Fëdorovna tentava concretamente di trasmettere questo suo interesse ai figli. Dedicandosi ininterrottamente alle migliorie della sua proprietà, ella si recava di rado nelle altre residenze, sentendosi soltanto a Pavlovsk padrona a tutti gli effetti. Dopo la tragica morte di Pavel, avvenuta nel 1801, ella fece trasportare qui alcuni dei suoi oggetti personali e

commissionò una statua dell'imperatore a grandezza naturale, collocata davanti al palazzo ed inaugurata nel 1810. Ella si aggirava sempre con profonda tristezza per i sentieri del parco, contemplando con dolore i monumenti funebri in memoria delle figlie Alessandra (morta nel 1801) ed Elena (morta nel 1803) e ricordando il passato...

Solo nei primi anni di matrimonio Pavel aveva vissuto costantemente con lei. Dominato dalla passione per le parate e gli studi militari e dal desiderio di possedere proprie armate e un territorio sottoposto alla sua sola autorità, egli, a partire dal 1785, risiedette soprattutto a Gatčina, un villaggio circondato da vaste zone boschive a quarantacinque chilometri a sud-ovest di Pietroburgo. Nel 1765 la masseria di Gatčina era stata donata da Caterina II al suo favorito Grigorij Orlov. Appassionato cacciatore, Orlov aveva fatto edificare qui un enorme serraglio; nello stesso tempo aveva avu-

to luogo la costruzione del palazzo, progettato da Antonio Rinaldi, architetto di grande ingegno, che nelle sue soluzioni non ripeteva mai se stesso. La pianta del Palazzo di Gatčina era alquanto complessa, composta da un corpo centrale a due piani, collegato da ali asimmetriche ai due corpi laterali, a pianta quadrata, con cortiletti interni. Sia il corpo centrale sia i corpi laterali erano adorni di torri; le pareti del palazzo, per desiderio del Rinaldi, erano state realizzate con una pietra particolarissima, color grigio-argento, dalla superficie scabra ed opaca, estratta soprattutto nei pressi del villaggio di Pudost' (la pietra di Pudost'); molto malleabile e di facile lavorazione essa diveniva col tempo sempre più dura. Un tale colore, insieme con le torri adorne di bandiere e i due laghi, il Bianco e l'Argenteo, che circondavano il palazzo, gli conferivano un aspetto cupamente romantico, rendendolo simile ad un castello-fortezza medievale. Questo carattere si accentuò ulteriormente quando, dopo la morte di Orlov, avvenuta nel 1783, qui prese dimora per molto tempo Pavel. Comparvero fossati, bastioni con cannoni, il cortile d'onore si trasformò nella piazza d'armi in cui marciavano i *gatčincy*, che sarebbero diventati il nerbo dell'esercito sotto l'imperatore Paolo I. Qui "l'eremita di Gatčina", come lo avevano ironicamente soprannominato nella cerchia di Caterina, trascorse tredici anni, aspettando l'ora della sua ascesa al trono. Un'attesa del genere non poteva non riflettersi sul carattere dell'erede, nervoso, irascibile, a tratti crudele, a tratti, invece, affettuoso, romanticamente esaltato. Non a caso accanto agli edifici di carattere militare si incontravano sull'ampio territorio del parco il Padiglione di Venere, l'isola dell'Amore, la Casetta delle Betulle, il Portale della Maschera... Qui Pavel faceva lunghe passeggiate insieme alla dama di corte Nelidova, affezionata al suo accompagnatore, con il quale divideva gli anni di solitudine. Dopo l'ascesa al trono, avvenuta nel 1796, divenuto ben presto Gran Maestro dell'ordine dei cavalieri di Malta, l'imperatore decise di erigere un singolare edificio: il Priorato, che avrebbe dovuto ospitare il Priore, la seconda autorità spirituale dell'ordine, dopo il Gran Maestro. Il Priorato sorgeva a una certa distanza, sulle rive del lago Nero e del lago Solitario, mentre il palazzo, conservatosi fino ai giorni nostri, fu costruito con una tecnica originalissima e cioè con blocchi intonacati di terra pressata.

Oltre a Gatčina, appartenevano a Pavel le terre dell'isola di Pietra, situata in un'ansa della Neva, relativamente vicina alla città. Come nelle altre residenze, anche qui, verso la fine del secolo erano stati condotti nuovi lavori di ricostruzione e di rifinitura, per conferire agli appartamenti imperiali sfarzo ancora maggiore. Sull'isola sorgeva già un palazzo, innalzato verso il 1788-1789, esempio di alto classicismo; quasi disadorno all'esterno, se non si considerano le colonne dei portici e i pilastri di ordine tuscanico, esso colpiva per la monumentale grandiosità delle sue proporzioni e, all'interno, per la sontuosità dell'arredamento. Del complesso architettonico faceva parte anche un teatro in cui venivano allestiti spettacoli di opere italiane.

Dopo la morte di Pavel, Alessandro I continuò, per tutta la durata del suo regno, a recarsi nel palazzo dell'isola di Pietra. Quest'imperatore capace, si sarebbe detto, di andare d'accordo con tutti, non trascurava nessuna delle residenze suburbane. Queste ultime, con i loro complessi di parchi e palazzi, raggiunsero, tra il 1820 ed il 1830 il loro assetto definitivo; in seguito subiranno solo aggiunte di scarso rilievo e ampliamenti della zona destinata al parco.

Le residenze imperiali che circondavano Pietroburgo rappresentavano, se mi è consentito un paragone un po' scontato, la preziosa collana della superba capitale imperiale. Il suo splendore e la sua bellezza rapiscono lo sguardo ancora oggi.

Traduzione di Paola Solera

GIACOMO QUARENGHI E IL CLASSICISMO
Milica Koršunova

«Ho così tanto, tanto lavoro che a malapena trovo il tempo per mangiare e dormire...» — così Giacomo Quarenghi (1744-1817), uno dei maggiori architetti del XVIII secolo, scriveva dalla Russia nel 1783.

Il contributo di Quarenghi all'arte architettonica russa fu enorme. Dopo aver assimilato la cultura plurisecolare della natia Italia, egli, come numerosi altri suoi compatrioti, offrì alla Russia tutto il proprio talento.

A intercedere per Quarenghi fu il consigliere in Italia dell'Accademia di Belle Arti di Pietroburgo, I.F. Rejfenštejn, informato dell'intenzione dell'imperatrice di invitare in Russia un bravo architetto. Il 1º settembre 1779 (12 settembre secondo il vecchio calendario) Quarenghi firmò a Roma un contratto della durata di tre anni[1]. Quella decisione, tuttavia, doveva in seguito condizionare il destino dell'architetto, legandolo alla Russia per tutta la vita.

L'invito a recarsi a Pietroburgo era inaspettato, lusinghiero e vantaggioso e offriva a Quarenghi la possibilità di realizzare idee che in patria mai si sarebbero concretizzate. Il viaggio non ammetteva indugi di sorta. All'età di trentacinque anni, in compagnia della moglie in attesa di un figlio[2], Quarenghi intraprese quel lungo viaggio nell'autunno del 1779[3].

L'architettura russa di quell'epoca seguiva il percorso comune a tutta l'arte europea, per la quale l'antichità classica era divenuta ancora una volta l'unica fonte di ispirazione. Si preferiva la nobile semplicità delle forme al pomposo decoro dell'arte barocca, che, pur avendo raggiunto brillanti risultati, verso gli anni 60 del XVIII secolo aveva ormai esaurito il proprio slancio. Il classicismo si affermava in ogni campo artistico. L'antichità, con le sue leggi della proporzione e lo spirito eroico delle immagini, appariva come l'ideale del bello.

Alla base dell'estetica del classicismo vi era il razionalismo della filosofia illuminista. L'affermazione del classicismo in Russia coincise con il regno di Caterina II, alla quale non erano estranee le idee dell'Illuminismo francese. Proprio in quel periodo l'arte ebbe uno slancio senza precendenti, raggiunto grazie a un certo benessere del paese pur con tutte le difficoltà e le con-traddizioni della vita sociale. La sovrana, autocrate di un impero ricchissimo e sconfinato, vedeva nell'architettura un mezzo capace di dare espressione a quelli che erano i grandi compiti dello Stato. A questo scopo venivano preparati artisti russi e si assumevano volentieri architetti stranieri di talento.

Quarenghi giunse in un paese bramoso di grandi edificazioni e bisognoso di fertili talenti. Le aspirazioni artistiche dell'architetto erano in piena armonia con le esigenze dell'epoca. In lui si vide l'artista di nuova formazione, libero dal fardello del barocco e dall'influenza delle scuole di architettura locali. Egli, più di altri, era vicino alla tradizione antica.

Quarenghi ebbe infatti a scrivere: «... l'antico è sempre stato il fondamento di ogni mia riflessione...», e ancora: «... dopo che ebbi studiato e disegnato quel poco che ancora rimaneva tra la moltitudine di costruzioni di Roma, intrapresi ben due viaggi in Italia, al fine di osservare, studiare e misurare sul posto ciò che di meglio avevano lasciato i nostri maestri...»[4]. Il vero mediatore, tuttavia, nell'assimilazione dell'eredità antica, era stato Andrea Palladio (1508-1580), il cui trattato *Quattro libri dell'architettura* fu per Quarenghi un'autentica rivelazione. L'approccio artistico del Palladio all'antichità fu di impulso al pensiero di Quarenghi. Mutuando dagli antichi la nobile semplicità della composizione, insieme con proporzioni limpide e adeguate, Palladio aveva creato nuovi tipi di edifici, palazzi, ville, chiese. Nella formulazione del maestro del tardo Rinascimento, il sistema degli ordini classici, affermatosi in Grecia e a Roma, si faceva ancor più comprensibile e vicino alle concezioni di Quarenghi. Palladio aveva offerto la chiave per impadronirsi della ricchissima eredità architettonica dell'Italia.

L'enorme influenza che l'esempio del Palladio ebbe su Quarenghi è testimoniata non soltanto dal personale riconoscimento dell'architetto, ma anche da una nota del suo contemporaneo, l'abate Torp. A quest'ultimo dobbiamo l'abbozzo di alcuni ritratti dal vero del giovane architetto: «Si chiama Quarenghi, ma è meglio noto come 'l'ombra del Palladio', un soprannome che si è guadagnato per la sua passione verso questo gran-

*Giacomo Quarenghi, Peterhof
(Petrodvorec), Palazzo Inglese, fronte
e planimetria del parco.
Bergamo, Biblioteca Civica, Album A,
n. 10.*

de architetto; ed è così che egli usa firmarsi sui bigliettini da visita che lascia agli amici...»[5].

Quarenghi restava incantato dagli edifici costruiti dal Palladio a Vicenza, Venezia e nel Veneto. La tradizione palladiana, inoltre, si era radicata saldamente in quella zona e non si era interrotta nelle opere dei suoi successori e imitatori, sopravvivendo fino al XVIII secolo, allorché aveva avuto nuova vita nell'arte del famoso architetto veneziano Tommaso Temanza (1705-1781) e del suo allievo Gianantonio Selva (1751-1819), dei quali Quarenghi era amico, tanto da mantenere con il secondo una fitta corrispondenza anche dalla Russia.

Una fonte di creazione, senza dubbio, furono anche i libri. Nella biblioteca di Quarenghi a Pietroburgo, accanto a edizioni di inestimabile valore dal XV secolo fino agli inizi del XIX, testimonianza del suo autentico interesse per la letteratura, sia quella antica sia quella successiva, per la storia, la medicina e le scienze naturali, vi erano le opere di Vitruvio, Alberti, Palladio, Clerisseau, nonché preziose opere illustrate di Piranesi, Desprez e libri dedicati agli antichi monumenti di Atene, Francia ed Egitto[6].

Lo spirito palladiano si diffuse ampiamente in Europa e Quarenghi si trovò così ad essere capofila delle nuove tendenze nell'architettura. Al successo dell'artista contribuirono le simpatie dell'imperatrice Caterina II, che non mancò di favorirlo nominandolo Primo Architetto di Corte.

La prima opera di una certa importanza, realizzata da Quarenghi in Russia, fu il palazzo del Parco nuovo (Parco inglese) di Peterhof, una delle splendide residenze estive degli zar. Il complesso architettonico testimoniava l'affermazione del culto della natura primigenia, tipico dell'estetica illuminista, nonché dei nuovi ideali di bellezza e di comodità in architettura. Nel maggio del 1780 era pronto il modello del palazzo e nell'autunno dell'anno seguente iniziarono i lavori che terminarono soltanto nel 1796. Quarenghi parve voler esporre in quella costruzione l'intero suo programma architettonico.

Il palazzo si innalzava maestosamente nel verde del pittoresco parco. La facciata principale, con un'ampia scalinata e un portico di otto colonne che sorreggeva un frontone triangolare, si rifletteva nelle acque tranquille di uno stagno. Sul lato opposto, una loggia con colonne, sempre di ordine corinzio, riprendeva la figura del portico con una costruzione a forma di quadrilatero aperto su un lato. Sull'esempio del Palladio, Quarenghi ideò un'opera chiusa in se stessa, con grandi superfici di pareti nude in cui si aprivano finestre dai contorni estremamente lineari. Le varie parti e i dettagli architettonici erano rigidamente simmetrici rispetto al centro e rispettavano rigorose proporzioni sia all'esterno sia nelle rifiniture dei locali interni. Seguendo le regole del sistema degli ordini architettonici, egli cercò

di esprimere la bellezza della divisione in strutture diverse, affermando la semplicità e l'armonia dei singoli particolari e dell'intero insieme. Già con il primo edificio, Quarenghi si trovò a dover affrontare il problema di una realizzazione architettonica di grandi dimensioni, problema destinato a ripetersi anche nelle successive costruzioni. Ogni struttura volumetrica e spaziale delle opere di Quarenghi testimonia che l'architetto, utilizzando tutto l'arsenale di forme già conosciute, riuscì a riconsiderare praticamente l'eredità classica.

Nel 1783 venne dato inizio a numerose opere di Quarenghi e nel corso del successivo decennio egli portò a termine le sue principali creazioni. Ciò che più colpisce è la loro quantità e la loro varietà: palazzi, tenute di campagna, teatri, gallerie di negozi, case private, chiese, una banca, l'edificio per la borsa, un museo e altri ancora.

In quell'epoca il volto delle città russe mutava rapidamente e una particolare attenzione era dedicata ai lavori di edilizia, giacché proprio quest'ultima era chiamata ad affermare la grandezza della potenza russa e ad esserne rappresentativa. Si preparava pertanto e si realizzava la costruzione di centri amministrativi e di edifici pubblici. I nobili, gareggiando tra loro in sfarzo, facevano costruire case di abitazione in entrambe le capitali (Pietroburgo e Mosca) e riorganizzavano da cima a fondo le loro proprietà. Il ceto mercantile andava affermandosi sempre più, aprendo nuove gallerie di negozi e botteghe di vario genere. Quarenghi offrì il proprio contributo a tutti questi diversi tipi di edilizia. Soltanto a Pietroburgo e nei suoi dintorni, Quarenghi realizzò più di trenta opere. I limiti del presente articolo ci permettono di soffermarci soltanto sulle creazioni più significative dell'architetto.

L'edificio dell'Accademia delle Scienze (1783-1789), quello della Borsa (iniziato nel 1783 e non ultimato), del Collegio per gli Affari Esteri (1782-1783), la Chiesa inglese (1814) e, infine, il Teatro dell'Ermitage (1783-1789), nonché la casa di F.I. Groten (in seguito di N.I. Saltykov, 1784-1788), quella di P.G. Gagarin (1801) e la villa di A.A. Bezborodkij (1783-1788) decoravano i lungofiume della Neva e rappresentavano la facciata principale della capitale. Le costruzioni di Quarenghi molto contribuirono a conferire a Pietroburgo quell'immagine classicistica sopravvissuta fino ai giorni nostri nel centro della città.

Le opere di carattere pubblico sono risolte da Quarenghi con volumi imponenti, dalle facciate arricchite di massicci colonnati ora al pianterreno ora al primo piano. Sull'esempio del Palladio, l'architetto spesso completa i frontoni e le cornici della facciata principale con sculture il cui profilo acquista espressione in contrasto con la superficie nuda dei muri. Egli trovò un proprio modulo personale per le aperture delle finestre dai contorni estremamente lineari, rafforzandole talvolta con piccoli frontoni rettangolari o triangolari.

*Giacomo Quarenghi,
Decorazione di una
sala per il principe
Berzborodko a
Pietroburgo.
Bergamo, Biblioteca
Civica, Album E,
n. 11a.*

*Giacomo Quarenghi,
Carskoe Selo,
Padiglione per
musica, prospetto.
Bergamo, Biblioteca
Civica, Album H,
n. 15.*

Il Teatro dell'Ermitage, teatro di corte accanto alla residenza imperiale del Palazzo d'Inverno, ebbe nell'opera di Quarenghi un posto particolare. L'architetto, quasi per la prima volta dopo il Palladio, rigenerò l'interesse per una soluzione architettonica del teatro antico. Egli realizzò la sala secondo i modelli dell'antichità, creando però un edificio per spettacoli del tutto rispondente alle esigenze della sua epoca e per di più reso adatto al clima del nord. Tutti i posti della sala erano ugualmente confortevoli. Le sei file di panche per gli spettatori erano disposte ad anfiteatro, sotto il livello delle porte d'ingresso. «Ho cercato di conferire all'architettura del teatro un carattere nobile e severo, per questo ho utilizzato soltanto le decorazioni più in

armonia tra di loro e più confacenti all'idea dell'edificio», così scriveva Quarenghi nell'opera dedicata alla sua creazione più amata, che venne pubblicata a Pietroburgo nel 1787. Volendo seguire i modelli dell'antichità, l'architetto intendeva realizzare al di sopra dell'anfiteatro una galleria aperta, ma fu costretto ad abbandonare tale soluzione.

Quarenghi era vincolato dalle dimensioni del luogo su cui doveva sorgere il teatro e dal corpo dell'edificio preesistente, di cui utilizzò parzialmente i muri. In primo luogo venne eretta la sala e, in un secondo tempo, vi si adattò la facciata. Si spiega così la particolare disposizione che l'edificio assunse, allorché l'arco dell'anfiteatro risultò eccessivamente sporgente all'ester-

no. L'architetto rinunciò allora alla prima versione ideata per la facciata, che doveva avere il frontone triangolare tipico di tante sue opere, e ripiegò su un robusto cornicione e un elegante colonnato di ordine corinzio, quest'ultimo affondato nella parete tra due avancorpi laterali. L'architetto riuscì a trovare una misura e un ritmo generale nell'opera che gli permise di unire l'edificio teatrale all'insieme di costruzioni del Palazzo d'Inverno e dell'Ermitage, pur stilisticamente così diverse tra loro. Il teatro venne copiosamente adornato di sculture, sia sulla facciata sia all'interno: statue e busti arricchirono le severe forme architettoniche, distinguendo così il teatro da camera di Quarenghi anche dalle altre sue opere più fredde e austere.

In diversi progetti, come la Banca degli assegnati (1783-1789), la villa di A.A. Bezborodkij a Poljustrovo e quella di P.V. Zavadovskij a Ljalici (1780-1790 circa), Quarenghi diede sviluppo al cosiddetto "schema a villa", che comprendeva un corpo principale unito ad ali laterali con gallerie ad arco. Lontani prototipi di una simile soluzione architettonica sono reperibili nel Palladio, anche se assai più vicine a Quarenghi sono le opere dei palladiani inglesi.

Al genio dell'architetto si devono anche costruzioni minori, tra le quali figura come capolavoro la Sala da concerti di Carskoe Selo (1784-1786). Il padiglione venne ideato come un tempio dedicato a Cerere. Grazie all'armonia tra le sue parti e alla rifinitura artistica degli

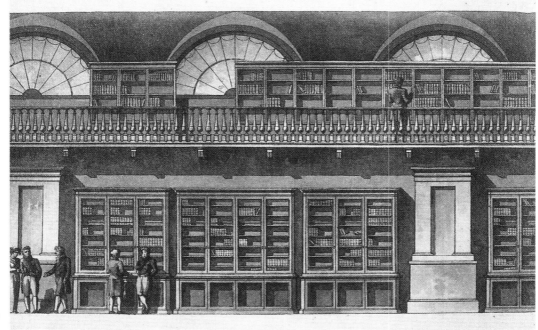

Giacomo Quarenghi, Carskoe Selo, Pianta con disegno del pavimento.
Bergamo, Biblioteca Civica, Album H, n. 14.

Giacomo Quarenghi, Biblioteca per il Palazzo di Pavlosk. *Bergamo, Biblioteca Civica, Album E, n. 14.*

Giacomo Quarenghi, Palazzo Bezborodko per Mosca, prospetto principale, parte centrale. *Bergamo, Biblioteca Civica, Album C, n. 15.*

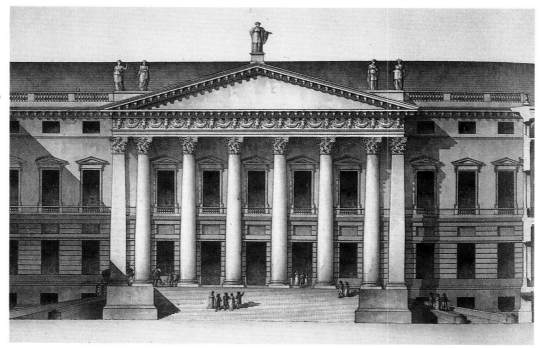

interni, l'edificio comunica un senso di bellezza e di quiete. Architettonicamente l'opera è alquanto semplice: in un corpo rettangolare è inserita una rotonda, la cui metà anteriore viene a creare un colonnato aperto. La facciata opposta è costituita da un portico a quattro colonne che sorreggono un frontone. Sui muri esterni, lisci, corre un fregio di ghirlande di fiori. All'interno della rotonda e del portico vi sono bassorilievi e statue.

Quarenghi fu altresì un innovatore nella creazione di interni di parata, utilizzando largamente gli ordini architettonici e distinguendo chiaramente tutti gli elementi della costruzione, introducendo ora colonne in abbondanza (come nella Sala bianca dell'Istituto Smol'nyj) ora semicolonne (come nella Sala grande e nella Sala Georgievskij del Palazzo d'Inverno).

I successivi progetti di Quarenghi per Mosca (come i palazzi di A.A. Bezborodkij e di N.I. Šeremet'ev, 1790-1800), l'Istituto Smol'nyj (1806-1808) e le Porte di Narva (1814) a Pietroburgo, acquistarono una maggiore monumentalità, unita a impeccabili proporzioni e a uno stile levigato nel disegno dei particolari architettonici.

Risale al 1815 il progetto per un tempio in memoria dei russi caduti durante la Guerra napoleonica tra il 1812 e il 1814. L'opera fu ideata come una rotonda con quattro porticati. La composizione, severa e oltremodo espressiva, era senza dubbio ispirata al Pantheon, stupendo monumento dell'antica Roma e sepolcro di molti illustri italiani. È possibile, tuttavia, che agli occhi dell'architetto apparisse anche la Villa della Rotonda del Palladio. In ogni caso, ogni grande maestro, ispirandosi alle migliori creazioni del passato, realizza un'opera che risponde alle esigenze e allo spirito del suo tempo. Questo progetto di Quarenghi, mai realizzato, è una delle opere più armoniche e di maggiore importanza dell'architetto.

Nel corso di un'intera vita, Quarenghi resta conseguentemente fedele al classicismo, affinando nel contempo una personale grafia architettonica.

NOTE

[1] N.V. MURAŠOVA, *Kontrakt Džakomo Kvarengi* (Il contratto di Giacomo Quarenghi), "Leningradskaja panorama", L., 1984, n. 9, p. 33. È riportato per la prima volta il testo del contratto di Quarenghi. Ivi si trova il documento che ci informa che l'architetto fu assunto dal 1° gennaio 1780 con un editto personale di Caterina II.

[2] La moglie di Quarenghi, Maria Fortunata, nata Mazzoleni, partorì a quattro *verste* da Pietroburgo, in un'*izba* di contadini sommersa di neve. Cfr. M.F. KORŠUNOVA, *Novye materialy o Dž. Kvarengi* (Nuovi materiali su G.Quarenghi), in "Trudy Gosudarstvennogo Ermitaža", XIV, L., 1973, p. 136.

[3] L'incaricato di affari dell'Austria presso la Repubblica di Venezia, conte Giacomo Giurazzo, firmò il passaporto di Quarenghi il 23 ottobre 1779 (Gosudarstvennaja Publičnaja Biblioteka im.Salty-kova-Ščedrina. Otdel rukopisej. Sobranie Suchtelena) [Biblioteca Pubblica di Stato Saltykov-Ščedrin. Sezione manoscritti. Raccolta Suchtelen], alb. 316, cart. 6, n. 510.

[4] S.M. ZEMCOV, *Materialy dlja biografii Kvarengi* (Materiali per una biografia di Quarenghi), in "Architektura SSSR", 1934, n. 3, p. 63; cfr. anche V. ZANELLA, *Giacomo Quarenghi. Due lettere da Pietroburgo*, "Bergomum", 1967, n. 3-4.

[5] M.F. KORŠUNOVA, *op.cit.*

[6] V.A. SOMOV - N.S. TROFIMOVA *O biblioteke architektora Džakomo Kvarengi. Kniga i ee rasprostranenie v Rossii v XVI-XVIII vv.* (Sulla biblioteca di Giacomo Quarenghi. Il libro e la sua diffusione in Russia nei secoli XVI-XVIII), Sb. naučnych trudov BAN, L., 1985, p. 159-171.

Traduzione di Gian Luigi Giacone

L'ARTE DECORATIVA APPLICATA
DI PIETROBURGO. 1703 - 1825
Larisa Zavadskaja

L'arte decorativa applicata russa tra gli inizi del XVIII secolo e il 1825 rappresenta un fenomeno di grande importanza per la vita artistica nazionale. Sulla nascita e lo sviluppo dell'arte applicata esercitarono la loro influenza le tradizioni dell'arte popolare e dell'artigianato, nonché l'esperienza artistica dell'Europa occidentale.

Nella vita russa, l'inizio del XVIII secolo coincise con grandiosi eventi storici, che dovevano offrire al paese nuove possibilità per lo sviluppo economico, politico e culturale. Grazie alla vittoria sulla Svezia nella guerra del Nord (1700-1721), la Russia si era rafforzata sulle rive del Baltico, conquistando così l'opportunità di dare vita e rigoglio agli scambi commerciali con i paesi vicini. In un lasso storico estremamente breve furono poste le basi della grande industria nazionale, l'antiquato sistema di governo subì una trasformazione radicale, fu realizzata una riforma finanziaria, nacquero un esercito regolare e una marina da guerra. Nel 1703 venne fondata Pietroburgo, divenuta di lì a poco capitale di un enorme stato multinazionale e uno dei centri più importanti nella vita artistica e culturale dell'impero russo.

L'arte russa tra il 1700 e il 1825 fu dominata dall'architettura, destinata a definire lo stile dell'intera epoca. Fino alla metà del XVIII secolo la tendenza predominante fu il barocco. L'arte barocca esprimeva la nuova percezione del mondo nella sua costante mutevolezza e nell'infinita varietà dei suoi momenti fenomenici; l'uomo si sentiva parte inscindibile di una realtà grandiosa e ad essa legato organicamente. Proprio a Pietroburgo nacque e si sviluppò lo stile artistico denominato poi barocco petrino. Se confrontato con la policromia e lo sfarzo dell'arte della Russia moscovita, il barocco petrino si caratterizza per forme più contenute, per la semplicità e il lindore degli arredi e per un certo rigore nella scelta delle soluzioni cromatiche. Questi tratti caratteristici trovarono espressione sia nell'architettura sia nelle decorazioni di interni, affreschi, intarsi e oggetti di arte applicata.

Verso la metà del XVIII secolo il barocco offrì in Russia le sue forme più definite e perfette. In architettura, alla grandiosa semplicità e al carattere discreto delle forme, vennero a sostituirsi la pesantezza di stile, il fasto, la leziosità e la sovrabbondanza di particolari, l'impiego frequente di tinte vivaci, dorature e soluzioni coloristiche quanto mai ardite. L'arte era chiamata a glorificare l'ideale della monarchia assoluta, lasciando stupefatti e abbagliati i contemporanei. A tale tendenza si adattavano i ricchi affreschi policromi delle pareti, l'abbondanza di specchi sontuosamente incorniciati da legni dorati e intarsiati nelle fogge più bizzarre, le forme leziose degli oggetti di arte applicata.

Nell'arte decorativa applicata della metà del XVIII secolo si diffuse lo stile rococò, caratterizzato da irrequieto dinamismo della forma, asimmetria, costante senso di movimento e decoro sempre più complesso. Lo sfoggio di gala finì per dominare nella pittura ornamentale, nei soggetti delle stoffe da parati, nella porcellana e nell'oreficeria. Pastorelle dalle civettuole acconciature, dame eleganti e cavalieri e amorini pronti alla birichinata tengono disinvolte conversazioni sullo sfondo di alberi minuziosamente curati e di immacolate stradine di campagna. Divenne sempre più evidente l'interesse e lo smisurato entusiasmo per l'arte di esotici paesi orientali come la Cina, la Persia, la Turchia, l'India e il Giappone. Nelle residenze suburbane, Peterhof, Carskoe Selo, Oranienbaum, comparvero veri e propri padiglioni arredati all'orientale: gabinetti e alcove cinesi e così via. Le pareti, rivestite di seta, riproducevano scenette di vita cinese, i mobili ricordavano quelli cinesi per forma e decorazioni; nei gabinetti cinesi, accanto agli oggetti in stile, si trovavano autentiche opere d'arte cinesi, giapponesi e indiane.

Tra il 1760 e il 1770 si ebbe il progressivo passaggio verso una nuova concezione estetica. Al pesante stile del barocco di parata e alla raffinata giocosità del rococò venne a sostituirsi il classicismo. A tale evoluzione contribuirono considerevolmente le pubblicazioni sulle recenti scoperte delle antiche città romane di Pompei e di Ercolano. Si aprì allora all'Europa un mondo stupefacente, quello dell'autentica arte antica. Le forme architettoniche e decorative dell'antichità venivano studiate e stimolavano una creazione che non fosse mera copia dell'originale. Nell'arte del classicismo trovarono un riflesso gli ideali degli illuministi francesi, che proclamavano la ragione umana e la vicinanza alla natura come metro fondamentale per misurare i fenomeni della vita circostante. Nella decorazione degli interni tutto fu sottomesso alle leggi della simmetria speculare e della ripetizione di singoli motivi che avevano alla loro base l'ornamentistica antica. Alla vivace policromia, alle dorature e al gioco dei chiaroscuri si sostituì una chiara gamma cromatica più pacata e contenuta, costituita per lo più da due o tre colori. I soggetti degli affreschi ornamentali e dei parati il più delle volte si esaurivano in motivi tratti dall'antica mitologia. Alle leziose pastorelle e ai cavalieri galanti subentrarono dei, eroi e antiche danzatrici in drappi leggeri. Occorre notare che il passaggio al classicismo avvenne gradualmente. A Pietroburgo esso fu più rapido e brusco che a Mosca o, a maggior ragione, in provincia, dove si conservavano le tradizioni artistiche non soltanto della metà del XVIII secolo ma anche di periodi più lontani.

Tra il 1800 e il 1825 il classicismo raggiunse il suo stadio conclusivo, l'Impero, i cui fondamenti estetici erano ancora le tradizioni del secolo passato ma con una sostanziale attenzione verso le forme dell'arte dell'antica Roma. Caratteristiche dell'Impero sono il rigore e la solennità, in quanto lo scopo dell'arte risiede nella grandezza della forma, nella nobiltà delle proporzioni, nell'immutabilità dell'esistenza stessa. Le campagne napoleoniche in Egitto diedero nuova linfa all'arte applicata decorativa. Apparvero così motivi egizi: donne e uomini dell'antico Egitto con complicati copricapi, sfingi, divinità con la testa di uccello, coccodrilli, fiori di loto e imitazioni degli antichi geroglifici.

Agli inizi del XIX secolo iniziò ad apparire nell'arte russa un deciso interesse verso la storia patria. Il fatto era legato alla vittoria su Napoleone e alla trionfale marcia dell'armata russa attraverso l'Europa. I soggetti derivati dalla storia russa divennero sempre più frequenti e sui piedistalli si ersero personaggi storici non più paludati nelle toghe degli imperatori romani bensì avvolti nei costumi nazionali russi. Tra i principali motivi decorativi comparvero i trofei di guerra, simbolo della vittoria delle armi russe. Anche la soluzione cromatica degli interni, delle stoffe e degli affreschi ornamentali subì un significativo mutamento. Il porpora carico, il bordeaux, i toni azzurro cupo e verde scuro sostituirono la tavolozza di tinte più chiare tipica del periodo antecedente. Venne impiegata nuovamente e con abbondanza la doratura. Tra il 1800 e il 1825, gli architetti Andrej Voronichin, Thomas de Thomon e Carlo Rossi non determinavano soltanto la tendenza generale nell'arredo, erano essi stessi a ideare i particolari più minuziosi: illuminazione, mobili, vasi ornamentali, bruciaprofumi e così via.

Dall'inizio del XVIII secolo fino al 1830 l'arte russa percorse un enorme cammino e le secolari tradizioni dei maestri russi trovarono un degno proseguimento nell'arte decorativa applicata dell'epoca.

Fin dal giorno della sua fondazione, Pietroburgo divenne il centro della vita artistica del paese. I più arditi progetti di architetti, pittori, scultori e decoratori ebbero la possibilità di concretizzarsi proprio qui, nella capitale del Nord. Fin da principio, l'edificazione di Pietroburgo seguì il modello europeo e l'arte decorativa applicata seguì lo stesso cammino di quella dell'Europa occidentale. Gli oggetti esposti alla mostra *San Pietroburgo. 1703-1825* avvicineranno il pubblico alle creazioni di grandi pittori, scultori, grafici e maestri d'arte applicata il cui destino artistico, in un modo o nell'altro, fu legato alla città sulla Neva.

Da un punto di vista stilistico, gli oggetti più legati all'arredo architettonico degli interni erano i mobili. Agli inizi del XVIII secolo, gli oggetti di arredo interno, quali armadi, tavoli, letti, sedie e poltrone, destinati ai palazzi e alle ville di Pietroburgo in rapida costruzione, venivano acquistati all'estero. I maestri artigiani russi, tuttavia, assimilarono con relativa rapidità la non facile arte della falegnameria, alla cui base vi era la ricerca di una maggiore praticità e di comodità. Alla produzione di mobili attendevano i maestri artigiani dei cantieri navali della Ochta e dell'Ammiragliato. Le antiche tradizioni dell'intaglio ligneo e la perizia permisero loro di impadronirsi rapidamente sia delle nuove tecniche sia di quelle forme di arredo ancora sconosciute in Russia. A quell'epoca veniva ampiamente adottato l'intaglio a rilievo con particolari decorativi piuttosto grandi e veniva usato legno sia dipinto sia grezzo: rovere con politura opaca a cera, noce del Caucaso e, in rarissimi casi, il mogano, che soltanto allora si iniziava a importare in Russia. Come materiale di rivestimento veniva usata la pelle di colore naturale oppure nero e, talvolta, anche con stampi colorati. Tra le stoffe, veniva largamente usato il velluto. All'inizio del XVIII secolo nacque la passione per gli specchi che, fino ad allora, erano sempre rimasti nascosti da battenti in legno, dato che le norme etiche non consigliavano un eccessivo autocompiacimento. Ora invece, gli specchi divennero quasi delle finte finestre, che spezzavano le pareti nude e piatte e contribuivano con il loro effetto ottico a rendere più vasto lo spazio a disposizione. Un ornamento di questo genere avrà la sua massima espressione nell'architettura di interni del barocco "maturo". I mobili di epoca petrina, date le loro generali caratteristiche stilistiche sempre fortemente espresse, non presentavano grandi assortimenti: si trattava solitamente di oggetti comuni, sedie, poltrone e tavoli, identici per forma, materiale, colore e tipo di rivestimento. Li si poteva facilmente trasportare di palazzo in palazzo, di villa in villa: essi erano ovunque al loro posto, perfettamente ambientabili.

La tendenza generale dell'arte dei mobilieri alla me-

*Oranienbaum
(Lomonosov)*, Palazzo
Cinese, il Salotto
Cinese.

tà del XVIII secolo fu determinata dalle creazioni dei maggiori architetti pietroburghesi, Francesco Bartolomeo Rastrelli e Savva Čevakinskij. Erano loro stessi a disegnare i mobili per i palazzi in via di edificazione, prestando particolare attenzione alla perfetta armonia tra le forme e il complesso lavoro di intaglio di specchi e porte, nonché gli ornamenti policromi delle pareti. Dalla metà del XVIII secolo, comparvero nuove forme, come sofà, cassettoni, divani e appositi scaffali per i libri. Sempre più spesso il legno grezzo veniva sostituito con quello colorato su fondo bianco oppure dipinto o dorato. I particolari ad intaglio venivano messi in evidenza sia con la doratura sia con tinte supplementari.

toelette, i tavolini mobili per ricamare o per giocare a carte o a scacchi. I bozzetti erano opera degli illustri architetti che lavoravano in Russia, come Charles Cameron, Giacomo Quarenghi e Vincenzo Brenna, mentre ignoti artigiani russi, abili nell'intaglio e nella doratura, ne realizzavano magistralmente le idee. Si devono al loro talento i magnifici assortimenti di mobili del Palazzo cinese di Oranienbaum, delle residenze suburbane di Carskoe Selo e di Pavlovsk. Inizialmente, la forma principale di ornamento rimase l'intaglio; venne largamente impiegato legno colorato in toni chiari e tenui, affiancati a una leggera doratura. Nella stessa gamma cromatica venivano anche scelte le stoffe da

Oranienbaum (Lomonosov), Pannello intarsiato della Sala Cinese.

Gli schienali e i piani dei divani, le sedie e le poltrone venivano foderati con stoffe di seta arabescata, nei cui disegni predominavano grandi ornamenti floreali, uccelli e animali esotici o scene di vita orientale. Per il rivestimento erano pure usati inserti di arazzo. Come all'epoca petrina, i diversi oggetti non offrivano grande varietà e non erano destinati concretamente agli interni di un determinato palazzo. I mobili, secondo la necessità, venivano spostati da un edificio all'altro, talora da Pietroburgo a Mosca, e capitava allora che nel tragitto si rovinassero o rompessero, divenendo così inutilizzabili.

Nel periodo del classicismo la varietà di forme si arricchì notevolmente. Divennero di moda gli scrittoi, le

parati. Gradualmente, si ebbe un mutamento di tendenza nei confronti del legno usato, che venne così a esercitare una sempre maggiore influenza estetica. Divennero popolari il mogano, la betulla di Carelia e il pioppo bianco a imitazione di quest'ultima. Si diffuse inoltre la cosiddetta "tecnica mista" per cui, su una certa superficie lignea monocroma, si tratteggiava un disegno con legni di tipo e colore diverso, con madreperla e con avorio leggermente colorato, il tutto racchiuso in una cornice di sottili lamine metalliche.

Tra il 1800 e il 1825, l'arredo fu caratterizzato da un'insistente monumentalità, da grandi superfici uniformi messe in evidenza, sulle quali emergevano i par-

Oranienbaum (Lomonosov), Palazzo Cinese, Sala del vetro.
Artista Russo, Tavolini in commesso di vetro e smalto, *1769.*

ticolari dorati in rilievo. Tavoli, divani e scrittoi ricordavano piuttosto costruzioni architettoniche. I motivi ornamentali erano rappresentati da aquile, grifoni, insieme con motivi prettamente architettonici quali cornicioni, frontoni, colonne, erme e balaustre. Fu allora che nacquero in Russia anche le prime produzioni industriali di mobili e gli ignoti maestri della Cancelleria per l'edilizia e dei cantieri navali della Ochta lasciarono il posto a Heinrich Gambs e Ivan Bauman. Nel 1795, nei pressi del ponte Kalinkin, a Pietroburgo, Heinrich Gambs aveva aperto il primo mobilificio e, poco più tardi, un negozio per la vendita sulla prospettiva Nevskij. La dinastia di maestri-mobilieri della famiglia Gambs sopravvisse per più decenni e grande fu il loro apporto nell'arredamento del Palazzo d'Inverno, del Palazzo Aničkov e delle residenze imperiali suburbane. Verso la fine del XVIII secolo iniziò la propria attività di maestro-mobiliere anche Ivan Bauman. Proprio con lui, il più delle volte, collaborò Carlo Rossi nella creazione dei magnifici interni dei palazzi Aničkov, Elagin e Michajlovskij.

La corte russa conosceva il pregio degli arazzi fin dal XVII secolo, allorché essi venivano importati dalla Francia e dalle Fiandre. Soltanto nel 1716, per editto personale di Pietro I, fu creata la prima Manifattura di Pietroburgo, poiché gli arazzi erano ormai indispensabili per arredare i nuovi palazzi in costruzione. Il fitto lavoro di tessitura in lana o in seta non era soltanto un'arte eccelsa, i tappeti alle pareti riscaldavano l'ambiente rendendolo più accogliente. Inizialmente, alla Manifattura di Pietroburgo lavorarono maestri-tessitori francesi, ma già dopo alcuni anni gli allievi russi furono in grado di rivaleggiare con loro sia nella tecnica di realizzazione sia nell'arte della composizione. I soggetti preferiti nella prima metà del XVIII secolo erano le battaglie più famose, i ritratti illustri, le decorazioni con uccelli esotici e le sfarzose composizioni di fiori fantastici. Dato l'interesse per gli esotici paesi d'oltremare, si creavano intere serie di arazzi che raffiguravano lontane parti del mondo sottoforma di donne seminude o di scene di lotta tra belve feroci all'abbeveraggio. Sul bordo dell'arazzo erano intessute sontuose ghirlande floreali, ricami traforati e ornamenti a *rocaille*. La gamma cromatica comprendeva tinte piuttosto forti e gli autori non temevano i contrasti di colori.

Nella seconda metà del XVIII secolo, i soggetti tipici degli arazzi mutarono leggermente, adattandosi alla tendenza e allo sviluppo generale della pittura russa sia da cavalletto sia monumentale. Numerosi arazzi di quel periodo ripetono gli originali pittorici di artisti russi o dell'Europa occidentale esposti nella galleria dell'Ermitage. Il classicismo, con la sua ricerca di semplicità e chiarezza, di composizione rigorosa e di forme ideali, ebbe uno smagliante riflesso negli arazzi della fine del XVIII secolo e degli inizi del XIX. Apparvero allora soggetti tratti dall'antica mitologia, alle-

gorie del giorno e della notte e divinità raffiguranti le stagioni dell'anno. Tutti gli arazzi di questo periodo hanno dimensioni considerevoli e sono destinati a superfici ben precise. La gamma di intensi colori dei primi arazzi cede ai toni del verde chiaro, azzurro, rosa e paglierino. Agli sfarzosi ornamenti a *rocaille* subentrano bordi decorati nel più severo rigore classico. La tendenza del tardo classicismo verso l'unità stilistica degli interni portò alla creazione di arredi in cui agli arazzi spettava un posto di primo piano nella decorazione delle pareti e nella realizzazione dei mobili.

Le riforme di Pietro I non toccarono soltanto la produzione industriale ma irruppero con forza nella vita quotidiana dei contemporanei. Una delle più importanti trasformazioni in tal senso fu quella dell'abito cittadino. Il 4 gennaio 1700 fu promulgato a Mosca l'editto sull'abolizione del vecchio abito russo. Il banditore lesse l'editto nelle strade, accompagnato da un rullo di tamburi. Dal 1° dicembre 1700 gli uomini dovevano indossare abiti tedeschi o ungheresi, mentre alle donne, per rinnovare il proprio guardaroba, era concesso un lasso di tempo maggiore, fino al 1° dicembre 1701. La nuova moda si diffuse rapidamente nella nuova capitale, mentre in provincia doveva sopravvivere ancora per molti anni il vecchio costume di epoca prepetrina. A Pietroburgo gli uomini indossavano la marsina, la camisiola e calzoni a mezza gamba. Il vestito di tutti i giorni era confezionato in panno e in tela di lino, mentre quello da cerimonia era in preziose stoffe importate di seta o di velluto. L'abito era ornato di merletti in metallo, ricami d'oro o d'argento e una grande quantità di bottoni. Le donne avevano sostituito il *sarafan* e i pesanti corpetti imbottiti con gli abiti francesi dai busti molto stretti in vita, con scollatura piuttosto ampia, maniche fino al gomito e gonna larga. Questo tipo di abbigliamento, con poche modifiche nelle proporzioni e nei particolari, sopravvisse per quasi ottant'anni.

Tra il 1780 e il 1790, l'imperatrice Caterina II promulgò una serie di editti che dovevano regolamentare sia l'abito da cerimonia sia quello di uso quotidiano. Preoccupandosi soprattutto di far prosperare le manifatture russe della seta, l'imperatrice ordinò di indossare i broccati moscoviti nelle feste più solenni e stoffe di tutti i tipi negli altri giorni. Il regolamento riguardava altresì il grado di sfarzo nelle rifiniture. Poiché l'imperatrice stessa era a capo di alcuni reggimenti dell'esercito e della guardia, nelle occasioni solenni riceveva gli ufficiali indossandone la medesima uniforme, o meglio, un abito-uniforme. Quest'ultimo era un'armonica combinazione tra la moda allora in voga e gli elementi del costume russo nazionale. L'abito maschile era di insolita eleganza, confezionato in sete variopinte, con lustrini e ricami in oro e argento. I documenti d'archivio riportano raramente i nomi degli artefici; a fianco di maestri stranieri lavorarono alla creazione di stupendi vestiti anonime merlettaie e ricamatrici russe.

*Oranienbaum
(Lomonosov),
Palazzo Cinese.
Boudoir,* Tavolino
intarsiato.

*Oranienbaum
(Lomonosov),
Palazzo Cinese.
Boudoir*, Pannello
in noce dipinto.

Verso la fine del XVIII secolo gli abiti da cerimonia si trasformarono gradualmente in vestiti a tunica, nei quali le donne ricordavano statue dell'antichità, mentre ai pesanti broccati, velluti e sete, si andarono sostituendo stoffe leggere e chiare. Lo scialle divenne un indispensabile elemento della toeletta. Gli scialli erano indossati sia d'inverno che d'estate, sia quando si avevano ospiti che a ricevimenti e balli. Inizialmente essi erano importati dall'India, dalla Turchia, dalla Persia. Già agli inizi del XIX secolo, tuttavia, comparvero i primi laboratori russi, in cui venivano tessuti scialli e sciarpe in lana leggera che, avendo due versi diritti, superavano in bellezza quelli orientali. I laboratori più famosi erano quelli di Merlina nel governatorato di Nižegorod, di Kolokol'cov nel governatorato di Saratov e di Eliseeva.

Anche l'abito maschile subì sostanziali modifiche. A marsina e camisiola andarono sostituendosi frac e gilet, mentre ai calzoni a mezza gamba si sostituirono i pantaloni a gamba lunga. Verso il 1820, i fini abiti femminili semitrasparenti non erano più di moda: stoffe in seta e in lana più pesante meglio rispondevano al preciso disegno geometrico dell'abito.

Le trasformazioni nella vita di tutti i giorni non riguardavano soltanto l'abbigliamento, Pietro I aveva cercato di introdurre in Russia anche nuove forme di comunicazione. Influenzato dalle impressioni ricevute in Europa, volle istituire assemblee, la prima delle quali si tenne a Pietroburgo. Secondo i modelli europei, non vi era una tavola comune, bensì un locale a parte in cui erano serviti cibi e bevande. Pietro I introdusse altresì tra gli abitanti di Pietroburgo il tè, il caffè, la cioccolata e i vini d'uva, fino ad allora sconosciuti. Le bevande venivano servite in calici, boccali e tazze di vetro e argento.

La tradizione della lavorazione di metalli preziosi, come oro e argento, risale a maestri russi della più remota antichità. In Europa maestri-gioiellieri russi erano famosi già nell'XI e XII secolo. Essi dovevano lasciare una profonda impronta proprio in questo campo dell'arte decorativa applicata, riuscendo a stupire con la loro maestria e il loro talento non soltanto i contemporanei ma anche noi, lontani discendenti. Il primo quarto del XVIII secolo fu per la Russia un periodo inquieto e complesso. Era in corso la guerra del Nord, tutti i mezzi dello Stato erano rivolti alle azioni belliche e la corte imperiale evitava grosse ordinazioni a maestri gioiellieri e argentieri. In tutto il regno di Pietro I fu ordinato un unico servizio da cerimonia in argento. L'imperatore ricompensava i propri compagni d'arme con ritratti di zar, miniature dipinte su smalto e incastonate in metalli preziosi, e premiava le altre personalità con bicchierini, attingitoi, boccali e coppe d'argento. In epoca petrina, gli oggetti in argento erano per lo più decorati a cesello o incisione. Già agli inizi del XVIII secolo, Pietroburgo era divenuta un centro di produzione di gioielli e oggetti in argento accanto a Mosca.

Successivamente, verso la metà del XVIII secolo, i lavori in oro e argento si fecero più sfarzosi e pesanti. Tra gli ornamenti vennero a predominare abbondanti ghirlande di frutti, figure di uccelli e altri animali fantastici inseriti in cartigli arzigogolati. L'arte sacra seguì le orme dell'arte profana. Gli stessi ornamenti e le stesse figure sono ravvisabili su oggetti per il culto, quali coppe e boccali. Pietro I aveva pure introdotto nell'uso il tabacco da fiuto. Persino i contemporanei trovavano tale usanza spiacevole e priva di qualsiasi grazia, purtuttavia non potevano esimersi da essa. Il tabacco da fiuto avrebbe dovuto, in teoria, liberare dai dolori di testa. I maestri-gioiellieri di Pietroburgo realizzarono stupende tabacchiere in oro, in argento e in pietre preziose, decorandole con brillanti, zaffiri, rubini e smeraldi. Esistevano tabacchiere con due o tre scomparti, per diverse qualità di tabacco. Il gioielliere più famoso della metà del XVIII secolo fu Geremia Pozier, uno svizzero attivo alla corte di diversi imperatori russi: Anna Ioannovna; Elisabetta Petrovna, figlia di Pietro I; Pietro III, nipote ed erede di Elisabetta Petrovna; Caterina II. Proprio per quest'ultima egli realizzò la sua opera più famosa: la grande corona imperiale con lo scettro e il globo.

Il tipo di ornamenti degli oggetti in argento andò via via mutando in Russia tra il 1760 e il 1770. Scomparsa la pomposa decorazione cesellata, la forma degli oggetti divenne assai più semplice, avvicinandosi talora a linee rigorosamente geometriche. I maestri di provincia, tuttavia, conservarono nelle loro opere i procedimenti decorativi del barocco. Per tutto il XVIII secolo molti di loro non seppero rinunciare alle tanto amate *rocaille*, alle forme bizzarre, alle grandi figure cesellate in tortuosità sorprendenti.

Nei suoi frequenti viaggi nel paese, Caterina II visitava le sedi di governatorato e, per non portare al suo seguito i pesanti convogli carichi di argenteria, fece munire le città di personali servizi da tavola in argento che, solitamente, venivano ordinati a maestri francesi o tedeschi. Sfortunatamente, una grande quantità di tale argenteria, anche di produzione russa, come piatti di portata, salsiere, posate e teiere, non essendo più di moda, venne nuovamente fusa nel XIX secolo, cosicché sono giunti a noi soltanto pezzi singoli dei ricchissimi servizi creati per le città di governatorato. Essi erano per lo più decorati con figure applicate, foglie di acanto finemente cesellate, palmette e rose. Nella loro monumentalità e con il loro peso, i servizi dei governatorati dovevano sottolineare la grandezza e la potenza dell'Impero russo.

I gioiellieri di Pietroburgo della seconda metà del XVIII secolo fecero largo impiego di smalti variopinti e semitrasparenti. Molto spesso sull'intera superficie di una tabacchiera d'oro, oppure di una custodia di oro-

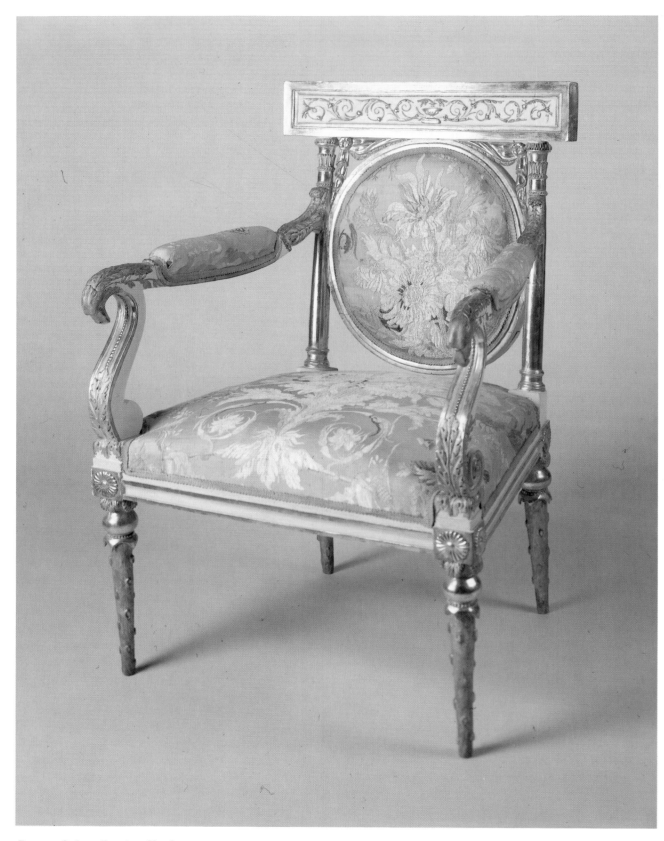

*Bottega di Jean-Baptiste Charlemagne
su disegno di Charles Cameron,
Pietroburgo 1784, Sedia dorata
e laccata, ricoperta di seta dipinta
a soggetto cinese, dal Palazzo
di Carskoe Selo.
Leningrado, Museo dell'Ermitage.*

logio o di un'ampolla per i sali, veniva inciso un raffinato ornamento. Veniva poi steso un sottile strato di smalto attraverso il quale traspariva il metallo prezioso, il che offriva un effetto decorativo insolito: secondo i giochi di luce, lo smalto appariva come una favolosa pietra preziosa a cui l'uomo ancora non aveva dato un nome. Le tabacchiere recavano spesso incastonati ritratti in miniatura realizzati in smalto, come pure stampi di medaglie create dalla Zecca di Pietroburgo o di Mosca. I più famosi gioiellieri dell'epoca di Caterina II furono Gottlieb Scharff, Jean Pierre Ador, Jean François Xavier Bouddé. I maestri argentieri Justus Lund e Johann Friedrich Kepping a Pietroburgo e Jakov Maslenikov e Stepan Kuzov a Mosca crearono opere di arte applicata uniche nella loro perfezione.

Tra il 1800 e il 1825, tra i motivi ornamentali di oggetti in argento si diffusero largamente le figure di aquile e cigni. In altri casi la superficie levigata veniva rotta da una decorazione a nastro che riproduceva palmette e roselline. A Pietroburgo, furono i maestri argentieri Paul Magnus Tenner, Aksel Hedlund e Gotthard Stang a creare magnifiche opere in stile impero, interessanti per la monumentalità delle forme e per la raffinata decorazione.

Oltre che a Pietroburgo, l'arte dell'argento si diffuse a Mosca, Jaroslavl', Vologda. Uno dei maggiori centri per la creazione di gioielli fu Velikij Ustjug, particolarmente rinomato per la maestria dei suoi artigiani nel niello. Un considerevole contributo allo sviluppo di questa forma di arte applicata venne offerto dalla fabbrica di Afanasij e Stepan Popov. Benché abbia avuto soltanto 15 anni di vita, dal 1761 al 1776, essa seppe creare una vera e propria tendenza nell'arte dei gioielli. Grazie alla combinazione di diversi procedimenti tecnici, fu possibile realizzare opere in cui il niello pareva un tecnica pittorica che sapeva creare l'illusione della profondità dello spazio. Presso i fratelli Popov lavorarono molti maestri famosi, che in seguito fondarono proprie scuole e laboratori. Tra questi possiamo ricordare Pëtr Žilin, capostipite di una vera dinastia di maestri nell'arte del niello.

Tra le opere di arte decorativa applicata della Russia tra il XVIII e il XIX secolo, un posto particolare spetta agli acciai di Tula. La fabbrica di armi di Tula fu fondata nel 1712 e presto divenne il maggiore centro di produzione di tutto l'Impero e le sue armi contribuirono a più di una vittoria dei soldati russi. Per regali particolarmente preziosi, i maestri di Tula creavano fucili da caccia riccamente decorati. I principali procedimenti tecnici a cui ricorrevano gli artigiani di Tula erano la brunitura, le applicazioni in bronzo e oro, la levigatura e la lavorazione a "brillante". Le sfumature ottenute mediante brunitura erano le più varie: dai toni verde scuro e blu fino a quelli azzurri e rosa-lilla. Gradualmente, accanto alle armi, i maestri di Tula iniziarono a produrre oggetti diversi, come tabacchiere, co-

fanetti, candelabri, vasi e bruciaprofumi. Verso la metà del XVIII secolo essi raggiunsero una tale perfezione che l'imperatrice Elisabetta Petrovna commissionò loro interi mobili in acciaio lavorato a merletto. Verso la fine del XVIII secolo i quotidiani pietroburghesi davano spesso notizia dell'arrivo nella capitale degli artigiani di Tula, che vi si recavano per vendere calamai, tabacchiere, cinture, fibbie, anelli-sigillo, ombrelli e bottoni. Gli stranieri residenti a Pietroburgo restavano ammirati dall'eleganza e dalla raffinatezza dei loro lavori e li paragonavano per bellezza alle opere dei maestri inglesi. Caterina II riceveva regolarmente, sia dalla fabbrica di Tula sia da singoli artigiani della stessa città, preziosi regali che venivano custoditi nel Palazzo d'Inverno o nelle residenze suburbane di Carskoe Selo e di Pavlovsk. Gli stupendi tavolini e i raffinati oggetti per toeletta, le panchette e le poltrone colpivano la fantasia dei contemporanei. Sfortunatamente, gli artigiani di Tula firmavano le loro opere assai di rado, cosicché sono giunti fino a noi soltanto nomi isolati: Andrej Suchanov, Rodion Leont'ev, Evtej Gur'janov, Andrej Medvedev, Aleksej Bogolepov. Insieme con loro, altri maestri rimasti ignoti scrissero una delle pagine più brillanti nella storia della cultura russa.

Nella seconda metà del XVIII secolo, nell'arte applicata russa ebbero grande diffusione i bronzi ornamentali. Nel 1764, presso l'Accademia di Belle Arti, fu organizzato il *Litejnyj dom*, cioè la fonderia in cui venivano realizzate le statue in bronzo destinate ai parchi delle residenze imperiali. Nel 1769, l'Accademia aprì la classe di "cesellatura e fusione", guidata prima da Louis Rolland e, successivamente, da Antoine Simon. Più tardi, nel 1779, venne inaugurata la cosiddetta "Spedizione per la colata di particolari architettonici in bronzo". A partire dal 1780, lavorò presso l'Accademia Pierre Agi, scultore, maestro fonditore e cesellatore. Nel 1804 egli mise in vendita il proprio laboratorio, completo di modelli, disegni, strumenti e apparecchiature, e sulle sue basi l'Accademia organizzò una vera e propria fabbrica di oggetti in bronzo. Già verso la fine del XVIII secolo, a Pietroburgo esistevano, oltre a quelli statali, laboratori privati per la fusione del bronzo. I maestri pietroburghesi realizzavano anche opere complesse, come strutture portanti per grandi orologi, armature per impianti di illuminazione, vasi ornamentali e grandi completi per scrittoio, costituiti da vari oggetti come calamai, sabbiere, campanelli e portaceralacca.

Se nel XVIII secolo erano ancora largamente utilizzati i bronzi francesi di importazione, già tra il 1800 e il 1825 i maestri di Pietroburgo cominciarono a mettere in ombra quelli stranieri. Di quell'epoca sono rimasti famosi i nomi di P. Schreiber, che diede inizio a una propria produzione nel 1801, A. Geren, che aprì una fabbrica di oggetti in bronzo nel 1805, e I. Bauman, celebre non soltanto come mobiliere ma anche come maestro fonditore. I manufatti in bronzo degli artigiani di Pietroburgo ottennero grande successo all'Esposizione Industriale panrussa del 1829. È interessante notare che, nonostante i nomi stranieri, i maestri di Pietroburgo sottolinearono sempre la loro appartenenza alla Russia, all'arte russa e all'artigianato russo.

La produzione nazionale di porcellana fu possibile in Russia già nella prima metà del XVIII secolo. Dopo Sassonia e Austria, la Russia divenne così il terzo paese con una produzione propria. Il pioniere della porcellana russa fu Dmitrij Ivanovič Vinogradov (1720-1758). Grazie alle sue ricerche e ai suoi esperimenti fu carpito il segreto a cui gli alchimisti dell'Europa occidentale avevano dedicato anni e anni di studi. La Manifattura di porcellana di Sua Maestà (detta successivamente "Imperiale Fabbrica di Porcellana") venne aperta a Pietroburgo nel 1744. Inizialmente la sua produzione comprendeva oggetti di piccole dimen-

maggiori possibilità tecniche e coloristiche, gli artisti operanti nella Fabbrica Imperiale studiavano sempre più a fondo le proprietà dei colori a loro disposizione, combinandoli tra loro e con il fondo bianco della porcellana. Come risultato di tali ricerche, si ebbero alcune opere di grande impatto espressivo, con una decorazione raffinata e nel contempo laconica.

In questo periodo si ebbe una grande varietà nella realizzazione dei servizi da tavola, che potevano essere "da camera" (cioè per una o due persone), di uso quotidiano oppure da cerimonia, cioè i grandi servizi di palazzo con varie centinaia di pezzi che includevano non soltanto il vasellame vero e proprio ma anche ornamenti scultorei. Questi servizi rappresentavano una sintesi complessa tra la forma delle stoviglie e forme scultoree e architettoniche. Il primo dei grandi servizi fu quello detto "degli Arabeschi", alla cui creazione prese parte Jean-Dominique Rachette (1744-1809),

Argentiere Paulus Magnus Tenner, Pietroburgo c. 1825, Zuppiera del servizio di nozze del principe Jusupov, *particolare del coperchio con il gruppo di* Amore e Psiche, *tratto dalla scultura di Antonio Canova.*

sioni: tabacchiere, manici per coltelli e forchette, scacchi, bottoni, piccole tazze da tè o caffè con piattino, pipe, flaconcini per profumi o per sali. Nella decorazione erano utilizzate scenette di vita orientale, paesaggi, fiori e monogrammi, il tutto dipinto in una limitata varietà di colori, poiché la gamma cromatica di quel tempo era alquanto esigua. Nel 1756, per ordine dell'imperatrice Elisabetta Petrovna, fu realizzato il primo servizio di porcellana russa: il Servizio personale di Sua Maestà. I vari oggetti che lo componevano erano tutti decorati con fiorellini rosa racchiusi in una fine reticella dorata e ghirlande applicate, tutte diverse tra loro.

Verso la fine del XVIII secolo, la tecnica di produzione, ormai completamente appresa, permise la creazione di opere più complesse e di maggiori dimensioni. Il vasellame si fece più vario nella forma e più raffinato nella decorazione. Via via che venivano acquisite

maestro disegnatore dell'Imperiale Fabbrica di Porcellana. Il servizio era composto da 973 pezzi per un totale di 60 coperti. La denominazione "degli Arabeschi" derivò dal tipo di decorazione, costituita da fregi classicistici che legavano medaglioni di forma ovale a piccole teste femminili. L'idea di creare tale servizio apparteneva al principe A.A. Vjazemskij, a quel tempo direttore della fabbrica. Successivamente, venne realizzato il servizio "dei Panfili", con medaglioni che racchiudevano bandiere, ancore e aquile bicipiti incoronate, simbolo di vittoria. Nel complesso, esso doveva rappresentare la potenza della flotta russa e la prosperità del commercio. Nel 1795 fu iniziato all'Imperiale Fabbrica il servizio *"du Cabinet"*, costituito da ottocento pezzi con una decorazione a medaglioni raffiguranti monumenti architettonici italiani. Oltre ai servizi, venivano prodotti in gran numero oggetti di dimensioni più modeste, come piccole figure rappresentanti le sta-

*Bottega di Heinrich Gambs,
Pietroburgo, c. 1800, Secrétaire,
dal Palazzo d'Inverno. Leningrado,
Museo dell'Ermitage.*

gioni, i continenti, scene pastorali, venditori ambulanti e artigiani. La serie dei "Popoli della Russia" era costituita da svariate decine di figure in coppia, realizzate su disegni di J.D. Rachette, ricavati a loro volta dagli schizzi del libro di J.G. Georgi, *La Russie ouverte, ou Collection complète des habillements de toutes les nations qui se trouvent dans l'Empire de Russie*, San Pietroburgo, 1774-75 (testo in russo, francese, tedesco).

Agli inizi del XIX secolo, nella decorazione su porcellana, si diffusero sempre più vedute di Pietroburgo e delle residenze imperiali, Pavlovsk, Gatčina, Carskoe Selo e Peterhof. Negli oggetti ornamentali e nella decorazione del servizio Gur'evskij, creato su commissione del conte Gur'ev, direttore della Cancelleria imperiale da cui dipendevano le fabbriche statali, ai motivi derivati dalla storia antica vengono a sostituirsi scene di vita popolare, ambulanti di Pietroburgo e piccoli artigia-

Manifattura Imperiale delle Porcellane, Periodo Vinogradov, Pietroburgo, 1756, Servizio personale di Sua Maestà l'Imperatrice Elisabetta Petrovna, Leningrado, Museo Russo.

to nel Palazzo d'Inverno, indossando tutti le stelle, le croci, le fasce e i mantelli dell'ordine. Il primo dei servizi per tali occasioni fu quello di San Giorgio, a cui seguirono, nel 1780, quelli di Sant'Andrea e di Sant'Alessandro. Per ultimo fu commissionato il servizio di San Vladimir. Mentre l'Imperiale Fabbrica lavorava solamente su commissione della corte, Gardner riforniva di vasellame in porcellana l'intera Russia. Le ordinazioni imperiali erano assai rare, ma le tazze, le teiere, i piatti, i servizi da tavola e da tè recanti il marchio della fabbrica Gardner conquistarono velocemente l'ammirazione dei russi.

L'Imperiale Fabbrica del Vetro fu fondata agli inizi del XVIII secolo. Inizialmente si trovava a Jamburg, nei pressi di Pietroburgo, sulla riva destra del fiume Luga. Il suo locatario era l'illustrissimo principe Aleksandr Danilovič Menšikov, governatore generale della capitale. A Jamburg si produceva vetro per finestre e

ni. Tra gli oggetti ornamentali, realizzati su modelli dello scultore S. Pimenov, anziché le antiche cariatidi si hanno fanciulle che indossano il *kokošnik*, tipico copricapo femminile russo. La decorazione utilizzava inoltre opere di S. Ščedrin, F. Alekseev, F. Matveev, A. Uchtomskij, S. Galaktionov e I. Českij.

Nel 1766, nel sobborgo di Mosca chiamato Verbilki, sorse la prima fabbrica privata di porcellana, per iniziativa di Franc Jakovlevič Gardner, un mercante inglese russificato. I successi tecnici ottenuti furono tali che già dopo il 1770 la sua produzione poteva a pieno titolo concorrere con gli oggetti prodotti all'estero. Fu appunto per questo che nel 1777-1778 fu commissionato a Gardner il primo grande servizio da tavola. Durante le festività dedicate ai santi protettori della Russia, Sant'Andrea, Sant'Alessandro Nevskij, San Giorgio e San Vladimir, i cavalieri appartenenti ai corrispondenti ordini si riunivano solennemente a banchet-

lanterne, specchi e clessidre, anche se non era questa la produzione che più caratterizzava il volto della fabbrica. Gli oggetti più preziosi, vanto della produzione, erano bicchieri, bottiglie e calici realizzati in vetro incolore e successivamente mordenzati e decorati con incisioni e dorature.

Verso la metà del XVIII secolo, il grande scienziato Michail Vasil'evič Lomonosov organizzò a Ust'Rudica, nei pressi di Oranienbaum, una fabbrica in cui condusse numerosi esperimenti nella produzione del vetro colorato e in cui preparò quegli stessi smalti da lui poi utilizzati nei suoi famosi mosaici. M.V. Lomonosov per lunghi anni si interessò alla rinascita dell'arte anticorussa del mosaico e raggiunse nelle sue ricerche risultati stupefacenti. Con gli smalti di Ust'Rudica furono ricoperti i pavimenti di alcune stanze del Palazzo Cinese a Oranienbaum.

Nel 1777, l'Imperiale Fabbrica del Vetro venne

Manifattura Imperiale delle Porcellane, Pietroburgo 1784, Jean-Dominique Rachette, Geliera *del* Servizio degli Arabeschi per Caterina II. *Leningrado, Museo Russo.*

Manifattura Imperiale delle Porcellane, Pietroburgo 1784, Jean-Dominique Rachette, Allegoria del dominio del mare, *gruppo del centrotavola del* Servizio degli Arabeschi per Caterina II. *Leningrado, Museo Russo.*

concessa in affitto all'illustrissimo principe Grigorij Aleksandrovič Potëmkin, il favorito dell'imperatrice, e sotto la sua direzione si ebbe una vera fioritura dell'arte del vetro. L'attività della fabbrica si concentrò totalmente nella creazione di oggetti unici e di alto pregio artistico. Vi si realizzavano non soltanto calici, bottiglie e boccali, ma anche lampade, grandi vasi ornamentali e mobili. In generale, le forme del vasellame in vetro del XVIII secolo sono oltremodo varie: calici sorretti da piedi sottilissimi, caraffe per il vino, bicchieri di ogni dimensione. Con il tempo le forme non mutarono molto, mentre subì grandi cambiamenti il tipo di decorazione. L'ampliamento della gamma cromatica e lo sviluppo tecnologico ne favorirono una grande varietà. L'incisione, la mordenzatura, la pittura con smalti colorati e la doratura aumentavano il fascino dell'oggetto in vetro. Dalle opere di epoca petrina, semplici nella forma e nella decorazione, attraverso gli sfarzosi ornamenti e le forme bizzarre della metà del XVIII secolo, l'arte del vetro russo approdò al disegno netto e laconico degli inizi del XIX secolo.

Data la quantità e la qualità del vetro prodotto, nel 1800 fu proibita l'importazione in Russia di quello straniero. L'Imperiale Fabbrica e i laboratori privati erano in grado di soddisfare appieno non soltanto le richieste della corte russa ma anche quelle della popolazione. Agli inizi del XIX secolo, fu particolarmente richiesto il cristallo incolore sfaccettato, tanto che fu inventata una tecnica propriamente russa per la sfaccettatura, detta "pietra russa". La produzione di quell'epoca offrì soprattutto grandi vasi di cristallo e stupendi lampadari, mentre con lamine di vetro venivano decorati mobili e interni. Verso il 1820 i maestri vetrai russi tornarono al vetro colorato, presentando però un tipo di lavorazione a doppio strato con vetro trasparente, il che donava agli oggetti un particolare effetto decorativo.

Grandi vasi di vetro e di porcellana adornavano gli interni dei palazzi ed erano autori del disegno i maggiori architetti dell'inizio del XIX secolo, quali A. Voronichin, T. de Thomon, C. Rossi.

Nell'arredo era anche impiegata largamente la pietra lavorata, il cui primo centro di produzione era stata l'Officina di Peterhof, fondata per ordine di Pietro I. Nel 1726 si iniziò tale tipo di lavorazione su basi industriali a Ekaterinburg e, nel 1787, sui monti Altaj. I disegni degli oggetti in pietra — come vasi e obelischi — giungevano alla fabbrica di Pietroburgo con la sola indicazione del materiale da utilizzare: diaspro, porfido ecc. Spettava poi all'artigiano e alla sua sensibilità artistica la scelta di una pietra precisa, dato che la struttura della pietra e il suo colore rappresentavano quell'ornamento naturale che doveva concordare armonicamente con il disegno della forma. Tra il 1700 e il 1825 la pietra lavorata venne usata abbondantemente in Russia non soltanto nell'arte decorativa applicata ma anche in architettura, soprattutto nel rivestimento dei muri di palazzi e padiglioni. Opere architettoniche famose in tutto il mondo, come il Palazzo di Marmo edificato a Pietroburgo per il favorito di Caterina II, Grigorij Orlov, la Galleria di Cameron a Carskoe Selo e le stanze d'Agata, erano decorate con pietre degli Urali e degli Altaj. Colonne, pilastri, stipiti e camini erano realizzati in marmo colorato e in diaspro. La pietra era altresì impiegata in gioielleria, con la produzione di stupendi cammei.

Alla fine del XVIII secolo vennero scoperti sugli Urali enormi giacimenti di malachite, una pietra destinata ad avere in breve tempo grande popolarità. In malachite erano realizzati grandi vasi e ripiani oppure venivano decorati candelabri e fermacarte. Nella produzione di oggetti in malachite i maestri russi dell'Officina di Peterhof elaborarono una propria tecnica: la pietra veniva tagliata a lamine sottili che successivamente, secondo il colore e il disegno, venivano applicate su una base in pietra o in metallo. Gli oggetti, tuttavia, apparivano come ricavati da un unico blocco di pietra, dato che, grazie a un particolare procedimento con polvere di malachite, erano rese invisibili le giunture tra la pietra applicata e la base. Dopo l'incendio del 1837, che praticamente distrusse completamente il Palazzo d'Inverno, una delle sale fu ricostruita e interamente decorata con questa pietra, tanto da essere chiamata Sala di Malachite. Autore del progetto fu il famoso architetto russo Aleksandr Brjullov.

Lo sviluppo dell'arte russa tra il 1700 e il 1825 offre un quadro variopinto ed eterogeneo. In essa, come in uno specchio, vennero a riflettersi tutti i mutamenti avvenuti nella vita del paese. Per tutto il periodo, tuttavia, proprio Pietroburgo fu il centro della cultura artistica russa e fu questa città a imporre precise direzioni allo sviluppo dell'arte decorativa applicata.

Traduzione di Gian Luigi Giacone

LA CACCIA IMPERIALE IN RUSSIA. 1721-1825
Sergej Letin

La passione per la caccia dei primi zar della famiglia Romanov divampò con particolare veemenza nel "pacato" Aleksej Michajlovič (1645-1676). La caccia fu per lui la più amata tra le occupazioni, tanto da istituire presso la corte una vera intendenza a cui facevano capo i custodi delle mute di cani, i falconieri e altro personale specializzato nei diversi tipi di caccia. Nei figli di Aleksej Michajlovič tale ardore per l'attività venatoria calò considerevolmente. Lo zar Fëdor Alekseevič (1676-1682), preferendo impiegare il tempo libero in occupazioni più intellettuali, trascurò decisamente il patrimonio venatorio ricevuto in eredità dal padre. Il fratello di Fëdor, più giovane e destinato a succedergli sul trono come Pietro I Alekseevič (1682-1725), in gioventù reputò la caccia, considerata nella sua antica tradizione della Moscovia, un'occupazione incompatibile con quell'idea del sovrano che nasceva dalla sua fervida immaginazione. Ai boiari, gelosi custodi delle tradizioni avite, il giovane autocrate ebbe a dire un giorno: «Giacché la fama più fulgida risiede nelle armi, perché volete distogliermi dalla mia opera di zar e condurmi dalla fama all'infamia? Io sono lo zar e devo essere un guerriero, quando invece la caccia è occupazione di schiavi e di custodi di cani». Mano a mano che Pietro I venne a conoscere gli usi delle altre corti europee, la giovanile ripugnanza del grande riformatore verso la caccia andò diminuendo, anche se non si trasformò mai in una vera forma di distrazione. Purtuttavia, il compagno d'armi di Pietro, principe Fëdor Romodanovskij, dal quale dipendeva oltre al resto anche la caccia dello zar, continuò, nel pieno rispetto della tradizione, a difendere gli interessi del suo signore e sovrano. Egli vietò severamente a privati cittadini l'esercizio della caccia nei dintorni di Mosca, considerati tenute di caccia della casa regnante. I falconieri dello zar continuavano sì ad addestrare i rapaci, ma non più per il divertimento reale: i falchi e i girifalchi di Russia godevano dell'indiscusso favore dei monarchi stranieri e pertanto, come dono diplomatico, divenivano uno strumento importante della politica russa. Fin dai tempi di Aleksej Michajlovič, gli ambasciatori russi, recandosi presso i sovrani di Turchia, Persia e del Sacro Romano Impero, portavano in dono uccelli da caccia. Così fu sotto Pietro I e i suoi successori.

Il nipote di Pietro il Grande, l'imperatore Pietro II (1727-1730), ardendo nuovamente dell'antica passione dei suoi antenati, trascorse l'intero periodo del suo breve regno in battute di caccia, attività divenuta ormai in quegli anni un vero strumento dell'intrigo politico, abilmente usato dai rappresentanti dei vari partiti di corte per influire sulla mente e sull'animo del giovane regnante. Così, ad esempio, il vice-cancelliere barone Andrej Osterman, utilizzando a suo vantaggio lo svago preferito dal sovrano, riuscì a infliggere un duro colpo all'onnipotente principe Aleksandr Menšikov, divenuto a quel tempo, data la sua vicinanza alla vedova di Pietro il Grande, l'imperatrice Caterina I (1725-1727), il rettore plenipotenziario dei destini dell'impero. Osterman, alla cui tutela era stato affidato il giovane Pietro II, proteggeva la sua passione venatoria: lo zar, in compagnia dei principi Dolgorukij e dell'affascinante zia, la diciottenne principessa ereditaria Elisabetta Petrovna, che tredici anni più tardi doveva assurgere al trono, trascorse tutta l'estate del 1727 a Peterhof, aizzando i cani contro le lepri. Le fatiche di Osterman non furono vane: più lo zar si avvicinava ai nuovi amici, più andava scemando l'influenza di Menšikov e la fine della stagione venatoria segnò anche la fine della sua brillante carriera. Il 7 settembre 1727, rientrato dall'ennesima battuta di caccia, Pietro diede ordine di arrestare Menšikov. I principi Dolgorukij, a loro volta, partecipando ai divertimenti venatori del giovane imperatore, accarezzavano sempre più il sogno di un matrimonio tra lo zar e la bella Ekaterina, sorella di Ivan Dolgorukij. Furono la passione per la caccia e il desiderio di affascinare la fidanzata a causare la morte del nipote di Pietro il Grande. Nel 1730, dopo aver minato la propria salute in interminabili cacce invernali, Pietro II finì per raffreddarsi gravemente durante le feste dell'Epifania, viaggiando in piedi sulla slitta di Ekaterina Dolgorukaja. Dopo una breve malattia, morì nella notte tra il 18 e il 19 gennaio 1730, all'età di quattordici anni e tre mesi.

Pietro II non utilizzò quella ricca azienda di caccia

*S. G. Vinogradov da
un originale di
M. M. Machaev,*
Padiglione di caccia,
o Monbijoux, *a
Carskoe Selo, 1761.*

ereditata dai suoi avi; essa continuò tuttavia a esistere accanto alle nuove strutture create appositamente per il giovane regnante. Ebbe così vita una vera e propria istituzione, quella della Caccia imperiale, per la cui direzione fu introdotta per la prima volta in Russia la carica di *jägermeister*. Bastano alcune cifre a testimoniare le dimensioni che assunsero gli svaghi venatori di Pietro II: nel 1729 il personale impiegato per la caccia imperiale era di 114 persone, metà delle quali si dedicava alle cure di 200 segugi e 420 levrieri; tra il 7 e il 16 settembre 1729 finirono braccate 4000 lepri, 50 volpi, 5 linci, 3 orsi e una miriade di animali più piccoli.

La nipote di Pietro il Grande, Anna Ioannovna, duchessa di Curlandia ed erede al trono russo (1730-1740), completò la creazione della nuova istituzione di corte. Nel 1736, per dirigere la caccia imperiale di sempre maggiori dimensioni, venne istituita la carica di *ober-jägermeister*. Il primo ad esserne insignito fu il ministro di gabinetto Artemij Volynskij, giustiziato nel 1740 per aver partecipato a un complotto politico.

Anna Ioannovna, che dal 1732 risiedette stabilmente a Pietroburgo, condivise con Pietro II l'amore per le battute di caccia nei dintorni di Peterhof. Tuttavia, a differenza del suo predecessore, la caccia non costituì mai per Anna un'autentica passione né tantomeno l'unico interesse della sua vita; essa rimase semplicemente la forma di divertimento che più si confaceva al suo rango. L'imperatrice amava particolarmente la caccia con il fucile, più attratta però dallo sparo in sé che dal suo risultato materiale. Nelle sue stanze vi erano sempre alcuni fucili carichi, con i quali sparava sia agli uccelli che casualmente passavano dinanzi alle finestre sia ai bersagli dell'apposita galleria allestita all'interno del Palazzo d'Inverno. La sovrana amava altresì la caccia con i cani nel Parco Inferiore di Peterhof e non disdegnava di assistere, dalle finestre del Palazzo d'Inverno di Pietroburgo, allo spettacolo delle battute al lupo o all'orso, organizzate nel cortile del palazzo per divertire Sua Maestà.

Il momento organizzativo culminante della Caccia imperiale fu la promulgazione degli *Jagd-stat* del 1740-1741. In conformità a questi ultimi, rientravano sotto le competenze dell'istituzione venatoria una squadra di cacciatori, l'organizzazione della caccia con i cani nonché il serraglio degli elefanti e quello delle belve, entrambi allestiti a Pietroburgo per ospitare vari animali destinati al divertimento dello zar. Esistevano inoltre altri serragli presso il palazzo di Peterhof e a Carskoe Selo. Anche presso le tenute della corona nei dintorni di Mosca esistevano delle divisioni della Caccia imperiale: nel villaggio Semënovskij quella dei falconieri, a Izmajlovo un serraglio. La caccia con i cani nella tradizione moscovita, che esisteva fin dai tempi dei primi Romanov, venne abolita.

In conformità ai nuovi *Jagd-stat*, per il mantenimento della Caccia imperiale veniva fissata una somma annua di 18.871 rubli. Per tutelare la selvaggina venne vietato quasi ogni tipo di caccia a privati cittadini nei dintorni delle due capitali. Gli svaghi venatori dei sovrani, tuttavia, assunsero proporzioni tali da richiedere allevamenti di lepri e di uccelli.

Sotto il regno di Elisabetta Petrovna (1741-1761), un tempo compagna delle cacce di Pietro II, fece la sua comparsa un nuovo organo di gestione della Caccia imperiale, la Cancelleria dell'*ober-jägermeister*, divenuta più tardi, sotto l'imperatrice Caterina II, il Corpo dell'*ober-jägermeister*. Elisabetta, appassionata cacciatrice negli anni della gioventù, non abbandonò lo svago preferito anche dopo essere salita al trono grazie alle baionette dei granatieri della guardia. Già nel 1742, la Caccia imperiale al suo completo seguiva su ottanta carri il corteo della nuova imperatrice che si affrettava a raggiungere Mosca per l'incoronazione. Un simile convoglio si ripeté anche in seguito, ogni volta che alla sovrana capitò di doversi recare a Mosca.

Nel 1751, su uno dei numeri di ottobre del quotidiano "Sanktpeterburgskie Vedomosti" (Notizie di San Pietroburgo), si leggeva: «Mai come nella caccia svoltasi a Krasnoe Selo il 30 del mese scorso hanno avuto maggiore magnificenza lo splendore e il perfetto coordinamento di cui la corte imperiale russa riluce come nessun'altra». Poco oltre si riferiva che la caccia era iniziata alle ore 12 ed era terminata verso le 6 di sera. «Sua Maestà Imperiale [cioè Elisabetta Petrovna], Sua Altezza Imperiale il granduca [il futuro imperatore Pietro III] e alcune dame invitate alla caccia, accompagnate da cavalieri appartenenti alla nobiltà di corte, in tutto 30 persone, indossavano identici abiti, e più precisamente: caffettani circassi [ucraini] di panno turchino e panciotti scarlatti riccamente trapuntati di guarnimenti dorati, e non vi era nessuno che non indossasse tale veste... All'arrivo di Sua Maestà Imperiale sul luogo dell'appuntamento... si trovavano già più di 70 cacciatori disposti su due file e con identici abiti circassi, e più precisamente: caffettani in panno scarlatto e panciotti verdi con galloni dorati». A quella sontuosa battuta di caccia parteciparono più di trecento cani tra levrieri e segugi; gli invitati, inoltre, erano accompagnati dai loro cacciatori personali e dai servi, che indossavano eleganti livree. Per gli abiti di parata dei dignitari e dei cacciatori di corte vennero spesi più di ventimila rubli, una somma a quei tempi enorme. La festa si concluse con una sfarzosa cena allestita sotto un magnifico padiglione e accompagnata dalle note di un'orchestra di cacciatori.

Alla magnificenza delle cacce di corte dei tempi di Elisabetta Petrovna corrispondeva una magnificenza non inferiore nell'arredo dei luoghi in cui le cacce si svolgevano. Nei primi anni di regno di Elisabetta Petrovna, ad esempio, al centro di un serraglio che nel 1718 era ospitato nella residenza imperiale di Carskoe

I. Wagner da un originale di Jacopo Amigoni, Ritratto dell'Imperatrice Anna Ioannovna, *1730-1740.*

Ivan F. Zubov, Veduta del villaggio Izmajlovo nei dintorni di Mosca, *1720-1730.*

Johann Stenglin da un originale di I. Lübbek, Ritratto dell'imperatore Pietro II, *1740-1750.*

Selo, a venticinque chilometri da Pietroburgo, il famoso architetto di origine italiana Bartolomeo Francesco Rastrelli fece costruire «un grande edificio in pietra, di due piani e con quattro padiglioni e un salone ottagonale al centro...». Questa costruzione, di impareggiabile bellezza ed eleganza, a quei tempi chiamata *Jagdkamera* o *Monbež* (dal francese *Mon bijou*), purtroppo non si è conservata. Tra il 1830-1835 al suo posto venne costruito l'edificio dell'Arsenale, su progetto dell'architetto A.A. Menelace. La creazione di Rastrelli rimase però immortalata in un'incisione di E.G. Vinogradov realizzata su disegno di M. Machaev. Tra il 1748 e il 1750, il salone e i padiglioni superiori della *Jagdkamera* vennero decorati con affreschi e quadri di

seggiate venatorie nei dintorni delle due capitali non diventasse l'ultima per l'erede al trono, il granduca Pëtr Fëdorovič (imperatore nel 1762), e la sua consorte Caterina Alekseevna, futura Caterina di Russia. Una notte, l'incantevole casetta di legno a due piani, che con affabile cordialità il principe Razumovskij aveva messo a disposizione della coppia, crollò a seguito di imprudenti lavori di restauro e per poco non seppellì i giovani sposi. Del resto, alle pompose cacce di Elisabetta Petrovna, Caterina Alekseevna preferiva le passeggiate solitarie nei dintorni delle proprietà della corte. «Al mattino mi alzavo verso le tre — scrisse più tardi nelle sue *Memorie* — e, senza chiamare i servi, mi vestivo da uomo da capo a piedi. Il mio vecchio *jäger*

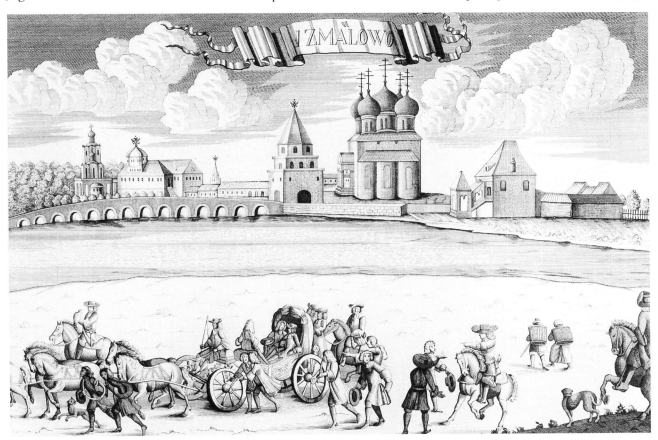

scene di caccia, opera del pittore tedesco Johann Friedrich Grooth, invitato alla corte russa proprio per eseguire tale lavoro. Oltre agli affreschi della cupola del salone principale, a *Monbež* vi erano altri 54 quadri del medesimo artista.

La particolare attenzione rivolta alla caccia dall'imperatrice Elisabetta Petrovna è testimoniata dalla nomina alla carica di *ober-jägermeister*, vacante dal giorno dell'esecuzione di Volynskij, del principe Aleksej Razumovskij, favorito dell'imperatrice e suo coniuge morganatico. La tenuta di Perovo, proprietà del principe nei dintorni di Mosca, come pure quelle di Gostilicy, Murzinka, Slavjanka e Primorskij, nei pressi di Pietroburgo, erano i luoghi in cui Elisabetta preferiva andare a caccia. Poco mancò che una di queste pas-

mi aspettava per accompagnarmi a una barca di pescatori sulla spiaggia. A piedi, col fucile in spalla, attraversavamo il giardino, poi, dopo aver preso con noi il cane, salivamo sulla barca del pescatore. Lungo la riva, tra i folti canneti, io sparavo alle anatre...».

Della giovane Caterina si è conservato un ritratto, dipinto da Georg Christian Grooth tra il 1740 e il 1750. La futura imperatrice vi è ritratta in tenuta da amazzone, con un civettuolo tricorno sul capo e un fucile leggero in mano, quasi identica al ritratto che lei stessa offre di sé nelle sue *Memorie*.

Una volta divenuta imperatrice (1762-1796), Caterina non perse quel suo atteggiamento verso la caccia, un poco romantico e contemplativo. Nei primi decenni del suo regno, ella non disdegnò l'antico svago dei signori della Moscovia, la caccia con il falcone, a cui amava assistere in sella o in carrozza nei pittoreschi dintorni di Carskoe Selo.

Pur incoraggiando in ogni modo le passioni venatorie dei suoi favoriti e confidenti, la grande imperatrice continuò ad apprezzare maggiormente la caccia come spettacolo piuttosto che la caccia come attività. Come eloquente testimonianza di ciò possiamo ricordare la caccia organizzata in onore della sovrana nella masseria di Levendal', vicino a Pietroburgo, dallo *Stallmeister* (il palafreniere di corte) L.A. Naryškin. Uno dei numeri delle "Sanktpeterburgskie Vedomosti" del 1770 riporta una particolareggiata descrizione di quel-

pio di Diana, dalle colonne ornate di ghirlande e festoni. Il tempio ospitava la statua della Dea. Dovunque si diffondeva la musica di più di cinquanta corni [suonati dagli *jäger* di corte]; il loro suono costringeva le lepri nascoste sull'altura a fuggire nel bosco e al loro inseguimento subito si lanciavano i cani».

Per il mantenimento della caccia, Caterina non fu avara di mezzi. Stando agli *Jagd-stat* del 1773, ogni anno venivano stanziati 68.200 rubli, e a partire dal 1774 ben 81.286 rubli. Secondo la tradizione, la Caccia imperiale si suddivideva nella sezione di Mosca e in quella di Pietroburgo. Nella capitale del Nord si trovavano: una cancelleria, la squadra degli *jäger* di cor-

Georg Christoph Grooth, Ritratto della granduchessa Ekaterina Alekseevna in costume da caccia, *c. 1740.*

lo spettacolo: «Sua Maestà Imperiale si addentrò nel boschetto lungo una stradina, dove il folto degli alberi e l'intreccio dei rami, creati a imitazione della natura ai lati del dirupo, formavano un profondo anfratto, uscendo dal quale si scorgeva una selvaggia altura, coperta di muschio e di alberi e su cui si poteva salire a malapena seguendo piccoli sentieri; al di là dell'altura si udivano musica e canto. Sua Maestà Imperiale si era appena accomodata ai piedi di questa altura, su un canapé fatto di zolle erbose a mo' di poggio, allorché d'improvviso la foresta romita di quell'altura si mutò in una stupenda macchia boschiva attraversata da ampie stradine e in cima all'altura apparve il magnifico tem-

te, un equipaggio per la caccia con i cani, le uccelliere e i serragli di San Pietroburgo, Peterhof e Carskoe Selo. Mosca, a sua volta, ospitava: una cancelleria, un equipaggio per l'uccellagione e due per la caccia con i cani, nella *Aleksandrova sloboda* e nel serraglio di Izmajlovo. Oltre a tutto ciò, era alle dipendenze dell'*ober-jägermeister* un'eccezionale orchestra di musica da caccia. Organizzata dall'*ober-jägermeister* S.K. Naryškin, essa contava cinquantuno musicisti ed era formata da quattro *Waldhorn*, tre clarinetti, due flauti-traversi, due oboi, due bassi tuba e trentasei corni. L'orchestra da caccia era considerata una delle migliori della Pietroburgo di allora e suonava non soltanto durante le battute di caccia ma anche in occasione di altre feste di corte. Ai tempi di Caterina II la Caccia imperiale contava un organico di 321 persone.

Neppure Paolo I (1796-1801), similmente al suo grande bisavolo Pietro I, amava andare a caccia, preferendo di gran lunga l'arte militare. Forse l'unica caccia a cui egli partecipò fu quella organizzata dalla corte di Württemberg a Behrensee, nei pressi di Stoccarda, nell'ottobre 1782, in onore della visita dell'erede al trono russo e della sua consorte. Tra le passioni di Paolo I più vicine alla caccia possiamo ricordare le sue frequenti visite ai serragli. Fin dai tempi in cui era granduca, egli possedeva alcuni serragli in tutte e due le residenze estive da lui preferite, Pavlovsk e Gatčina.

La lenta decadenza dell'istituto della Caccia imperiale, iniziata sotto Paolo I, continuò anche sotto il suo successore Alessandro I (1801-1825) che, come il padre, non amava l'attività venatoria. Sembra che Aleksandr Pavlovič non abbia partecipato a una sola battuta di caccia. Soltanto per rispetto all'etichetta di corti straniere prese parte ad alcune cacce organizzate in suo onore durante i suoi viaggi in Europa. Il 6 ottobre 1808, insieme con Napoleone, Alessandro I partecipò alla caccia organizzata dal duca di Sassonia-Weimar a Ettersberg e nel 1815, durante il Congresso di Vienna, fu presente ad alcune battute organizzate dal cancelliere Metternich. Durante le sue permanenze in Russia, Aleksandr Pavlovič amava dar da mangiare agli uccelli dell'uccelliera di Carskoe Selo, dove prima di ogni suo arrivo veniva preparata una grande quantità di becchime.

Sotto Paolo I e Alessandro I l'organico della Caccia imperiale andò via via diminuendo, fino a 162 persone nel 1796 e a 110 nel 1801. Decadde definitivamente l'antica caccia moscovita e nel luglio 1813 non esisteva più un solo falcone. Moriva così quella che era stata la gloriosa "caccia con il falco" dei primi Romanov. Tra il 1820 e il 1830 il declino delle brigate di caccia moscovite giunse a tal punto che nel 1828 Nikolaj Pavlovič (1825-1855) le congedò definitivamente. Terminò così il periodo aureo della Caccia reale e imperiale nella Russia del XVIII secolo. La caccia sarebbe successivamente risorta tra la fine del XIX secolo e l'inizio del XX nelle feste venatorie degli ultimi rappresentanti della dinastia Romanov sul trono russo.

Traduzione Gian Luigi Giacone

CATALOGO

JACOBUS HOUBRAKEN
Dordrecht, 1698 - Amsterdam, 1780

Disegnatore e incisore. Fu figlio e allievo di A. Houbraken e dal 1709 visse ad Amsterdam. Autore di molti ritratti di soggetto religioso e scene di genere con la tecnica dell'incisione a bulino. Realizzò il ritratto di Pietro I e Caterina I su commissione dell'imperatore russo.

1
Ritratto dell'imperatore Pietro I
Da un originale di Karel Moor
1718
In basso a destra: "Jak. Houbraken fec."
Sull'immagine una iscrizione in lingua latina
Incisione a bulino
cm. 55,2 × 41,3, foglio;
la tiratura non è visibile
Inv. ERG-15126
Acquisizione: Appartiene alle collezioni dell'Ermitage.

Pietro I Alekseevič (1672-1725), figlio dello zar di Russia Alessio Michajlovič e di Natalija Kirillovna Naryškina, fu imperatore russo e condottiero. Dal 1682 al 1689 governò con il fratello Ivan ed in seguito da solo.
L'incisione fu realizzata su commissione di Pietro I. L'originale del ritratto fu inviato da Caterina I nel maggio del 1717 dall'Aia a Parigi, dove a quel tempo si trovava Pietro I. Alla fine dello stesso anno fu inviato nuovamente all'Aia, all'ambasciatore russo B.I. Kurakin, che diede ordine di trarne un'incisione.
Pietro I Alekseevič è raffigurato nel dipinto con la fascia di Sant'Andrea. In basso, sotto il ritratto dal lato del cartiglio, accanto ad una iscrizione in lingua latina compaiono due medaglioni: uno è dedicato alla battaglia contro gli svedesi vicino ad Angut del 1714 e l'altro raffigura la pianta di Pietroburgo. L'opera è abbinata al ritratto di Caterina I (vedi Cat. n. 2).

Esposizioni: 1989, Amsterdam, Russen en Nederlanders, n. 192; 1989, Moskva, Russkie Gollandcy, p. 104.
Bibliografia: 69 (tomo II; pp. 1573-1575; n. 140); 56 (n. 473).

(G.K.)

J. HOUBRAKEN
Per le notizie biografiche vedi Cat. n. 1.

2
Ritratto di Caterina Alekseevna,
moglie dell'imperatore Pietro I
1718
Da un originale di Jean Marc Nattier del 1717
In basso a destra: "Jak. Houbraken fec."
Più in basso sul cartiglio l'iscrizione in lingua latina
Incisione a bulino
cm. 55,3 × 41; la tiratura non è visibile
Inv. ERG-13293
Acquisizione: Appartiene alle collezioni dell'Ermitage.

Caterina I Alekseevna (1684-1727), nata Marta Skavronskaja, divenne seconda moglie di Pietro I nel 1712 e dal 1725 imperatrice di Russia.
L'incisione fu realizzata su ordine di Pietro I. L'originale fu trasmesso a J. Houbraken da B.I. Kurakin insieme al ritratto di Pietro I nel dicembre del 1717. Il saggio di prova dell'incisione fu fatto nell'ottobre del 1718 e rispedito a Pietro I in visione.

Bibliografia: 69 (tomo II; p. 479; n. 19); 58 (p. 79; n. 431).

(G.M.)

79

CARLO BARTOLOMEO RASTRELLI
Firenze, 1675 - Pietroburgo, 1744

Celebre scultore della prima metà del XVIII secolo. Studiò a Firenze e a Roma. Dal 1700 al 1715 lavorò a Parigi presso la corte di Luigi XIV e nel marzo del 1716 giunse a Pietroburgo con un contratto di tre anni, ma qui si fermò per il resto della vita. Lavorò in qualità di architetto, scultore, medaglista e decoratore. Concorse alla formazione della Scuola Nazionale di Scultura Russa.

3
Busto di Aleksandr Danilovič Menšikov
1716-1717

Bronzo, fusione, cesello; cm. 122,5 × 96 × 44
Inv. ERSk-209
Acquisizione: 1977, acquistato dal Ministero della Cultura dell'URSS da M.A. Jeanchef (Francia). Sino al 1935 faceva parte della collezione del principe T. Gagarin (Londra).

Aleksandr Danilovič Menšikov (1673-1729) fu un principe illuminato, uomo di stato e compagno d'armi di Pietro I. Nel 1703 fu primo governatore di Pietroburgo e dal 1709 divenne Generale Feldmaresciallo e Presidente del Collegio di guerra. Partecipò alla Guerra del Nord. Nel 1727, sotto il regno di Pietro II, fu arrestato e confinato a Rannensburg e successivamente a Berezov, dove morì.
Il busto di A.D. Menšikov è il primo busto di soggetto civile realizzato in Russia, benché rispetti la tradizione dei busti di gala dell'Europa occidentale. Menšikov vi è raffigurato con la parrucca, l'armatura e il mantello; con le stelle dell'ordine di Sant'Andrea, le decorazioni e la fascia dell'ordine polacco dell'Aquila Bianca, l'ordine prussiano dell'Aquila nera, con catena e fiocco.

In rilievo sono raffigurate scene di battaglia.

Esposizioni: 1905, Peterburg, Tavričeskaja vystavka, n. 132; 1935, London, Vystavka russkogo iskusstva, n. 3; 1939, Leningrad, G.R.M. Rastrelli, n. 4; 1984, Leningrad, Russkoe barokko, n. 87.
Bibliografia: 8 (pp. 21, 88); 25 (pp. 71, 72, 82); 21 (p. 192; ill. 63).

(*L.T.*)

C.B. RASTRELLI
Per le notizie biografiche vedi Cat. n. 3.

4
Ritratto di Pietro I
1723

Piombo
diametro cm. 35; con cornice cm. 59 × 48,5
In basso a destra la firma: "CBRF"
Inv. ERSk-119
Acquisizione: Appartiene alle collezioni dell'Ermitage.

Nel bassorilievo Pietro I Alekseevič (per le notizie biografiche vedi Cat. n. 1) è raffigurato con la fascia azzurra dell'ordine di Sant'Andrea, con il mantello, lo scudo e l'armatura. Sulla cornice sono raffigurati lo stemma russo e la catena dell'ordine di Sant'Anna.

Esposizioni: 1939, Leningrad, G.R.M. Rastrelli, n. 8; 1973, Leningrad, Portret petrovkogo vremini, p. 252; 1975, Leningrad, C.B. Rastrelli, n. 25; 1979, Leningrad, Russkij skulturnyj portret, n. 11; 1984, Leningrad, Russkoe barokko, n. 90.
Bibliografia: 39 (p. 10; n. 2); 57 (p. 19); 56 (p. 114; n. 767); 8 (n. 74).

(*L.T.*)

GRIGORIJ SEMËNOVIČ MUSIKIJSKIJ
1670/71 - dopo il 1739

Pittore e miniaturista. Russo, fu uno dei capiscuola del genere della miniatura in smalto. Lavorò a Mosca come Pittore dell'Armeria; dal 1711 operò a Pietroburgo dapprima in qualità di Maestro dello smalto della Cancelleria dell'Armeria e successivamente, dal 1720, presso il Collegio-Manifattura Berg. Eseguì un grande numero di ritratti di Pietro I, dei membri della famiglia imperiale e del seguito.

5

Ritratto di Pietro I sullo sfondo della Fortezza dei Santi Pietro e Paolo e di piazza della Trinità a Pietroburgo
1723

A sinistra sul cannone: "GM Sankt Piterburg' 1723" (in russo).
Smalto su oro
cm. 6,5 × 8,8; ovale
Inv. ERR-3823
Acquisizione: 1941, dal Museo Etnografico di Stato dei Popoli dell'URSS. Proveniva dalla collezione di Caterina II del Palazzo d'Inverno. Sino al 1910 fu conservata all'Ermitage, in seguito nella Galleria di Pietro I nel Museo di Antropologia ed Etnografia dell'Accademia delle Scienze dell'URSS.

Per le notizie biografiche su Pietro I vedi Cat. n. 1.
La miniatura riproduce il dipinto eseguito da J. Kupeckij, inciso da A. Zubov e P. Picart. Fu realizzata su commissione di Pietro I per il ventesimo anniversario della fondazione di San Pietroburgo.

Esposizioni: 1981, Leningrad, Miniatjura, p. 12 e 33, n. 15; 1986, Paris, La France et la Russie, p. 358, n. 519.

Bibliografia: 21 (pp. 51, 189; n. 70); 29 (pp. 168-182); 66 (p. 284; n. 51; ill. 10).

(*G.P.*)

G.S. MUSIKIJSKIJ
Per le notizie biografiche vedi Cat. n. 5.

6

Ritratto di Caterina I sullo sfondo del palazzo di Ekaterinhoff a Pietroburgo
1724

A sinistra, sulla colonna: "1724. S.P. Burch G. Musikiskij" (in russo)
Smalto su oro
cm. 6,5 × 8,8
Inv. ERR-3825
Acquisizione: 1941, dal Museo Etnografico di Stato dei Popoli dell'URSS. Proveniva dalla collezione di Caterina II del Palazzo d'Inverno. Sino al 1910 fu conservata all'Ermitage, in seguito nella Galleria di Pietro I nel Museo di Antropologia ed Etnografia dell'Accademia delle Scienze dell'URSS.

Per le notizie biografiche su Caterina I Alekseevna vedi Cat. n. 2.
La miniatura riprende il ritratto dipinto da J.M. Nattier nel 1717 e l'incisione di A.I. Rostovcev, "Veduta di Ekaterinhoff", 1716. Ekaterinhoff comprende il palazzo e il parco nei dintorni di Pietroburgo che Pietro I fece costruire nel 1711 per la consorte.

Esposizioni: 1981, Leningrad, Miniatjura, p. 33, n. 16; 1986, Paris, La France et la Russie, p. 358, n. 520.
Bibliografia: 29 (pp. 168-182); 21 (pp. 51, 189); 66 (p. 284; n. 52; ill. 9); 74 (n. 69).

(*G.P.*)

7
Abito dell'imperatore Pietro I
1700-1725
Marsina: panno rosso, seta trattata, gallone traforato in oro,
filo d'oro, bottoni
Camisiola e calzoni: panno giallo, flanella di cotone, filo d'oro
Lunghezza della marsina cm. 119
Lunghezza della camisiola cm. 93
Lunghezza dei calzoni cm. 79
Inv. ERT-8394, 8317, 8456
Acquisizione: Dalla Galleria dell'imperatore Pietro I
dell'Ermitage.

L'unico "Guardaroba di Pietro I" è conservato all'Ermitage,
conta 280 elementi e ci consente di conoscere gli abiti di foggia
europea, comparsi per la prima volta in Russia nel primo quarto del secolo XVIII. Verosimilmente la marsina fu cucita da artigiani russi, la camisiola e i pantaloni da stranieri. La lunghezza dei calzoni, che erano infilati negli stivaloni, e la camisiola
accorciata testimoniano l'attualità di questo completo da equita-
zione, impiegato anche per la caccia.

Esposizioni: 1962, Leningrad, Kostjum v Rossii, n. 2, p. 13;
1989, Paris, Les Costumes, n. 5.
Bibliografia: 56 (n. 2791, p. 20, marsina; nn. 2272-2273, p.
219, camisiola e calzoni).

(*E.M.*)

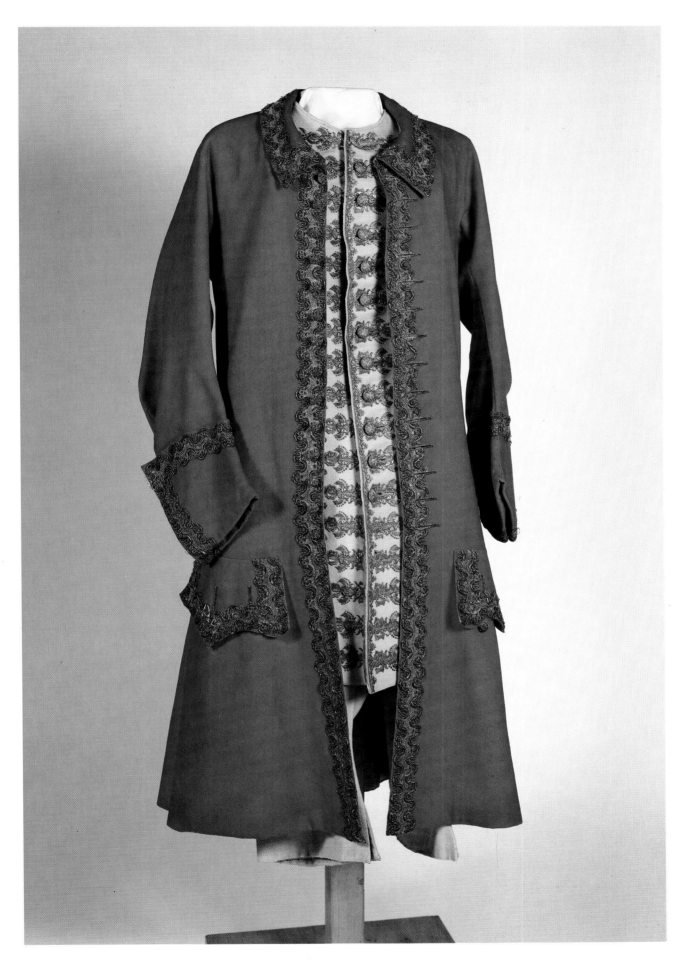

MAESTRO IGNOTO

8
Piatto da portata
Pietroburgo, circa 1720

Argento, massellatura, doratura, cesello
Diametro cm. 49
Marchio: 1736 G.Šč.
Inv. ERO-4596
Acquisizione: Appartiene alle collezioni dell'Ermitage.

Il centro è costituito da un medaglione rotondo con la scena
dell'incontro tra Melchisedek e Abramo; sulla parte superiore
del bordo compare un medaglione ovale con lo stemma dell'impero russo; sul bordo sono cesellati ornamenti floreali.
Intorno allo stemma si trova l'iscrizione: "Vivat il chiarissimo e
potentissimo Pietro il Grande Imperatore e Autocrate di tutte le
Russie".

Intorno al medaglione l'iscrizione: "E Melchisedek re di Salem
portò pane e vino: Egli era sacerdote di Iddio Altissimo, e lo
benedisse dicendo: Benedetto sia Abramo dall'Altissimo Iddio,
Creatore del cielo e della terra (Genesi 14)".

I piatti da portata avevano un ruolo di rilievo al tempo delle cerimonie solenni nella corte imperiale. Venivano impiegati per
offrire pane e sale; durante le incoronazioni servivano per offrire regalie. Nel 1736-1737 fu effettuato il primo inventario degli argenti e degli ori del Palazzo d'Inverno e in quell'occasione
venne apposto il marchio punzonato. In quegli anni analoga
marchiatura fu apposta non solo sulle opere russe, ma anche
sui manufatti artistici stranieri conservati presso i depositi del
Palazzo.

Espostzioni: 1986, Lugano, n. 67.
Bibliografia: 39 (p. 47; n. 10); 9 (n. 27).

(*L.Z.*)

9
Slitta per bambini
Olanda, prima metà secolo XVIII
Quercia, pino, ferro, intaglio, doratura, pittura
cm. 100 × 65 × 80
Inv. E-3694
Acquisizione: 1937, dalla Commissione per le Acquisizioni
dell'Ermitage.

Sulla parte posteriore di traverso è intagliata l'iscrizione: "Ent
goet ol goet" (ognuno pensa per sé) "e yder sin sin" (la fine corona l'opera).
Questi mezzi di trasporto erano spinti posteriormente attraverso
speciali impugnature, simili a quelle delle slitte finlandesi di
oggi.

Esposizioni: È esposta per la prima volta.　　　　　　(*V.C.*)

MANIFATTURA IGNOTA

10
Slitta per mascherate
Polonia, prima metà secolo XVIII
Legno, ferro, seta, intaglio, doratura
cm. 270 × 90 × 90
Inv. 645
Acquisizione: 1920, dal Museo del Disegno Tecnico del barone
A.L. Stieglitz.

Esposizioni: È esposta per la prima volta.

(*V.C.*)

89

MICHAIL KLUŠIN
Attivo negli anni 1725-1750

11
Tumbler con coperchio
Mosca, 1741
Argento, cesello, fusione
cm. 22 × 11,2 × 11,2
Marchio: MK: maestro; 1741 AS: maestro assaggiatore
Andrej Zajcev, città di Mosca
Inv. ERO-7637
Acquisizione: 1951, dal Deposito di Stato dei Beni
di Valore di Mosca.

Poggia su tre piedi sferici ed è decorato con motivi floreali.

Esposizioni: 1984, Leningrad, Russkoe barokko, n. 208.
Bibliografia: 9 (n. 50).

(L.Z.)

MAESTRO IGNOTO

12
Coppa con coperchio
Mosca, 1742
Argento, almandino, fusione, doratura, cesello, intaglio, niello
cm. 67 × 17,5 × 21
Marchio: A.R.: maestro assaggiatore Afanasij Rybakov,
città di Mosca con la data 1742
Inv. ERO-4564
Acquisizione: Appartiene alle collezioni dell'Ermitage.

È decorata con aquila bicipite, intagliata con motivi ornamentali, medaglioni e figure di Bacco sullo stelo.

Esposizioni: 1981-82, Köln, n. 65; 1984, Leningrad, Russkoe barokko, n. 212; 1986, Paris, La France et la Russie, n. 544; 1987, Leningrad, Rossija-Francija, n. 460.
Bibliografia: 85 (tomo II; p. 356); 9 (n. 42).

(L.Z.)

MANIFATTURA DI TULA

13
Poltrona pieghevole
Tula, 1743

Acciaio, brunitura, getto in ottone, argentatura, pelle
cm. 88 × 69 × 47
Inv. ERM-5058
Acquisizione: Appartiene alle collezioni del Palazzo d'Inverno.

La poltrona è traforata, con grate, tralci di acanto e fregi geometrici; la parte d'appoggio è ornata da tralci di acanto intrecciati con figure di uccelli e antichi guerrieri. Sulla spalliera sono incise le iniziali imperiali "EP" Elisabetta Petrovna. Sul piedistallo è apposta un'iscrizione "Tula 1743".

Nel XVIII secolo la manifattura di armi di Tula ricevette numerose commissioni per la realizzazione di mobili di gala in acciaio per il Palazzo Imperiale e per le alte gerarchie della Chiesa ortodossa.

Esposizioni: 1981, Leningrad, Chudožestvennyj metall, n. 71; 1986, Paris, La France et la Russie, n. 556.
Bibliografia: 39 (p. 96; n. 37); 47 (p. 162; ill. 6-7); 48 (p. 63); 80 (n. 40).

(*M.M.*)

MANIFATTURA DEI FRATELLI MOSOLOV
Attiva nel secolo XVIII

14
Tavolo rettangolare
Città di Šansk, governatorato di Kaluga, 1744
e 1763

Acciaio, ottone, incisione, legno
cm. 74 × 69 × 47
Inv. ERM-5059
Acquisizione: Appartiene alle collezioni dell'Ermitage.

Rettangolare, con griglia traforata, il tavolo presenta la scritta "VIVAT" sulla parte superiore. La facciata inferiore del tavolo e le gambe sono decorate con intagli di foglie di acanto e motivi geometrici. Nelle gambe incrociate del tavolo sono raffigurati un leone e un unicorno araldici. Un'iscrizione recita "Manifattura di Šansk 1744-1763". I fratelli Mosolov provenivano da una antica stirpe di artigiani armaioli. Dalla metà del XVIII secolo divennero proprietari di otto botteghe nei governatorati di Tula e Kaluga. Il tavolo fu realizzato nel 1744 per essere offerto all'imperatrice Elisabetta Petrovna, ma per ignoti motivi non le fu donato. Nel 1763 questo stesso tavolo con la data incisa e le iniziali imperiali "EA" Ekaterina Alekseevna (Caterina II), fu offerto in occasione dell'incoronazione dell'imperatrice con la data variata.

Esposizioni: 1981, Leningrad, Chudožestvennyj metall, n. 72.
Bibliografia: 48 (p. 165); 80 (n. 39).

(*M.M.*)

MAESTRO MONOGRAMMISTA JA IG

15
Attingitoio
Mosca, 1753
Argento, doratura, fusione, intaglio, incisione
cm. 11,4 × 30,5 × 15,1
Marchio: Ja IG; città di Mosca, 1753
Inv. ERO-7751
Acquisizione: 1951, dal Deposito Statale degli Oggetti
di Valore di Mosca.

Sul manico compaiono le iniziali imperiali di Elisabetta Petrovna e al centro lo stemma dell'Impero Russo; sul bordo si scorgono iscrizioni votive e il ritratto di Elisabetta Petrovna. Sul
bordo la scritta: "Noi Elisabetta I per grazia divina Imperatrice
Autocrate di tutte le Russie onoriamo con questo attingitoio il
Sergente Maggiore Roman Emeljanov dell'Esercito del Don per
il suo fedele servizio 24 sett. 1753 Mosca."

L'uso di regalare attingitoi per meriti di guerra era molto diffuso nell'antichità. In Russia all'inizio del XVIII secolo si diffuse
l'usanza degli ordini militari, riservata esclusivamente alle famiglie nobili. Le truppe del Don presero parte attiva alla difesa
dei confini del paese e, seguendo l'usanza antica, per i servizi
resi i Sergenti Maggiori venivano premiati con attingitoi.

Esposizioni: 1981, Leningrad, Chudožestvennyj metall, n. 433.
(*L.Z.*)

94

MAESTRO VASILIJ NIKITIN

16
Tumbler con coperchio
Mosca, 1757
Argento, doratura, fusione, cesello
cm. 23,7 × 11,2 × 11,2
Marchio: VN: maestro; città di Mosca, 1757
Inv. ERO-7638
Acquisizione: 1951, dal Deposito di Stato degli Oggetti
di Valore di Mosca.

Di forma conica e base rotonda, riporta sul tronco tre medaglioni con ritratto, le iniziali imperiali di Elisabetta Petrovna e
lo stemma della Russia. Il coperchio è ornato con un'aquila bicipite.

Esposizioni: 1984, Leningrad, Russkoe barokko, n. 228.

(*L.Z.*)

95

MAESTRO MONOGRAMMISTA A.G.

17
Boccale con coperchio
Mosca, circa 1750

Argento, doratura, fusione, cesello
cm. 19 × 19 × 13,1
Marchio: A.G.: maestro ignoto; AK: maestro assaggiatore
Anisim
Kuzmin, città di Mosca 175..
Inv. ERO-4618

Poggia su tre piedi sferici; sulle pareti sono riportati tre cartigli
con scene di guerra.

Esposizioni: 1981, Leningrad, Chudožestvennyj metall, n. 431.

VETRERIA IMPERIALE DI PIETROBURGO

18
Coppa troncoconica
Pietroburgo, metà secolo XVIII

Vetro incolore soffiato, incisione, doratura, smerigliatura
cm. 19,8 × 11 × 11
Inv. ERS-36
Acquisizione: 1941, dal Museo Etnografico di Stato
dei Popoli dell'URSS. Precedentemente nella collezione
del principe Dolgorukij a Pietroburgo.

La coppa è sfaccettata in basso. Sulle pareti si scorgono incisioni dorate a forma di aquila bicipite sotto una corona tra fiori e
le iniziali dell'imperatrice Elisabetta Petrovna "E.I.P.". Lo stelo è a balaustro con due riprese.

Esposizioni: 1990, Kotca, n. 302.

(*T.M.*)

GEORG FRIEDRICH SCHMIDT
Berlino, 1712 - Berlino, 1775

Incisore, maestro di disegno e di pastello. Studiò con G.P. Bu-
chat e successivamente con N. Larmessin a Parigi. Nel 1742
entrò a far parte dell'Accademia francese di Belle Arti. Fu incisore alla Corte del re prussiano Federico II. Tra il 1757 e il
1762 lavorò in Russia: fu a capo dell'Ufficio di Incisione del-
l'Accademia delle Scienze e contemporaneamente, dal settembre 1758, della Classe di Incisione dell'Accademia di Belle Arti. A Pietroburgo realizzò una grande quantità di ritratti da originali di altri autori. Molti giovani incisori russi furono suoi allievi (ad esempio E.P. Čemesov).

19

Ritratto dell'imperatrice Elisabetta Petrovna
1761

In basso a sinistra: "L. Tocqué Peintre du Roy pinxit 1758"
Più in basso: "Dipinto da L. Tocqué 1758" (in russo)
A destra: "Gravé à St. Petersbourg par George Frédéric
Schmidt en 1761"
Più in basso: "Inciso da Geor: Fried: Schmidt San Pietroburgo
1761" (in russo)
Sotto, l'iscrizione in lingua russa
Acquaforte, incisione a bulino
cm. 63,5 × 51,8; la tiratura non è visibile
Inv. ERG-16667.
Acquisizione: Appartiene alle collezioni dell'Ermitage.

Elisabetta Petrovna (1709-1761), figlia di Pietro I e di Caterina
Alekseevna, fu dal 1741 al 1761 Imperatrice di tutte le Russie
con il nome di Elisabetta I.
È raffigurata in piedi in abiti regali, con il manto d'ermellino e
l'ordine di Sant'Andrea.

Bibliografia: 97; 69 (tomo I; p. 938; n. 38); 70 (tomo II; p.
205; n. 9)

(G.K.)

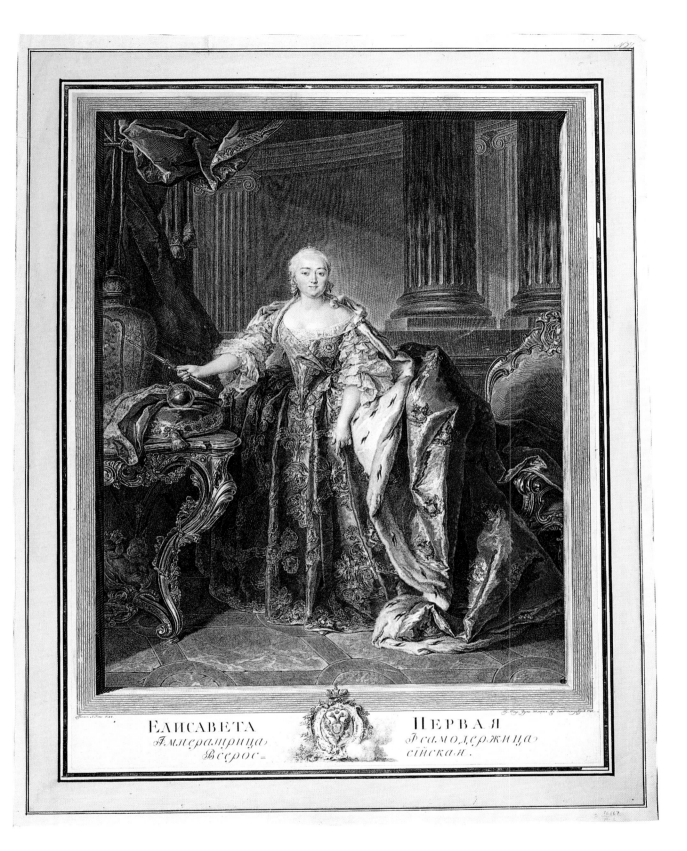

ЕЛИСАВЕТА   ПЕРВАЯ

Императрица   *Самодержица*

Всерос=   *сійская.*

IVAN ALEKSEEVIČ SOKOLOV
Mosca (?), 1714/18 - Pietroburgo, 1757

Incisore e disegnatore. Studiò al ginnasio dell'Accademia delle Scienze, dal 1731 presso i corsi di incisione di Elliger e A.Ch. Vortman e nel 1746 divenne Maestro. Dal 1745 al 1757 diresse i corsi di incisione e, al tempo stesso, avviò un suo laboratorio. È il principale esponente della scuola di incisione russa della metà del XVIII secolo. Realizzò ritratti, fogli e album per le incoronazioni, scene di fuochi artificiali, illustrazioni per libri.

20
Ritratto del principe Pëtr Fëdorovič
1748

Da un originale di George Grooth
In basso a sinistra: "S. Imp. Mai. Pictor G.C. Grooth pinxit"
A destra: "Maestro Ivan Sokolov, Accademia delle Scienze e delle Arti. S. Pietroburgo 1748" (in russo)
Più in alto, sul cartiglio, l'iscrizione in lingua russa
Acquaforte, bulino

cm. 50,4 × 35,7; prima tiratura
Inv. ERG-28775
Acquisizione: Appartiene alle collezioni dell'Ermitage.

Il ritratto fu commissionato nel 1746; fu eseguito nella casa di Grooth sotto la sua sorveglianza e completato nel 1748.
È abbinato al ritratto della granduchessa Ekaterina Alekseevna (vedi Cat. n. 21).
Pëtr Fëdorovič (1728-1762) figlio di Anna Petrovna (figlia di Pietro I) e del duca Karl Friederich Holstein-Gottorf, fu educato in Germania. Giunse in Russia nel 1742 e fu nominato erede al trono russo. Dalla fine del dicembre 1761 al giugno 1762 fu imperatore di Russia con il nome Pietro III. Morì nel corso di una congiura di Palazzo.
Nell'opera viene raffigurato con gli ordini di Sant'Andrea e di Sant'Anna.

Esposizioni: 1984, Leningrad, Russkoe barokko, n. 81.
Bibliografia: 69 (tomo III; p. 1762; n. 6); 70 (tomo II; p. 949; n. 24); 4 (p. 80).

(*G.M.*)

EFIM GRIGOR'EVIČ VINOGRADOV
Pietroburgo, 1725/28 - Pietroburgo, 1769

Incisore. Dal 1739 iniziò a studiare pittura e incisione presso
l'Accademia delle Scienze nei corsi di E. Grimmel' e I. Sokolov
e, dal 1757, con G.F. Schmidt. Nel 1757 divenne apprendista.
Dal 1759 diresse con A.A. Grekov l'Ufficio di Incisione, dove
lavorò sino al 1768. Fu autore di ritratti, vedute di Pietroburgo, illustrazioni per libri, scene di fuochi artificiali.

E.G. VINOGRADOV E I.A. SOKOLOV
Per notizie biografiche su I.A. Sokolov vedi Cat. n. 20.

21
Ritratto della granduchessa Ekaterina Alekseevna
iniziato 1740-1750, terminato 1761
Da un originale di Pietro Rotari
In basso a destra: "Inciso da Efim' Vinogradov' all'Accademia
imperiale di S. Pietroburgo 1761" (in russo)

Sotto il ritratto, sul cartiglio, l'iscrizione in lingua russa
Acquaforte, incisione a bulino
cm. 53,7 × 36, foglio; tiratura separata
Inv. ERG-13588

Il ritratto fu iniziato da Sokolov alla fine del decennio
1740-1750 da un originale di Georg Grooth, ma rimase incom-
piuto. Nel 1761 Vinogradov si servì di una vecchia lastra e al
posto del ritratto di Grooth, nella cornice decorativa, utilizzata
da Sokolov, incise il ritratto dall'originale di Rotari (evidentemente su richiesta della stessa Ekaterina, poi Caterina II).
È abbinato al ritratto del marito, granduca Pëtr Fëdorovič (vedi
Cat. n. 20).
Per le notizie biografiche su Caterina II Alekseevna v. Cat. n. 28.

Bibliografia: 69 (tomo I; p. 778; n. 6); 70 (tomo I; p. 161; n.
4); 4 (p. 80).

(G.K.)

BOTTEGA DI JOHAN FRIDIRICH KEPPING

22
Zuppiera ovale con coperchio del servizio
"Petrovskij"
Pietroburgo, circa 1750

Argento, fusione, cesello
zuppiera cm. 33 × 44 × 23
vassoio cm. 3 × 49 × 39
Sprovvista di marchio. All'Ermitage è conservata una zuppiera
rotonda dello stesso servizio con il marchio del Maestro
Kepping.
Inv. ERO-4600
Acquisizione: Appartiene alle collezioni dell'Ermitage.

Riporta figure di aquile e fasci in fusione cesellati sulle pareti.

Il servizio "Petrovskij/Oranienbaumskij" fu ordinato dall'imperatrice Elisabetta Petrovna per il nipote ed erede al trono granduca Pëtr Fëdorovič, futuro imperatore Pietro III. Nel 1745 gli
fu donata Oranienbaum (nei dintorni di Pietroburgo, ex residenza suburbana del principe A.D. Menšikov). In loco, appositamente per l'erede al trono, fu costruita in miniatura la fortezza di Peterstadt dall'architetto italiano Antonio Rinaldi. Ai giorni nostri si sono conservati il palazzo e il portone d'entrata.

Esposizioni: 1984, Leningrad, Russkoe barokko, n. 230; 1990,
Kotca.
Bibliografia: 85 (tomo II; p. 506); 9 (n. 59).

I.A. SOKOLOV E ALLIEVI
Per le notizie biografiche vedi Cat. n. 20.

23
Pianta di Pietroburgo nel 1753.
Su disegno di Ivan Fëdorovič Truskot
In basso, sotto l'immagine, a sinistra: "Disegnato da I. Truskot, dell'Accademia delle Scienze" (in russo)
A sinistra: "Sotto la supervisione del Maestro I. Sokolov e del Maestro Machaev" (in russo)
Incisione a bulino
cm. 136 × 202, in 9 tavole
Inv. ERG-3884, 3896
Acquisizione: Appartiene alle collezioni dell'Ermitage.

Appartiene ad un album, vedi Cat. n. 24.
Il progetto per la realizzazione di una pianta della città iniziò nel 1748 sotto la direzione dell'incaricato del Dipartimento di Geografia Ivan Fëdorovič Truskot e terminò nel 1749. Verso il 1752 il lavoro fu compiuto da un gruppo di allievi e aiutanti del Laboratorio di incisione sotto la direzione di I.A. Sokolov. Tra questi Ivan Lapkin, Efim e Filipp Vnukov, Lev Terskij e altri.
Al centro si possono vedere il fiume Neva e i suoi affluenti (Malaja Nevka e Bolš'aja Nevka) e l'isola Zajačij sulla quale si trova la fortezza dei Santi Pietro e Paolo; di fronte si trova il lungofiume del Palazzo e il Palazzo d'Inverno. A destra si nota l'isola Vasil'evskij. A sinistra compare una composizione allegorica formata dalla statua dell'imperatrice Elisabetta Petrovna su un alto piedistallo, mentre la dea della Gloria la incorona con un cinto d'alloro; sul piedistallo è scolpita l'iscrizione "S. Pietroburgo città capitale. Elisabetta I". Oltre la statua si scorge l'edificio dei Dodici Collegi e il progetto del monumento a Pietro I. A destra in alto compare una composizione allegorica con lo stemma di Pietroburgo al centro.

Bibliografia: 70 (p. 647; n. 1 e p. 952; n. 63 (5)); 27 (tomo 85; fasc. 3; pp. 252-268); 30 (pp. 36-37); 11 (pp. 6-7 e pp. 10-11).

(*G.M.*)

ПЛАНЪ
СТОЛИЧНАГО ГОРОДА
САНКТПЕТЕРБУРГА
съ изображеніемъ знатнѣйшихъ онаго
ПРОСПЕКТОВЪ
изданный трудами
ИМПЕРАТОРСКОЙ АКАДЕМИИ НАУКЪ И ХУДОЖЕСТВЪ

ВЪ САНКТПЕТЕРБУРГѢ 1753 ГОДА.

PLAN
DE LA VILLE
DE
ST. PETERSBOURG
AVEC SES PRINCIPALES
VUES
deffiné & gravé fous la direction
DE L'ACADEMIE IMPERIALE DES SCIENCES & DES ARTS

A St. PETERSBOURG 1753.

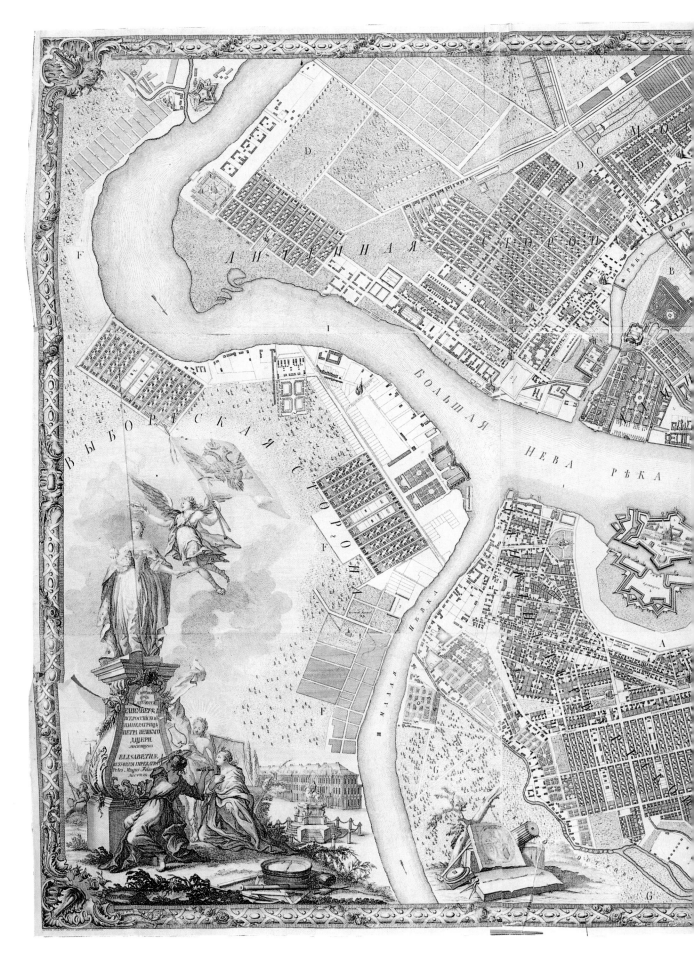

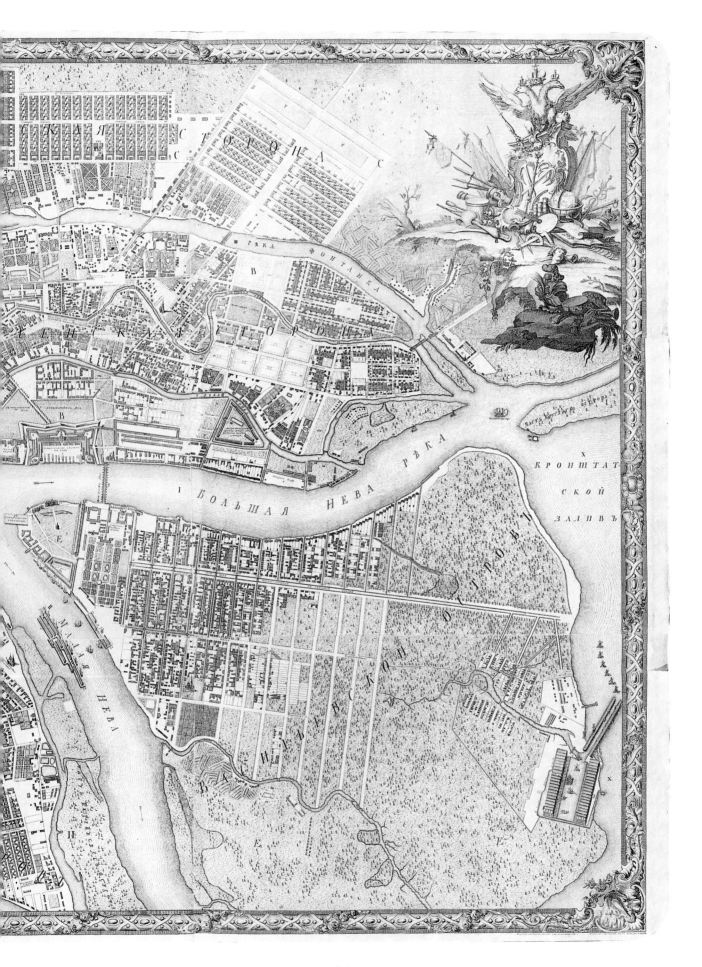

Jakov Vasil'evič Vasil'ev
Pietroburgo, 1730 - Pietroburgo, 1760

Incisore. Studiò disegno e successivamente incisione presso l'Accademia delle Scienze con I.E. Grimmel' e I.A. Sokolov e dall'aprile del 1759 presso l'Accademia delle Belle Arti con G.F. Schmidt. Tra la sua produzione si annoverano incisioni con vedute di Pietroburgo, ritratti, scene con fuochi d'artificio e illustrazioni per libri.

24
La prospettiva Nevskij a Pietroburgo nei pressi di Palazzo Aničkov, dal lato della Mojka
1753

Da un disegno di Michail Ivanovič Machaev del 1749
In basso a sinistra: "Sotto la supervisione del Maestro G. Valeriani, riprodotto da un lavoro di Michail Machaev'" (in russo)
A destra: "Sotto la supervisione del Maestro Ivan Sokolov, riprodotto da Jakov Vasil'ev" (in russo)
Più in basso, dal lato dello stemma di Pietroburgo, iscrizione identica in lingua russa e francese
Acquaforte, incisione a bulino, acquerello, gouache
cm. 52,1 × 71,5, foglio; la tiratura non è visibile
Inv. ERG-29263
Acquisizione: Appartiene alla collezione dell'Ermitage.

Foglio dall'album "Pianta della città di San Pietroburgo con la raffigurazione dei viali conosciuti, pubblicato dall'Accademia delle Scienze e di Belle Arti a San Pietroburgo nel 1753" per il cinquantesimo anniversario della città. L'album comprende la pianta della città (vedi Cat. n. 23) e vedute di sezioni dei suoi luoghi (12 fogli, vedi Cat. n. 25, 26, 27). La veduta fu eseguita da Machaev nella seconda metà del 1749 dalla porta Trionfale nei pressi del ponte Aničkov; fu completata nel 1750 e incisa negli anni 1751-1753.
Vi sono raffigurati il fiume Fontanka con il lungofiume in legno, il ponte e, in fondo, lo sbocco sulla prospettiva Nevskij; a sinistra si vede il Palazzo Aničkov (1741-1750, architetto M.G. Zemcov; dal 1743 G.D. Dmitriev; successivamente B.F. Rastrelli); in lontananza sono raffigurati edifici residenziali, la chiesa della Nascita della Vergine (1733-1737, architetto M.G. Zemcov), la porta Trionfale nei pressi del ponte Zelënji vicino alla Mojka e all'Ammiragliato.

Esposizioni: 1978, Leningrad, Nevskij prospekt, n. 32; 1987, Leningrad, Rossija-Francija, n. 282.
Bibliografia: 70 (tomo I; p. 148; n. 6; tomo II; p. 647; nn. 16-275); 84 (pp. 62-67); 11 (pp. 3-9, 50-57); 30 (pp. 36-41); 3 (pp. 253-267; n. 17).

(G.K.)

шипъ

нетер

нанки.

_Vüe du Nouveau Palais près de la porte triomphale
d'Anitschki vers l'orient avec une partie de la ville & du chemin
du Monastere d'Alexandre Newski prise du Coté de la Fontanka._

E.G. VINOGRADOV
Per le notizie biografiche vedi Cat. n. 21.

25
**Veduta prospettica dall'alto sul fiume Neva,
sull'Ammiragliato e sull'Accademia delle Scienze
a Pietroburgo (parte sinistra)**
1753
Da un disegno di Michail Ivanovič Machaev del 1749
In basso a sinistra: "Sotto la supervisione di G. Valeriani, da
un lavoro di Michail Machaev'" (in russo)
In basso l'iscrizione in lingua russa
Acquaforte, incisione a bulino, acquerello, gouache
cm. 51,7 × 72,7, foglio; tiratura illeggibile
Inv. ERG-29260
Acquisizione: Appartiene alle collezioni dell'Ermitage.

Foglio di un album, vedi Cat. n. 24.
La veduta fu realizzata da M. Machaev nel gennaio-febbraio
1749 e incisa negli anni 1751-1753. Vi sono raffigurati l'edificio dell'Accademia delle Scienze, il palazzo della moglie del
fratello maggiore di Pietro I, Praskov'ja Fëdorovna
(1720-1727, architetti G. Mattarnovi, G. Chiaveri, M.G. Zemcov), la Fortezza dei Santi Pietro e Paolo, la cattedrale dei Santi
Pietro e Paolo e il campanile (1712-1732, architetto D. Trezzini). Nella parte destra dell'incisione composta da due fogli è
raffigurato il Palazzo d'Inverno.

Esposizioni: 1986, Paris, La France et la Russie, n. 434;
1987, Leningrad, Rossija-Francija, n. 284.
Bibliografia: 70 (tomo I; p. 163; n. 9 e pp. 647-648; n.
16-27/3); 84 (pp. 62-67); 11 (pp. 24-25); 3 (pp. 253-266; n.
9); 30 (pp. 36-41).

(*G.K.*)

Проспектъ въ

и

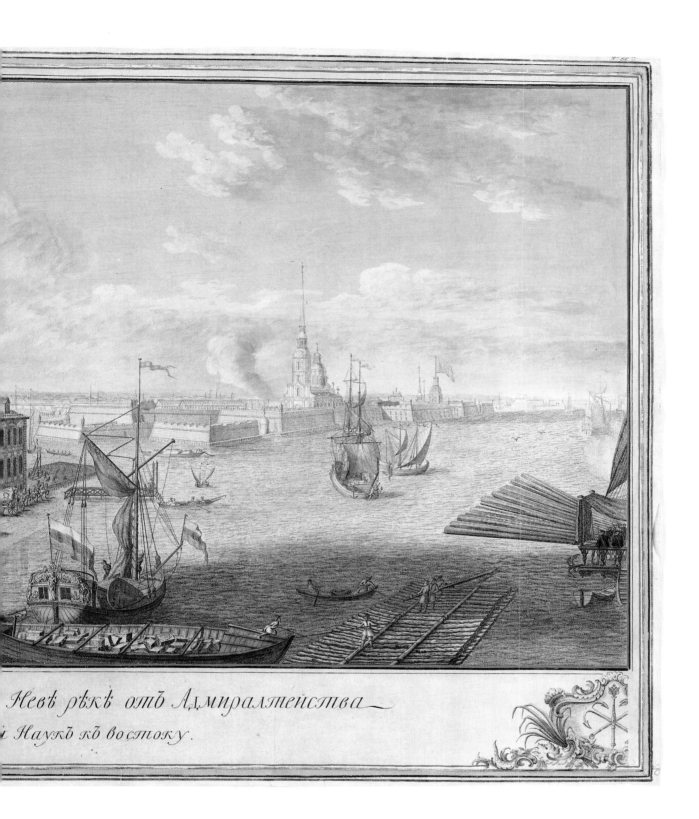

Невѣ рѣкѣ отъ Адмиралтейства

і Наукъ къ востоку.

GRIGORIJ ANIKIEVIČ KAČALOV
Distretto di Novgorod, 1711/12 - Pietroburgo, 1759

Incisore. Dal 1726 studiò presso il ginnasio dell'Accademia delle Scienze; dal 1731 nel corso per incisori con O. Elliger e A.Ch. Vortman e nel 1750 divenne Maestro. Nel marzo del 1757, dopo la morte di I.A. Sokolov, di fatto divenne il Direttore dei corsi di incisione. Realizzò ritratti, fogli e album per incoronazioni, scene con fuochi d'artificio, vedute di Pietroburgo e illustrazioni per libri.

26

Veduta prospettica dal fiume Neva tra il Palazzo d'Inverno e l'Accademia delle Scienze a Pietroburgo (parte destra)
1753

Da un disegno di Michail Ivanovič Machaev del 1749
In basso a destra: ''Maestro Grigorij Kačalov'' (in russo)
Più in basso, a sinistra le insegne di Pietroburgo e l'iscrizione in lingua francese
Incisione a bulino, acquaforte, acquerello, gouache
cm. 52 × 71; la tiratura non è visibile
Inv. ERG-29261.
Acquisizione: Appartiene alle collezioni dell'Ermitage

Foglio da un album, vedi Cat. n. 24.
L'incisione è tratta da un originale di Machaev del gennaio/febbraio 1749, fu incisa tra il 1751 e il 1753. Vi sono raffigurati l'edificio dell'Accademia delle Scienze (ex palazzo della moglie del fratello maggiore di Pietro I, Praskov'ja Fëdorovna; 1720-1727, architetti G. Mattarnovi, G. Chiaveri, M.G. Zemcov); la Kunstkamera, il primo museo della Russia (1720-1727, architetti G. Mattarnovi, G. Chiaveri, M.G. Zemcov, N. Gerbel'), l'edificio dei Dodici Collegi e il Corpo dei Cadetti.

Bibliografia: 70 (tomo II; p. 472; n. 5 e p. 647 nn. 16-27/4); 84 (pp. 62-67); 11 (pp. 14-21); 3 (pp. 253-266); 30 (pp. 36-41).

(G.K.)

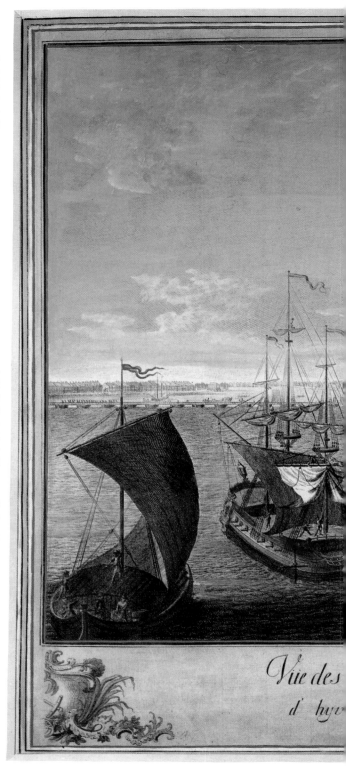

e la Neva en descendant la riviere entre le Palais

Majesté Imperiale & les batimens de l'Academie des Sciences

L.

G.A. KAČALOV
Per le notizie biografiche vedi Cat. n. 26.

27
Veduta del fiume Fontanka a Pietroburgo vicino alla grotta e al Palazzo della Riserva
1753

Da un disegno di Michail Ivanovič Machaev del 1749
In basso a sinistra: "Sotto la supervisione di G. Valeriani, eseguito nel Laboratorio di Michail Machaev" (in russo)
A destra: "Maestro Grigorij Kačalov" (in russo)
Più in basso, ai lati del cartoccio, con lo stemma di Pietroburgo, analoghe iscrizioni in lingua russa e francese
Acquaforte, incisione a bulino, acquerello, gouache
cm. 52,5 × 72,5; la tiratura non è visibile
Inv. ERG-20013
Acquisizione: Appartiene alle collezioni dell'Ermitage.

Foglio di un album, vedi Cat. n. 24.
La veduta fu ripresa da Machaev nel luglio e agosto del 1749 e incisa nel 1751-1752. A sinistra si scorge il cosiddetto Palazzo della Riserva; la casa Olsuf'év a due piani, trasformata negli anni 1770-1789 nella Lavanderia di Corte; dietro ad essa la darsena, allestita nel 1716-1717 e ricostruita dall'architetto I.K. Korobov alla fine del decennio 1730-1740 dove venivano costruite e riparate imbarcazioni private (fu abolita nel 1784).
A destra si può vedere parte del Giardino d'Estate, la Grotta (1714, architetto Mattarnovi e architetto M.G. Zemcov) e la torre cisterna (1723-1724, architetto M.G. Zemcov, mastro Vonboles). Sullo sfondo si scorge l'acquedotto sul fiume Fontanka, formato da due torri-cisterna (costruite ex novo su progetto di B.F. Rastrelli verso la metà del XVIII secolo).

Esposizioni: 1960, Leningrad, Russkaja gravjura, n. 29; 1987, Leningrad, Rossija-Francija, n. 287.
Bibliografia: 70 (tomo II; p. 472; n. 4 e p. 648; nn. 16-27/10); 84 (pp. 62, 67); 11 (pp. 3-9; pp. 62-63); 3 (pp. 263, 267; n. 14); 30 (pp. 36-41).

(G.K.)

Проспектъ по рѣкѣ Фонтан...
и Запаснаго дворца на По...

Toola Viie prise sur la riviere de Fontancka vers le midi entre la Grotte et le magazin des provisions de la Cour.

ANTON FRANZ VIDEMAN
1724 - 1792

Medaglista. Nacque in Boemia. Nel 1749 si recò a Vienna dove studiò presso il medaglista Franz Andreas. Dal 1769 sino al 1779 fu a capo della Zecca di Vienna. Incisore di medaglie, monete e timbri, realizzò anche *kunststuck*.

28
Medaglione con il ritratto dell'imperatrice Caterina II
Vienna, 1760-1770

In alto, in cerchio sul fondo d'oro del conio, la scritta: "Catharina Alex. II Imp. Russorum"
In basso, sotto l'immagine incisa, la firma: "Ant. Wideman"
La cornice in bronzo con due cerchietti d'acciaio sovrapposti è ornata da quattro rosette cesellate e brunite
Acciaio, bronzo, cesello, intaglio, brunitura, doratura
cm. 3,7 × 18 × 18
Inv. ERM-2455
Acquisizione: 1941, dal Museo Etnografico di Stato dei Popoli dell'URSS. Precedentemente nella raccolta Naryškin a Pietroburgo.

Caterina II Alekseevna (1729-1796), nata Sofia Frederika Augustina principessa Anhalt-Zerbst, era figlia di Christian August principe Anhalt-Zerbst. Nacque a Stettino e morì a Pietroburgo. Nel 1744 giunse a Pietroburgo e nel 1745 sposò l'erede al trono russo, granduca Pëtr Fëdorovič. Negli anni dal 1762 al 1796 fu Imperatrice di tutte le Russie con il nome di Caterina II, in quanto salì al trono in seguito ad una congiura di palazzo avvenuta a sei mesi dall'incoronazione del marito, l'imperatore Pietro III. Sotto il suo regno a Pietroburgo fu creato l'Ermitage (1764).
Il ritratto di Caterina II è derivato dalla medaglia coniata per l'incoronazione da Timofej Ivanov nel 1762. Caterina regalò medaglie di Ivanov a molti sovrani d'Europa; questo medaglione ricambiava infatti un dono della corte austriaca. Furono inviate a Vienna collezioni di medaglie russe, in due successive occasioni, nel 1767 e nel 1790, come regali diplomatici e in altre ricorrenze della casa regnante austriaca. Tra queste emissioni si annoverano ottantotto esemplari in argento e cento in bronzo, conservati nel Museo Nazionale del Bargello a Firenze.

(*M.M.*)

MAESTRO IGNOTO

29
Piatto da portata
Pietroburgo, 1760-1770

Argento, massellatura, cesello
cm. 104,5 × 78
Sprovvisto di marchio
Inv. ERO-8203
Acquisizione: 1951, dal Deposito di Stato degli Oggetti di Valore di Mosca.

Il piatto è orlato con festoni e riporta lo stemma dell'Impero russo, corone imperiali, San Giorgio e ghirlande di frutta. Sul fondo è rappresentato il trionfo di Caterina II. In basso, sul cartiglio, un'iscrizione posteriore recita che Caterina II nacque nel 1729, divenne imperatrice nel 1762 e morì nel 1796. Il piatto, offerto all'Imperatrice per l'incoronazione, fu probabilmente rimaneggiato per la cerimonia funebre, quando venne incisa l'ultima iscrizione.

Esposizione: 1990, Kotca, n. 307.

(*L.Z.*)

MATVEJ VASIL'EVIČ VASIL'EV
Circa 1732-dopo il 1786

Matvej Vasil'evič Vasil'ev fu un allievo di talento di M.V. Lomonosov. Diresse, dopo la morte del maestro, la bottega del mosaico presso la fabbrica di Ust'Rudica, vicino a Pietroburgo.

BOTTEGA DI M.V. LOMONOSOV

M.V. Lomonosov (1711-1765) fu scienziato-enciclopedista, poeta e artista. A lui si deve il rifiorire in Russia dell'arte monumentale del mosaico, scomparsa dal XII secolo. Lomonosov condusse un grande lavoro di ricerca sulla preparazione del vetro rosso e dei coloranti e sulla preparazione e la produzione di questi materiali nella fabbrica, da lui fondata nei dintorni di Pietroburgo, sul fiume Rudica. I molti esperimenti compiuti lo portarono ad ottenere centododici tonalità e mille sfumature di smalto: un risultato eccellente, superiore alla gamma di colori impiegata a quei tempi nelle botteghe vaticane. Lomonosov introdusse nuove tecniche nella pittura a mosaico ed istruì diversi artisti. Nel suo laboratorio dal 1752 al 1769 furono creati oltre quaranta mosaici.

30
Ritratto del conte Michail Illarionovič Voroncov
Ust'Rudica, 1765
Da un originale di L. Tocqué
Mosaico: smalti prodotti su scodellino di rame, tagliati
cm. 59 × 50; ovale
Inv. ERKm-677
Acquisizione: 1918, dalla collezione I.I. Voroncov-Daškov di Pietrograd.

Il conte Michail Illarionovič Voroncov (1714-1767) fu Cancelliere di Stato, Senatore e persona di fiducia dell'imperatrice Elisabetta Petrovna e dell'imperatore Pietro III. Nel 1745 il Cancelliere Voroncov portò dall'Italia "diversi esempi di antichi e moderni mosaici", tra i quali "L'Apostolo Pietro piangente" e "Il ritratto dell'imperatrice Elisabetta Petrovna" realizzati in Vaticano, che furono molto apprezzati negli ambienti artistici russi. In seguito M.V. Lomonosov scrisse al conte Voroncov ringraziandolo per aver destato l'interesse per questa tecnica "con gli esempi del mosaico romano", che "grazie alla vostra meritoria curiosità ci avete portato, al termine di un lungo viaggio attraverso i più celebri Stati d'Europa". Il ritratto di M.I. Voroncov è eseguito secondo la migliore tradizione delle botteghe vaticane; fu commissionato dalla vedova di Lomonosov in ricordo dell'opera meritoria compiuta dal marito per la produzione di mosaici.

Esposizioni: 1905, Peterburg, Tavričeskaja vystavka, n. 610; 1984, Leningrad, Russkoe barokko, n. 87; 1986, Leningrad, Mozaika i zvetnoe steklo, p. 9.
Bibliografia: 42 (p. 76); 44 (pp. 15, 27); 45 (pp. 136-139); 10 (pp. 193-194); 21.

(L.T.)

GAVRIIL IVANOVIČ SKORODUMOV
Pietroburgo, 1775 - Pietroburgo, 1792

Incisore, disegnatore, miniaturista e pittore. Dal 1764 studiò all'Accademia di Belle Arti nella Classe di Pittura e, in seguito, nella Classe di Incisione con A.P. Losenko, A. Radigues e J. Štenglin. Negli anni tra il 1773 e il 1777 fu inviato dall'Accademia a Londra dove studiò e lavorò nella bottega di F. Bartolozzi. Tra il 1777 e il 1782 lavorò in proprio a Londra e a Parigi. Al ritorno a Pietroburgo ricevette il titolo di Incisore di Corte e lavorò su commissione di privati e per l'Accademia di Belle Arti. Divenne Maestro di Incisione dell'Ermitage. Fu autore di composizioni di soggetto allegorico e storico, preferibilmente tratte da opere originali di artisti russi e stranieri, oltre che di scene di vita quotidiana e ritratti. Fu il primo tra gli incisori russi a convertirsi alla tecnica dell'incisione puntinata.

31
Ritratto dell'Imperatrice Caterina II
1780-1790
Da un originale di Fëdor Stepanovič Rokotov del 1769
In basso l'iscrizione: "Peint par A. Rocotoff. Gravé par G. Scorodoumoff Graveur de S.M.I. de toutes les Russies à St. Petersbourg"
Incisione puntinata, stampa a sanguigna
cm. 44,5 × 33; la tiratura non è visibile
Inv. ERG-16843
Acquisizione: Appartiene alle collezioni dell'Ermitage.

Per le notizie biografiche su Caterina II Alekseevna vedi Cat. n. 28.

Bibliografia: 69 (tomo II; p. 79; n. 58); 70 (tomo II; p. 895; n. 3); 29 (pp. 42-43).

(*G.K.*)

Peint par A. Rocotoff. Gravé par G. Skorodoumoff Graveur de S. M. I. de toutes les Russies a St Petersbourg.

119

LOUIS MARIN BONNET
Parigi, 1736 - 1793

Incisore e autore di pastelli. Fu allievo di G. Demarteau. Negli anni 1765 e 1766 visse a Pietroburgo, dove eseguì i ritratti di Caterina II e dell'erede al trono Pavel Petrovič. Nei suoi lavori impiegò soprattutto la tecnica dell'acquaforte, maniera a lapis e punteggiato.

32

Ritratto del granduca Pavel Petrovič a dieci anni
1765

Da un dipinto originale di Vergilius Erichsen del 1764 conservato a Copenaghen
In basso: "Disegnato da J. Epuxsenh pittore di corte, inciso da Ljudvich' Bon' " (in russo)
Sopra, l'iscrizione in lingua russa
Incisione, maniera a lapis
cm. 65,6 × 47,5; prima tiratura
Inv. ERG-16729
Acquisizione: Appartiene alla collezione dell'Ermitage.

Per le notizie biografiche su Pavel Petrovič vedi Cat. n. 78.

Bibliografia: 69 (tomo III; p. 1428; n. 19); 72 (p. 206); 92 (pp. 54-55).

(*G.K.*)

ПАВЕЛЪ **ПЕТРОВИЧЪ**
ГОСУДАРЬ ЦЕСАРЕВИЧЪ И ВЕЛИКІЙ КНЯЗЬ
НАСЛѢДНИКЪ ВСЕРОССІЙСКІЙ

EVGRAF PETROVIČ ČEMESOV
Governatorato di Novgorod, 1737 - Pietroburgo, 1765

Incisore e disegnatore. Servì nell'esercito dal 1753 con il grado di Tenente. Dal marzo del 1759 studiò all'Accademia di Belle Arti di Pietroburgo con G.F. Schmidt; divenne nel 1760 aiutante e sostituto del Maestro e, dopo la partenza di Schmidt, ottenne l'incarico ufficiale. Fu nominato Accademico nel 1762 e fu inoltre segretario delle conferenze dell'Accademia. Nel maggio 1765 diede le dimissioni e negli ultimi mesi della sua vita lavorò nel Gabinetto di Caterina II, raccogliendo documenti del tempo di Pietro I. È noto per la realizzazione di quattordici ritratti ad incisione.

33
Ritratto del conte Grigorij Grigor'evič Orlov
1764
Da un disegno di Jean Louis De Velly
In basso a sinistra: "Disegnato da J. Devellij" (in russo)
A destra: "Inciso da E. Čemesov'" (in russo)
Più in alto, sotto l'immagine, una quartina del poeta Aleksandr Sumarokov in lingua russa che celebra Orlov
Acquaforte, incisione a bulino e punta secca
cm. 27,1 × 20,5, foglio; prima tiratura
Inv. ERG-170
Acquisizione: 1928, dal Fondo Museale di Stato dell'URSS.

Grigorij Grigor'evič Orlov (1734-1783), figlio del Vice Governatore di Novgorod, fu uno dei favoriti di Caterina II. Prese parte alla congiura di Palazzo che ne favorì l'ascesa al trono. Capo del Reggimento della Guardia a Cavallo, nel 1765 divenne Presidente della Libera Società di Economia. Nel 1762 fu insignito del titolo di conte e nel 1772 divenne principe.
È raffigurato di profilo con la stella dell'ordine di Sant'Andrea.

Bibliografia: 71; 69 (tomo II; p. 1408; n. 7); 70 (tomo II; p. 1122; n. 6).

(*G.K.*)

E.P. ČEMESOV
Per notizie biografiche vedi Cat. n. 33.

34
Ritratto del conte Ivan Grigor'evič Orlov
Fine anni 1764-1765
Da un originale di Fëdor Stepanovič Rokotov del 1760 circa conservato al Museo Russo di Stato
In basso a sinistra: "Dipinto da F. Rokotov'" (in russo)
A destra: "inciso da E. Čemesov" (in russo)
Più in basso una quartina di versi del poeta A. Sumarokov che celebra Orlov
Acquaforte, incisione a bulino
cm. 27,3 × 20, foglio
Inv. ERG-14886
Acquisizione: Appartiene alle collezioni dell'Ermitage.

Ivan Grigor'evič Orlov (1733-1791) era figlio del Vice Governatore di Novgorod e fratello del favorito di Caterina II, G.G. Orlov. Nel 1762 fu nominato conte e nello stesso anno rassegnò le dimissioni di propria volontà dal grado di Capitano Luogotenente del Reggimento Preobraženskij della Guardia Imperiale. Amministrò il patrimonio di tutti i cinque fratelli Orlov.

Bibliografia: 71; 69 (tomo II; p. 1410; n. 1); 70 (tomo II; p. 1124; n. 8).

(*G.K.*)

Рисовалъ I. Девелли.   Ст: сочинилъ А: Сумароковъ.   Вырѣзалъ Е. Чемесовъ.

Ни мало сей въ себѣ тщеславія не лелѣетъ;
Но въ добродѣтели сіяетъ.
Фортуны, мыслитъ онъ, искать не надлежитъ,
И шествуетъ отъ ней: она за нимъ бѣжитъ.

Стихъ: сочин: А: Сумароковъ.

TIMOFEJ DMITRIEV
Pietroburgo, 1825 - 1872

Incisore. Studiò all'Accademia di Belle Arti con I.V. Česskij e
N.I. Utkin dal 1841 al 1845; successivamente seguì corsi di
perfezionamento e nel 1849 ricevette il titolo di Pittore. Prestò
servizio presso il Comitato di direzione dell'Accademia delle
Scienze. Tra le sue non numerose opere si annoverano tre fogli
con scene dell'incoronazione di Caterina II copiate da incisioni
del XVIII secolo.

Timofej Dmitriev (?)

35

Caterina II riceve l'Ambasciatore della Turchia
il 14 ottobre 1764 nel Palazzo d'Inverno
1850-1860
Da un'incisione di A.I. Kazačinskij del 1796; su disegno di
Jean-Louis De Velly e Michail Ivanovič Machaev del 1764
Senza firma
Incisione a bulino
cm. 58,5 × 83,5, foglio; la tiratura non è visibile
Inv. ERG-3479
Acquisizione: 1941, dal Museo Etnografico di Stato dei Popoli
dell'URSS.

Appartiene ad una serie eseguita nel decennio 1850-1860 per
il giornale del Kamer-Fur'er che riproduceva un album degli
anni 1790-1800 dedicato alla "Descrizione dell'ascesa al trono
a Mosca ed incoronazione dell'imperatrice Caterina II".
Vi è raffigurata la sala d'accoglienza del Palazzo d'Inverno
(1762-1764, architetto Ju.M. Fel'ten; oggi sala da concerto). In
ottemperanza alle disposizioni di urgenza per il completamento
della sala, nel 1762 furono impiegate parti dell'arredamento
del vecchio Palazzo d'Inverno costruito da B.F. Rastrelli sul
Nevskij Prospekt (l'esedra o portico del Trono, le cariatidi, il
trono, pilastri, piramidi di sostegno per lumi). Sul trono siede
Caterina II, dietro di lei il conte P.B. Šeremetev e il conte M.K.
Skavronskij, accanto a Caterina il conte G.G. Orlov. Davanti al-
l'Imperatrice si profonde in un inchino l'Ambasciatore turco inviato in qualità di rappresentante dell'Impero ottomano, il Der-
viscio Mefmet Efendi.

Bibliografia: 69 (p. 864; n. 386-393/8; pp. 270-271; n.12);
91 (pp. 96-97).

(*G.K.*)

Attiva negli anni 1761-1776

36
Tabacchiera rettangolare con coperchio a cerniera
Velikij Ustjug, 1766
Argento, doratura, fusione, niello, canforatura, intaglio
cm. 4,4 × 9,7 × 5,2
Marchio: UVFASP: marchio d'intaglio della fabbrica; 1766
MO: maestro assaggiatore Michail Okoniśnikov
Inv. ERO-2438
Acquisizione: Appartiene alle collezioni dell'Ermitage.

Tutte le superfici della tabacchiera sono decorate con scene di genere.

Il tabacco da fiuto divenne popolare in Russia all'inizio del XVIII secolo e si diffuse ampiamente in tutto il paese. Le tabacchiere decorate erano collezionate e offerte come regali ufficiali. Per la fabbricazione delle tabacchiere erano impiegati diversi materiali: gemme e pietre semi-preziose colorate, oro, argento, acciaio. I migliori gioiellieri di Pietroburgo, Mosca, Vologda e Velikij Ustjug eseguivano tabacchiere sia su commissione, sia per la vendita.

Bibliografia: 9 (n. 83).

(L.Z.)

37
Tabacchiera rotonda con coperchio
Velikij Ustjug, 1770
Argento, doratura, niello, intaglio, incisione
cm. 2,5 × 4,8 × 4,8
Marchio: UVFASP: marchio di fabbrica in niello; 1770 AT: maestro assaggiatore Aleksej Torlov, città di Velikij Ustjug
Inv. ERO-2424
Acquisizione: Appartiene alle collezioni dell'Ermitage.

Tutte le superfici della tabacchiera sono decorate con scene galanti.

Bibliografia: 9 (p. 14).

(L.Z.)

MAESTRO PËTR ŽILIN (?)
Manifattura di Afanasij e Stepan Popov

38
Tabacchiera con coperchio staccabile
Velikij Ustjug, 1770-1780
Argento, doratura, niello, intaglio, incisione
cm. 3,1 × 6,6 × 6,6
Marchio: 17.. A: maestro assaggiatore Aleksej Torlov, città di
Velikij Ustjug
Inv. ERO-2420
Acquisizione: Appartiene alle collezioni dell'Ermitage.

La tabacchiera è decorata con scene galanti sullo sfondo di
paesaggi. Per le caratteristiche stilistiche e tecniche, essa viene
attribuita alla scuola dei maestri dell'argento e del niello della
famiglia Žilin. Era celebre Pëtr Žilin, uno dei capiscuola della
manifattura dei Popov.

Esposizioni: 1987, Leningrad, Rossija-Francija, n. 475.

(*L.Z.*)

MAESTRO IGNOTO

39
Tabacchiera ovale con coperchio a cerniera
Velikij Ustjug, 1777
Argento, doratura, niello, intaglio, incisione
cm. 3,4 × 8,9 × 5,5
Marchio: AT 1777: maestro assaggiatore Aleksej Torlov, città
di Velikij Ustjug
Inv. ERO-2419
Acquisizione: 1941, dal Museo di Stato Etnografico dei Popoli
dell'URSS. Proveniva da casa Fontannyj dei conti Šeremetev.

La tabacchiera riporta una figura maschile sul coperchio; sulla
parete laterale è incisa una scena galante. Sul rovescio appaiono le iniziali imperiali.

Bibliografia: 9 (n. 84).

(*L.Z.*)

MAESTRO IVAN ŽILIN

40
Tabacchiera rotonda con coperchio
Velikij Ustjug, 1804
Argento, doratura, niello, incisione, intaglio.
cm. 1,8 × 8,4 × 8,5
Marchio: maestro I.Ž.; AT 1804: maestro assaggiatore Aleksej
Torlov, città del marchio Velikij Ustjug, titolo dell'argento 84
Inv. ERO-7688
Acquisizione: 1951, dal Deposito di Stato degli Oggetti di
Valore di Mosca.

Sul coperchio della tabacchiera è raffigurato il monumento a
Pietro il Grande, detto il Cavaliere di Bronzo: eseguito dallo
scultore francese Etienne-Maurice Falconet (Parigi,
1716-1791), direttore dell'*atelier* di scultura della manifattura
di Sèvres, dal 1757 al 1766, per la protezione di Madame de
Pompadour. Nel 1766 si recò in Russia, su invito di Caterina
II, cosigliata in questa scelta dal Diderot, per realizzare il monumento equestre che la zarina aveva deciso di dedicare al suo
predecessore. Terminato il modello nel 1770, trovò molte difficoltà per l'esecuzione del progetto e per la fusione del gruppo
equestre, tanto che i suoi rapporti con l'imperatrice si guastaro-
no ed egli lasciò Pietroburgo nel 1778, quattro anni prima del-
l'inaugurazione avvenuta in gran pompa e solennità davanti ad
una folla immensa il 7 agosto 1782.
L'idea di collocare la statua su un blocco gigantesco di granito,
detto "kamen' grom", la "pietra tuono", si deve ad un napoletano residente in Russia, Marino Carburi di Cefalonia, detto
Cavaliere di Lascary. L'operazione di trasporto dalla Carelia
durò due anni, dal 1768 al 1770, e mobilitò quattrocento uomini, impiegati a fare scivolare il masso su sfere di rame. Tutta
Pietroburgo assistette allo spettacolo della "montagna rotolante
su uova".
Alla grande impresa del monumento furono dedicate molte incisioni e medaglie commemorative.
Il coperchio della tabacchiera è derivato appunto da una medaglia. Sul rovescio è inciso un paesaggio.

Bibliografia: 9 (n. 124).

(*L.Z.*)

ПЕТРУ·I·
·ЕКАТЕРИНА·В·

·1782·А·В·6·Д·

IL DIASPRO

Il diaspro è una varietà pregiata di minerale degli Urali. Risale al 1717 la prima testimonianza sul diaspro russo, estratto nei pressi della Manifattura Nerčinskij nella "montagna di diaspro", sul fiume Argun (Zabajkal). Per ordine di Caterina II si effettuarono nel 1765 spedizioni di ricerca geologica sotto la direzione di Ja.I. Dannenberg, e fu redatta la prima carta geologica della storia russa sulla pietre degli Urali. Su 158 giacimenti, 68 risultarono di diaspro. Alla fine della prima metà del XIX secolo il numero dei giacimenti era salito a 115. Il diaspro degli Urali divenne celebre per la varietà e la particolare lucentezza che lo caratterizzano.

"La splendida varietà agata carne" fu scoperta nel 1751 a Sud degli Urali, nelle melmose paludi sulle alture accanto alla pianura di Uraz. È una delle pietre più eleganti e amate dagli intagliatori. Il contrasto tra il colore rosso caldo e i toni freddi nivei del fondo si integra in un gioco bizzarro di intrecci delle venature su un fondo opaco, che colma i vuoti e le screziature di questa varietà di pietre

MAESTRO JOSIF BOTTOM
1711-1778
Manifattura Lapidea di Peterhof

41
Vaso in diaspro degli Urali
Peterhof, 1777

Intaglio, politura
cm. 35,5 × 20 × 20
Inv. ERKm-935
Acquisizione: 1941, dal Museo Etnografico di Stato dei Popoli dell'URSS.

Josif Bottom, figlio di un marinaio inglese, lavorò in Russia. Dall'età di trent'anni diresse la Manifattura Lapidea di Peterhof (1748-1778).
Il vaso è di forma sferica, con coperchio. Il diaspro degli Urali è di colore giallo con venature marroni. Sotto il piede si può vedere l'iscrizione: "Diaspro siberiano, Peterhof 1777, Josif Bottom" (in russo).

(*L.T.*)

42
Coppia di vasi in diaspro
Peterhof, 1770-1780

Intaglio, politura
cm. 20 × 14 × 14
Inv. ERKm-944, 945
Acquisizione: 1941, dal Museo Etnografico di Stato dei Popoli
dell'URSS.

I vasi sono a forma di globo schiacciato. Sono in diaspro del
Sud degli Urali, dal caratteristico colore rosso bruno con venature bianche sgargianti.

Bibliografia: 43 (p. 49).

(*L.T.*)

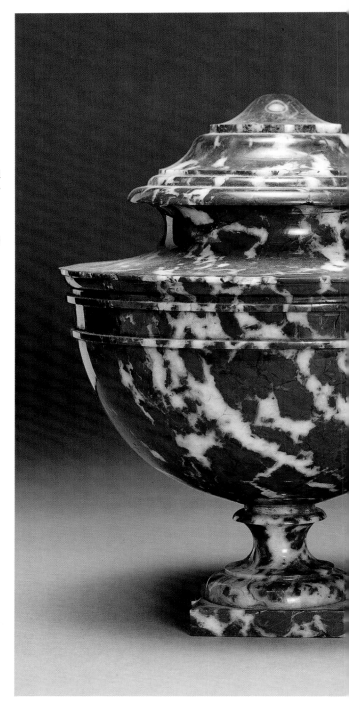

LA MANIFATTURA GARDNER

È la più antica manifattura privata di porcellana russa. Fu fondata nel 1766 nel villaggio di Verbilkai, distretto di Dmitrov, governatorato di Mosca, dal mercante inglese, che diverrà cittadino russo, Franz Jakovlevič Gardner. La produzione di porcellane fu avviata con l'aiuto di un ceramista russo di talento, Andrej Afanas'evič Grebenščikov, e di un esperto in tecnologia, F.I. Gattenberger, in seguito direttore della Manifattura Imperiale di Porcellana a Pietroburgo. Alla progettazione degli oggetti in porcellana della Manifattura Gardner partecipò il celebre artista-decoratore G.I. Kozlov, autore di quattro rinomati servizi dedicati ad ordini militari. Il maggior esponente della Manifattura nel '700 fu Ioachim Kestner. Negli ultimi anni del XVIII secolo la Manifattura ebbe grande rinomanza e divenne uno dei più importanti centri privati in Russia per la produzione della porcellana. Tra il 1778 e il 1785 la Manifattura realizzò quattro servizi su ordine dell'imperatrice Caterina II. I servizi furono adoperati nelle sale del Palazzo d'Inverno in occasione di ricevimenti di gala tenuti in onore di cavalieri decorati con i quattro alti ordini militari russi: San Giorgio, Sant'Alessandro Nevskij, Sant'Andrea e San Vladimiro.

Nel XIX secolo la fama della Manifattura si consolidò grazie alla realizzazione di una popolare serie di sculture che ritraevano caratteristiche figure di artigiani e mercanti russi, e di numerose altre sculture e servizi di alta qualità.

La Manifattura appartenne per tre generazioni alla famiglia Gardner. Nel 1892 venne acquistata dalla "Compagnia per la produzione di porcellane e ceramica M.S. Kuznecov", un'importante ditta che aveva il monopolio del settore. Oggi si chiama "Fabbrica Statale Dmitrovskij" e continua con successo la sua attività.

43
Sei oggetti del servizio dell'ordine di Sant'Alessandro Nevskij
Villaggio di Verbilka, distretto di Dmitrov, governatorato di Mosca, 1780

Autore del progetto delle decorazioni G.I. Kozlov.
Porcellana dipinta sotto coperta, policromia, doratura
Acquisizione: 1960, dal Deposito Centrale delle Case-Museo.
Prima del 1917 nell'ala Hofmaršal'skij del Palazzo d'Inverno (piatto fondo, piatto piano, saliera e tazza per crema).
1960, dal Deposito Centrale della città di Puskino. Prima del 1917 nella Sezione Hofmaršal'skij del Palazzo d'Inverno (coltello e forchetta).

Gli oggetti sono decorati sul fondo con la stella e la fascia dell'ordine.

Piatto fondo
cm. 5,2 × 23 × 23
Marca dipinta in cobalto: G
Inv. ERF-7043

Piatto piano
cm. 4,6 × 23 × 23

Marca dipinta in cobalto: G
Inv. ERF-7031

Saliera
cm. 3,2 × 9,5 × 9,7
Marca dipinta in cobalto: G
Inv. ERF-284

Tazza per crema
cm. 7,9 × 8,6 × 6,2
Marca dipinta in cobalto: G
Inv. ERF-6802

Coltello in argento dorato con manico in porcellana
cm. 22,2 × 3,5
Sprovvista di marca
Inv. ERO-7416

Forchetta in argento dorato con manico in porcellana
cm. 18,5 × 3
Sprovvista di marca
Inv. ERO-7426

Il servizio dell'ordine di Sant'Alessandro Nevskij comprendeva
quaranta coperti. Esso fu ordinato alla Manifattura Gardner
dall'imperatrice Caterina II nel 1777, insieme ai servizi di San
Giorgio, Sant'Andrea e San Vladimiro.
Il modello per l'elaborazione delle forme e delle decorazioni
dei servizi fu realizzato negli anni 1770-1772 nella Manifattura
di Berlino e offerto da Federico II a Caterina II. Il progetto delle decorazioni dei servizi fu realizzato da Gavriil Ignatévič Kozlov, pittore e decoratore. I servizi differiscono l'uno dall'altro
per i diversi simboli degli ordini militari e per i nastri, inclusi
gli elementi decorativi.
Per primo fu realizzato il servizio di San Giorgio; in seguito, nel
1780, i servizi di Sant'Alessandro Nevskij e Sant'Andrea, per i
quali Gardner ricevette 10.000 rubli.

Già Pietro I intendeva istituire un nuovo ordine militare dedicato a Sant'Alessandro Nevskij, per i cui cavalieri fu commmissio-
nato il servizio. Nel 1710 fu fondato a Pietroburgo un monastero dedicato al Santo e nel 1724 vi furono trasferite le sue spo-
glie da Vladimir.
Aleksandr Nevskij aveva riportato una celebre vittoria sui Cavalieri dell'ordine di Livonia e sugli svedesi. La ratificazione del-
l'ordine avvenne durante il regno di Caterina I. Il primo ordine
fu conferito il 21 maggio 1725 al duca Karl Friedrich Holstein
nel giorno delle nozze con la principessa ereditaria Anna Petrovna.
I servizi degli ordini militari erano adoperati ogni anno in occasione dei ricevimenti d'onore per i cavalieri insigniti di decorazioni. Venivano acquistati dalla Manifattura Gardner e conservati nel Palazzo d'Inverno nella sezione Hofmaršalśkij. Dopo la
rivoluzione ne furono duplicati decine di esemplari, trasmessi
ad altri musei e a molte collezioni private.

Esposizioni: 1983, Caracas, n. 124; 1984, Habana, n. 112;
1984, Mexico, n. 114; 1985, Bogotà, n. 114.
Bibliografia: 17 (pp. 60-61); 95 (pp. 39-41); 65 (p. 10; ill. 25,
27); 14 (pp. 67-74; ill. pp. 68, 69 e 71).

(T.K.)

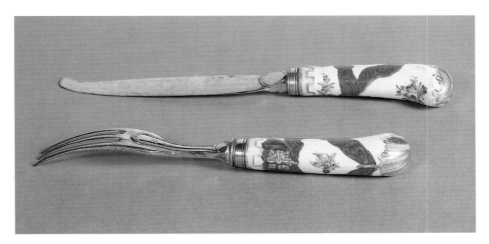

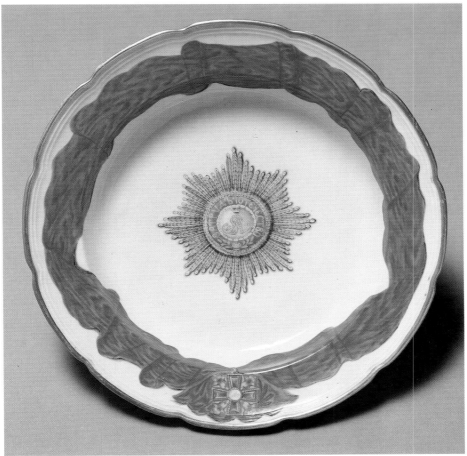

MANIFATTURA GARDNER
Per le notizie biografiche vedi Cat. n. 43.

44
Busto dell'imperatrice Caterina II
Villaggio di Verbilka, distretto di Dmitrov,
governatorato di Mosca, 1780-1790
Porcellana, biscuit
cm. 28,5 × 8,2 × 8,2
Sprovvisto di marchio
Inv. ERF-3811
Acquisizione: Appartiene alle collezioni del Palazzo d'Inverno.

Esposizioni: 1990, Kotca
Bibliografia: 86 (p. 28).

(*T.K.*)

La Manifattura Imperiale di Porcellana di Pietroburgo

Fu fondata nel 1744 a Pietroburgo sul viale Šlissel'burgskij. La tecnologia applicata alla produzione della porcellana fu elaborata autonomamente e sviluppata dallo scienziato russo Dmitrij Ivanovič Vinogradov, chimico di talento (1720-1758 circa).

La manifattura lavorava per la Corte Imperiale, con una produzione costituita da servizi e vasellame di varie forme.

Gli anni tra la fine del XVIII e l'inizio del XIX secolo segnarono il periodo d'oro della porcellana russa; nella Manifattura Imperiale lavorarono molti scultori, architetti, maestri di pittura di talento quali J.D. Rachette, A.I. Voronichin, J. Thomas de Thomon, S.S. Pimenov, su progetto dei quali furono realizzate magnifiche sculture in porcellana, vasi di Corte, servizi con decorazioni plastiche e dipinte.

Il nome della Manifattura di Pietroburgo, una delle più antiche in Europa, si consolidò con la realizzazione dei servizi di gala e da camera Sobstvennyj, Orlovskij, Arabeskovyj (ad arabeschi), Kabinetskij (*du Cabinet*), Gurévskij, di piattini da collezione, ispirati ad un'unica tematica, di oggetti di arredo di Corte di varia forma, quali vasi e *cache-pot* decorati con virtuosismo. Nelle decorazioni erano frequentemente raffigurati complessi architettonici di Pietroburgo e dintorni.

Nella mostra sono esposti piatti con vedute di Pavlovsk, Gatčina, Peterhof e Carskoe Selo.

45

Quattro oggetti del servizio Kabinetskij (*du Cabinet*) Pietroburgo, 1793-1795

Porcellana dipinta sotto coperta, policromia, doratura
Acquisizione: 1953, dalla Commissione per le Acquisizioni.

Gli oggetti riportano vedute di monumenti italiani nel medaglione e ghirlande policrome di fiori di campo su orli dorati.

Portabottiglia
cm. 18,3 × 19 × 23,5
Marca dipinta in cobalto: ED
Inv. ERF-6819

Il portabottiglia presenta manici a forma di piccole teste femminili. Sul medaglione rotondo si può ammirare una veduta di Villa Madama e del monastero di San Paolo presso le tre Fontane nei dintorni di Roma. L'iscrizione sul retro, dipinta sotto coperta, a mano, recita: "Maison de plaisance Madame. Église et Monastère de St. Paul aux trois Fontaines".

Vassoio ovale
cm. 6 × 42 × 30,5
Marca dipinta in cobalto: EP
Inv. ERF-6815

Il vassoio reca una veduta della chiesa di Santa Maria Novella e di Santa Francesca Romana nel medaglione ovale. L'iscrizione dipinta sotto coperta, a mano, recita: "Église de S. Maria la Neuve e de S. Françoise Romaine".

Piatto fondo
cm. 6 × 23,2 diametro
Marca dipinta in cobalto: EP
Inv. ERF-6828

Il piatto reca una veduta di piazza Mattei a Roma nel medaglione rotondo. L'iscrizione dipinta sotto coperta, a mano, sul retro, recita: "Fontaine sur la place Mattei".

Piatto piano
cm. 5 × 24,5 diametro
Marca dipinta in cobalto, a mano: EP
Inv. ERF-6843

Il piatto reca una veduta di Villa Albani a Roma nel medaglione rotondo. L'iscrizione sul retro dipinta sotto coperta, a mano, recita: "Maison de plaisance Albani".

Il servizio di gala detto Kabinetskij (*du Cabinet*) fu eseguito su ordine dell'imperatrice Caterina II per il principe A.A. Bezborodkij. Lo splendido servizio, che comprendeva 800 elementi, fu completato negli anni 1793-1795. Le forme degli oggetti sono simili a quelle degli altri servizi di gala dell'epoca di Caterina. Quello chiamato Arabeskovyj (ad arabeschi) fu impiegato come modello per tutta la serie di lavorazioni successive, realizzate nella Manifattura Imperiale tra la fine del XVIII e l'inizio del XIX secolo. Le decorazioni con ghirlande di fiori su orli dorati e i medaglioni con paesaggi servirono anch'esse da modello, con alcune variazioni, per il disegno di altri servizi. I disegni, che comprendevano circa mille paesaggi in miniatura con vedute di Roma e dintorni, erano ispirati ad opere dell'incisore G. Piranesi, tratte dall'album *Le Antichità Romane*, Tomo Primo, Roma, 1756. L'appellativo Kabinetskij (*du Cabinet*) venne adottato già nel XIX secolo quando per ordine dell'imperatore Alessandro I, adempiendo alla volontà di Paolo I, fu eseguito un inventario del servizio. Parte del servizio fu conservata e amministrata per molti anni (sino alla metà del XIX secolo) dal Gabinetto di Sua Altezza Imperiale e a ciò è dovuto l'appellativo Kabinetskij (*du Cabinet*).

Esposizioni: 1986, Paris, La France et la Russie, nn. 572-574; 1987, Leningrad, Rossija-Francija, nn. 520-522.
Bibliografia: 38 (ill. 46, 47); 53 (ill. 41, 42).

(*T.K.*)

143

MAESTRO JOHANN ERIKSON FALK
Attivo negli anni 1775-1800

46
Completo per scrittoio con basamento
Pietroburgo, 1776

Argento, fusione, cesello, intaglio
cm. 14,7 × 33 × 25,5
Marchio: ALKE: maestro; EB: maestro assaggiatore Evgraf
Borovščikov, città di Pietroburgo 1776, titolo dell'argento 74
Inv. ERO-5117
Acquisizione: Appartiene alle collezioni del Palazzo d'Inverno.

Il completo per scrittoio è abbellito da figure femminili, che
simboleggiano le stagioni: l'Estate, con sabbiera a forma di ca-
nestro di frutta e l'Inverno, con calamaio a forma di braciere.
Nel centro appare un campanello decorato con ghirlande e corona imperiale, dietro si può notare un sostegno per penne a
forma di ceppo. Sulla base l'iscrizione: "Sotto la direzione del
Maestro, Senatore e Cavaliere Ivan Perfiĺévič Elagin nel
1775".
Ivan Perfiĺévič Elagin (1725-1794) fu letterato, storico, uomo
di teatro. Dal 1766 al 1779 diresse teatri imperiali; fondò il
teatro pubblico russo, l'Istituto teatrale e il teatro Grande a Pietroburgo.

Esposizioni: 1990, Kotca, n. 312.
Bibliografia: 85 (tomo II; p. 529); 9 (n. 90).

(*L.Z.*)

147

47

Tre pezzi dal servizio "Vsednevnych" (di tutti i giorni), Sezione Kofešenskij

MAESTRO KARL FRIEDERICH BERKMAN

Attivo negli anni 1775-1800

Teiera
Pietroburgo, 1775
Argento, legno, fusione, massellatura, cesello, intaglio, doratura
cm. 15 × 12,4
Marchio: GV: maestro; EB: maestro assaggiatore Evgraf Borovščikov, città di Pietroburgo 1775, titolo dell'argento 74
Inv. ERO-5064
Acquisizione: Appartiene alle collezioni del Palazzo d'Inverno.

La teiera è a forma di pera con manico in legno; il corpo è decorato con festoni ornamentali e palme.

MAESTRO JOHAN FRIEDERICH KEPPING

Attivo negli anni 1750-1800

Caffettiera
Pietroburgo, 1770-1780
Argento, legno, fusione, massellatura, cesello, intaglio, doratura
cm. 23 × 13 × 21
Marchio: JFK: maestro; titolo dell'argento 73
Inv. ERO-5061
Acquisizione: Appartiene alle collezioni del Palazzo d'Inverno.

La caffettiera è a forma di pera con manico in legno; il corpo è decorato con festoni ornamentali e palme.

MAESTRO KARL FRIEDERICH BERKMAN

Zuccheriera
Pietroburgo, 1773
Argento, doratura, cesello, intaglio, fusione
cm. 10,5 × 13 × 12
Marchio: CF.B: maestro; EB: maestro assaggiatore Evgraf Borovščikov, città di Pietroburgo 1773, titolo dell'argento 74
Inv. ERO-4749
Acquisizione: Appartiene alle collezioni del Palazzo d'Inverno.

La zuccheriera è ovale con coperchio; le pareti sono decorate con festoni ornamentali e palmette. Sul coperchio sono cesellati cucchiaini ornamentali.

Nel XVIII secolo le caffettiere, le teiere e le zuccheriere furono portate alla sezione Kofešenskij del Palazzo d'Inverno. A differenza della sezione Hofmaršal'skij, dove erano conservati i servizi di parata del Palazzo, nella sezione Kofešenskij si trovano servizi denominati Vsednevnych (di tutti i giorni). Per forma e caratteristiche delle decorazioni essi sono molto simili agli elementi del servizio in oro Nachtyšnij, realizzato nel 1730 dal maestro Johann Ludwing Biller per l'imperatrice Anna Ivanovna. Oggi sono conservati nei Depositi di oggetti insoliti dell'Ermitage. Oggetti con motivi ornamentali di questo tipo furono realizzati da molti maestri della metà o della fine del XVIII secolo, oggi in parte sono conservati nelle collezioni dell'Ermitage. Con ogni evidenza, le forme e gli ornamenti "Vsednevnych" si imposero nella tradizione di corte.

Esposizioni: 1990, Kotca, n. 311 (zuccheriera).
Bibliografia: 85 (tomo II; p. 416, teiera; p. 424, caffettiera; p. 413, zuccheriera); 9 (n. 107, teiera e caffettiera; n. 81, zuccheriera).

(*L.Z.*)

MAESTRO MONOGRAMMISTA ELM
Attivo negli anni 1775-1800

48
Brocca per toeletta
Pietroburgo, 1782
Argento, fusione, cesello, doratura
cm. 36 × 13,5 × 14
Marchio: ELM: maestro; EB: maestro assaggiatore Evgraf
Borovščikov, città di Pietroburgo 1782
Inv. ERO-4756
Acquisizione: Appartiene alle collezioni del Palazzo d'Inverno.

La brocca è modellata nello stile di un vaso antico. È adornata
con tre fili di perlinature ed il manico è a forma di tralcio flo-
reale.

Esposizioni: 1990, Kotca, n. 313.
Bibliografia: 9 (n. 93).

(L.Z.)

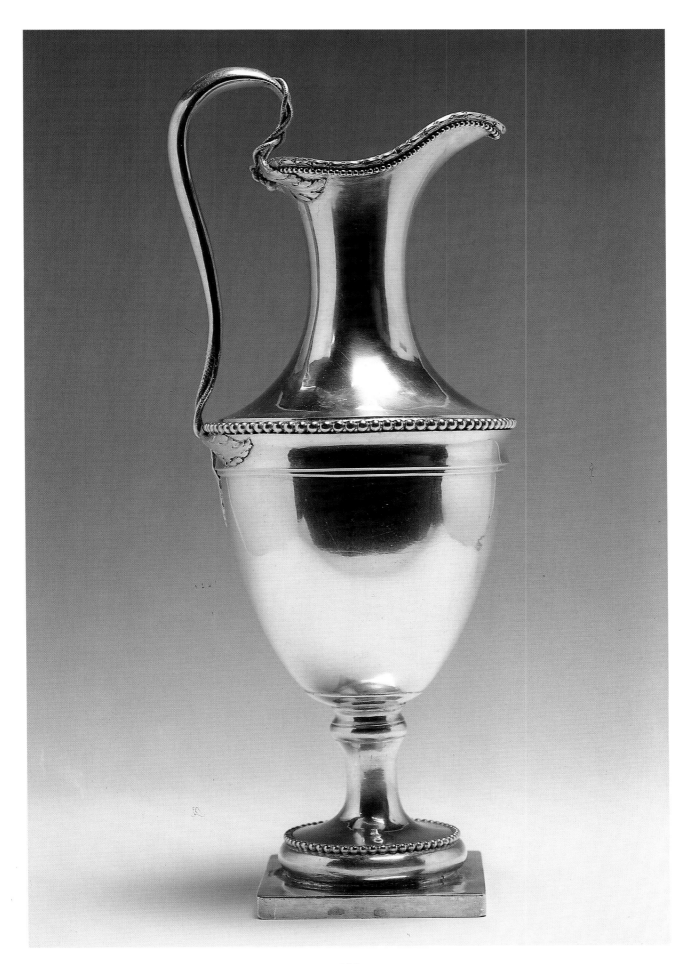

151

MAESTRO IGNOTO

49
Mirnica (recipiente per la mirra)
Pietroburgo, 1779

Argento, doratura, fusione, incisione, intaglio
cm. 6,6 × 18,2 × 11,6
Marchio: EB: maestro assaggiatore Evgraf Borovščikov, città di
Pietroburgo 1779
Inv. ERO-8785
Acquisizione: 1956, dal Deposito Centrale delle Case-Museo.

La mirnica è a forma di libro. Sulla copertina sono incise scene
del Battesimo e lo stemma dell'Impero russo, con le iniziali di
Caterina II sul rovescio.
La mirnica era di solito preparata per il battesimo; all'interno si
poneva un flacone di mirra, crisma, balsamo e forbici. Nella
mirnica erano conservati flaconi con le scritte "per la mirra",
"per il crisma". Probabilmente quest'opera fu realizzata per il
battesimo del granduca Konstantin Pavlovič.

Esposizioni: 1988, Mosca, 1000-Letie Russkoj chudožestvennoj
Kultury, n. 344.

(*L.Z.*)

MAESTRO IGNOTO

50
Boccale con coperchio a cerniera
Svezia, 1650-1700, boccale
Mosca, 1780-1790, incisione in niello

Argento, doratura, fusione, niello, intaglio
cm. 20,5 × 23,5 × 17,7
Marchio di controllo svedese 1650-1700
Inv. ERO-7760
Acquisizione: 1951, dal Deposito della Zecca di Stato di Mosca.

Sul coperchio del boccale appare una piccola placca in fusione
con la scena biblica raffigurante "L'incontro tra Elisario e Rebecca"; le pareti sono decorate con un'incisione in nero che riporta scene della vita di Giuseppe. I piedini sono modellati a
foggia di frutti esotici. Sulle pareti l'iscrizione: "E Giacobbe inviò Giuseppe a visitare i fratelli. Giuseppe ci andò e portò in
dono del cibo". Nella tecnica dell'incisione in niello su argento
i maestri incisori moscoviti e stranieri realizzarono effetti pregevoli. Un maestro russo completò il lavoro di intaglio ed incisione di questo boccale, opera dei maestri svedesi sul tema "L'incontro tra Elisario e Rebecca", con scene della vita di Giuseppe, figlio di Rebecca, eseguite in niello. In tal modo si giunse
alla realizzazione di un'unica opera con originali sviluppi del
tema.

Esposizioni: È esposto per la prima volta.

153

MAESTRO MONOGRAMMISTA IM P

51
Ciborio (o teca eucaristica)
Mosca, 1782
Argento, doratura, fusione, niello, intaglio
cm. 55 × 26 × 19,5
Marchio: IM P: maestro; SB 1782: maestro assaggiatore Stepan
Belkin; AΘ P: Fëdor Petrov città di Mosca
Inv. ERO-5715
Acquisizione: 1941, dal Museo Etnografico di Stato dei Popoli
dell'URSS. Sino al 1926 era conservato nel Fondo Museale.

La teca è a forma di tempio ad una cupola, riporta iscrizioni in
niello, scene della vita di Cristo e figure di angeli in fusione.

Il ciborio è uno dei vasi di culto. In esso erano conservati i santi doni: il pane e il vino, che venivano impiegati per la cerimonia della comunione delle persone gravemente ammalate. Di
solito il ciborio aveva forma di tempio ad una, tre o cinque cupole ed era decorato con smalto, niellature o lavori in fusione e
iscrizioni con scene della vita di Gesù Cristo. I ciborii ed altri
recipienti per il culto erano generalmente fatti in argento, più
raramente in stagno.

Esposizioni: 1990, Kotca, n. 306.

(*L.Z.*)

MAESTRO MONOGRAMMISTA PN A

52
Tabacchiera rotonda con coperchio
Mosca, 1782

Argento, fusione, intaglio, incisione, niello, doratura
cm. 2,9 × 9,7 × 9,7
Marchio: PN A: maestro ignoto; SB: maestro assaggiatore
Stefan Belkin; AΘ P: Fëdor Petrov, città di Mosca 1782
Inv. ERO-2436
Acquisizione: Appartiene alle collezioni del Palazzo d'Inverno.

La tabacchiera è decorata con trofei in niello e presenta il fondo intagliato. Sul coperchio sono intagliate stelle di ordini militari e l'impronta della medaglia per le nozze del Granduca Pavel Petrovič con Maria Fëdorovna, opera di Johann Kaspar Eger (che lavorò alla Zecca di Pietroburgo dal 1772 al 1776). Sul fondo è saldata l'impronta del verso della medaglia, opera del maestro pietroburghese Johann Georg Vechter (1726-1800).

Le tabacchiere con l'impronta di medaglie in ricordo di eventi storici erano prodotte su larga scala. Erano molto diffuse alla fine del XVIII secolo. Le Zecche di Mosca e di Pietroburgo coniavano impronte delle facce delle medaglie destinate alla vendita nelle gioiellerie.

Bibliografia: 39 (p. 34); 82 (p. 46).

(*L.Z.*)

MAESTRO IGNOTO

53
Tabacchiera rotonda con coperchio
Mosca, tra il 1783 e il 1790

Argento, doratura, niello, intaglio, incisione
cm. 2,7 × 9,2 × 9,2
Sprovvista di marchio
Inv. ERO-2448
Acquisizione: Appartiene alle collezioni dell'Ermitage

Sul coperchio della tabacchiera è saldata l'impronta della medaglia di Timofej Ivanov (1729-1802/3) dedicata all'"Annessione della Crimea, 1783"; sull'altra faccia "Per la pace con la Turchia, 1774".
Su entrambe le parti, in niello, vi sono trofei incisi sul fondo.

Esposizioni: È esposta per la prima volta.

(*L.Z.*)

54
Tabacchiera ovale con coperchio a cerniera
Mosca, 1780-1790
Argento, doratura, niello, intaglio
cm. 3,1 × 9,2 × 5,7
Sprovvista di marchio
Inv. ERO-2431
Acquisizione: Appartiene alle collezioni dell'Ermitage.

Sulla superficie superiore della tabacchiera sono intagliati un
fregio con ghirlande di fiori e medaglioni con figure allegoriche.

Esposizioni: 1986, Paris, La France et la Russie, n. 534;
1987, Leningrado, Rossija-Francija, n. 287.
Bibliografia: 9 (n. 84).

(*L.Z.*)

55
Ritratto di N.P. Panin
Pietroburgo, 1770-1780
Lana, seta
cm. 72 × 59; ovale
Inv. ERT-16194
Acquisizione: Appartiene alle collezioni dell'Ermitage.
Precedentemente alla collezione della contessa Panina.

N.P. Panin dal 1763 al 1783 diresse la Manifattura di arazzi di
Pietroburgo, e verosimilmente in quegli anni fu intessuto il suo
ritratto.

Bibliografia: 37 (p. 256; n. 91).

(*T.Ko.*)

56

Divisa dell'imperatrice Caterina II della Guardia Imperiale del Reggimento Preobraženskij
Pietroburgo, 1770-1780

Filo metallico e seta, rame, tessuto, gallone, doratura
Lunghezza della sopravveste cm. 152
Lunghezza della parte inferiore cm. 142
Inv. ERT-15588, 11016
Acquisizione: 1950, dal Museo Storico dell'Artiglieria.
Precedentemente nell'Arsenale del Palazzo d'Inverno.

L'imperatrice Caterina II era la suprema autorità militare dei reggimenti della Guardia. Nelle occasioni festive la zarina indossava quest'abito, che ricevette l'appellativo di "uniforme". Questo originale vestito è composto di una sopravveste, o caffettano, e di una camisiola in seta verde ricoperta con gallone dorato.
Negli abiti di quegli anni erano combinati elementi decorativi, forme e linee diverse. Il colore del tessuto, le guarnizioni in gallone e i bottoni appartenevano alla tradizione militare. In Russia dominava a quel tempo la moda francese (con abiti a larghe falde) unita ad elementi del costume nazionale russo (la lunghezza delle maniche da rimboccare, la disposizione del gallone simile a quella del *sarafan* tradizionale, ecc.).

Esposizioni: È esposta per la prima volta.

(*T.Ko.*)

57
Abito maschile
1770-1780
Velluto, seta, lustrini, applicazioni, ricamo
Lunghezza della marsina cm. 114
Lunghezza della camisiola cm. 73
Lunghezza del calzone cm. 72
Inv. ERT-12708, 12709, 17924
Acquisizione: 1941, dal Museo Etnografico di Stato dei Popoli
dell'URSS.

Gli abiti maschili del XVIII secolo comprendevano marsina, camisiola e corti calzoni. Questa tenuta fu introdotta negli anni tra
il 1700 e il 1725 con un editto di Pietro I e, con poche variazioni nelle proporzioni e nei dettagli, venne mantenuta per diversi decenni. Soltanto nel decennio 1780-1790 avvennero
cambiamenti sostanziali con la comparsa di colletti alti e duri, e
corte camisiole senza maniche.
Gli abiti di gala maschili dei nobili di questo periodo erano realizzati in velluto o seta con piccoli fregi geometrici sorprendenti
per la ricchezza e la varietà dei procedimenti, dei ricami e dei
materiali impiegati.

Esposizioni: È esposto per la prima volta.

(*T.Ko.*)

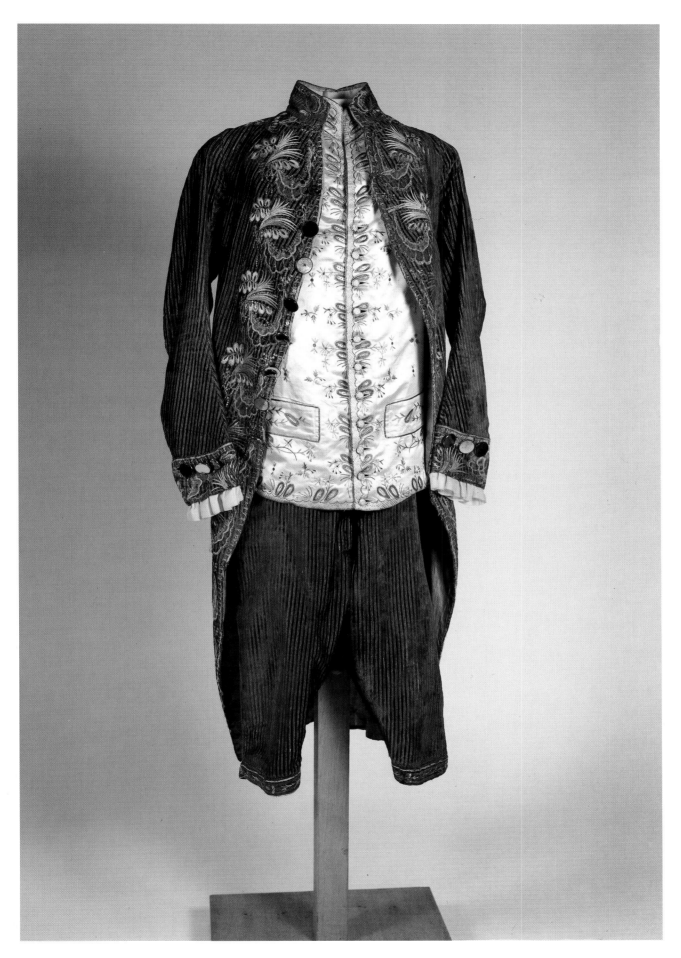

BOTTEGA DI JEAN BAPTISTE CHARLEMAGNE
Su disegno di CHARLES CAMERON

58
Sedia
Pietroburgo, 1784
Legno, verniciatura, seta, intaglio, doratura
cm. 119 × 72 × 72
Inv. ERMb-1194
Acquisizione: Dalla collezione della contessa Šuvalova. Sino al 1871 nel Palazzo di Caterina a Carskoe Selo.

La sedia appartiene al grande assortimento di mobili che arredano la Sala Cinese del Palazzo di Caterina a Carskoe Selo.
La Sala Cinese fu allestita su progetto di Charles Cameron all'inizio degli anni 1780-1790. Le pareti della sala furono decorate con dipinti, coordinati con ornamenti cinesi, ghirlande, arabeschi; nel centro erano disposti pannelli in autentica lacca orientale. Il soffitto, la parte superiore delle porte e gli stipiti delle finestre sono ornati con paesaggi e scene di vita cinese. Gli inserti e le decorazioni dei mobili che si sono conservati, sono ispirati allo stesso soggetto. Tutti gli affreschi e gli stessi mobili furono eseguiti nel Laboratorio di Jean Baptiste Charlemagne, presso il quale prestò ininterrottamente la sua opera Charles Cameron.
Questo mobile, esempio di raffinata stilizzazione, coniuga una tipica struttura classica con inserti intagliati a forma di drago serpeggiante, ispirati all'arte orientale. La superficie è colorata con tre raffinate sfumature giallo oro, nero e verde, che si combinano delicatamente.

Bibliografia: Antoine Chenevière, *Il mobile russo. L'epoca d'oro. 1780-1840*, London-Milano, 1989, pp. 68-69.

MANIFATTURA IGNOTA

59
Poltrona
Pietroburgo, 1780-1790
Legno, intaglio, verniciatura, doratura, rivestimento in damasco
del XVIII secolo
cm. 93 × 69 × 65
Inv. ERMb-1276
Acquisizione: Dal Museo Etnografico di Stato dei Popoli
dell'URSS.

Poltrone di analoga foggia sono conservate al Museo Storico di
Mosca.
Sulla spalliera sono visibili eleganti intagli dorati, i bracci termi-
nano con teste d'aquila e le gambe sono a forma di cono, a guisa di tronchi di legno. È chiara l'influenza esercitata dai modelli degli architetti Nikolaj L'vov, Giacomo Quarenghi e Charles
Cameron.

Bibliografia: Sokolova T.M., Orlova K.A. *Russkaja mebel' sobranii Gosudarstvennogo Ermitaža*, "Sovetskij Chudožnik",
1973, pp. 256, nn. 125, 126.

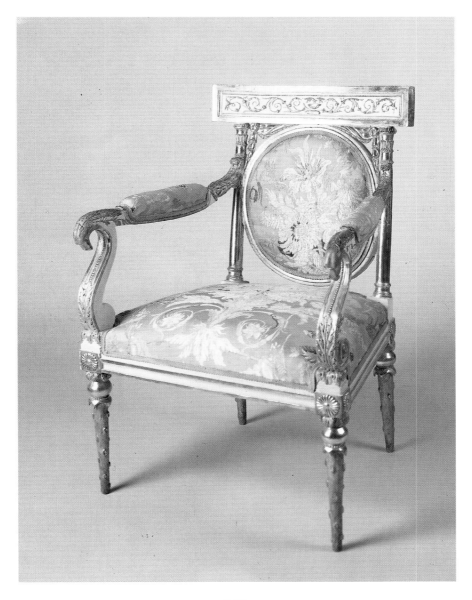

165

60
Figure di scacchi
Tula, 1782

Acciaio, argento, politura, brunitura, puntinatura, cesello,
intaglio, indoratura
cavallo, cm. 4,7 × 2,5 × 2,5; Inv. ERM-4621
cavallo, cm. 5 × 2,5 × 2,5; Inv. ERM-4590
alfiere, cm. 7,9 × 2,7 × 2,7; Inv. ERM-4581
regina, cm. 9,5 × 3,3 × 3,3; Inv. ERM-4592
re, cm. 10,5 × 3,3 × 3,3; Inv. ERM-4579
pedone, cm. 5 × 2 × 2; Inv. ERM-4612
pedone, cm. 5 × 2,1 × 2,1; Inv. ERM-4587
pedone, cm. 5 × 2,2 × 2,2; Inv. ERM-4603
pedone, cm. 5 × 2,1 × 2,1; Inv. ERM-4588
pedone, cm. 5 × 2 × 2; Inv. ERM-4596

Andrian Suchanov fu Maestro del disegno e dell'intaglio nella
fabbrica d'armi di Tula. L'unico lavoro firmato dal maestro è
una scatola conservata nel Museo d'Arte Decorativa e Applicata
di Berlino.

Inizialmente le figure di scacchi erano ottanta, cioè cinque serie
complete. A quel tempo in Russia al gioco partecipavano contemporaneamente quattro persone, una su ogni lato della tavola. Gli scacchi sono custoditi in una speciale scatola d'acciaio
sulla quale è inciso l'edificio di una nuova Officina che ancora
non era stata costruita a Tula. La scatola fu offerta nel decennio 1780-1790 dagli artigiani di Tula all'imperatrice Caterina
II con la speranza che venisse finanziata la costruzione auspica-
ta. L'opera è un lavoro insolito e prezioso, e fu conservata sin
dal momento dell'acquisizione nel Gabinetto delle rarità del Palazzo d'Inverno, e successivamente nella Galleria dei Preziosi.

Esposizione: 1981, Leningrad, Chudožestvennyj metall, n. 86;
1981, Köln, nn. 62-70; 1986, Paris, La France et la Russie,
n. 558; 1987, Leningrad, Rossija-Francija, nn. 488-501.
Bibliografia: 39 (p. 104; n. 14); 47 (nn. 37-42); 48 (nn.
168-169).

(*M.M.*)

MANIFATTURA DI TULA

61
Toeletta da tavolo
Tula, circa 1780
Acciaio, bronzo, doratura, politura, brunitura, diamanti
d'acciaio, collane
cm. 56 × 31 × 31
Inv. ERM-2176
Acquisizione: Appartiene alle collezioni dell'Ermitage.

La toeletta ha uno specchio mobile su due colonne decorate a
rosette. La cornice dello specchio è interamente lavorata a
"diamanti d'acciaio", collane sfaccettate, motivi ornamentali a
scaglie e foglie d'acanto; nella parte centrale è raffigurata un'a-
quila. La toeletta fu inserita in uno dei primi inventari degli arredi del Palazzo d'Inverno, completato dal Camerlengo dell'Ermitage Ivan Lukin nel 1786.

Esposizioni: 1981, Leningrad, Chudožestvennyj metall, n. 83;
1986, Paris, La France et la Russie, n. 557; 1987, Leningrad,
Rossija-Francija, n. 503.
Bibliografia: 47 (p. 163; nn. 49-50); 48 (p. 170).

62
Panchetta poggiapiedi
Tula, 1785-1790

Acciaio, bronzo, brunitura, incisione in rame, cesello, doratura
cm. 20,5 × 51 × 28,8
Inv. ERM-2338
Acquisizione: 1941, dal Museo di Stato Etnografico dei Popoli
dell'URSS. Prima conservato nella collezione Bačmanov.

Le quattro gambe della panchetta sono a forma di colonna, decorate con lambrecchini di acciaio blu-brunito; la parte inferiore è decorata con margheritine d'acciaio; sugli angoli roselline,
palmette e ghirlande.

Esposizioni: 1981, Leningrad, Chudožestvennyj metall, n. 75.
Bibliografia: 47 (p. 163; ill. 27, 28).

(*M.M.*)

63
Ombrello
Tula, 1780-1790

Acciaio, bronzo, intagli in argento, seta
cm. 105,5 × 12 × 10
Inv. ERM-2164
Acquisizione: Appartiene alle collezioni dell'Ermitage.

L'ombrello è di seta verde con manico decorato in rilievo con
incisioni in argento, ghirlande di rose e "diamanti d'acciaio"
sfaccettati. Nella parte centrale del manico (incorniciate sotto
vetro) le iniziali imperiali "E.A." Ekaterina Alekseevna (Caterina II) con mazzolini di myosotis, canestri di fiori e un cuore ar-
dente.

Esposizioni: È esposto per la prima volta.

(*M.M.*)

171

64
Tavolo parafuoco circolare ribaltabile
Tula, 1785
Acciaio, ottone, doratura, getto in argento
cm. 66 × 66 × 66
Inv. ERm-2186
Acquisizione: Appartiene alle collezioni dell'Ermitage.

Al centro del tavolo sono raffigurate stelle di ordini militari con lo stemma di Tula ed è incisa l'iscrizione "Tula 1785". Il sostegno centrale poggia su tre gambe ricurve con figure di delfini in bronzo, decorate con ghirlande, medaglioni ovali e mazzi di fiori.

Nel XVIII secolo gli artigiani di Tula si dedicarono ad oggetti in acciaio di forma inusuale. Così vennero realizzati tavolini portatili di fattura originale, con superfici ribaltabili, impiegati come schermo davanti al camino.

Esposizioni: 1981, Leningrad, Chudožestvennyj metall, n. 87.
Bibliografia: 47 (p. 163; ill. 29, 30); 80 (n. 69).

(*M.M.*)

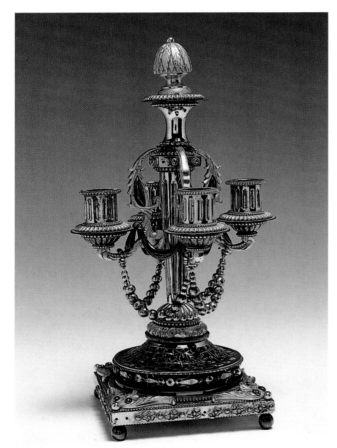

MANIFATTURA DI TULA

65
Coppia di candelabri
Tula, fine secolo XVIII
cm. 26,5 × 12 × 12
Inv. ERM-981, 982
Acquisizione: 1950, dalla Commissione per le Acquisizioni.

I candelabri sono a forma di colonnine con ramoscelli, a quattro luci, con base a quattro piedi sferici; sono decorati con ramoscelli di acanto, ghirlande blu-brunite, intagli, vignette, roselline e collane.

Esposizioni: 1981, Leningrad, Chudožestvennyj metall, n. 80; 1981/82, Köln, n. 72.
Bibliografia: 47 (p. 163; nn. 75, 76).

MAESTRO M. RODION LEONT'EV

66
Scatola a forma di sarcofago antico
Tula, fine secolo XVIII
Acciaio, bronzo, cesello, politura, brunitura, intaglio, velluto, "diamanti d'acciaio", doratura
cm. 18,5 × 27,5 × 19,2
Inv. ERM-2170
Acquisizione: Appartiene alle collezioni del Palazzo d'Inverno.

La scatola è a forma di sarcofago antico con vasi negli angoli; è decorata con ghirlande, foglie di lauro, tralci di acanto, roselline in bronzo dorato e un reticolato di margheritine sfaccettate su fondo azzurro-brunito. Ha base rettangolare e porta l'iscrizione "città di Tula, Maestro M. Rodion Leont'ev".

Non sappiamo nulla sull'autore di questa scatola; al cognome Leont'ev si fa cenno nella letteratura specialistica. Alla fine del XVIII secolo uno dei membri della famiglia Leont'ev fu inviato in Inghilterra per perfezionarsi e sbalordire gli inglesi con la sua arte. La storia della sua permanenza in Inghilterra fu riportata in seguito nella celebre *Storia del mancino guercio di Tula* dello scrittore russo Leskov.

Esposizioni: 1981, Leningrad, Chudožestvennyj metall, n. 92; 1981/82, Köln, n. 73.
Bibliografia: 47 (p. 163; nn. 55-58).

(*M.M.*)

67
Coppia di lumi da notte
Tula, fine secolo XVIII - inizio secolo XIX
cm. 16 × 12,5 × 8
Inv. ERM-7499, 7500
Acquisizione: Appartiene alle collezioni dell'Ermitage.

I lumi presentano porta candele ovoidali e impugnatura ricurva
su base piramidale. Sono decorati con serti di lauro in bronzo
dorato e "diamanti d'acciaio".

Esposizioni: 1981 Leningrad, Chudožestvennyj metall, n. 103.
Bibliografia: 47 (p. 163; n. 74).

(*M.M.*)

68
Bottiglia rettangolare
Pietroburgo, fine secolo XVIII
Vetro incolore soffiato, incisione, smerigliatura
cm. 25,2 × 12 × 7,5
Inv. ERS-90
Acquisizione: 1941, dal Museo Etnografico di Stato dei Popoli
dell'URSS.

La bottiglia ha spalle arrotondate; le pareti sono interamente
decorate a faccette a forma di roselline; sulla parte anteriore
del medaglione è incisa un'aquila con le iniziali dell'imperatrice
Caterina II, "E.P.A.", sul petto.

Esposizioni: 1990, Kotca.

(*T.M.*)

69

Ampolla per spezie, con base relativa
Pietroburgo, 1796

Vetro, argento, doratura, cesello, intaglio, incisione
cm. 22 × 14 × 18,5
Marchio: AZ: maestro assaggiatore ignoto, città di Pietroburgo
1796
Inv. ERO-6831
Acquisizione: 1941, dal Museo Etnografico di Stato dei Popoli
dell'URSS. Proviene dalla Casa Fontannyj degli Šeremetev a
Pietroburgo.

La salsiera presenta motivi decorativi floreali; il tappo è fornito
di catenella. La base in argento è traforata.

Esposizioni: 1990, Kotca, n. 315.
Bibliografia: 9 (n. 99).

(L.Z.)

70

Coppia di candelabri in bronzo dorato e vetro blu
Pietroburgo, fine secolo XVIII

Bronzo, fusione, cesello, doratura, marmo, vetro colorato
cm. 71 × 31 × 16
Inv. ERM-215, 216
Acquisizione: 1941, dal Museo Etnografico di Stato dei Popoli
dell'URSS.

I candelabri sono composti da vasi in vetro azzurro che sosten-
gono tre steli portacandele a forma di giglio in bronzo dorato.
La base rettangolare è in marmo.

Verso la fine del XVIII secolo i maestri del bronzo di Pietroburgo si distinsero per l'impiego di materiali diversificati quali
la porcellana, il vetro colorato e la pietra. Questa tecnica confe-
rì particolare ricercatezza e nobiltà alla loro produzione. Nelle
botteghe demaniali per la realizzazione di ordini speciali venivano realizzati i particolari delle apparecchiature di illuminazione.

Esposizione: 1990, Kotca, n. 326.

(M.M.)

DMITRIJ GRIGOR'EVIČ LEVICKIJ
Kiev, 1735 - Pietroburgo, 1822

Pittore, pedagogo, ritrattista. Fu allievo del padre, l'incisore G.K. Levickij, a Kiev. Nel 1758 fu allievo di A.P. Antropov, quindi di A. Valeriani e L. Lagrenée il Vecchio. Nel 1769 ricevette il titolo di Pittore Insignito. Nel 1770 divenne Accademico, nel 1771 direttore della Classe di Ritratto, nel 1776 Consigliere dell'Accademia. Dal 1771 al 1789 fu direttore della Classe di Ritratto dell'Accademia.

71
Ritratto di Michail Nikitič Krečetnikov
1776-1779
A sinistra all'altezza della spalla la firma: "P. Levickij 177 "
Olio su tela
cm. 63 × 49,5
Inv. ERŽ-1897
Acquisizione: 1941, dal Museo Etnografico di Stato dei Popoli dell'URSS.

Michail Nikitič Krečetnikov (1729-1793) studiò alla Nobile Scuola della Fanteria. Partecipò alla Guerra dei Sette Anni (1756-1763) col grado di Maggiore in Seconda. Nella guerra russo-turca (1768-1774) si distinse nella battaglia di Kagul, divenendo così General Maggiore e, per le azioni condotte nella battaglia di Krajovo, fu insignito dell'ordine di Sant'Anna. Dal 1773 fu Tenente Generale e Governatore di Tver'. Dal 1776 fu Legato reale a Kaluga e Tula. Fu insignito dell'ordine di Sant'Alessandro Nevskij, dell'Aquila Bianca e di San Stanislao. Dal 1790 fu Generale in Capo e Governatore della Piccola Russia.

Esposizioni: 1987, Levickij, n. 13; 1987, Leningrad, Portretnaja živopis', n. 25.
Bibliografia: 63 (pp. 17-19); 18 (n. 19); 21 (p. 195; n. 81).

(I.K.)

JAMES WALKER
Londra, 1748 - Londra, 1808

Incisore. Fu allievo di V. Green. Dal 1748 al 1801, su invito di
Caterina II, lavorò a Pietroburgo; dopo il 1797 divenne incisore di gabinetto di Sua Altezza Imperiale. Dal 1786 fu nominato
Pittore Insignito e dal 1794 Accademico. Nel 1802 ritornò in
patria. È l'autore di una serie di incisioni da quadri dell'Ermitage e di una grande quantità di ritratti di alti dignitari del tempo di Caterina tratti da originali di altri pittori. Impiegò soprattutto la tecnica dell'incisione puntinata e alla maniera nera.

72

Ritratto di Aleksandr Dmitrievič Lanskoj
1786

Da un originale di Dmitrij Grigor´evič Levickij del 1782
conservato al Museo Russo di Stato
In basso: "Dédié à S.M. Imp. Catherina II d'après l'original
dans la Galerie Imp. à St. Petersbourg peint par Dm. Levitzky
par son tres hamble très obéissant Serviteur James Walker
graveur de S.M.I."
Incisione alla maniera nera
cm. 53,2 × 37,2
Inv. ERG-27528
Acquisizione: Appartiene alle collezioni dell'Ermitage.

Aleksandr Dmitrievič Lanskoj (1758-1784) fu figlio di un nobile di Smolensk. Iniziò a servire nel 1772 in qualità di soldato
nel Reggimento Izmajlovskij; nel 1776 divenne Cavaliere della
Guardia. Nel 1779, ancora aiutante di G.A. Potëmkin, divenne
favorito di Caterina II e gli fu conferito il titolo di Aiutante di
Campo. Dal 1780 divenne Camerlano, Generale Maggiore e
dal 1784 Generale Aiutante. Possedeva una biblioteca magnifi-
ça che fu, alla sua morte, unita a quella dell'Ermitage.
È raffigurato in divisa di General Maggiore del Corpo dei Ge-
nieri con l'ordine di San Stanislao e dell'Aquila Bianca. A destra si può notare il busto di Caterina II.

Bibliografia: 69 (tomo II; p. 1169; n. 1); 70 (tomo I; p. 134;
n. 22).

JOHANN JACOBE
Vienna, 1733 - Vienna, 1797

Pittore e incisore. Allievo di J.M. Schmutzer, a partire dal
1779 visse per qualche anno a Londra. Realizzò molti ritratti
da originali di altri artisti (alcuni su commissione di Caterina II)
e incisioni da disegni di animali di F. Casanova. Impiegò per lo
più la tecnica della mezza-tinta, o alla maniera nera.

73

Ritratto del principe Aleksandr Michajlovič Golicyn
1773

Da un dipinto originale di Dmitrij Grigor´evič Levickij del 1772
In basso a sinistra: "Peint par Levisky 1752" (la data è
sbagliata)
A destra: "Gravé à Vienna par Jean Jacobe 1773"
In basso l'iscrizione in lingua francese
Incisione alla maniera nera
cm. 61 × 47,7; prima tiratura
Inv. ERG-30173
Acquisizione: 1905, precedentemente apparteneva alla
collezione A.I. Dolivo-Dobrovol´skij.

Aleksandr Michajlovič Golicyn (1723-1807) fu Gran Ciambellano, Inviato a Parigi e Londra (1755-1762), Vice Presidente
del Collegio straniero, Vice Cancelliere e Senatore. Partecipò
alla congiura di Palazzo del 1762. Dopo il 1778 diede le dimissioni e visse a Mosca, occupandosi di beneficenza. Collezio-
nò quadri che raccolse in una galleria e costruì a Mosca un
ospedale chiamato Golicynskij.
È raffigurato con la fascia e la stella dell'ordine dell'Aquila
Bianca e con le insegne dell'ordine di Sant'Alessandro Nevskij.

Bibliografia: 69 (tomo I; p. 602; n. 1).

(*G.K.*)

GIOVANNI BATTISTA BOUCHERON
Torino, 1742 - 1815

74
Quattro oggetti del servizio Turinskij (Torinese)
Circa 1787

Zuppiera ovale con coperchio e vassoio
Argento, fusione, cesello
altezza cm. 32, diametro cm. 20
Marchio: GV BB, città di Torino, marchio di controllo, fine del
XVIII secolo
Inv. E-8635
Acquisizione: Questo oggetto e i seguenti appartengono alle
collezioni del Palazzo d'Inverno. Precedentemente, sino al
1803, appartenenvano alle collezioni della principessa A.P.
Golicyna, nata A.P. Protasova.

Il coperchio è ornato da mazzi di fiori; le pareti sono cannellate
da ghirlande di lauro; il vassoio è decorato con corone di lauro
e palmette.

Portabottiglie cilindrico
Vetro, fusione, cesello
altezza cm. 21
Marchio: GV BB, città di Torino, marchio di controllo, fine
XVIII secolo
Inv. E-8637

Il portabottiglie presenta un fondo cannellato ed è arricchito da
maschere leonine e ghirlande di lauro.

Legumiera con coperchio
Argento, fusione, cesello
altezza cm. 19
Marchio: GV BB, città di Torino, marchio di controllo, fine del
XVIII secolo
Inv. E-8645

Il coperchio del recipiente è a forma di pigna; sulle pareti sono
riportati serti di lauro, perline e volute.

Zuppiera rotonda con coperchio e vassoio
Argento, fusione, cesello, intaglio
altezza cm. 34, diametro cm. 30,5
Marchio: GV BB, città di Torino, marchio di controllo, fine del
XVIII secolo
Inv. E-8633 a, b, c

Il coperchio è decorato con figure di Cupido; sulle pareti serti
di lauro, maschere leonine e fasci di roselline. I piedini sono
modellati a forma di semifigure femminili alate; sul vassoio sono riportate palmette e piccole perle.

Il servizio fu acquistato dalla Corte imperiale nel 1803 e contava 220 elementi; pesava 13 pud (antica misura russa equiva-
lente a Kg. 16,38, n.d.t.), 12 libbre (una libbra è pari a gr.
409,5, n.d.t.) e 54 zolotnik (uno zolotnik è pari a gr. 4,26,
n.d.t.). Oltre a zuppiere, legumiere, salsiere, piatti e portavivan-
de facevano parte del servizio ornamenti da tavolo e vasi in argento e bronzo con il blasone dei principi Golicyn, decorati con
canestri e fiori. Purtroppo una parte significativa degli oggetti
venne rifusa negli anni 1840-50.

Esposizioni: 1985, Leningrad, Prikladnoe iskusstvo Italii v sobranii gosudarstvennogo Ermitaža, nn. 64-66.
Bibliografia: 85 (tomo II; pp. 175-179).

(*L.Z.*)

ANTOINE FRANCISQUE (ANTON JAKOVLEVICH) RADIGUES
Reims, 1719/21 - Pietroburgo, 1809

Incisore. Studiò e lavorò in Francia, Olanda e Inghilterra. Dal giugno del 1764 si stabilì in Russia giungendovi da Parigi su invito dell'Accademia delle Scienze, dove lavorò sino al 1769 in qualità di Capo della Sezione Incisioni. Contemporaneamente, dal 1765 al 1767, diresse la Classe di Incisione dell'Accademia di Belle Arti. Nel 1794 divenne Accademico. Fu prevalentemente ritrattista e impiegò la tecnica dell'incisione a bulino e dell'acquaforte.

75

Ritratto del presidente dell'Accademia di Belle Arti Ivan Ivanovič Beckoj
1794

Da un ritratto originale di A. Roslin del 1777
In basso a sinistra: "Peint par le Chevabyer Roslin"
A sinistra: "Gravé par Antoine Radigues Canseiller de l'Académie impériale des beaux-arts de St. Petersbourg en dé.bre 1794"
Acquaforte, incisione a bulino
cm. 48,9 × 34,2; tiratura tagliata
Inv. ERG-12557
Aquisizione: Appartiene alle collezioni dell'Ermitage.

Nel dicembre del 1779, per decisione dell'Accademia di Belle Arti, fu dato ad A. Radigues il compito di ritrarre I.I. Beckoj, ma il lavoro fu eseguito solo nel 1794.
Ivan Ivanovič Beckoj (1704-1795) fu una delle personalità russe di maggior rilievo nel campo dell'istruzione. Dal 1764 al 1794 fu presidente dell'Accademia di Belle Arti e, al tempo stesso, dal 1763, direttore della Scuola di Fanteria del Corpo dei Cadetti. Fu promotore di una serie di istituzioni scolastiche e di orfanotrofi a Pietroburgo e a Mosca.
Nella parte inferiore dell'incisione è raffigurato l'edificio dell'Accademia di Belle Arti di Pietroburgo (1764-1788, architetti A.F. Kokorinov e J.B. Vallin de la Mothe); più in basso, al centro, la scena del trasporto dell'enorme pietra, utilizzata come piedistallo per il cavallo della statua di Pietro I; a sinistra la Casa degli Orfanelli di Pietroburgo, a destra quella di Mosca.

Esposizioni: 1966, Novi Sad, Russkaja gravjura, n. 26; 1986, Paris, La France et la Russie, n. 307; 1987, Leningrad, Rossija-Francija, n. 361.
Bibliografia: 69 (tomo I; p. 411; n. 3); 70 (tomo II; p. 819; n. 13).

(G.K.)

THOMAS MALTON IL VECCHIO
Londra, 1726 - Dublino, 1801

Disegnatore ed incisore. Nel 1785 iniziò a studiare prospettiva a Dublino. Disegnò e incise soprattutto vedute architettoniche e panorami delle città di Oxford e Londra; realizzò anche una serie di opere dedicate a Pietroburgo da originali di Joseph Hearn.

76

Il fiume Neva dal lungofiume dell'isola Vasil'evskij nei pressi dell'Accademia delle Belle Arti di Pietroburgo
1789

Da un originale di Joseph Hearn
A destra: "Engraved by Tho.s Malton"
Più in basso l'iscrizione in inglese: "Published Oct I 1789 by Joseph Hearn St. Petersburg. London"
Acquatinta
cm. 45 × 61,5; prima tiratura
Inv. ERG-20109
Acquisizione: Appartiene alle collezioni dell'Ermitage.

Il foglio appartiene ad una serie di sei vedute di Pietroburgo realizzate da disegni di J. Hearn, che visse alcuni anni nella città. Vi è raffigurato il lungofiume dell'isola Vasil'evskij; al centro, l'edificio dell'Accademia di Belle Arti (1764-1788, architetti A.F. Kokorinov e J.B. Vallin de la Mothe); a destra, parte dell'edificio del Corpo dei Cadetti (1733-1753, architetto D. Trezzini).

Bibliografia: 96; 59 (p. V).

(G.K.)

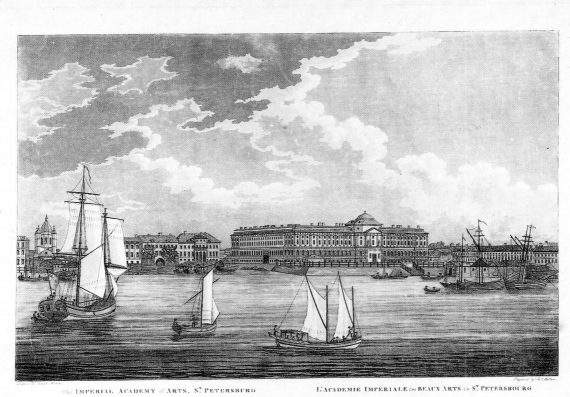

JEAN-DOMINIQUE RACHETTE
Copenaghen, 1744 - Pietroburgo, 1809

Scultore. Figlio di un emigrante francese, studiò all'Accademia di Belle Arti di Copenaghen. Dal 1765 al 1776 fu imprigionato alla Bastiglia per l'aiuto dato al Ministro russo S.R. Voroncov durante la stipulazione di contratti con maestri francesi per attirarli in Russia. Dal 1776 al 1779 lavorò ad Amburgo. Nel 1779 fu inviato a Pietroburgo come Maestro modellatore nella Manifattura Imperiale di Porcellana, dove lavorò per 25 anni. Sotto la sua direzione fu realizzata la serie di statuette in porcellana note sotto il nome di "I popoli della Russia". Collaborò con gli architetti Quarenghi, Cameron e Voronichin realizzando molti bassorilievi decorativi destinati ai palazzi pietroburghesi. Fu autore del monumento funerario del principe Bezborodkij a Pietroburgo, delle statue di Caterina II, dei principi Rumjancev e Potëmkin, di busti e medaglioni. Fu insignito del titolo di Accademico nel 1785.

77
Busto di Prokofij Akinfievič Demidov
1780

Getto di Gastecloux (Accademia Imperiale di Belle Arti)
Sul dorso: "Rachette sculp. 1780 Fondue et Reparée par Edm. Gastecloux Académie Imperiale des Beaux-Arts de St. Petersbourg"
Bronzo
cm. 69 × 40
Inv. ERSk-16
Acquisizione: 1941, dal Museo Etnografico di Stato dei Popoli dell'URSS.

Prokofij Akinfievič Demidov (1710-1786), figlio maggiore di A.N. Demidov, apparteneva ad una illustre famiglia di proprietari di ferriere degli Urali, che iniziò la propria attività sotto Pietro I. Fu un uomo molto facoltoso: possedeva infatti quattro fabbriche, diecimila anime, dieci tra villaggi e paesi e diversi palazzi. Fu un personaggio stravagante: un giorno, per fare una passeggiata in slitta d'estate, fece ricoprire le vie di Mosca con un'enorme quantità di sale per renderle percorribili dalla slitta. Donò molte ricchezze in beneficenza; fondò l'Orfanotrofio di Mosca, l'Istituto per il Commercio di Pietroburgo, numerose scuole popolari e casse di prestito.

(*A.T.*)

J.D. RACHETTE
Per le notizie biografiche vedi Cat. n. 77.

78
Busto dell'imperatore Paolo I
Circa 1790
Sul basamento il marchio del fonditore: "N.Stange.S.P.B.99".
Bronzo
cm. 73 × 50
Inv. ERSk-13
Acquisizione: 1946, dal Museo di Ingegneria Militare di
Leningrado.

Paolo I Petrovič (1754-1801) fu figlio dell'imperatore Pietro
III e dell'imperatrice Caterina II, Imperatrice di tutte le Russie
fino al 1796. Nel 1773 sposò in prime nozze la principessa Augustina Wilhelmina di Essen-Darmstag, divenuta in Russia
granduchessa Natal′ja Alekseevna. Nel 1776 sposò in seconde
nozze la principessa Sophia Dorothea Augusta Luisa di Württemberg divenuta in Russia Maria Fëdorovna. Morì durante
una congiura di Palazzo l'11 marzo 1801.

Esposizioni: 1990, Essen, St. Petersburg um 1800, n. 91.
Bibliografia: 40 (p. 49).

(L.T.)

ANONIMO
Fine secolo XVIII - inizio secolo XIX

79
Busto dell'imperatore Paolo I
Circa 1800
Bronzo patinato
cm. 37,5 × 16,5 × 12,7
Inv. ERM-1449
Acquisizione: 1941, dal Museo Etnografico di Stato dei Popoli dell'URSS.

Per le notizie biografiche su Paolo I Petrovič vedi Cat. n. 78.
È raffigurato in uniforme della Guardia Imperiale del Reggimento Preobraženskij, con la stella dell'ordine di Sant'Andrea, la stella dell'ordine di Sant'Alessandro Nevskij, la decorazione dell'ordine di Sant'Anna, la stella e la decorazione dell'ordine di San Giovanni Gerosolimitano.

(*M.M.*)

ANONIMO
Prima metà secolo XIX

80
Busto dell'imperatrice Maria Fëdorovna,
moglie dell'imperatore Paolo I
Da un originale del XVIII secolo
Gesso
cm. 68 × 40
Inv. ERSk-14
Acquisizione: Appartiene alle collezioni dell'Ermitage.

Maria Fëdorovna (1759-1828) fu imperatrice di Russia. Sophia Dorothea Augusta Luisa, principessa Würrttemberg, nacque a Stettino e morì a Pietroburgo. Nel 1776 divenne la seconda consorte del granduca Pavel Petrovič, che regnò dal 1796 al 1801 con il nome di Paolo I. Famosa per le sue opere di beneficenza; servendosi della sua influenza fondò alcuni celebri istituti di beneficenza ed alcune scuole femminili a Pietroburgo, Mosca, Char'kov, Simbirsk e in altre città.
È raffigurata avvolta in un drappeggio, chiuso da una fibbia sulla destra, con la stella e la fascia dell'ordine di Caterina, al collo una collana di perle e il medaglione con il ritratto di Paolo I; sull'acconciatura che cade sulle spalle in ciocche è posto un diadema.

Esposizioni: 1990, Essen, St. Petersburg um 1800, n. 96.
Bibliografia: 20 (p. 177; n. 1562).

(*L.T.*)

IVAN DMITRIEVIČ TELEGIN
Notizie dal 1779 al 1803

Incisore. Dal 1784 al 1800 completò gli studi presso l'Accademia di Belle Arti. Dal 1794 studiò nella Classe di Incisione di A. Radigues e I.S. Klauber. Dal 1799 sino al 1803 fu incisore presso l'Accademia, che lasciò a causa di una malattia agli occhi. Le vicende successive sono ignote. Fu autore di vedute dei dintorni di Pietroburgo, scene di vita quotidiana, stemmi e blasoni.

81

La piazza detta *du Connetâble* dal ponte di pietra a Gatčina
1800

Da una gouache originale di Semën Fëdorovič Ščedrin conservata al Museo Russo di Stato
In basso a sinistra: "Dipinto da S. Ščedrin, inciso da I. Telegin" (in russo)
A destra: "Peint par S. Chedrine Ad. a Rect. de l'Acad. des beaux arts: et gravé par J. Teleguine"
Più in basso la firma e la dedica all'imperatore Paolo I in lingua russa e francese
Acquaforte, incisione a bulino
cm. 47,5 × 33; prima tiratura
Inv. ERG-6130
Acquisizione: 1941, dal Museo di Stato Etnografico dei Popoli dell'URSS.

Il foglio appartiene ad una serie, vedi Cat. n. 82.
Sul fondo è rappresentata la piazza detta *du Connetâble* (presumibilmente realizzata su progetto di V. Brenna) e l'obelisco (eretto negli anni 1792-1793, ad opera di K. Plastinin); in primo piano si può vedere il ponte in pietra dell'Ammiragliato sul fosso tra il lago Bianco e il lago Nero (costruito negli anni 1792-1794). Attraverso il ponte si entrava nel parco del Palazzo dopo aver superato due padiglioni in pietra a cupola. A sinistra dell'opera, sulla riva del lago Nero si intravede il palazzo del Priorato (1797-1799, architetto N.A. L'vov).

Esposizioni: 1960, Leningrad, Russkaja gravjura, n. 64; 1985, Habana, n. 58; 1986, Paris, La France et la Russie, n. 446; 1987, Leningrad, Rossija-Francija, n. 281; 1990, Essen, St. Petersburg um 1800, n. 226.
Bibliografia: 70 (tomo I; p. 189; n. 1414); 84 (pp. 106-112); 31 (pp. 19-30).

(G.K.)

ANDREJ GRIGOR'EVIČ UCHTOMSKIJ
Jaroslav' (?), 1771 - Pietroburgo, 1852

Incisore e disegnatore. Dal 1789 al 1800 fu allievo dell'Accademia di Belle Arti; frequentò la Classe di Incisione di I.A. Klauber; dal 1799 fu nominato Maestro di Incisione di Paesaggi e nel 1808 divenne Accademico. Dal 1815 diresse la Sezione di stampa dell'Accademia. Nel 1817 divenne Bibliotecario presso l'Accademia e nel 1831 Conservatore del Museo della prestigiosa istituzione. Realizzò una grande quantità di incisioni, in particolare paesaggi e vedute di Pietroburgo e dintorni. Fu anche autore di ritratti, disegni architettonici e illustrazioni di libri.

I.D. TELEGIN
Per le notizie biografiche vedi Cat. n. 81.

82

Il palazzo di Pavlovsk dal lato del Lago
1803-1805

Da un originale di Semën Fëdorovič Ščedrin
In basso a sinistra: "Dipinto da S. Ščedrin, inciso da A. Uchtomskij" (in russo)
A sinistra: "Peint par S. Chedrine Adjoint à Rect. de l'Acad. des beaux Arts de S. Peters. Gravé par A.Ouctomsky agrégé de l'A."
Più in basso la firma e la dedica all'imperatrice Maria Fëdorovna, moglie di Paolo I
Acquaforte, incisione a bulino
cm. 43 × 52
Inv. ERG-6249
Acquisizione: 1941, dal Museo di Stato Etnografico dei Popoli dell'URSS. Precedentemente, sino al 1923, nella villa del Conte Bobrinskij a Pietroburgo.

Appartiene ad una serie, vedi Cat. n. 81.
Documenti d'archivio testimoniano che il lavoro per questo foglio fu iniziato dall'incisore I. Telegin e, dopo il suo ritiro dall'Accademia nel 1803, proseguito da A. Uchtomskij che lo ultimò nel 1805.
Vi è raffigurata una riva del fiume Slavjanka e, in lontananza, il Palazzo costruito su ordine del granduca Pavel Pëtrovič (1782-1786, architetto Charles Cameron; 1797-1799, completato e modificato dall'architetto Vincenzo Brenna; restaurato negli anni 1803-1805 da A.N. Voronichin dopo il grande incendio del 1803). Si intravede il piccolo ponte dei Centauri, sulla Slavjanka (1789, architetto Charles Cameron, realizzato su progetto di A.N. Voronichin con figure di centauro copiate da antichi originali).

Esposizioni: 1960, Leningrad, Russkaja gravjura, n. 71; 1986, Paris, La France et la Russie, n. 447; 1987, Leningrad, Rossija-Francija, n. 294; 1990, Essen, St. Petersburg um 1800, n. 228.
Bibliografia: 70 (tomo I; p. 189; n. 15/8); 84 (pp. 106-112); 31 (pp. 19-30).

(G.K.)

Вид Коннетабля от каменнаго моста
в городе Гатчине.

Его Императорскому Величеству
ПАВЛУ I.
Государю Императору и Самодержцу Всероссийскому

Vue du Connetable de la ville de Gatchine
prise du pont de pierre.

Dédié A SA MAJESTÉ IMPERIALE
PAUL I.
EMPEREUR ET AUTOCRATEUR DE TOUTES LES RUSSIES.

Вид Дворца на Павловском и Сада со стороны Озера.

Ея Императорскому Величеству
Государыне Императрице
МАРІИ ѲЕОДОРОВНѢ.

Vue d'une partie du Palais et du Jardin de
Pawlowsky prise du côté du Lac.

Dédié à SA MAJESTE IMPERIALE
MARIE FEDOROVNA
IMPÉRATRICE MÈRE.

VINCENZ GEORG KININGER (KINNINGER)
Regensburg, 1767 - Vienna, 1851

Incisore, litografo, acquerellista e miniaturista. Dal 1778 visse a Vienna, dove ultimò l'Accademia di Belle Arti; successivamente studiò con J. Jacobé. Impiegò la tecnica della mezza tinta o maniera nera e realizzò una grande quantità di ritratti e di scene di genere. Fu autore del libro *Principi elementari e superiori dell'arte del disegno* che conobbe molte edizioni, alcune delle quali pubblicate a Mosca, negli anni tra il 1817 e il 1820.

83
Ritratto del principe Aleksandr Borisovič Kurakin
1809
Da un originale di Gian Battista Lampi del 1790-1800
In basso a sinistra: "Peint par Chevalier J.B. Lampi"
A sinistra: "Gravé à Vienne par V.G. Kininger 1809"
Più in basso l'iscrizione in lingua francese
Incisione alla maniera nera
cm. 73,7 × 50,5; la tiratura non è visibile
Inv. ERG-700
Acquisizione: 1941, dal Museo Etnografico di Stato dei Popoli dell'URSS.

Aleksandr Borisovič Kurakin (1752-1818) fu un diplomatico ed uno degli uomini più ricchi del suo tempo. Fu educato insieme al futuro imperatore Paolo I, di cui divenne Vice Cancelliere. All'inizio del XIX secolo fu nominato Console Straordinario a Vienna e a Parigi. Nelle testimonianze dei contemporanei veniva considerato uomo di fatuità non comune, incline alla cura delle apparenze ed allo sfarzo, comportamenti che gli valsero l'appellativo di "principe dei brillanti".
È raffigurato con la stella e il nastro degli ordini di Sant'Andrea e di San Vladimiro di primo grado, con le insegne dell'ordine di Sant'Anna e dell'ordine di San Giovanni Gerosolimitano (ordine di Malta).

Bibliografia: 69 (tomo II; pp. 1149-1150; n. 13).

(*G.K.*)

ALEXANDRE   PRINCE KOURAKIN

CHRISTIAN GOTFRIED SCHULTZE
Dresda, 1748 - 1819

Incisore e maestro di disegno. Fu allievo di Ch. Hutin. Visse alcuni anni a Parigi dove lavorò sotto la direzione di J.G. Wille. Di ritorno in patria realizzò una grande quantità di ritratti e stampe da quadri della galleria di Dresda.

84
Ritratto del principe Aleksandr Michajlovič Belosel'skij-Belozerskij
1790-1800

Da un dipinto originale di F. Casanova su disegno di C.J. Seydelmann
In basso a destra: "Gravé à Dresde par C.G. Schultze"
Più in basso l'iscrizione in francese
Rovinskij ha tradotto l'iscrizione a matita sull'esemplare di incisione della sua collezione: "La figure gravé d'après mr. le Proffesseur Casanova et la tête d'après Mr. Seydelmann"
Incisione a bulino
cm. 62,5 × 42,3; prima tiratura
Inv. ERG-27527
Acquisizione: 1929, dall'Antiquariato di Stato.

Aleksandr Michajlovič Belosel'skij (1752-1806), fu un diplomatico, Legato russo a Dresda (dal 1779) e poi a Torino (nominato nel 1789), nonché Colonnello e Senatore. Fu uno degli uomini più colti del suo tempo: scrittore, amante dell'arte, collezionista, riunì una magnifica galleria di quadri. Fu membro dell'Accademia delle Scienze russa, dell'Accademia di Belle Lettere di Nancy, dell'Accademia delle Antichità di Kassel e di molte altre istituzioni. Per volere di Paolo I nel 1789 gli fu concesso il titolo di principe Belosel'skij-Belozerskij.

Bibliografia: 69 (tomo I; p. 462; nn. I e III; p. 763).

(*G.K.*)

Alexandre P. Beloselsky.

199

ANONIMO
Fine secolo XIX - inizio secolo XX

85
Ritratto di Nikolaj Ivanovič Novikov
1790-1800
Da un'opera originale ad olio di Dmitrij Grigor'evič Levickij
del 1797
Olio su metallo
cm. 8,2 × 6,5; ovale
Inv. ERR-7748
Acquisizione: Appartiene alle collezioni dell'Ermitage. Sino al
1824 nella collezione Zurov.

Nikolaj Ivanovič Novikov (1774-1818) fu un esponente pro-
gressista della cultura russa oltre che scrittore, giornalista e autore di scritti sull'arte, la filosofia, la storia e l'economia (*Saggio
per il dizionario storico degli scrittori russi*, 1772; *Bibliofilia
dell'Antica Russia*, 1773, 1775). Pubblicò celebri articoli di
condanna contro la servitù della gleba su riviste satiriche quali:
"Truten'" (Il parassita) nel 1769-1770 e "Zivopisec" (Il pittore) negli anni 1772-1773. Dal 1779 diede vita a Mosca ad un
grande complesso editoriale per il quale lavorarono tre tipogra-
fie e circa cento tra autori, traduttori e redattori. Pubblicò riviste, manuali di studio, libri su tutte le branche del sapere, e ne
organizzò la diffusione e la vendita in sedici città della Russia.
Nel 1792 fu arrestato per la sua attività a favore dell'abolizione
della servitù della gleba e rinchiuso nella Fortezza dei Santi
Pietro e Paolo. Nel 1796 fu liberato, ma non lavorò più come
editore, né svolse più attività politica.

Esposizioni: 1981, Leningrad, Miniatjura, p. 68, n.118.
Bibliografia: 66 (p. 312; n. 145; ill. 60).

(*G.P.*)

ANONIMO
Fine secolo XVIII - inizio secolo XIX

86
Ritratto del conte Julij Pompeevič Litta
Circa 1800
Olio su tela
cm. 77 × 110
Inv. ERŽ-126
Acquisizione: 1941, dal Museo Etnografico di Stato dei Popoli
dall'URSS. Precedentemente, sino al 1931, nella Sezione
Artistica del Museo Russo di Stato, da dove venne trasferito
nella Cappella dell'ordine di Malta.

Julij Pompeevič Litta (1765-1839) era italiano. Figlio di un Generale d'Armata austriaca, apparteneva per linea materna all'illustre ed antica stirpe dei Visconti. A 17 anni fu nominato Cavaliere dell'ordine di Malta, in seguito Gran Maestro, e quindi
fu inviato in Russia nel 1789. Durante il servizio in Russia divenne Comandante Capitano. Partecipò alla guerra contro la
Svezia, per la quale ricevette il grado di Contrammiraglio e l'ordine di San Giorgio di terzo grado. Nel 1792 fu console a Pietroburgo e Ministro dell'ordine di Malta. Nel 1798 prese la cit-
tadinanza russa ottenendo la nomina a capo del reggimento della Guardia a cavallo. Diresse l'Intendenza di Palazzo negli anni
1810-1817 e nel 1811 entrò a far parte del Consiglio di Stato.
Dal 1826 fu Gran Ciambellano di corte e Cavaliere dell'ordine
di Sant'Andrea. Dal 1830 fu Presidente del Dipartimento di
Economia.

Esposizioni: 1990, Essen, St. Petersburg um 1800, n. 58.

(*I.K.*)

201

BENJAMIN PATERSSEN (PATERSSON)
Varberg (Svezia), 1750 - Pietroburgo, 1815

Pittore acquerellista, incisore. Dal 1765 fu allievo del Maestro S. Frik, presso la scuola per artisti e pittori di Göteborg. Verso la fine degli anni 1770-1780 si trasferì nelle regioni Baltiche. Nel 1787 circa giunse a Pietroburgo, dove rimase sino alla fine della sua vita. Lavorò nel genere del ritratto e della pittura storica fino al 1793. In seguito si dedicò alle vedute di paesaggio cittadino, realizzando molti quadri, acquerelli, incisioni di Pietroburgo. Dal 1798 divenne membro effettivo dell'Accademia di Stoccolma.

87

Lungofiume Fontanka nei pressi del ponte Aničkov
1793

In basso a sinistra la firma e la data: "Benj. Paterssen pinxit 1793"
Olio su tela
cm. 67 × 84,5
Inv. ERŽ-1908
Acquisizione: Appartiene alle collezioni dell'Ermitage.

In primo piano il lungofiume, rivestito in granito negli anni 1780-1789. A destra la facciata classica del palazzo della contessa Voroncova, costruito tra il 1790 e il 1800 (non si è conservato). In lontananza il ponte in pietra Aničkov, costruito negli anni 1782-1787, ma conservatosi in una versione successiva.

Esposizioni: 1972, Leningrad, Paterssen, n. 2; 1990, Essen, St. Petersburg um 1800, n. 35.
Bibliografia: 58 (tavv. 61-64); Katalog Ermitaža-2, p. 280.

(*I.K.*)

B. PATERSSEN
Per le notizie biografiche vedi Cat. n. 87.

88

Il lungofiume dell'isola Vasil'evskij nei pressi dell'Accademia di Belle Arti
Circa 1799

Olio su tela
cm. 64 × 100
Inv. ERŽ-1901
Acquisizione: Appartiene alle collezioni dell'Ermitage.

In primo piano il lungofiume dell'isola Vasil'evskij. A destra nell'angolo l'edificio della Nobile Scuola di Fanteria (1720-1730, architetto J. Schedel) e l'Accademia di Belle Arti (1764-1788, architetti A.F. Kokorinov e J.B. Vallin de la Mothe). A sinistra dietro il fiume Neva le facciate di alcune palazzine del lungofiume Angliskij.

Esposizioni: 1972, Leningrad, Paterssen, n. 10; 1990, Essen, St. Petersburg um 1800, n. 33.
Bibliografia: 58 (tavv. 31-32); Katalog Ermitaža-2, p. 281.

(*I.K.*)

B. PATERSSEN
Per le notizie biografiche vedi Cat. n. 87.

89
La via Sadovaja nei pressi della cattedrale di
San Nicola e del mercato
Circa 1800

In basso a destra la firma: "Benj. Paterssen"
Olio su tela
cm. 68 × 86
Inv. ERŽ-1906
Acquisizione: Appartiene alle collezioni dell'Ermitage.

In primo piano, a sinistra, il lungofiume del canale Ekaterinskij
rivestito in granito negli anni 1764-1790 e il ponte Pikolov con
obelischi con lanterna (1780-1790). Dietro il canale si scorge
l'edificio della cattedrale di San Nicola Vescovo di Mira (architetto S.I. Čevakinskij). A destra, dietro il ponte Nikol'skij, oltre
il canale Krjukov, la via Sadovaja e l'edificio del mercato Nikol'skij costruito nel 1788-1789 (architetto ignoto).

Esposizioni: 1972, Leningrad, Paterssen, n. 14; 1990, Essen,
St. Petersburg um 1800, n. 38.
Bibliografia: 58 (tavv. 87-88); Katalog Ermitaža-2, p. 281.

(I.K.)

B. PATERSSEN (?)
Per le notizie biografiche vedi Cat. n. 87.

90
Il ponte di barche Isaakievskij e la piazza del Senato
dall'isola Vasil'evskij durante i festeggiamenti per il
centenario della fondazione di Pietroburgo nel 1803
Inizio secolo XIX

Olio su tela
cm. 66,5 × 100
Inv. ERŽ-1677
Acquisizione: 1941, dal Museo Etnografico di Stato dei Popoli
dell'URSS.

Il ponte di barche Isaakievskij era uno dei ponti centrali sul fiu-
me Neva. A partire dal 1727 e sino alla metà del XIX secolo,
esso fu costruito ogni anno; era formato da grandi chiatte, collegate tra loro da gomene rinforzate da ancore, ricoperte nella
parte superiore con tavole di legno; il ponte iniziava dall'isola
Vasil'evskij sulla riva sinistra verso la Petrovska, poi piazza del
Senato, dove fu innalzato nel 1782 il monumento a Pietro I (il
Cavaliere di Bronzo).
Sul fondo dietro al monumento, si intravede la cattedrale di
Sant'Isacco (architetto A. Rinaldi). Al momento della realizzazione del dipinto esisteva solo le fondamenta, la parte superiore fu ultimata probabilmente su progetto dell'architetto V.
Brenna. A sinistra del lungofiume Neva si trova il cantiere del-
l'Ammiragliato; iniziata durante il regno di Pietro I nel 1704, la
costruzione in pietra fu completata sotto la direzione dell'architetto I.K. Korobov nel periodo tra il 1727 e il 1738, e si con-
servò sino alla metà del XIX secolo. Nel quadro la città è raffigurata durante i festeggiamenti per il centenario della fondazione: di fronte alla cattedrale di Sant'Isacco era stato innalzato un
padiglione destinato alle persone altolocate, sul ponte marciavano i soldati, sulle navi sventolavano le bandiere, i cannoni tuo-
navano. Sul lato sinistro del fiume era ormeggiata una grande
nave a tre alberi.

Esposizioni: 1989, Hamburg, n. 38; 1990, Essen, St. Petersburg um 1800, n. 41.

(I.K.)

B. PATERSSEN
Per le notizie biografiche vedi Cat. n. 87.

91
Veduta dell'approdo Komendantskaja e della porta
Nevskij dalla Fortezza dei Santi Pietro e Paolo
1799
Da un dipinto originale del 1797 conservato all'Ermitage
In basso a sinistra: "Peint par B. Paterssen"
A destra: "Gravé par le même 1799"
Più in basso l'iscrizione e la dedica all'imperatore Paolo I in
lingua francese
Incisione a bulino, acquerello
cm. 49,7 × 64; prima tiratura
Inv. ERG-27229
Acquisizione: Appartiene alle collezioni dell'Ermitage.

Il foglio appartiene ad una serie di incisioni con vedute di Pietroburgo realizzate da Paterssen nel 1799 da disegni e tele originali.
A sinistra, le pareti della Fortezza dei Santi Pietro e Paolo (iniziata nel 1703, rivestita in granito negli anni 1779-1787), la
porta Nevskij (costruita nel decennio 1730-1740), la facciata
sul fiume Neva (completata tra il 1784 e il 1787, architetto
N.A. L'vov) e l'approdo Komendantskaja (in granito, anni
1774-1775, architetto D. Smol'janinov e ingegnere Murav'ëv);
in lontananza a destra, dalla parte opposta della riva del fiume
Neva è raffigurato il cortile Litejnyj con una torre (iniziato nel
1711, completato in pietra nel decennio 1730-1740) e si intravede il ponte di barche Voskresenskij (in funzione dal 1786 al
1803).

Esposizioni: 1972, Leningrad, Paterssen, n. 26.
Bibliografia: 58 (pp. 13-14).

(G.K.)

Peint par B. Paterssen

Une p
Dediè à SA MAJEST

grave par le même 1799.

...rteresse .... du côté de la Neva.

...EUR .... ET AUTOCRATEUR de toutes les Russies.

par le plus ...dé ...
Secretteur ...

O. ...IX 4

B. PATERSSEN
Per le notizie biografiche vedi Cat. n. 87.

92
Il lungofiume del Palazzo e il Palazzo d'Inverno
dalla Strelka dell'isola Vasil'evskij
1799
Da un dipinto originale
In basso a sinistra: "Peint par B. Paterssen"
A sinistra: "Gravé par le même 1799"
Più in basso l'iscrizione e la dedica all'imperatore Paolo I
in lingua francese
Incisione a bulino, acquerello
cm. 49,5 × 64,8; prima tiratura
Inv. ERG-27227
Acquisizione: Appartiene alle collezioni dell'Ermitage.

Appartiene ad una serie, vedi Cat. n. 91.
In primo piano, a destra, è raffigurato il portico della vecchia
Borsa, smantellato nel decennio 1800-1810 (1783, architetto
G. Quarenghi); oltre il fiume Neva si scorge il lungofiume del
Palazzo. A sinistra si può vedere il teatro dell'Ermitage
(1783-1789, architetto G. Quarenghi), il vecchio Ermitage
(1711-1787, architetto Ju.M. Fel'ten), il Piccolo Ermitage
(1764-1775, architetto J.B. Vallin de la Mothe), il Palazzo
d'Inverno (1754-1762, architetto B.F. Rastrelli). A destra, oltre il portico, si scorge parte dell'edificio del vecchio Ammiragliato (iniziato nel 1704 su disegno di Pietro I e completato negli anni 1728-1738 dall'architetto I.K. Korobov).

Esposizioni: 1972, Leningrad, Paterssen, n. 29; 1975, Paris,
L'URSS et la France: Les grands moments d'une tradition, n.
491; 1990, Essen, St. Petersburg um 1800, n. 217.
Bibliografia: 58 (nn. 15-16).

(G.K.)

Peint par B. Paterssen

Dédié à SA MAJESTÉ

du côté de la . Nera.

ET *AUTOCRATEUR* de toutes les . Russies.

GABRIEL I LUDWIG LORY
padre, Berna, 1763 - 1840

MATTHIAS GABRIEL II LORY
figlio, Berna, 1784 - 1846

Pittori, acquerellisti e incisori. Il padre studiò presso C. Wolf e
J. Aberli e a partire dal 1780 lavorò in proprio. Partecipò alla
realizzazione di un gran numero di vedute dedicate alla Svizzera, molte delle quali furono colorate da lui stesso. Il figlio fu allievo del padre. Tra il 1797 e il 1805 entrambi lavorarono su
commissione del mercante svizzero J. Walser e realizzarono
una serie di incisioni dedicate a Pietroburgo e a Mosca tratte
da originali di altri autori. Firmavano le loro opere "Lory",
senza apporre le iniziali: distinguere la mano del padre da
quella del figlio è praticamente impossibile. Le incisioni di questa serie sono molto rare, infatti una parte di esse venne inviata
a Mosca ed andò distrutta durante l'incendio del 1812.

93

Il teatro Grande a Pietroburgo
Inizio del 1800
Da un dipinto originale di Johann Georg Mayr del 1790-1800
conservato al Museo Statale Russo
Senza firma
Incisione a bulino, acquerello
cm. 46,5 × 73,1; la tiratura non è visibile
Inv. ERG-20048
Acquisizione: 1806. Appartiene alle collezioni dell'Ermitage.

Foglio della serie di vedute di Pietroburgo realizzate tra il 1803
e il 1805 in due varianti che ricevettero l'approvazione di Paolo I. Alla realizzazione della serie attese un numeroso gruppo di
artisti, sotto la direzione di Lory-padre, nella città di Herisay.
Alla colorazione dell'opera partecipò il nipote di Lory, F. Mo-
ritz. Le incisioni furono realizzate all'inizio del decennio
1800-1810, ma ogni foglio venne firmato e datato 1799. La
data fu evidentemente apposta prima del completamento del-
l'opera.
Nell'opera è raffigurato il teatro Grande (o di pietra)
(1775-1783, progetto dell'architetto A. Rinaldi). L'inaugurazione del teatro avvenne nel settembre 1783. La rivista "Ka-
merfur'er" riporta che il 24 settembre di quell'anno "Sua Altezza Imperiale (Caterina II) si recò al teatro cittadino, appena
costruito, dove assistette ad un'opera ed un balletto italiani". In primo piano si può vedere la piazza del Carosello (dal
1820 del Teatro), a destra e a sinistra del teatro vi sono chioschi in pietra grezza "nei quali d'inverno si accendevano fuochi, dove si riscaldavano i cocchieri che attendevano i padroni
all'uscita dal teatro". Il dipinto originale è stato modificato e
manca in primo piano il canale Krjukov. Negli anni 1802-1805
il teatro fu ricostruito su progetto dell'architetto T. Thomon.
Nella notte del 1° gennaio 1811 il teatro fu distrutto e successivamente ricostruito. L'ultimo spettacolo vi fu rappresentato nel
1866. In fondo a destra si può notare la cattedrale di San Nicola Vescovo di Mira (1753-1762, architetto S.I. Čevakinskij).

Esposizioni: 1986, Paris, La France et la Russie, n. 703;
1987, Leningrad, Rossija-Francija, n. 694; 1990, Essen, St.
Petersburg um 1800, n. 205.
Bibliografia: 49 (pp. 27-33); C. de, Mandach, *Deux peintres
Suisses. Les Lory* Lousanne, 1920, pp. 26-32; E., Longe, *Ga-
briel Lory, Vater und Sohn: S. Daniel Laje und Russische Ansi-
chten*, Separatdruck aus dem Bericht der Gotterfried Keller,
Stiftung, 1952-1953, pp. 27-41; Ibid 1954-1955, pp. 1-2.

(*G.K.*)

Théâtre en pierre à S.t _ Petersbourg.

G.L. LORY E M.G. LORY
Per le notizie biografiche vedi Cat. n. 93.

94
Veduta del Palazzo d'Inverno dalla Strelka dell'isola
Vasil′evskij
1803
Da un dipinto originale di Johann Georg Mayr del 1790-1800
In basso a sinistra: "Lory fecit"
Più in basso l'iscrizione in lingua francese
Incisione a bulino, acquerello
cm. 55,5 × 79; prima tiratura
Inv. ERG-20054
Acquisizione: 1806. Appartiene alle collezioni dell'Ermitage.

Appartiene ad una serie, vedi Cat. n. 93.
Vi sono raffigurati i bastioni della Fortezza dei Santi Pietro e
Paolo (1720-1730, D. Trezzini; rivestiti in pietra negli anni
1780-1790), edifici residenziali del lungofiume Neva, il teatro
dell'Ermitage (1783-1787, architetto G. Quarenghi), il Vecchio
Ermitage (1771-1787, architetto J.M. Fel′ten), il Piccolo Ermitage (1764-1775, architetto J.B. Vallin de la Mothe) e il Palazzo d'Inverno (1754-1762, architetto B.F. Rastrelli).

Bibliografia: vedi Cat. n. 93.

(*G.M.*)

...erial d'hiver, vers la Newa D de ses environs,
...se du Côté de Wasiliostroff.

G.L. LORY E M.G. LORY
Per le notizie biografiche vedi Cat. n. 93.

95
Veduta del castello Michajlovskij dal lato del fiume Fontanka
Inizio decennio 1800-1810
Da un'incisione di Benjamin Paterssen del 1800 circa
Senza firma
In basso l'iscrizione in lingua francese
Incisione a bulino, acquerello
cm. 59,3 × 80,8; la tiratura non è visibile
Inv. ERG-29287
Acquisizione: 1806. Appartiene alle collezioni dell'Ermitage.

Appartiene ad una serie, vedi Cat. n. 93.
Vi è raffigurato il castello Michajlovskij (1797-1800, architetti
V. Baženov e V. Brenna) sul lungofiume Fontanka e, a sinistra,
l'angolo di una casa d'abitazione.

Bibliografia: vedi Cat. n. 93.

(*G.K.*)

...u St Michel du coté du Jardin 1...

G.L. LORY E M.G. LORY
Per le notizie biografiche vedi Cat. n. 93.

96
Grande parata nella piazza del Palazzo
Inizio decennio 1800-1810

Da un originale di Johann Georg Mayr del 1790-1800
conservato al Museo Statale Russo
Senza firma
In basso l'iscrizione in lingua francese
Incisione a bulino, acquerello
cm. 55,5 × 80, foglio; la tiratura non è visibile
Inv. ERG-20045
Acquisizione: 1806. Appartiene alle collezioni dell'Ermitage.

Appartiene ad una serie, vedi Cat. n. 93.
L'opera raffigura una parata nella piazza del Palazzo. In primo
piano, di spalle, sono schierati gli Ussari e la Guardia dei Cosacchi. A sinistra si può vedere una fila di trombettieri della
Guardia del Reggimento Preobraženskij, i Cacciatori con i tamburi e il Reggimento della Guardia Preobraženskij. Al centro è
ritratto l'imperatore Alessandro I a cavallo, con un gruppo di
generali del suo seguito. In lontananza, a sinistra, case d'abitazione e, a destra, il Palazzo d'Inverno (1780-1790, architetto
B.F. Rastrelli); sullo sfondo, il vecchio edificio dell'Ammiragliato, iniziato nel 1704 su disegno di Pietro I, ricostruito negli anni 1728-1738 (architetto Korobov) e, in secondo piano, viali al-
berati.

Esposizioni: 1982, Leningrad, Fel'ten, pp. 15-16, n. 65; 1990,
Essen, St. Petersburg um 1800, n. 206.
Bibliografia: vedi Cat. n. 93.

(*G.K.*)

G.L. LORY E M.G. LORY
Per le notizie biografiche vedi Cat. n. 93.

97
La piazza del Palazzo e il Palazzo d'Inverno dalla
prospettiva Nevskij
1804
Da un dipinto originale di B. Paterssen del 1801 conservato
all'Ermitage
In basso a sinistra: "Lory fils 1084" (anziché 1804)
Più in basso l'iscrizione in lingua francese
Incisione a bulino, acquerello
cm. 49,5 × 72,4; prima tiratura
Inv. ERG-20046
Acquisizione: 1806. Appartiene alle collezioni dell'Ermitage.

Appartiene ad una serie; vedi Cat. n. 93.
Al centro si può vedere il Palazzo d'Inverno (1754-1762, architetto B.F. Rastrelli); a sinistra parte dell'edificio del vecchio
Ammiragliato (iniziato nel 1704; completato in pietra nel decennio 1728-1738, architetto I.K. Korobov) circondato da ter-
rapieni. A destra si scorge la casa della Libera Società di Economia (iniziata nel 1768, architetto ignoto) nella quale, all'inizio del secolo, venne collocata una rivendita di libri e stampe di
Corte. Accanto all'Ammiragliato è ritratta la carrozza imperiale
tirata da sei cavalli.

Esposizioni: 1990, Essen, St. Petersburg um 1800, n. 208.
Bibliografia: vedi Cat. n. 93.

218

l'hiver et de ses environs, prise de l'hôtel de Vendue.

JOSEPH KREUTZINGER
Vienna, 1757 - Vienna, 1829

Pittore, incisore, miniaturista e ritrattista. Fu pittore di corte dell'imperatore d'Austria Francesco I. Lavorò a Vienna e Monaco e nel 1793 si recò a Pietroburgo.

98
Ritratto di Aleksandr Vasil'evič Suvorov
1799
Olio su tela
cm. 40 × 32,5
Inv. ERŽ-1916
Acquisizioni: 1949, dalla Commissione di Stato per le Acquisizioni dell'Ermitage. Dalla metà del XIX secolo nella collezione del principe M.A. Obolenskij.

Aleksandr Vasil'evič Suvorov (1730-1800) fu conte di Rymnik, principe d'Italia, Generalissimo dell'Armata russa e grande condottiero. Iniziò la carriera militare nel 1742 in qualità di moschettiere della Guardia Imperiale del reggimento Semënovskij. Partecipò alla Guerra dei Sette Anni e alla guerra russoturca. Nel 1774 divenne Tenente Generale, nel 1786 Generale in Capo e nel 1794 Generale Feldmaresciallo. Nel 1795 completò il manoscritto *La scienza della vittoria*. Nel 1796 cadde in disgrazia e si ritirò a Končanskij, nel governatorato di Novgorod, da dove criticò l'introduzione della disciplina prussiana nell'armata dell'imperatore Paolo I. Nel 1799, nel corso delle campagne d'Italia e Svezia, fu comandante in capo. Fu cavaliere di tutti gli ordini russi e di numerosi ordini stranieri. Morì a Pietroburgo.

Esposizioni: 1905, Peterburg, Tavričeskaja vystavka, n. 1998; 1990, Essen, St. Petersburg um 1800, n. 24.
Bibliografia: 64 (pp. 60-62, 162); 19 (n. 26).

MICHAIL IVANOVIČ KOZLOVSKIJ
Pietroburgo, 1753 - 1802

Fu uno dei più significativi scultori russi nell'epoca del classicismo, attivo anche come disegnatore. Figlio di un trombettiere della flotta delle galere, studiò all'Accademia di Belle Arti (1764-1773) con N.F. Gillet. Fu insignito di più medaglie d'oro (1770, 1772, 1773). Durante il soggiorno in Italia (1773-1779) frequentò l'Accademia di San Luca e l'Accademia di Francia a Roma. Gli fu conferito il grado di Accademico per la pittura, la scultura e l'architettura dall'Accademia di Marsiglia (1780). Fu inviato a Parigi dall'Accademia di Pietroburgo in qualità di responsabile degli studenti russi (1788-1790). Fu nominato accademico nel 1794. Dal 1795 insegnò nelle classi di scultura e disegno dal vero dell'Accademia di Belle Arti e divenne Professore Anziano nel 1799. Lavorò nel campo della plastica monumentale e decorativa. Tra le sue opere più famose citiamo il monumento ad A.V. Suvorov per Pietroburgo (1799-1801, bronzo e granito) e il gruppo "Sansone spalanca le fauci del leone" per la Grande Cascata di Peterhof (1800-1801, bronzo dorato).

99
Modello per il monumento ad Aleksandr Vasil'evič Suvorov
1801
Sul piedistallo: "Il principe d'Italia, conte di Rymnik Suvorov 1801" (in russo)
Bronzo, granito
cm. 69 × 22 × 22
Inv. ERSk-163
Acquisizione: Appartiene alle collezioni dell'Ermitage.

Per le notizie biografiche su Aleksandr Vasil'evič Suvorov vedi Cat. n. 98.
In quest'opera è raffigurato con l'armatura, la spada e lo scudo. Accanto all'ara sacrificale compaiono le figure in bassorilievo di Fede, Speranza e Carità, la Tiara papale e una doppia corona; sul piedistallo in granito figure di geni con trofei. Il monumento fu inaugurato il 5 maggio 1801. Inizialmente il monumento fu posto nel Campo di Marte vicino al Castello Michajlovskij. Nel 1820, durante la ricostruzione dell'edificio nel Campo di Marte (su progetto dell'architetto C.I. Rossi) il monumento fu trasportato dal lungofiume nella piazza, chiamata Suvorovskaja, in onore del condottiero.

Esposizioni: 1905, Peterburg, Tavričeskaja vystavka, n. 2212; 1990, Essen, St. Petersburg um 1800, n. 87.
Bibliografia: 33 (pp. 446-448); 67 (pp. 6, 11, 12); 61 (p. 102); 62 (pp. 179-190).

(*L.T.*)

VETRERIA IMPERIALE DI PIETROBURGO

100
Quattro oggetti del Servizio Orlovskij
Pietroburgo, 1800-1810
Vetro incolore soffiato, smerigliatura, pittura in oro, incisione
Acquisizione: 1941, dal Museo Etnografico di Stato dei Popoli dell'URSS. Precedentemente nella casa di I.D. Orlov a Pietroburgo.

Bottiglia
cm. 25,7 × 19,1 × 19,1
Inv. ERS-706 a, b

La bottiglia, con tappo conico, è decorata con ghirlande di fiori, ramoscelli di alloro serpeggianti e le iniziali "A.O." sotto la corona nobiliare.
In basso lavorazione a faccette verticali.

Bicchiere
cm. 9,1 × 7,1 × 7,1
Inv. ERS-685

Il bicchiere è leggermente allargato in alto, lavorato a faccette in basso, decorato con ghirlande di fiori e ramoscelli di alloro serpeggianti.
Porta le iniziali "A.O." sotto la corona nobiliare.

Boccale
cm. 20,5 × 5,5 × 5,5
Inv. ERS-595

Il boccale ha forma conica stretta, è lavorato a faccette sullo stelo ed ha base quadrata. È decorato con stelle in ordine sparso su tutte le pareti e con le iniziali "A.O." sotto la corona nobiliare.

Bicchierino
cm. 7,8 × 5,3 × 5,3
Inv. ERS-631

Il bicchierino ovoidale ha un piede liscio a base quadrata; è dipinto con ghirlande di fiori, ramoscelli di alloro serpeggianti e le iniziali "A.O." sotto la corona nobiliare.

È uno dei più celebri servizi in vetro. Sul retro di una delle caraffe del servizio si è conservata un'etichetta di carta con la scritta "A Varvara Davydovna in ricordo del bisnonno Aleksej Petrovič Orlov, 31 agosto 1905 città di Orlovka. Dono".
A.P. Orlov fu comandante della Guardia Imperiale del reggimento dei Cosacchi.

Esposizioni: 1984, Mexico, nn. 122/124; 1984, Habana, nn. 122/124; 1985, Bogotà, nn. 122/124; 1990, Corning, n. 26; 1990, Essen, St. Petersburg um 1800, n. 341.
Bibliografia: 15 (pp. 18-19); 26 (n. 173); 46 (pp. 101-112).

(*T.M.*)

MAESTRO IGNOTO

101
Coppia di candelieri
Pietroburgo, fine secolo XVIII
Bronzo, fusione, cesello
cm. 30 × 13 × 13
Inv. ERM-259, 260
Acquisizione: 1941, dal Museo Etnografico di Stato dei Popoli dell'URSS.

Base circolare, alto fusto, portacandele a foggia di vaso antico; sono decorate con teste di Cupido e ghirlande floreali.

Esposizione: 1990, Kotca, n. 324.

(*M.M.*)

MAESTRO IGNOTO

102
Coppia di *appliques* per tre candele
Pietroburgo, fine secolo XVIII
Bronzo, fusione, cesello, doratura
cm. 98 × 32 × 45
Inv. ERM-7505, 7506
Acquisizione: 1958, dono di A.E. Galkina di Leningrado.

Di forma conica, con fiocco, sono decorate con teste di satiri, maschere femminili, tralci di acanto, di vite ed ananas.

Esposizioni: 1975, Osvetitel'nye pribory, n. 90; 1990 Kotca, n. 325.
Bibliografia: 79 (dis. 69).

(*M.M.*)

103
Calamaio a forma di globo
Pietroburgo, fine secolo XVIII-inizio secolo XIX
Bronzo, fusione, cesello, intaglio, doratura
altezza cm. 20
Inv. ERM-8062
Acquisizione: Appartiene alle collezioni dell'Ermitage.

Sulla parte superiore dell'emisfero smontabile del calamaio è collocato un meccanismo a pulsante. All'interno sono collocati: il calamaio, lo spandisabbia, la tavoletta per scrittura e due supporti per penna e matita.

Esposizioni: 1990, Kotca, n. 323.

(*M.M.*)

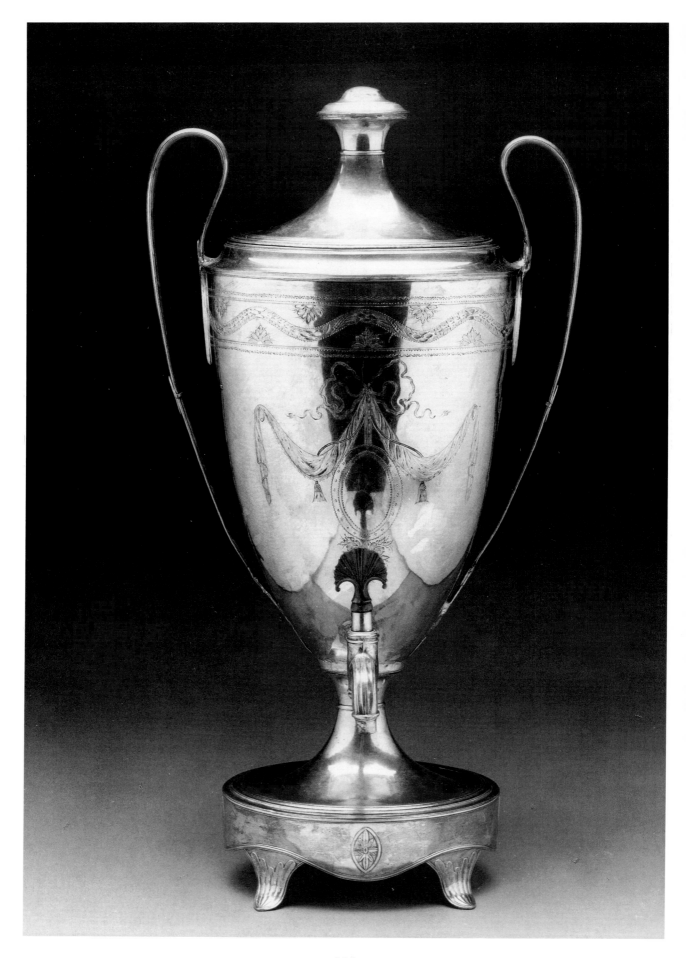

MAESTRO IGNOTO

104
Fontana per vino
Pietroburgo, fine secolo XVIII-inizio secolo XIX
Rame, argentatura
cm. 55 × 24,5 × 26
Inv. ERM-2231
Acquisizione: 1941, dal Museo Etnografico di Stato dei Popoli
dell'URSS. Proveniva dalle collezioni dei conti Stroganov di
Pietroburgo.

Corpo ovoidale allungato e due grandi manici sottili; è decorata
con motivi incisi di ghirlande, fiocchi, drappeggio e medaglione. Deriva da un modello inglese.

Esposizioni: 1976, Leningrad, Russkie samovary, n. 21; 1990,
Essen, St. Petersburg um 1800, n. 291.

(*M.M.*)

GEORG FRIEDERICH POMO
Attivo negli anni 1775-1800 e seguenti

105
Ornamento da tavola
Pietroburgo, 1801
Argento, doratura, fusione, cesello, intaglio
cm. 29,5 × 33 × 16,5
Marchio: maestro Pomo, AJa: maestro assaggiatore Aleksandr
Jašinov, città di Pietroburgo 1801, titolo dell'argento 84
Inv. ERO-4816
Acquisizione: Appartiene alle collezioni dell'Ermitage.

L'ornamento presenta una base ovale a forma di colonna con
figura di Cupido che incorona un'aquila bicipite. Ai lati vi sono
due contenitori su sostegno.

Bibliografia: 39 (p. 71; n. 34); 9 (n. 115).

(*L.Z.*)

MANIFATTURA IGNOTA

106
Tavolo
Fine secolo XVIII
Salice, legno rosso, betulla di Carelia, acero
cm. 79 × 88 × 44 (completo)
Inv. ERMb-69
Acquisizione: Dal Museo Etnografico di Stato dei Popoli
dell'URSS. Precedentemente nella collezione V.N.
Argutinskij-Dolgorukij.

Tavolino rotondo con coperchio ribaltabile; sulla parte superiore è visibile un ornamento a forma di vaso con cornice rotonda; sulla parte interna decorazioni a raggi.

FĔDOR IVANOVIČ KOVŠENKOV
Pietroburgo, 1785 - 1850

Scultore, orafo e cesellatore. Nel 1834 fu insignito dall'Accademia di Belle Arti di Pietroburgo del titolo di Artista Libero per i lavori di cesello e modellatura.

107
Busto di Alessandro I
Circa 1810
Sul retro: "Kovšenkov"
Bronzo dorato, marmo
cm. 44,5 × 13,7 × 13,7
Inv. ERM-1451
Acquisizione: 1941, dal Museo Etnografico di Stato dei Popoli dell'URSS.

Alessandro I (1777-1825), figlio dell'imperatore Paolo I e nipote di Caterina II, fu imperatore di Russia dal 1801 al 1825. È raffigurato in divisa della Guardia Imperiale del Reggimento Semĕnovskij con la stella e la fascia dell'ordine di Sant'Andrea. Sul basamento in marmo rosso il blasone imperiale e le iniziali imperiali "A.I".

Bibliografia: 20 (pp. 79, 80; n. 536, 537).

(M.M.)

230

Boris Ivanovič Orlovskij (Smirnov)
Villaggio di Bol'šoj Stolbeckij (governatorato di Orel), 1797 -
Pietroburgo, 1837

Fu un illustre scultore russo del tardo classicismo. Fu servo
della gleba di N.M. Manceva e successivamente del proprietario terriero di Tula, V.A. Šatilov. Ricevette le prime nozioni
d'arte dallo scultore e marmista italiano S. Campioni (a Mosca
dal 1801 al 1817) e da A. Triscorni (a Pietroburgo dal 1818 al
1822). Studiò a Pietroburgo, all'Accademia di Belle Arti, con
I.P. Martos. Fu inviato a spese dello Stato in Italia
(1823-1829) dove lavorò nello studio di B. Thorwaldsen perfe-
zionandosi nell'arte della scultura. Fu insignito del titolo di Accademico nel 1831 per varie opere realizzate a Roma. Insegnò
nei corsi di scultura dell'Accademia delle Belle Arti (dal 1831)
e divenne Professore nel 1836. Fu autore di monumenti dedicati a insigni condottieri quali M.B. Barkley de Tolly e M.I. Kutuzov vicino alla cattedrale di Kazan a Pietroburgo e della statua dell'Angelo sulla colonna di Alessandro I.

108
Busto di Alessandro I
Circa 1820
Marmo
cm. 74 × 50
Inv. ERSk-20
Acquisizione: 1834, dall'autore. Appartiene alle collezioni
dell'Ermitage.

Per le notizie biografiche su Alessandro I vedi Cat. n. 107.
Alessandro I considerava l'opera di B.I. Orlovskij a lui dedicata
la più somigliante.

Bibliografia: 55 (p. 288); 89 (p. 9).

(*L.T.*)

ANONIMO
Prima metà secolo XIX

109
Busto dell'imperatrice Elisabetta Alekseevna
Circa 1820
Marmo
cm. 74 × 40
Inv. ERSk-23
Acquisizione: 1941, dal Museo Etnografico di Stato dei Popoli
dell'URSS.

Elisabetta Alekseevna (1779-1826) fu imperatrice di Russia.
Nata principessa Luisa Maria Augusta di Baden Durlach, nel
1793 sposò il granduca Aleksandr Pavlovič, il quale, nel 1801,
divenne imperatore con il nome di Alessandro I. Diede alla luce due figlie, che morirono entrambe in tenera età. Si occupò
attivamente di beneficenza e promosse, nel 1812, la fondazione dell'Associazione Patriottica Femminile. Morì nella città di
Belev, nel governatorato di Tula.

235

ANONIMO
Inizio secolo XIX

110
Ritratto dell'imperatrice Elisabetta Alekseevna
sullo sfondo del parco di Carskoe Selo
1820-1825
Copia dal ritratto di George Dawe (Londra, 1781-1829)
Olio su tela
cm. 86,8 × 59,5
Inv. ERŽ-611
Acquisizione: 1941, dal Museo Etnografico di Stato dei Popoli
dell'URSS.

George Dawe fu attivo a Pietroburgo dal 1819 al 1829.

Esposizioni: 1990, Essen, St. Petersburg um 1800, n. 71.

(A.P.)

DOMENICO BOSSI
Trieste, 1765 - Monaco, 1853

Miniaturista. Studiò presumibilmente a Venezia; dal 1794 al
1796 lavorò ad Amburgo e dal 1796 al 1802 a Stoccolma, dove divenne pittore di Corte. Nel decennio 1802-1812 si recò a
Pietroburgo, successivamente a Parigi, Venezia e Vienna dove,
nel 1815 fu nominato membro dell'Accademia. Dal 1840 visse
a Monaco.

111
Ritratto del principe Pëtr Michajlovič Volkonskij (?)
Circa 1802
In basso a sinistra: "Bossi pinx"
Acquerello e gouache su osso
cm. 5,3 × 5,3; ottagonale
Inv. ERR-8319
Acquisizione: 1982, dalla Commissione Statale per le
Acquisizioni del Museo Ermitage. Proveniva dalla collezione
di M.M. Baškova-E.M. Zalkind di Mosca.

Pëtr Michajlovič Volkonskij (1776-1852) fu Generale Feldmaresciallo. Dal 1797 fu aiutante del granduca Aleksandr Pavlovič. Partecipò alla guerra contro la Francia nel 1805 e alle
campagne all'estero del 1813-1814 in qualità di Capo dello
Stato Maggiore di Alessandro I. Nel 1810 divenne Generale;
dal 1814 capo dello Stato Maggiore dell'Armata russa; dal
1826 Ministro della Corte imperiale e dal 1834 Principe Illuminato.

Esposizioni: 1983, Ermitaž: Novye postuplenija, p. 15, n. 5.
Bibliografia: 66 (pp. 265, 266; n. 4; ill. 69).

(G.P.)

D. BOSSI
Per le notizie biografiche vedi Cat. n. 111.

112
Ritratto di Marija Antonovna Naryškina
1808
A sinistra dell'ovale: "Bossi pinxit 1808"
Acquerello e gouache su osso
cm. 8 × 6,5; ovale
Inv. ERR-8320
Acquisizione: 1982, dalla Commissione di Stato per le
Acquisizioni del Museo Ermitage. Proveniva dalla collezione
M.M. Baškova-E.M. Zalkind di Mosca.

Marija Antonovna Naryškina (1779-1854), nata principessa
Četvertinskaja, nel 1795 andò in sposa al Comandante delle
Guardie Forestali D.L. Naryškin. Fu favorita di Alessandro I.
Tra il 1813 e il 1818 visse all'estero, dal 1835 ad Odessa e
successivamente di nuovo molti anni all'estero. Morì a Monaco.

Bibliografia: 66 (p. 266; n. 5; ill. 107).

(*G.P.*)

PAVEL ALEKSEEVIČ IVANOV
Pietroburgo, 1776 - Pietroburgo, 1813

Miniaturista. Era figlio di un Professore dell'Accademia di Belle Arti. Nel 1789 iniziò a frequentare l'Accademia, dal 1790 nella classe del miniaturista e pittore P.G. Žarkov. Nel 1797 terminò gli studi, nel 1800 divenne Pittore Insignito e nel 1802 Accademico per la pittura di miniatura. Nel decennio 1803-1813 resse la cattedra di miniatura dell'Accademia. Realizzò una piccola, ma pregevole, quantità di miniature in smalto.

113
Ritratto del conte Michail Michajlovič Speranskij
1806
Acquerello e gouache su osso
cm. 7,5 × 6,3; ovale
Inv. ERR-7753
Acquisizione: Appartiene alle collezioni dell'Ermitage. Precedentemente, sino alla metà del XIX secolo, nelle raccolte dello scrittore K.P. Masal'skij.

L'attribuzione e la datazione si devono allo storico M.A. Korf, segretario e amico di M.M. Speranskij.
Michail Michajlovič Speranskij (1772-1839), giurista e uomo di Stato, fu l'autore del "Piano Statale per la Riforma" (1809) e di altri progetti di legge sotto il regno di Alessandro I. Negli anni dal 1812 al 1816 cadde in disgrazia e fu inviato in esilio. Tra il 1819 e il 1821 fu Governatore in Capo della Siberia; dal 1821 entrò a far parte del Consiglio di Stato e nel 1826 fece parte del Tribunale Criminale Supremo sull'attività dei Decabristi. Dal 1826 sovrintese l'uscita della *Raccolta completa delle leggi dell'Impero Russo* e del *Codice dell'Impero russo*.

Esposizioni: 1904, Peterburg, Istoričeskaja vystavka predmetov iskusstva, p. 69, n. 53; 1981, Leningrad, Miniatjura, p. 17, n. 61; 1990, Essen, St. Petersburg um 1800, n. 141.
Bibliografia: 34 (p. XII); 21 (pp. 135, 204); 66 (p. 277; n. 34; ill. 87).

(*G.P.*)

239

DMITRIJ IVANOVIČ EVREINOV
1742 - Pietroburgo, 1814

Autore di miniature e *silhouettes*. Ricevette l'istruzione primaria a Ginevra. Dal 1776 divenne Accademico a Pietroburgo. Nel decennio 1780-1790 fu Maestro di Corte. All'inizio del XIX secolo lavorò su commissione del Presidente dell'Accademia di Belle Arti A.S. Stroganov e ne eseguì il ritratto. Eseguì inoltre alcune miniature in smalto per l'ostensorio della cattedrale di Kazan.

114

Ritratto del conte Aleksandr Sergeevič Stroganov
1806-1807

In basso, sull'etichetta in bronzo parte integrante della cornice, l'iscrizione: "Conte Aleksandr Sergeevič Stroganov" (in russo)
Smalto su rame
cm. 8,2 × 7; ovale
Inv. OZEI-1231
Acquisizione: 1928, dal Palazzo-Museo Stroganov di Leningrado. In precedenza, sino al 1917, nella collezione dei conti Stroganov a Pietroburgo.

Aleksandr Sergeevič Stroganov (1738-1811) fu conte, Gran Ciambellano e Senatore. Dal 1800 al 1811 fu Presidente dell'Accademia di Belle Arti e Direttore della Biblioteca Imperiale, oltre che Presidente della Commissione per la costruzione della cattedrale di Kazan. Mecenate, fu proprietario di una ricca galleria di quadri. Si dedicò inoltre alla collezione di stampe, medaglie e monete.

Esposizioni: 1981, Leningrad, Miniatjura, p. 14, n. 5; 1990, Essen, St. Petersburg um 1800, n. 140.
Bibliografia: 28 (pp. 276-288); 66 (pp. 273, 274; n. 27; ill. 91); 74 (p. 239; ill. 81).

(*G.P.*)

ANONIMO
Prima metà secolo XIX

115
Michail Illarionovič Kutuzov accanto al ritratto
di Aleksandr Vasil'evič Suvorov
Circa 1810
Acquerello e gouache su osso
cm. 8,2 × 6,9; ovale (inserito nel coperchio di una tabacchiera
in lacca nera, cm. 8 × 10 × 2)
Inv. ERR-7741
Acquisizione: 1938, dalle raccolte Kutuzov di Opočinin-Tučkov.

Il ritratto di Kutuzov è simile all'opera in miniatura di P.E.
Rokštul'.
Michail Illarionovič Kutuzov (1745-1813) fu un grande condottiero russo, Generale Feldmaresciallo. Partecipò alla guerra
russo-turca della fine del XVIII secolo; nel 1805 fu comandante in capo dell'Armata russa nella guerra contro la Francia e
nel 1812 divenne comandante in capo delle Forze armate del
Paese. Dopo la cacciata dell'Armata francese dalla Russia fu
insignito dell'ordine di San Giorgio di primo grado e del titolo
di principe di Smolensk.

Esposizioni: 1978, Minneapolis, The art of Russia, p. 65, n.
61; 1981, Leningrad, Miniatjura, p. 74, n. 141; 1990, Essen,
St. Petersburg um 1800, n. 159.
Bibliografia: 64 (pp. 78-80, 166); 66 (p. 319; n. 180; ill.
113).

(*G.P.*)

ALESSANDRO MOLINARI
Berlino, 1772 - Dresda, 1831

Pittore, miniaturista e disegnatore. Di origine italiana, studiò all'Accademia di Belle Arti di Berlino, che terminò nel 1787. Lavorò a Roma; successivamente, dal 1795, a Vienna; nel 1796, 1797 o 1798 a Glogau e verso il 1800 a Weimar. Tra il 1806 e il 1816 visse e lavorò in Russia; negli anni tra il 1810 e il 1820 fu maestro di disegno e pittura di miniatura presso il conte M.D. Buturlin. Tra il 1816 e il 1822 lavorò a Varsavia, in seguito a Dresda e a Berlino. Dipinse in prevalenza ritratti, gran parte dei quali sono conservati in musei e raccolte private in Polonia, Germania e URSS.

116
Ritratto di un Ussaro con dolman azzurro
Circa 1810

A destra in basso: "Alex Molinary"
Acquerello e gouache su osso, con cornice decorata con perle
cm. 6 × 4,9; ovale; con cornice cm. 7 × 5,8
Inv. ERR-8656
Acquisizione: 1986, dalla Commissione di Stato per le Acquisizioni dell'Ermitage. Proveniva dalla collezione di V.S. Popov.

(*G.P.*)

NIKOLAJ IVANOVIČ ARGUNOV
Pietroburgo, 1771 (?) - dopo il 1829

Pittore, miniaturista e ritrattista. Figlio e allievo dell'artista I.P. Argunov, fu servo della gleba del conte N.P. Šeremetev. Nel 1801 fu inviato a Ostankino, nei dintorni di Mosca, nella proprietà degli Šeremetev, dove curò parte della decorazione degli interni. Nel 1806 sovraintese alla decorazione dell'ospizio Strannopriimnij di Mosca di proprietà del conte Šeremetev. Nel 1808 completò gli interni della residenza degli Šeremetev, la casa Fontannyj, a Pietroburgo. Nel 1816, all'età di 45 anni, su disposizione testamentaria del conte N.P. Šeremetev fu liberato dalla servitù della gleba, ricevette il titolo di Pittore Insignito e nel 1818 la nomina ad Accademico, Maestro nella pittura di ritratti.

117
Ritratto del conte Nikolaj Petrovič Šeremetev
1800-1810
Olio su tela
cm. 67 × 54
Inv. ERŽ-795
Acquisizione: 1941, dal Museo Etnografico di Stato dei Popoli dell'URSS. Proveniva dalla casa Fontannyj dei conti Šeremetev a Leningrado.

Nikolaj Petrovič Šeremetev (1751-1809) fu Senatore, Gran Maresciallo di Corte, Cavaliere dell'ordine di Sant'Andrea e di San Giovanni Gerosolimitano. Nel 1801 sposò Praskov'ja Ivanovna Kovalëva-Žemčugova, attrice del teatro di famiglia e serva della gleba. Fu mecenate, dilettante e intenditore d'arte drammatica e di musica. Fondò il famoso teatro della Servitù della Gleba di Ostankino. Si dedicò attivamente ad opere di beneficenza.

Esposizioni: 1959, Leningrad, Russkij portret, p. 11; 1990, Essen, St. Petersburg um 1800, n. 2.

(*I.K.*)

243

VLADIMIR LUKIČ BOROVIKOVSKIJ
Mirgorod, 1757 - Pietroburgo, 1825

Pittore miniaturista, autore di icone. Fu un eccezionale ritrattista, figlio e allievo del pittore ed incisore L.I. Borovikovskij. Dal
1774 al 1783 prestò servizio militare in tempo di guerra e
quindi, ritiratosi dal servizio, si dedicò alla pittura. Sino al
1798 lavorò a Mirgorod ed in seguito a Pietroburgo. Dal 1792
fu allievo di G.B. Lampi il Vecchio. Nel 1794 ricevette il titolo
di Pittore Insignito; nel 1795 divenne Accademico e nel 1802
Consigliere dell'Accademia di Belle Arti.

118
Ritratto di Pavel Semënovič Masjukov
1817
Sulla sinistra in basso frammenti di firma e una data: "P.V.
Borovikovskj S.P. Burg. 1817"
Sul retro della tela l'iscrizione: "Pavel Semenovic Masjukov,
Ufficiale di Stato Maggiore della compagnia degli Ussari
delle guardie imperiali. Dipinto a S. Pietroburgo nel 1817 dal
consigliere dell'Accademia Vladimir Borovikovskij" (in russo)
Olio su tela
cm. 81,5 × 61,5
Inv. ERŽ-2619
Acquisizione: 1963, per testamento del collaboratore
dell'Ermitage A.I. Korsun.

Pavel Semënovič Masjukov (i dati anagrafici non sono accertati)
fu Ufficiale di Stato Maggiore della Compagnia degli Ussari della Guardia Imperiale.

Esposizioni: 1983, Caracas, n. 149; 1984, Mexico, n. 12;
1984, Habana, n. 12; 1987, Leningrad, Portretnaja živopis',
n. 11; 1990, Essen, St. Petersburg um 1800, n. 4.
Bibliografia: 6 (p. 392; n. 607; senza l'attribuzione a Borovikovskij).

                                                        (*I.K.*)

MAESTRO FRANCESE IGNOTO
Inizio secolo XIX

119
Ritratto della contessa Natal'ja Pavlovna Stroganova
Circa 1820
Olio su tela
cm. 29,5 × 25,5
Inv. ERŽ-1171
Acquisizione: 1941, dal Museo Etnografico di Stato dei Popoli dell'URSS. Proveniente dalla villa degli Stroganov a Mar'ino, governatorato di Novgorod.

Natal'ja Pavlovna Stroganova (1796-1872) era figlia del conte Pavel Aleksandrovič e della contessa Sof'ja Vladimirovna Stroganova. Nel 1814, dopo la morte del suo unico fratello Aleksandr Pavlovič Stroganov, per disposizione testamentaria del padre divenne erede della fortuna degli Stroganov, con il diritto di trasmettere il titolo nobiliare al marito. Nel 1817 andò in sposa al cugino di secondo grado del padre Grigorij Aleksandrovič Stroganov.

Esposizioni: 1982, Paris, Les costumes, s.n., s.p.; 1990, Essen, St. Petersburg um 1800, n. 68.
Bibliografia: V.N. Berezina, *French Painting Early and Mid-nineteenth Century. The Hermitage Catalogue of Western European Painting*, Mosca e Firenze, 1983, p. 328, n. 297.

(*I.K.*)

NICOLAS DE COURTEILLE
1768 (?) - dopo il 1830 in Russia

Pittore, disegnatore e ritrattista. Francese di nascita, prediligeva temi allegorici, mitologici e di vita quotidiana. Nel 1793, nel 1800 e nel 1804 espose al Salone di Parigi. Nel 1802 e nel 1813 espose all'Accademia di Belle Arti di Pietroburgo. Nel 1811 ottenne il titolo di Pittore Insignito, nel 1813 divenne Accademico. Lavorò ad Archangelskoe nella tenuta di N.B. Jusupov, dove insegnò disegno ai pittori, servi della gleba, che decoravano la porcellana "jusupovskij".

120
Ritratto di A.P. Majlevskaja con la figlia
Circa 1820
A destra in basso nell'angolo la firma: "De Courteille"
Olio su tela
cm. 89 × 67
Inv. ERŽ-2664
Acquisizione: 1969, dalla Commissione di Stato per le Acquisizioni.

A.P. Majlevskaja (i dati non sono accertati) fu la moglie dell'ufficiale A.N. Majlevskij.

Esposizioni: 1977, Leningrad, Ermitaž, novye postuplenija, n. 429; 1987, London, Russian style, n. 195; 1989, Paris, Les costumes, s.n., s.p.; 1990, Essen, St. Petersburg um 1800, n. 7.

(*I.K.*)

PËTR FËDOROVIČ SOKOLOV
Mosca, 1787 (?) - villaggio di Stary Mečik, vicino a Charkov, 1848

Acquerellista, disegnatore, litografo e ritrattista. Fu caposcuola del genere del ritratto da camera in acquerello. Tra il 1800 e il 1810 studiò all'Accademia di Belle Arti nella classe di pittura di temi storici con A.E. Egorov e V.K. Ščebuev. Dopo aver terminato l'Accademia si occupò soltanto di ritrattistica. Nel 1839 divenne Accademico. Lavorò soprattutto a Pietroburgo; negli anni 1842 e 1843 fu a Parigi e dal 1846 a Mosca. Ritrasse un gran numero di personalità della scienza, della cultura, della vita politica e sociale.

121
Ritratto dell'imperatrice Alessandra Fëdorovna
1820-1830
Acquerello su carta
cm. 20,7 × 16,3
Inv. ERR-7277
Acquisizione: 1945, dalla collezione A.I. Dolivo-Dobrovol'skij.

Alessandra Fëdorovna (1798-1860) fu imperatrice russa. Nata Federica Luisa Carlotta era figlia del prussiano Federico Guglielmo III e della regina Luisa e prese il nome russo di Alessandra Fëdorovna. Dal 1817 fu la consorte del granduca Nikolaj Pavlovič — dal 1825 al 1855 Imperatore di Russia con il nome di Nicola I. Si occupò generosamente di beneficenza, presiedendo tutte le istituzioni benefiche della Russia.

Bibliografia: 68 (pp. 305, 318).

(*G.P.*)

122

Ritratto di Aleksandr Sergeevič Puškin
1830-1840

Leningrado, Museo Puškin
Da un originale di O.A. Kiprenskij del 1827
Nell'angolo a sinistra, in basso, di mano del copista: "O: K:
1827"
Sul telaio, a matita: "Ritratto di A.S. Puškin da me acquistato
dalla famiglia degli Arbenevy in denaro, concessomi per
intercessione del principe Pëtr Andreevič Vjazemskij, donato a
Sua Altezza la compianta imperatrice Maria Aleksandrovna e
pubblicato nel 1874 sul Diario di A.V. Chrapovickij. Offro ora
questo ritratto per me prezioso al Principe Pavel Petrovič
Vjazemskij affinché sia conservato nella collezione di Puškin
nel villaggio di Ostaf'ev'. Nikolaj Barsukov' 9 luglio 1880.
S. Peterburg."
Olio su tela
cm. 63,4 × 54,6
Inv. KP 567 Z 17
Acquisizione: 1938, dalla Biblioteca Statale "Lenin" di Mosca.
Proveniva dalla tenuta del principe Vjazemskij Ostaf'ev'.

L'originale di Kiprenskij, datato 1827, si trova alla Galleria
Tret'jakov di Mosca. Kiprenskij dipinse questo ritratto a Pietroburgo dopo il ritorno di Puškin dall'esilio, su commissione del
poeta A. Del'vig. Dopo la morte di Del'vig, avvenuta nel 1831,
Puškin acquistò il ritratto dalla vedova e da allora esso fu conservato dalla famiglia del poeta sino a che il figlio maggiore di
Puškin, Aleksandr Aleksandrovič, non lo inviò alla Galleria
Tret'jakov.
Puškin amava molto questo ritratto. Per opinione dei suoi contemporanei e del padre del poeta, era uno dei ritratti più somi-
glianti poiché coglieva mirabilmente l'individualità e la natura
poetica del soggetto. Di questo ritratto furono eseguite molte copie.
Aleksandr Sergeevič Puškin (1799-1837) fu un geniale poeta
russo, scrittore, critico e storico. Creatore di una nuova lingua
letteraria, arricchì la letteratura russa di profondo umanesimo e
ne sostenne l'orientamento realista. Noto in tutto il mondo quale sommo poeta, fu autore di poesie liriche, di poemi romantici
quali *Ruslan e Ljudmila* (1820), *Il prigioniero del Caucaso*
(1820-1821), del romanzo in versi *Evgenij Onegin*
(1823-1831), dei drammi *Boris Godunov* e *Rusalka*
(1829-1832), dei racconti storici *La figlia del Capitano*
(1836), *La storia di Pugačëv* (1834) e molti altri. Nel 1836
fondò la rivista letteraria "Il Contemporaneo" alla quale colla-
borarono i migliori poeti e scrittori russi del tempo.

Esposizioni: 1978, Minneapolis, The Art of Russia, n. 1, p. 45;
1990, Essen. St. Petersburg um 1800, n. 76, p. 23.

(*A.I.M.*)

PIETRO DE ROSSI (PIETRO OSIPOVIČ)
Roma (?), 1761 - Pietroburgo, 1831

Miniaturista, maestro dello smalto e pittore. Figlio di un colonnello italiano in servizio in Russia, dal 1813 fu membro del-
l'Accademia di Belle Arti di Pietroburgo. Lavorò a Pietroburgo
e a Mosca. Fu autore di una grande quantità di ritratti di suoi
contemporanei, molti dei quali realizzati con la tecnica dell'incisione.

123
Ritratto di un giovane in frac azzurro
1829
A sinistra, sull'ovale: "P. de Rossi. f.1829"
Acquerello e gouache su osso
cm. 5,3 × 4,3; ovale; con cornice cm. 7 × 5,8
Inv. ERR-8317
Acquisizione: 1982, dalla Commissione per le Acquisizioni
dell'Ermitage. Proviene dalla collezione M.M. Baškova-E.M.
Zalkind di Mosca.

Esposizioni: 1983, Leningrad, Ermitaž, novye postuplenija,
p. 16, n. 9.
Bibliografia: 66 (p. 297; n. 97; ill. 177).

(*G.P.*)

251

124
Abito femminile
Pietroburgo, 1820-1830
Cachemire azzurro, raso
Lunghezza cm. 133
Inv. ERT-8686
Acquisizione: 1941, dal Museo Etnografico di Stato dei Popoli
dell'URSS. Precedentemente apparteneva alla collezione del
principe Jusupov a Pietroburgo.

L'abito ha guarnizioni a balze e applicazioni in raso intonato.
È un esempio caratteristico di abito femminile in voga negli anni 1820-1830. Il taglio è a vita larga alta, con pieghe orlate; la
gonna, diritta sul davanti, è ampiamente svasata e raccolta al
centro sul dietro. Era indossato con una sottogonna inamidata
che ne metteva in risalto la *silhouette*.

Esposizioni: 1990, Essen, St. Petersburg um 1800, n. 417.
Bibliografia: 36 (n. 53); 94 (n. 57).

(*T.Ko.*)

125
Sciarpa
Governatorato di Saratov (Volga), villaggio
Aleksandrovkij, 1825-1850
Cachemire double face e sargia
cm. 254 × 61
Inv. ERT-7064
Acquisizione: 1946, acquistato dalla Commissione per le
Acquisizioni dell'Ermitage.

La sciarpa presenta delicati dettagli in cucito.
Negli anni tra il 1800 e il 1850 erano attive in Russia alcune
manifatture private, che tessevano scialli *double-face*, sciarpe e
abiti in *cachemire* sottile, di capra di montagna e di *sajga*.
Una delle più celebri fu la Bottega di D.A. Kolokol'cov. Gli
scialli erano molto costosi e venivano acquistati da persone fa-
coltose.

Esposizioni: 1962, Leningrad, Russkyj kostjum, n. 151; 1981,
Leningrad, Sarfy i sali, n. 14; 1990, Essen, St. Petersburg um
1800, n. 436.
Bibliografia: 50 (p. 445).

(*E.M.*)

MANIFATTURA DI TULA

126
Fermaglio a graffa
Tula, 1800-1830
Acciaio, intaglio, politura, diamanti d'acciaio
cm. 7,3 × 5
Inv. ERM-3316
Acquisizione: 1941, dal Museo Etnografico di Stato dei Popoli
dell'URSS. Precedentemente apparteneva alla collezione del
principe Golicyn a Pietroburgo.

Il fermaglio è lavorato al traforo, con "diamanti d'acciaio".

Esposizioni: 1986, Paris, La France et la Russie, n. 566;
1987, Leningrad, Rossija-Francija, n. 511.

(*M.M.*)

MANIFATTURA DI TULA

127
Fibbia quadrangolare
Tula, 1800-1850
Acciaio, politura
cm. 7,1 × 7 × 1,8
Inv. ERM-7760
Acquisizione: 1920/30, dal Museo dell'Istituto di Disegno
Tecnico del barone A.L. Stieglitz.

La fibbia, lavorata ad arabeschi, presenta due linguette ricurve
ed è interamente rifinita a faccette d'acciaio.

Esposizioni: 1981, Leningrad, Chudožestvennyj metall, n. 108.
Bibliografia: 47 (p. 166; n. 92).

(*M.M.*)

MANIFATTURA DI TULA

128
Fibbia rettangolare
Tula, 1800-1850
Acciaio, politura
cm. 5,3 × 13 × 2,3
Inv. ERM-7759
Acquisizione: 1920/30 dal Museo dell'Istituto di Disegno
Tecnico del barone A.L. Stieglitz.

La fibbia, con linguetta ricurva, è decorata con "brillanti d'acciaio" oblunghi e file di perline.

Esposizioni: 1981, Leningrad, Chudožestvennyj metall, n. 108.
Bibliografia: 47 (p. 166; n. 92).

(*M.M.*)

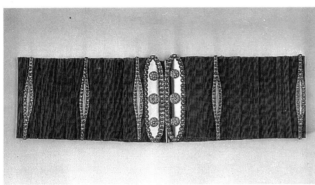

MANIFATTURA DI TULA

129
Anello
Tula, secolo XIX
Acciaio, politura, incisione con metalli colorati
cm. 2,6 × 2,5 × 1,2
Inv. ERM-3884
Acquisizione: 1941, dal Museo Etnografico di Stato dei Popoli
dell'URSS.

L'anello presenta un corpo rettangolare recante inciso un cuore, un'ancora e una croce e l'iscrizione "Fede, Speranza, Carità". Sul cerchietto canestri di fiori, eseguiti ad intaglio.

Esposizioni: È esposto per la prima volta.   (*M.M.*)

MAESTRO IGNOTO

130
Cintura
Inizio secolo XIX
Acciaio, politura
cm. 75,5 × 8,5 × 1
Inv. ERM-4896
Acquisizione: 1941, dal Museo Etnografico di Stato dei Popoli
dell'URSS. Precedentemente apparteneva alla collezione
Bačmanov.

La cintura è a rete con due fibbie ovali, decorata con "diamanti d'acciaio" e roselline.

Esposizioni: 1981, Leningrad, Chudožestvennyj metall, n. 116;
1986, Paris, La France et la Russie, n. 567; 1987, Leningrad,
Rossija-Francija, n. 516.
Bibliografia: 47 (p. 166; n. 89).   (*M.M.*)

MANIFATTURA DI TULA

131
Sigillo
Tula, inizio secolo XIX
Acciaio, intaglio, incisione,
cm. 6,5 × 2
Inv. ERM-2369
Acquisizione: 1941, dal Museo Etnografico di Stato dei Popoli
dell'URSS.

Il sigillo è a forma di mano su un anello.

Esposizioni: È esposto per la prima volta.   (*M.M.*)

MANIFATTURA DI TULA

132
Braccialetto
Tula, 1800-1850
Acciaio, bronzo, politura, brunitura, doratura
cm. 5,8 × 6,5 × 5,7
Inv. ERM-7758
Acquisizione: 1920/30, dal Museo dell'Istituto di Disegno
Tecnico del barone A.L. Stieglitz.

Il braccialetto presenta festoni sovrapposti. È decorato con roselline, farfalle e "diamanti d'acciaio".

Esposizioni: 1981, Leningrad, Chudožestvennyj metall, n. 107.
Bibliografia: 47 (p. 166).

(*M.M.*)

B. PATERSSEN
Per le notizie biografiche vedi Cat. n. 87.

133
Lungofiume del Palazzo e Palazzo di Marmo
dalla fortezza dei Santi Pietro e Paolo
1806
Da un dipinto originale dell'artista
In basso a sinistra: "Peint par B. Paterssen"
A destra: "Gravé par le même 1806"
Più in basso l'iscrizione in lingua francese
Incisione a bulino, acquerello
cm. 59,1 × 79; la tiratura non è visibile
Inv. ERG-20069
Acquisizione: Appartiene alle collezioni dell'Ermitage.

Appartiene ad una serie, vedi Cat. n. 91.
Vi è raffigurato un angolo della Fortezza dei Santi Pietro e Paolo (1717, architetto D. Trezzini; ricoperta in granito negli anni
1779-1783) e il ponte di barche sul fiume Neva. Sul lungofiume, da sinistra a destra, si possono vedere le inferriate del
Giardino d'Estate (1771-1784, architettto Ju.M. Fel'ten), la casa I.I. Beckoj (1784, architetto E.I. Starov (?)), il ponte Ver-
chne-Lebjažij (1768, architetto Ju.M. Fel'ten), la casa del conte
N.I. Saltykov (1784-1788, architetto G. Quarenghi), l'angolo
degli uffici del Palazzo di Marmo (1780-1785, architetto P.E.
Egorov).

Esposizioni: 1972, Leningrad, Paterssen, n. 38.
Bibliografia: 58 (n. 5, 6).

(*G.K.*)

Peint par B. Paterssen.

PRIS DU

PALAIS DE MARBRE.
MIDI DE LA FORTERESSE À S.ᵗᵉ PETERSBOURG

gravé par le même 1806.

B. PATERSSEN
Per le notizie biografiche vedi Cat. n. 87.

134
La piazza Petrovskaja (del Senato) e il monumento
a Pietro I a Pietroburgo
1806

Da un dipinto originale dell'artista
In basso a sinistra: "Peint par B. Paterssen. 1806"
Più in basso l'iscrizione in lingua francese
Incisione a bulino, acquerello
cm. 43,5 × 53,3; la tiratura non è visibile
Inv. ERG-17333
Acquisizione: 1941, dal Museo Etnografico di Stato dei Popoli
dell'URSS. Precedentemente, sino al 1930, nella casa
Fontannyj dei conti Šeremetev a Pietroburgo.

Appartiene ad una serie, vedi Cat. n. 91.
Al centro della piazza il monumento a Pietro I "Il Cavaliere di
Bronzo" (1768-1778, scultore E.M. Falconet con la partecipazione di M.A. Collot, autore della testa di Pietro I). Il piedestallo è costituito da un enorme masso di granito e un cancello rac-
chiude il monumento, realizzato su progetto dell'architetto
Ju.M. Fel'ten e conservatosi sino al 1903. La solenne inaugurazione del monumento avvenne il 7 agosto del 1782 (vedi Cat n.
40). Dietro al monumento si intravede il vecchio edificio del
Senato (ricostruito nel decennio 1780-1790 dall'architetto I.E.
Starov (?). A destra, oltre il fiume Neva, si scorge l'Accademia
di Belle Arti (1764-1788, architetti A.F. Kokorinov e J.B. Vallin de la Mothe).

Esposizioni: 1972, Leningrad, Paterssen, n. 37; 1978, Minneapolis, The Art of Russia, n. 102; 1990, Essen, St. Petersburg
um 1800, n. 218.
Bibliografia: 69 (tomo III; p. 1733; n. 713); 58 (nn. 29-30).
(G.K.)

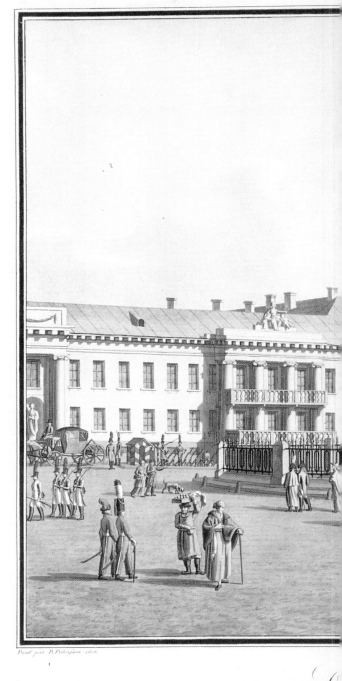

Peint par B. Paterssen 1806

ue equestre de PIERRE le Grand
à St. Petersbourg.

IVAN VASIL'EVIČ ČESKIJ
Mogilev (?), 1779/80 - Pietroburgo, 1848

Incisore e disegnatore. Nel 1791 iniziò a studiare all'Accademia di Belle Arti nella classe di A. Radigues e di I. Klauber. Dal 1799 al 1803 fu incisore della Classe di Paesaggi e in seguito lavorò in proprio su commissione di privati. Divenne Accademico nel 1807. Incise ritratti, vedute di Pietroburgo e dei dintorni, mappe dei viaggi di G.A. Saryčev e di I.F. Kruzenštern; realizzò inoltre una gran quantità di illustrazioni per libri e riproduzioni.

135

La Grande Cascata con la fontana di Sansone e il Palazzo Grande di Peterhof
1805-1806

Da un disegno di Michail Ivanovič Šotošnikov del 1800 circa
In basso a sinistra: "Disegnato da M: Šotošnikov′, inciso da I: Českij" (in russo)
A sinistra: "Dessiné par M: Schotoschnikof. Gravé par I: Tcheski, agrégé de l'Académie Impériale des Beaux-Arts"
Più in basso la firma e la dedica all'imperatore Alessandro I in lingua russa e francese
Acquaforte, incisione a bulino, acquerello
cm. 56,5 × 70; prima tiratura
Inv. ERG-6252
Acquisizione: 1929, dalla Casa-Museo Stroganov di Leningrado. Precedentemente nella collezione dei conti Stroganov a Pietroburgo.

Rara stampa colorata tratta da una serie, vedi Cat. n. 139.
La data è posta sulla base della raffigurazione e permette di fissare uno dei periodi in cui vennero ricostruite le statue della Grande Cascata: sono bene in vista sia le antiche sculture del XVII secolo sia le nuove collocazioni dopo la ricostruzione. Probabilmente i disegni di Šotošnikov furono realizzati all'inizio del 1800 e successivamente incisi con l'introduzione di alcune modifiche.
Vi sono raffigurati il Grande Palazzo (1714-1732, 1745-1760, architetti J.B. Leblond, I.F. Braunstein, N. Michetti, M.G. Zemcov, B.F. Rastrelli e altri), la Grande Cascata e la Grotta (1714-1722). Alla fine del XVIII secolo molte costruzioni e statue erano deteriorate e furono ricostruite. Nel 1802 fu realizzata la fontana "Sansone apre le fauci del leone" (1801, scultore M.I. Kolovskij). Alla realizzazione delle sculture presero parte gli scultori F.F. Ščedrin, J.D. Rachette, F.I. Šubin e altri. A destra una parte del colonnato (1800-1803, architetto A.N. Voronichin).
In primo piano l'imperatore Alessandro I in divisa da Generale della Guardia Imperiale del Reggimento Preobraženskij, il granduca Konstantin con la divisa della Guardia Imperiale del Reggimento di Cavalleria e alcuni altri ufficiali.

Esposizioni: 1960, Leningrad, Russkaja gravjura, n. 66; 1966, Novi Sad, Russkaja gravjura, n. 38; 1985, Habana, n. 12; 1990, Essen, St. Petersburg um 1800, n. 182.
Bibliografia: 69 (tomo I; p. 190; nn. 16/17); 70 (tomo II; p. 142; n. 592); 2; 7 (p. 53 e s.); 31 (pp. 19-30); 21 (n. 130).

(G.K.)

STEPAN FILIPPOVIČ GALAKTIONOV
Pietroburgo, 1779 - Pietroburgo, 1854

Incisore, litografo, disegnatore, pittore, ritrattista, paesaggista e illustratore. Figlio di un funzionario, nel 1785 si iscrisse all'Accademia di Belle Arti (studiò pittura con M.I. Ivanov e S.F. Ščedrin e incisione con S.F. Ivanov e I.S. Klauber) conseguendo nel 1800 il titolo di studio di Primo Grado. Nel 1808 divenne Accademico. Nel 1831 insegnò nella classe di incisione dell'Accademia. Nel 1851 ricevette il titolo di Professore di incisione su rame. Fu uno dei primi in Russia a realizzare litografie. Le sue incisioni, che ritraevano Pietroburgo e dintorni, ebbero notevole fortuna. Fu inoltre autore di illustrazioni delle opere di A. Puškin, N. Gnedik, I. Krylov, F. Bulgarin e altri.

136
Veduta dell'isola Kamennyj a Pietroburgo dalla dacja del conte Aleksandr Sergeevič Stroganov
1807

Da un dipinto originale di Semën Fëdorovič Ščedrin del 1803 conservato al Museo Russo di Stato
In basso a sinistra: "Dipinto da S. Ščedrin', inciso da Step. Galaktionov'" (in russo)
A destra: "Peint par S. Chedrine Adjoint a Rect. de l'Acad.de beaux Arts de St. Petersb. gravé par Et.Galactionof agregé de l'Acad."
In basso la firma e la dedica all'imperatrice Elisabetta Alekseevna, moglie di Alessandro I, in lingua russa e francese
Acquaforte, incisione a bulino
cm. 51,5 × 61,2; prima tiratura
Inv. ERG-20206
Acquisizione: Appartiene alle collezioni dell'Ermitage.

Foglio da una serie composta da ventitré incisioni con vedute dei dintorni di Pietroburgo realizzati nel decennio 1800-1810 nella Classe di Incisione di paesaggi dell'Accademia delle Belle Arti diretta da S.F. Ščedrin.
Vi sono raffigurati il Palazzo Imperiale (1776-1780, architetto ignoto; la costruzione fu realizzata da Ju.M. Fel'ten e destinata al granduca Pavel Petrovič), situato su un capo dell'isola di Pietra; a sinistra la Piccola Nevka e a destra la Grande Nevka. In fondo, a sinistra, è raffigurato il ponte di barche Kamennoostrovskij e a destra il ponte di barche Stroganovskij.

Esposizioni: 1984, Leningrad, Grafika Galaktionova, p. 5-6 e 19, n. 7.
Bibliografia: 70 (tomo I; p. 168; n. 15); 2 (pp. 10, 21, 39); 84 (pp. 106-111 e s.), 31 (pp. 19-30).

(*G.K.*)

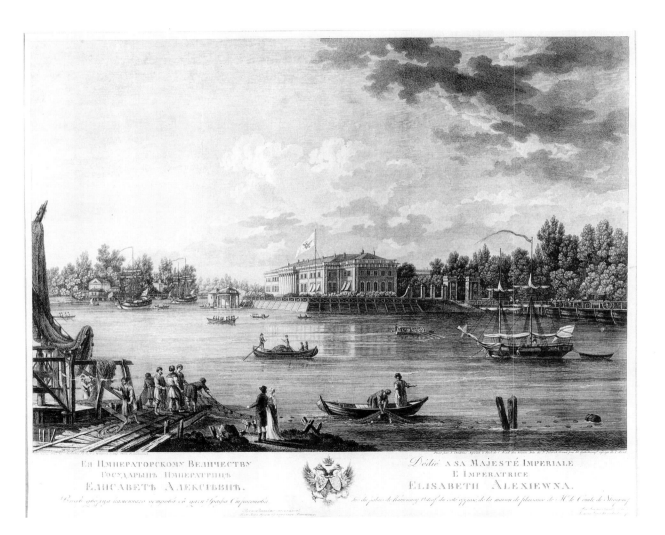

FËDOR KUZ'MIČ NEELOV
1782/83 - 1832

Acquerellista, disegnatore, vedutista, topografo militare. Studiò topografia e disegno nella scuola per cadetti del Reggimento Preobraženskij. Negli anni 1796 e 1797 partecipò alla spedizione del conte V.A. Zubov in Persia, con l'incarico di "riprendere vedute e panorami". Successivamente servì presso la Corporazione degli Ingegneri e la Sezione di Topografia Militare; tra il 1818 e il 1826 presso l'Arma degli ingegneri militari; nel 1820 divenne Tenente Colonnello e nel 1838 fu trasferito alla Cancelleria dello Stato Maggiore Generale. Dipinse prevalentemente vedute di Pietroburgo e dintorni, oltre a vedute del Caucaso e della Persia.

137
Il Palazzo di Gatčina dal lato del Lago Bianco
1810-1820

In basso a destra la firma: "Riprodotto e disegnato dal capitano Neelov'" (in russo)
Nel centro l'iscrizione: "Veduta del Palazzo di Gatčina dal Lago Bianco" (in russo)
Acquerello su carta
cm. 48 × 83
Inv. ERR-767
Acquisizione: 1941, dal Museo Etnografico di Stato dei Popoli dell'URSS. Precedentemente, sino al 1917, nella collezione della casa Fontanyj dei conti Šeremetev a Pietroburgo.

Nel dipinto è raffigurato il Palazzo di Gatčina (1766-1781, architetto A. Rinaldi, ricostruito nel 1796 dall'architetto V. Brenna), sulla riva del lago.

Esposizoni: 1990, Essen, St. Petersburg um 1800, n. 119.
Bibliografia: 73 (p. 149; n. 42).

(G.P.)

...чинскаго Дворца отъ Бѣлаго озера.

Снималъ и рисовалъ отъ арміи Капитанъ Николаев...

ANDREJ EFIMOVIČ MARTYNOV
Pietroburgo, 1768 - Italia, 1826

Pittore, acquerellista, disegnatore, incisore, litografo e paesaggista. Figlio di un sergente del Reggimento Preobraženskij, studiò all'Accademia di Belle Arti tra il 1773 e il 1788 nella classe di F. Ščedrin. Dal 1788 al 1794 studiò a Roma dove seguì un corso di perfezionamento con il maestro J.Ph. Hackert. Nel 1795 ricevette il titolo di Pittore Insignito; nello stesso anno divenne Accademico e nel 1802 Consigliere dell'Accademia. Lavorò su commissione della Corte. Negli anni 1805 e 1806 prestò la sua opera in qualità di artista presso l'ambasciata russa in Cina sotto la direzione di Ju.A. Golovkin. Tra il 1808 e il 1821 lavorò presso la Direzione imperiale dei Teatri. Dal 1824 al 1826 visse in Italia, dove morì. Fu autore di acquerelli, incisioni e litografie con vedute di città e località della Russia e dipinse inoltre paesaggi delle regioni baltiche e della Mongolia.
Fu uno dei più importanti vedutisti di Pietroburgo al tempo di Puškin.

138
Il Palazzo di Pietro I nel Giardino d'Estate
1809-1810

In basso a sinistra la firma: "Dessiné par A. Martinoff"
Sul retro l'iscrizione: "La Fortezza di S. Pietroburgo e parte del Giardino d'Estate dal fiume Fontanka" (in russo)
Acquerello e inchiostro di china su carta
cm. 61,5 × 87
Inv. ERR-5553
Acquisizione: 1810, su mandato dell'autore insieme ad altri 24 disegni offerti ad Alessandro I. Appartiene alle collezioni dell'Ermitage.

Il foglio appartiene ad una serie di acquerelli con vedute di Pietroburgo realizzati tra il 1807 e il 1817. Altre versioni degli acquerelli sono conservate presso la Galleria Tret'jakov e il Museo Storico di Stato. Un quadro ad olio è conservato presso il Museo Russo. In primo piano il Palazzo d'Estate di Pietro I (1710-1712, architetti D. Trezzini e A. Schlüter); sullo sfondo la Fortezza dei Santi Pietro e Paolo (iniziata nel 1703).

Esposizioni: 1972, Leningrad, Akvarel', n. 46; 1977, Leningrad, Martynov, p. 20, n. 41; 1983, Leningrad, Sadovo-parkovo iskusstvo, p. 70; 1990, Essen, St. Petersburg um 1800, n. 113.
Bibliografia: 73 (p. 149; ill. 33).

(*G.P.*)

I.V. ČESKIJ
Per le notizie biografiche vedi Cat. n. 135.

139
**Veduta della Strelka dell'isola Vasil'evskij
dal lato del fiume Neva
1816**
Da un disegno di Michail Ivanovič Šotošnikov
In basso a sinistra: "Disegnato dal vero da M. Šotošnikov.
Inciso da I. Českij" (in russo)
A destra: "Dessiné d'après nature par M. Chotochnikoff. Gravé
par I. Tscheski"
Più in basso l'iscrizione e la dedica all'imperatore Alessandro I
in lingua russa e francese
Acquaforte, acquatinta, acquerello
cm. 56,5 × 80,8, foglio; la tiratura non è visibile
Inv. ERG-17336
Acquisizione: 1934, dal Fondo Museale di Stato dell'URSS.

In primo piano sono raffigurati il fiume Neva e il lungofiume se-
micircolare del promontorio dell'isola Vasil'evskij (1804-1810,
architetto T. Thomon); in centro il Palazzo della Borsa (1804-
1810 inaugurato ufficialmente nel 1816, architetto T. Thomon)
e le due Colonne rostrate (1810, architetto T. Thomon).

Esposizioni: 1960, Leningrad, Russkaja gravjura, n. 69; 1966,
Novi Sad, Russkaja gravjura, n. 39; 1978, Minneapolis, The
Art of Russia, n. 78; 1990, Essen, St. Petersburg um 1800, n.
183.
Bibliografia: 70 (tomo II; p. 1132; n. 37); 2.

(*G.K.*)

Vüe de la Bourse du coté de la grande Neva.
Dedie à SA MAJESTÉ IMPERIALE
ALEXANDRE I.
EMPEREUR et AUTOCRATEUR DE TOUTES LES RUSSIES.

TIMOFEJ ALEKSEEVIČ VASIL'EV
Pietroburgo, 1793 - Pietroburgo, 1838

Pittore, grafico, vedutista. Allievo dell'Accademia di Belle Arti
di Pietroburgo, conseguì nel 1803 il titolo di studio di Primo
Grado. Nel 1806-1807 partecipò in qualità di pittore alla spedizione del conte Ju.A. Golovkin in Cina. Al rientro in patria
completò il quadro "Vedute della città di Selenginsk" per il
quale fu insignito del titolo di Accademico. Fu un grande viaggiatore. Si dedicò in particolare al paesaggio e alle vedute di
città, soprattutto di Pietroburgo e dintorni.

140
La prospettiva Nevskij nei pressi della Duma
cittadina
1810-1820
Sulla sinistra del portico in basso compare il monogramma
"T.V."
Olio su tela
cm. 76,2 × 107,5
Inv. ERŽ-1678
Acquisizione: 1941, dal Museo Etnografico di Stato dei Popoli
dell'URSS. Sino al 1930 si trovava nel Museo di Vita
Quotidiana della Regione di Leningrado, Sezione Didattica.

La prospettiva Nevskij è la via principale di Pietroburgo.
Sulla parte destra dell'opera sono visibili l'arco e la cupola della chiesa cattolica di Santa Caterina (1762-1783, architetto
J.B. Vallin de la Mothe. Per editto di Pietro I gli esponenti dei
diversi culti potevano disporre di propri templi a Pietroburgo).
A destra si erge la torre dell'orologio e l'edificio della Duma cittadina, organo elettivo di auto-governo della città
(1799-1801, architetto L. Ferrari), poco oltre il portico dei
mercanti (1802-1806, architetto L. Rusca).

Esposizioni: 1978, Leningrad, Nevskij Prospekt, n. 1; 1983,
Leningrad, Sadovo parkovoe iskusstvo, p. 62; 1984, Lenin-
grad, Peterburg gogolevskogo vremini, n. 1; 1985-86, Dipoli,
n. 14; 1988, Odessa, Izmail. Gogol'v Peterburge, n. 1; 1990,
Essen, St. Petersburg um 1800, n. 52.
Bibliografia: 84 (p. 74); 21 (pp. 116, 120).

(A.P.)

T.A. VASIL'EV
Per le notizie biografiche vedi Cat. n. 140.

141
Veduta della cattedrale di Kazan dal lato del canale
Ekaterinskij a Pietroburgo
Fine decennio 1810-1820

Firmato in basso a sinistra: ''Vasil'ev'''
Olio su tela
cm. 67,3 × 94,5
Inv. ERŽ-1679
Acquisizione: 1941 dal Museo Etnografico di Stato dei Popoli
dell'URSS. Sino al 1930 si trovava al Museo di Vita Quotidiana
della Regione di Leningrado, Sezione Didattica.

L'opera raffigura il canale Ekaterinskij con l'inferriata di ghisa.
A destra del canale si trovano edifici residenziali e la Banca di
Stato degli Assegnati. Sulla sinistra è rappresentata l'ala orien-
tale del colonnato della Cattedrale di Kazan (1801-1811, ar-
chitetto A.N. Voronichin), in lontananza si intravede il ponte di
Kazan.

Esposizioni: 1978, Leningrad, Nevskij Prospekt, n. 2;
1985-1986, Dipoli, n. 15; 1984, Leningrad, Peterburg gogo-
levskogo vremini, n. 2; 1986, Leningrad, A.N. Voronichin,
Thomas de Thomon, A.D. Zacharov, n. 111; 1990, Essen, St.
Petersburg um 1800, n. 53.
Bibliografia: 83 (p. 74).

(A.P.)

MANIFATTURA DI ARAZZI DI PIETROBURGO

142
Aurora
Pietroburgo, inizio secolo XIX

Lana, seta
cm. 247 × 256
Inv. ERT-16227
Acquisizione: 1919, dal Museo delle Scuderie di Corte.

Stilisticamente questi arazzi sono ispirati ad affreschi ed erano
impiegati per l'arredo degli interni dei palazzi dell'epoca. Nella
composizione di questo arazzo si nota l'influenza dei canoni
estetici dell'Accademia di Roma e di Bologna del XVII secolo.
Gli arazzi erano incorniciati da bordure caratteristiche, con disegni di palme, roselline e altri elementi ornamentali tipici del-
l'antichità. La bordura non si è conservata.

Esposizioni: 1990, Essen, St. Petersburg um 1800, n. 459.
Bibliografia: 37 (pp. 258-259; nn. 127, 128).

(T.Ko.)

143
Il trionfo di Amore
Pietroburgo, inizio secolo XIX

Lana, seta
cm. 281 × 377
Inv. ERT-16229
Acquisizione: 1919, dal Museo delle Scuderie di Corte.

L'arazzo appartiene ad una serie di tre tessuti da parete raffiguranti personaggi della mitologia antica.

Esposizioni: 1990, Kotca.
Bibliografia: 37 (p. 260; ill. 149, 150).

(*T.Ko.*)

MAESTRO PËTR GRIGOR'EV
Attivo negli anni 1800-1825

144
Samovar
Mosca, 1804
Argento, doratura, massellatura, cesello, intaglio
cm. 50 × 30 × 30
Marchio: maestro PG; IV 1804: maestro assaggiatore Ivan
Vichljaev, città di Mosca, titolo dell'argento 84
Inv. ERO-4846
Acquisizione: Appartiene alle collezioni dell'Ermitage.

Il samovar è a forma di anfora antica; le pareti sono abbellite
con ghirlande; sul coperchio e sul basamento appaiono fasci lit-
tori intrecciati con nastri.

Bibliografia: 9 (n. 117).

(*L.Z.*)

MAESTRO GOTTARD FERDINAND STANG
1780 - 1821

145
Coppia di alzate con amorini reggicanestro
Pietroburgo, 1816
Argento, fusione, cesello, intaglio
cm. 49,5 × 32 × 32
Marchio: maestro G.F. ST.; AJa: maestro assaggiatore
Aleksandr Jašinov, città di Pietroburgo 1816, titolo
dell'argento 84
Inv. ERO-4848, 4849
Acquisizione: Appartiene alle collezioni dell'Ermitage.

Lo stelo delle alzate è a forma di Cupido; il basamento è ottagonale ed è decorato con piccole palme.

Bibliografia: 9 (n. 33).

(*L.Z.*)

MAESTRO FRIEDERICH JOSEF KOLB
Attivo a Pietroburgo dal 1808 al 1826

146
Piatto da portata
Pietroburgo, 1817
Argento, doratura, fusione, cesello, incisione, intaglio
cm. 63 × 63
Marchio: maestro Kolb; AJa: maestro assaggiatore Aleksandr
Jašinov, città di Pietroburgo, titolo dell'argento 84
Inv. ERO-5420
Acquisizione: Appartiene alle collezioni del Palazzo d'Inverno.

Al centro del piatto vi sono le iniziali imperiali di Alessandro I;
sul bordo sono raffigurate quattro vedute della città di Taganrog; inoltre Poseidone, Demetra, Zeus e Atena. Sul bordo si
legge la scritta: "Nell'anno diciassettesimo dell'Ottocento la co-
munità greca di Taganrog ha avuto l'onore di offrire questo
piatto alla Vostra Altezza Imperiale".

L'imperatore Alessandro I durante i suoi numerosi viaggi visitò
Taganrog più volte. Il suo ultimo soggiorno in questa città fu
nefasto: l'imperatore infatti vi spirò il 19 novembre del 1825.

Esposizioni: 1990, Essen, St. Petersburg um 1800, n. 278.
Bibliografia: 85 (tomo II; p. 390).

(*L.Z.*)

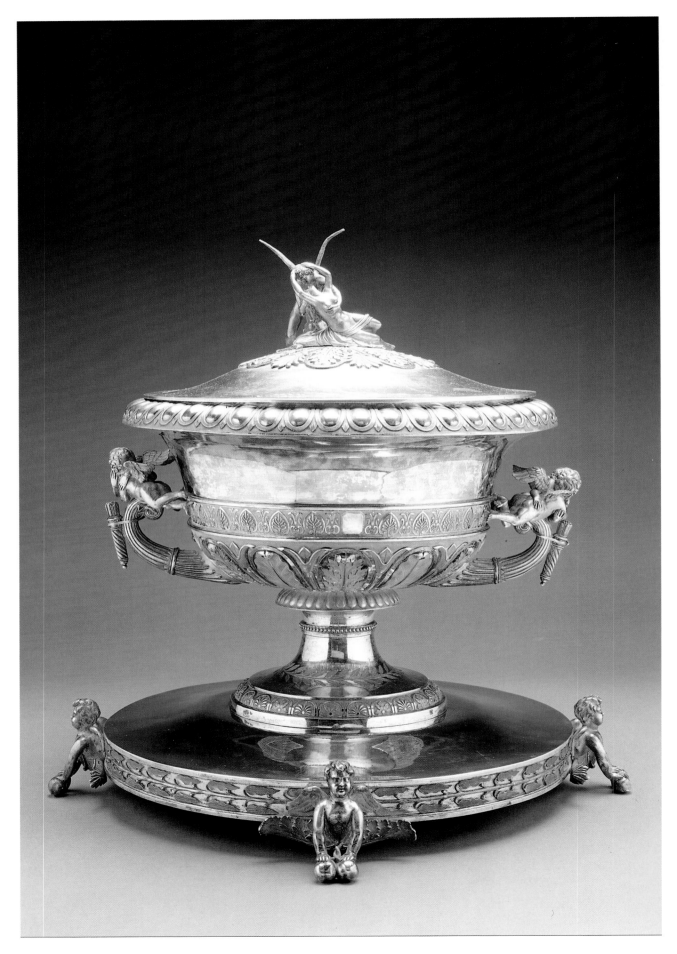

Bottega del Maestro Paulus Magnus Tenner
Attivo a Pietroburgo dal 1808 - morto nel 1819

147

Oggetti del servizio di nozze del principe Jusupov
Pietroburgo, circa 1825

Zuppiera grande con coperchio e vassoio
Argento, fusione, cesello
cm. 49 × 32 × 40
Marchio: TENNER (Bottega di); AJa: maestro assaggiatore
Aleksandr Jašinov, città di Pietroburgo, titolo dell'argento 84
Inv. ERO-4828
Acquisizione: 1941, dal Museo Etnografico di Stato dei Popoli
dell'URSS. Insieme agli oggetti seguenti proviene dalla
collezione dei principi Jusupov di Pietroburgo.

Il coperchio ha l'impugnatura formata dal gruppo scultoreo
"Amore e Psiche"; i manici sono a forma di amorini.

Zuppiera piccola con coperchio
Argento, fusione, cesello, doratura
cm. 16 × 35,5 × 24,5
Marchio: Cfr. il precedente
Inv. ERO-4827

La zuppiera è decorata con figure di Cupido.

Salsiera da tavola
Argento, fusione, cesello, doratura
cm. 16 × 22, 5 × 14
Marchio: Cfr. i precedenti
Inv. ERO-4829

La salsiera ha il manico a forma di Cupido alato.

Un grande servizio di gala fu commissionato per il matrimonio
del principe Boris Nikolaevič Jusupov (1794-1849) quando, il
19 gennaio 1825 a Pietroburgo, in seconde nozze, prese in
moglie Zinaida Ivanovna Naryškina (1809-1893).
Il coperchio della grande zuppiera è ornato dalla scultura
"Amore e Psiche", che riproduce in scala ridotta un gruppo
marmoreo opera di Antonio Canova: egli realizzò un primo
gruppo con "Amore e Psiche giacenti" tra il 1787 e il 1793,
ora al Museo del Louvre a Parigi. Il principe Jusupov ordinò
nel 1794 al Canova una replica della scultura. Il modello in
gesso di questa seconda scultura si trova al Metropolitan Museum di New York. Presenta una significativa variante, voluta
dal committente, cioè il panneggio che ricopre interamente le
gambe di Psiche. Il secondo marmo era terminato nel 1796;
oggi è conservato all'Ermitage. È singolare che il gruppo argenteo della zuppiera riprenda la prima scultura, ora al Louvre,
cioè quella senza panneggio.
Dopo la morte del maestro Tenner, la bottega fu diretta dalla
sua vedova fino al 1824.

Esposizioni: 1981, Leningrad, Chudožestvennyj metall, n. 462
(la zuppiera piccola); 1980, Essen, St. Petersburg um 1800,
nn. 280, 281 (zuppiera e salsiera).
Bibliografia: 9 (n. 140, salsiera; n. 143, zuppiera grande).

(*L.Z.*)

285

BOTTEGA DEL MAESTRO SAMUELE ERBELEIN
Nato nel 1780, attivo a Pietroburgo negli anni 1800-1830

148
Saliera da portata con coperchio
Pietroburgo, 1826
Argento, fusione, cesello, doratura
cm. 13,8 × 10,3 × 10,3
Marchio: S.E.: maestro Erbelein; MK 1826: maestro
assaggiatore Michail Michajlovič Karpinskij, città del marchio
Pietroburgo, titolo dell'argento 84. Sul fondo è intagliato:
n. 1 H
Inv. ERO-4761, 4769 b
Acquisizione: Appartiene alle collezioni dell'Ermitage.

Il coperchio è decorato con la figura di un leone accovacciato;
la coppa è sostenuta da aquile bicipiti con corone imperiali.

La saliera fu offerta all'imperatore Nicola I in occasione dell'incoronazione avvenuta nel 1826, il che è confermato dalle iniziali imperiali.

Esposizioni: 1990, Essen, St. Petersburg um 1800, n. 279.
Bibliografia: 85 (p. 396); 9 (nn. 141, 142, coperchio).

(L.Z.)

287

MAESTRO MONOGRAMMISTA MO

149
Corredo liturgico
Mosca, 1822

Argento, doratura, acciaio, zaffiro, ametista, turchese, cristallo di rocca, smalto, fusione, cesello, intaglio
calice, cm. 45 × 23,8 × 15,1
diskos, cm. 10 × 37 × 37
asteriskos, cm. 13 × 20,5
patena, cm. 19,5 × 19,5
attingitoio, cm. 4,4 × 17 × 10,7
cucchiaio per la particola della Comunione, cm. 23,5 × 3,4
coltellino di forma lanceolata per spezzare il pane eucaristico, cm. 18,4 × 2,4
coltellino di forma lanceolata per spezzare il pane eucaristico, cm. 17,5 × 3,8
Marchio: maestro MO; VG 1822: maestro assaggiatore ignoto, città di Mosca, titolo dell'argento 84
Inv. ERO-7767 a 7774
Acquisizione: 1951, dal Deposito di Stato degli Oggetti di Valore di Mosca.

Gli accessori presentano decorazioni a grandi palme. Il diskos è destinato a contenere il pane, l'asteriskos protegge il pane e tiene sollevato il velo che lo ricopre. Sul diskos l'iscrizione: "Come pegno ed espiazione"; sul piatto l'iscrizione: "Adoriamo la tua croce o Signore". Lo stelo del calice è decorato con figure allegoriche di Fede, Speranza e Carità. Sul basamento compaiono scene della Passione e della Deposizione dalla Croce. All'inizio del XIX secolo i maestri moscoviti impiegavano di frequente questo genere di decorazione.

Esposizioni: È esposto per la prima volta.

(L.Z.)

MAESTRO PAVEL KUDRJAŠOV
1788 - 1872

150
Icona con "I santi Alessandro Nevskij e Nicola
Vescovo di Mira"
Pietroburgo, 1820-1830
Legno, tempera, argento, doratura, cesello, niello
cm. 54 × 43
Marchio: PK: maestro; AJa: maestro assaggiatore Aleksandr
Jašinov, città di Pietroburgo, titolo dell'argento 84
Inv. ERO-9288
Acquisizione: 1981, dalla Commissione per le Acquisizioni.

L'incastonatura dell'icona è in argento dorato.

Il principe russo Aleksandr Jaroslavič (1220-1263) nel 1240
ricevette per le vittorie riportate sugli svedesi il soprannome di
"Nevskij", cioè "della Neva". Partecipò a molte battaglie, visitò molte volte l'Orda d'Oro con la quale avviò relazioni diplomatiche. Di ritorno dall'Orda d'Oro nel 1263, Aleksandr Nevskij morì nella piccola città di Gorogc sul Volga e fu sepolto nel
monastero di Roždestvenskij a Vladimir. Nel XVI secolo fu ca-
nonizzato. Fin dalla fondazione di Pietroburgo Aleksandr Nevskij fu considerato il patrono della capitale. Nel 1724, per editto dell'imperatore Pietro I e con la sua partecipazione, le reli-
quie del Santo furono trasferite a Pietroburgo nella cattedrale
della Santa Trinità del monastero Aleksandr Nevskij. San Nicola Vescovo di Mira, di Bari per l'Europa occidentale, molto ve-
nerato in Russia, visse nella prima metà del IV secolo d.C.. San
Nicola era considerato protettore dei marinai, dei mercanti e
dei viaggiatori.

Esposizioni: 1990, Essen, St. Petersburg um 1800, n. 271.

(*L.Z.*)

MAESTRO IGNOTO

151
Coppia di *cassolettes* o bruciaprofumi
Pietroburgo, 1800-1825

Bronzo, intaglio, cesello, doratura
cm. 46 × 19,5 × 19,5
Inv. ERM-338, 339
Acquisizione: 1941, dal Museo Etnografico di Stato dei Popoli
dell'URSS.

Le profumiere hanno forma di tripode sormontato da un'urna
dal coperchio, con un vaso rotondo traforato sorretto da tre figure femminili alate.

A partire dal XVIII secolo per profumare le sale dei Palazzi venivano impiegati speciali recipienti e profumiere realizzate in
materiali diversi. Nei recipienti erano posti petali di fiori profu-
mati e resine aromatiche. Le profumiere erano disposte accanto
ai camini, sulle *consoles* e sui tavoli; esse erano parte integrante
dell'arredo di gala degli interni.

Esposizioni: Sono esposte per la prima volta.

(*M.M.*)

MAESTRO IGNOTO

152
Completo per scrittoio
Pietroburgo, 1800-1825

Bronzo, patinatura, doratura, legno
cm. 31,5 × 31,5 × 11,5
Inv. ERM-521
Acquisizione: 1941, dal Museo Etnografico di Stato dei Popoli
dell'URSS. Precedentemente nella collezione di N.N.
Kokšarov, Pietroburgo.

Una figura femminile alata regge un'urna tra le mani; nell'urna
sono inseriti il calamaio e lo spandisabbia. La base rettangolare
è in legno.

Esposizioni: 1981, Leningrad, Chudožestvennyj metall, n. 334;
1990, Essen, St. Petersburg um 1800, n. 303.

(*M.M.*)

293

BOTTEGA DI HEINRICH GAMBS
1765 - 1831

Heinrich Gambs fu allievo del celebre mobiliere David Roentgen. Giunse a Pietroburgo all'inizio degli anni 1790-1800. Nel 1795 aprì il suo primo salone per l'esposizione e la vendita; poco dopo divenne fornitore del Palazzo Imperiale. Nel suo Laboratorio lavoravano falegnami, meccanici, tornitori, artigiani del bronzo, cesellatori; non di rado vi furono realizzati oggetti in bronzo di diverse forme. La solida azienda fu ereditata, alla morte del padre, dai figli Pietro (1802-1871) e Ernest (1805 (?)-1849).

153
Secrétaire
Pietroburgo, 1800-1820
Legno rosso, bronzo patinato e dorato, fusione, cesello
cm. 132 × 128 × 77
Inv. ERMb-1664
Acquisizione: Proviene dalle collezioni del Palazzo d'Inverno.

Heinrich Gambs fu autore di molti pezzi rari tra i quali si distingue il *secrétaire* della collezione dell'Ermitage, dotato di molti cassetti segreti, congegni e tiretti meccanici. I manufatti di uso quotidiano, di fattura più semplice, si distinguevano invariabilmente per la maestria e la ricchezza delle decorazioni.

Esposizioni: 1986, Chudožestvennoe ubranstvo russkogo inter'era XIX veka. L. Iskusstvo; 1990, Essen, St. Petersburg um 1800, n. 378, p. 417.
Bibliografia: Antoine Chenevière, *Il mobile russo. L'epoca d'oro. 1780-1840*, Londra-Milano, 1989, pp. 149-150.

MANIFATTURA IGNOTA

154
Poltrona
Russia, inizio secolo XIX
Legno rosso, legno intonato e dorato, intaglio
cm. 88 × 55 × 51
Inv. ERMb-326

Esposizioni: 1986, Chudožestvennoe ubranstvo russkogo inter'era XIX veka. L. Iskusstvo; 1990, Essen, St. Petersburg um 1800, n. 388, p. 417.
Bibliografia: Sokolova T.M., Orlova K.A., *Russkaja mebel'* v sobranii Gosudarstvennogo Ermitaža, "Chudožnik RSFSR", 1973, n. 134, p. 247.

155
Tavolo
Russia, inizio secolo XIX
Betulla di Carelia, legno dorato e intonato, intaglio
cm. 73 × 57 × 41
Inv. ERMb-156
Acquisizione: Dal Museo Etnografico di Stato dei Popoli
dell'URSS.

Esposizioni: 1986, Chudožestvennoe ubranstvo russkogo inter'era XIX veka. L. Iskusstvo; 1990, Essen, St. Petersburg
um 1800, n. 385, p. 420.
Bibliografia: Sokolova T.M., Orlova K.A., *Russkaja mebel'*v sobranii Gosudarstvennogo Ermitaža, L. 1974, n. 134, p. 247.

156
Coppia di poltrone
Russia, inizio secolo XIX
Betulla di Carelia, damasco, intaglio
cm. 84 × 44 × 44
Inv. ERMb-356, 1-2
Acquisizione: Dal Fondo Museale di Stato.

Esposizioni: 1986, Chudožestvennoe ubranstvo russkogo inter'era XIX veka. L. Iskusstvo; 1990, Essen, St. Petersburg
um 1800, n. 386, p. 420.
Bibliografia: Sokolova T.M., Orlova K.A., *Russkaja mebel'*v sobranii Gosudarstvennogo Ermitaža, "Sovetskij Chudožnik",
1973, n. 104, p. 246; Antoine Chenevière, *Il mobile russo. L'e-
poca d'oro. 1780-1840*, Londra-Milano, 1989, p. 186, ill. 189.

157
Coppa ovale
Pietroburgo, circa 1800
Vetro soffiato "rubino in oro", intaglio, incisione,
smerigliatura, bronzo dorato, cesello
cm. 18 × 22 × 8,5
Inv. ERS-2716
Acquisizione: Appartiene alle collezioni del Palazzo d'Inverno.
Proviene dalla raccolta degli oggetti personali dell'imperatore
Nicola I.

La coppa presenta bordi lavorati ad intaglio a foggia di diamante, manici in bronzo a forma di uccelli e piedistallo ovale in
bronzo.

Nell'epoca del "classicismo" erano molto apprezzati i recipienti
in vetro rubino, nella cui composizione era introdotto dell'oro.
Il merito della scoperta del "rubino in oro" è da attribuire al
grande scienziato M.V. Lomonosov. M.V. Lomonosov eseguì
non meno di 70 fusioni con l'impiego dell'oro, studiandone minuziosamente i procedimenti e l'introduzione in combinazione
con altri elementi. Nel 1751 lo scienziato fornì al maestro Ivan
Koperov un ricettario "del rubino in oro, per la lavorazione
nella vetreria di Pietroburgo".
All'inizio del XIX secolo nella realizzazione dei manufatti di
"rubino in oro" e nella lavorazione del cristallo incolore si iniziò ad impiegare l'intaglio a diamante.

Esposizioni: 1990, Corning, n. 35; 1990, Essen, St. Petersburg
um 1800, n. 345.

(*T.M.*)

VETRERIA IMPERIALE DI PIETROBURGO

158
Vaso "Medici"
Pietroburgo, circa 1830
Cristallo incolore e cobalto, intaglio, incisione, bronzo
dorato
cm. 33,5 × 19,5 × 19,5
Inv. ERS-1950
Acquisizione: 1941, dal Museo Etnografico di Stato dei Popoli
dell'URSS.
Precedentemente nel Fondo Museale di Stato.

Il vaso presenta la parte superiore svasata e cilindrica, e la parte inferiore ovoidale allargata, lavorata a faccette a foggia di

pietra, decorata con fasce di vetro blu che si alternano a cristallo incolore finemente intagliato.
La parte superiore è decorata con motivi floreali; montatura in
bronzo dorato.

Nella prima metà del XIX secolo era abbastanza diffusa la lavorazione di vasi in pietra, porcellana e vetro di forma classica
chiamata "Medici". I più grandi vasi in cristallo (alti cm. 142)
con manici di bronzo a forma di naiadi, arredano oggi la sala
da concerto del Palazzo d'Inverno.

Esposizioni: 1989, Leningrad, Russkoe i sovetskoe chudožestvennoe steklo, n. 108; 1990, Essen, St. Petersburg um
1800, n. 343.
Bibliografia: 26 (n. 173); 87 (p. 63); 88 (p. 138).

(*T.M.*)

VETRERIA IMPERIALE DI PIETROBURGO

159
Piatto piano
Pietroburgo, 1830-1840
Cristallo, incisione, intaglio, argento mordenzato
cm. 3 × 23,5 × 23,5
Inv. ERS-2367
Acquisizione: Circa 1920, dal Museo dell'Istituto di Disegno Tecnico del barone A.L. Stieglitz.

Il piatto presenta il bordo festonato e inciso; nel medaglione di F.P. Tolstoj è raffigurata "La battaglia di tre giorni vicino a Krasnij 1812".

Fëdor Petrovič Tolstoj (1783-1873) fu un celebre scultore, pittore, grafico e autore di medaglioni. Tra il 1814 e il 1836 realizzò 21 medaglioni con composizioni dedicate alla Guerra Patria del 1812 e alle campagne in terra straniera delle armate russe. Negli anni '30 dell'Ottocento, nella Zecca di Pietroburgo, A. Klepikov e A. Ljalin realizzarono medaglie in bronzo che furono successivamente impiegate per l'arredo della Sala Aleksandrovskij del Palazzo d'Inverno, per la realizzazione di medaglioni in gesso, di affreschi e incisioni su cristallo. La serie di piatti in cristallo con composizioni su temi della guerra contro Napoleone I fu eseguita nella Vetreria Imperiale alla fine degli anni '30 dell'Ottocento, quando vi lavoravano il maestro Johan Gube e i suoi allievi G. Glazunov, G. Mužikov, K. Plachov.

Esposizioni: 1967, Leningrad, Chudožestvennoe steklo, n. 94; 1989, Leningrad, Russkoe i sovetskoe chudožestvennoe steklo, n. 94; 1990, Essen, St. Petersburg um 1800, n. 347.
Bibliografia: 81 (pp. 32-33).

(*T.M.*)

LA MALACHITE

La prima metà del 1800 è chiamata "l'epoca della malachite" nell'arte lapidea russa. I centri di produzione di oggetti in malachite erano due: la Manifattura Lapidea Imperiale di Peterhof (vicino a Pietroburgo) e di Ekaterinburg (negli Urali).

La malachite "verde rame" oppure color malva è una pietra lavorabile di colore verde con sfumature dall'azzurro al verde scuro. Essa è nota in Russia da molto tempo ma non tutte le sue varietà possono essere impiegate per la lavorazione.

Nella lavorazione artistica sono utilizzati fondamentalmente tre tipi di malachite. Di grande valore è la "pietra turchina", facilmente lavorabile, che viene impiegata per la lavorazione ad impiallacciatura con motivi del tipo "betulla di Carelia"; un'altra varietà è detta malachite "verde vivido". La terza varietà è detta "plisovyj" o "velluto". Quest'ultima è molto bella per i toni scuri e opalescenti della superficie, ma di difficile lavorazione per la struttura a raggi. Nella lavorazione ad intaglio della pietra veniva utilizzata malachite di due principali giacimenti degli Urali: quella della miniera demaniale di Gumeševskij, scoperta nel 1702, e quella di Mednorudjanskij, appartenente ai Demidov, proprietari di ferriere; le prime notizie su quest'ultima miniera risalgono al 1722, ma il suo sfruttamento sistematico iniziò solo nel 1813. Nel 1835 fu scoperta una vena di malachite di proporzioni gigantesche (circa 250 tonnellate) che consentì l'ampio utilizzo di questa pietra per la produzione di grandi oggetti e arredi di interni (ad esempio la sala della Malachite nel Palazzo di P.N. Demidov in via Bolšaja Morskaja, la sala della Malachite del Palazzo d'Inverno, la cattedrale di Sant'Isacco e il Grande Palazzo del Cremlino a Mosca ed altri).

Tra la fine del XVIII secolo e l'inizio del XIX i maestri italiani ebbero un ruolo importante per la diffusione della malachite in Europa.

Uno dei più importanti uomini d'affari russi del tempo, N.N. Demidov, si accaparrò grandi quantità di malachite in Russia per esportarla a Parigi, Roma, Firenze, Napoli dove celebri gioiellerie ne curavano la lavorazione e la vendita. Tra queste le ditte Legry, Odiot a Parigi, i maestri italiani Francesco Sibillio, Gioacchino e Michelangelo Barberi, mosaicisti romani e lo scultore Adamo Tadolini. Col passare del tempo molte delle ordinazioni di Demidov furono destinate alla gloriosa ditta Thomire di Parigi specializzata nella lavorazione del bronzo, dove prestò la sua opera lo scultore carrarese Carlo Castelpoggi. Presso queste botteghe venivano realizzati lavori di gioielleria e oggetti di maggiori dimensioni quali tavolini, camini, vasi, piedistalli, sta-tuette, candelabri. Gli oggetti così realizzati venivano venduti da N.N. Demidov in molte capitali europee e a Pietroburgo nel negozio di sua proprietà sul Nevskij Prospekt, da lui acquistato con il nome di Nicolò Lorenzini. Dopo la morte di N.N. Demidov nel 1828, una quantità enorme di malachite fu ereditata dal figlio Anatolij. Nel 1835 la sua ricchezza fu notevolmente accresciuta dallo sfruttamento di una miniera di rame, ed egli divenne il re di questo minerale. Dopo il matrimonio con la principessa Matilde de Monfort, nipote di Napoleone Bonaparte, Anatolij Demidov avviò la ricostruzione di una villa di famiglia a San Donato, vicino a Firenze, arredandola con pregevoli manufatti in malachite, ammirati da tutta l'alta società italiana. Negli anni dal 1847 al 1853 Anatolij Demidov costruì e diresse sull'isola Vasil'evskij a Pietroburgo una fabbrica di oggetti in malachite di altissima qualità, che colpirono l'immaginazione dei visitatori dell'Esposizione Universale di Londra del 1851. Nel 1835 Anatolij Demidov regalò alla Casa Imperiale russa un magnifico tempio in malachite (opera del maestro P.F. Thomire) che oggi adorna l'antisala del Palazzo d'Inverno.

Nel XIX secolo molte ditte a Pietroburgo producevano e commerciavano oggetti in malachite; tra queste "La bottega inglese" di Nicols e Plinke, "La bottega olandese" di Kruiz e i laboratori Galiotti, Morin, Rogers, Triscorni e Tigel'stejn.

Nella prima metà del XIX secolo, la moda della pietra degli Urali si estese a molte capitali europee. I maestri russi realizzarono straordinari oggetti, offerti in dono dagli imperatori russi ai sovrani europei. Alessandro I regalò un tavolo, un vaso e dei candelabri in malachite a Napoleone Bonaparte nel 1810; l'imperatore Nicola I nel 1839 offrì un tavolino e quattro candelabri in malachite al papa Gregorio XVI per l'altare della Cappella Sistina in Vaticano. Un grande vaso "Medici" in malachite fu donato alla regina Vittoria nel 1837; al re di Baviera Ludwig I fu inviato a Monaco da Pietroburgo nel 1838 un vaso in mosaico "di rara grandezza e bellezza".

I lavori in malachite erano eseguiti nella tecnica detta "del mosaico russo": gli artigiani segavano pezzi di pietra di uno spessore variabile tra i due e i quattro millimetri, che venivano accuratamente applicati ai disegni, levigati, politi e incollati su supporti metallici o in pietra con l'aiuto di minuscoli pezzetti di malachite, mescolati in una pasta verde per riempire gli spazi di connessione. I maestri della malachite erano noti per il loro notevole gusto artistico, per lo squisito senso della forma e del colore e per la profonda conoscenza della natura della pietra. I maestri italiani impiegavano una tecnica analoga, ma su superfici meno estese e piane.

160
Coppia di vasi a forma di cratere
Peterhof, 1826-1830
Malachite, bronzo, mosaico, doratura
cm. 67 × 24 × 24
Inv. ERKm-325 a b, 326 a b
Acquisizione: Appartiene alle collezioni dell'Ermitage.

I vasi hanno il piedistallo in bronzo, maschere bacchiche e ghirlande.
Sono stati eseguiti su progetto di I.I. Gal'berg, architetto e diplomato all'Accademia di Belle Arti. Lavorò come assistente di G. Quarenghi.

Esposizioni: 1990, Essen, St. Petersburg um 1800, n. 358.

(*L.T.*)

161
Orologio
Peterhof, 1820-1830
Malachite, bronzo, intaglio, doratura
cm. 39,6 × 20,5 × 17
Inv. ERKm-217
Acquisizione: Appartiene alle collezioni del Palazzo d'Inverno. Precedentemente faceva parte degli oggetti di uso personale dell'imperatore Nicola I e dell'imperatrice Alessandra Fëdorovna.

L'orologio ha custodia tetraedrica e quadrante in bronzo, con figura di Cupido genuflesso in bronzo dorato sulla sommità e piedini a forma di teste di amorini alati.

Esposizioni: 1990, Essen, St. Petersburg um 1800, n. 359.

(*L.T.*)

162
Scatola
Peterhof, 1800-1830
Malachite, bronzo, intaglio, doratura, mosaico
cm. 9 × 20,4 × 15
Inv. ERKm-261
Acquisizione: 1941, dal Museo Etnografico di Stato dei Popoli dell'URSS. Precedentemente apparteneva alla collezione dei principi Jusupov a Pietroburgo.

La scatola ha coperchio a cerniera e incastonatura; i piedini in bronzo hanno forma di zampe di animale.

Esposizioni: 1981, Leningrad, Chudožestvennyj metall, n. 374; 1983, Delhi, n. 86; 1984, Sofia, n. 86.
Bibliografia: 13 (p. 89; n. 6); 75 (tomo I; p. 213).

(*L.T.*)

MANIFATTURA LAPIDEA DI PETERHOF

163
Completo per scrittoio
Peterhof, 1800-1830
Malachite, bronzo, cristallo, mosaico, doratura, intaglio
cm. 24,2 × 30,3 × 18,7
Inv. ERKm-1076
Acquisizione: Appartiene alle collezioni del Palazzo d'Inverno,
tra gli oggetti di uso privato dell'imperatore Nicola I.

Esposizioni: 1981, Leningrad, Chudožestvennyj metall, n. 375;
1990, Essen, St. Petersburg um 1800, n. 370.
Bibliografia: 75 (tomo I; p. 205).

(*L.T.*)

Manifattura Imperiale della Porcellana

164
Quattro piatti con vedute dei dintorni di Pietroburgo

Pietroburgo, 1814-1825
Porcellana, policromia, doratura
Sprovvisti di marca
Acquisizione: 1941, dal Museo Etnografico di Stato dei Popoli dell'URSS. Precedentemente, sino agli anni '20, nel Museo della Vecchia Pietroburgo.

I piatti sono decorati con ghirlande dorate sul bordo colorato.

Piatto con veduta del parco di Pavlovsk
Da un'incisione di K.V. Českij tratta da un dipinto originale di S.F. Ščedrin
cm. 3,2 × 23,8 × 23,8
Inv. ERF-917
L'iscrizione sul retro dipinta sotto coperta, in nero, a mano, recita: "Veduta di parte del giardino della città di Pavlovsk".

Piatto con veduta del Palazzo di Gatčina dal lato del giardino
Da un'incisione di I.V. Českij tratta da un dipinto originale di S.F. Ščedrin
cm. 3,2 × 23,8 × 23,8
Inv. ERF-923
L'iscrizione sul retro dipinta sotto coperta, in nero, a mano recita: "Veduta del Palazzo della città di Gatčina".

Piatto con veduta della Galleria Cameron a Carskoe Selo
cm. 4,1 × 22 × 22
Inv. ERF-927
L'iscrizione sul retro dipinta sotto coperta, in nero, a mano recita: "Vue de la Galerie à Zarsko Selo".

Piatto con veduta della fontana italiana nel Parco Inferiore di Peterhof
Da un'incisione di S. Galaktionov tratta da un dipinto originale di S.F. Ščedrin
cm. 4,1 × 22 × 22
Inv. ERF-926
L'iscrizione sul retro dipinta sotto coperta, in nero, a mano recita: "Vue d'une fontaine de Peterhof".

La tecnica di stampa su porcellana fu adottata per la prima volta in Inghilterra nel 1757. In Russia tale tecnica venne introdotta nella Manifattura Imperiale della Porcellana (IFZ) nel 1814, su proposta del prigioniero francese visconte De Puibusque, che in seguito venne liberato e aiutato a ritornare in patria. Tuttavia la nuova tecnica non divenne subito popolare. Essa venne adottata nella Manifattura Imperiale, ma gli oggetti con decorazioni a stampa non erano molto richiesti. Nel 1819 la loro produzione fu significativamente ridotta, ed infine cessò del tutto sotto Alessandro I. Vedute e scene di genere di celebri maestri incisori furono impiegate per la stampa su porcellana. Soprattutto i piatti di porcellana venivano decorati con vedute di Pietroburgo e dintorni. Grazie all'unico principio adottato per la decorazione dei bordi (nastri colorati, cornice di ghirlande dorate) e alle tematiche comuni, si giunse alla realizzazione di una serie particolarmente originale.

Bibliografia: 90 (p. 41); 38 (ill. 87, 109).

(*T.K.*)

305

LA MANIFATTURA BATENIN

La Manifattura fu fondata nel 1811 dal mercante Devjatov a Pietroburgo, nel quartiere di Vyborg. Nel 1814 fu acquisita da Filip Sergeevič Batenin. La vendita dei prodotti della Manifattura Batenin veniva effettuata in un negozio situato al n. 25 della prospettiva Nevskij, nella casa ecclesiale della cattedrale di Kazan. I manufatti erano molto diversificati nelle forme e nelle decorazioni. I prodotti di maggior successo erano i servizi, i vasi, i piatti decorati con vedute di Pietroburgo e dintorni. Dopo la morte del proprietario, nel 1830, la Manifattura passò agli eredi Batenin e continuò la sua attività sino al 1838, quando fu distrutta da un incendio.

165
Vaso dorato
Pietroburgo, 1834-1838
Porcellana dipinta sotto coperta, policromia, doratura
cm. 15,6 × 11 × 7,8
Inv. ERF-8332
Acquisizione: 1982, dal Fondo di Stato.

Il vaso raffigura la cattedrale di Kazan e la piazza del Palazzo con la colonna di Alessandro a Pietroburgo.

Esposizioni: 1990, Essen, St. Petersburg um 1800, n. 334.

(T.K.)

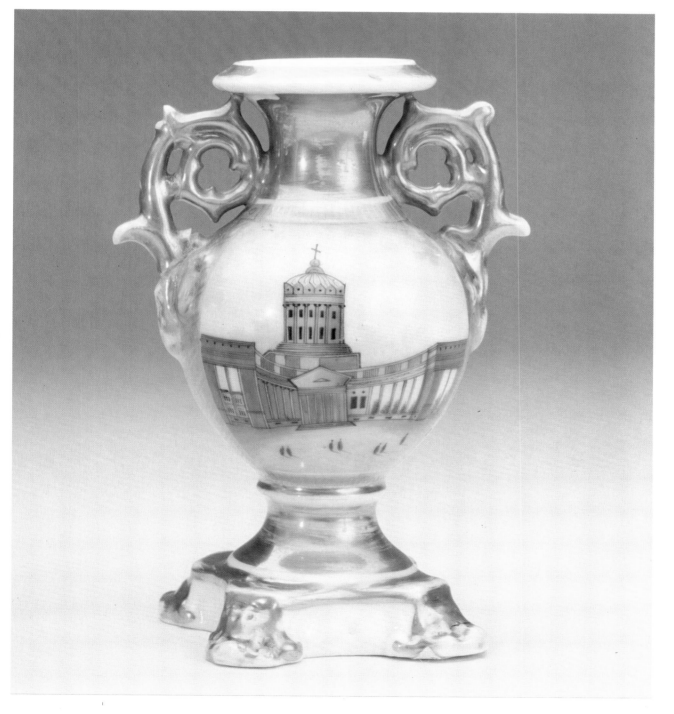

KARL PETROVIČ BEGGROW
CARL JOACHIM BEGGROW
Riga, 1779 - Pietroburgo, 1875

Pittore, acquerellista, litografo, ritrattista e autore di scene di
genere e vedute. Studiò all'Accademnia di Belle Arti di Pietroburgo (1818-1821) nella classe di paesaggio di M.N. Vorob'ev.
Dal 1825 operò come litografo presso la Direzione Centrale
delle Comunicazioni. Nel 1831 ricevette il titolo di Pittore Insignito e nel 1832 divenne Accademico. Lavorò come litografo e
ricevette molte commissioni dalla Società per l'incoraggiamento
agli artisti, in particolare gli fu chiesto di realizzare numerose
vedute di Pietroburgo. Ritrasse, oltre ai suoi contemporanei,
venditori ambulanti, mercanti e scene di battaglia.

166
L'arco dello Stato Maggiore dalla piazza del Palazzo
1822
In basso a destra: "Charl Beggrow, 1822"
Litografia acquerellata
cm. 46 × 74,3; tiratura separata
Inv. ERG-20032
Acquisizione: Appartiene alle collezioni dell'Ermitage.

La litografia fu realizzata quando non era ancora stata completata la costruzione degli edifici amministrativi della piazza del
Palazzo (1819-1829, architetto C.I. Rossi); l'arco trionfale conservava la storica uscita di servizio dalla piazza del Palazzo sulla via del Grande Mare (oggi via Herzen) e collegava l'edificio
del Ministero degli Esteri e delle Finanze (a sinistra nel dipinto)
con lo Stato Maggiore (a destra). Sulla sommità dell'arco è posto lo stemma dello Stato.

Esposizioni: 1960, Leningrad, Russkaja gravjura, n. 122;
1976, Rannjaja litografija, n. 6; 1990, Essen, St. Petersburg
um 1800, n. 163.
Bibliografia: 69 (tomo I; p. 65; n. 4).

(G.M.)

VASILIJ SEMËNOVIČ SADOVNIKOV
1800 - 1879

Acquerellista, vedutista e autore di scene di genere. Servo della gleba della principessa N.P. Golicyna, fu liberato nel 1838 quando già si era affermato come pittore. Nello stesso anno ricevette il titolo di Pittore Libero non classificabile, pur non avendo studiato all'Accademia di Belle Arti, "ma essendosi occupato come autodidatta di pittura prospettica". Pittore di Corte, lavorò per mecenati. Divenne noto per la serie di acquerelli realizzati negli anni 1830-1850 e per la decorazione degli interni di alcuni palazzi pietroburghesi. Fu il creatore dei celebri "Panorami della Prospettiva Nevskij" (1830-1835).

167
L'arco dello Stato Maggiore
1830-1840
In basso la firma: "Sadovnikov'"
Acquerello su carta
cm. 23,5 × 38
Inv. ERR-5572
Acquisizione: 1927. Sino al 1917 nella biblioteca di Alessandro II nel Palazzo d'Inverno.

L'Arco dello Stato Maggiore unisce due edifici sulla Piazza del Palazzo: lo Stato Maggiore e il Ministero degli Esteri e delle Finanze. Fu innalzato nel decennio 1819-1829 su progetto dell'architetto C.I. Rossi.

Esposizioni: 1984, Leningrad, Peterburg gogolevskogo vremeni, n. 31; 1988, Odessa, Izmail. Gogol'v Peterburge, n. 25; 1990, Essen, St. Petersburg um 1800, n. 127.
Bibliografia: 73 (n. 82).

(*G.P.*)

ALEKSEJ VASIL'EVIČ TYRANOV
Bezeck, 1808 - Kasin, 1859

Pittore, maestro del ritratto e della prospettiva. Fu uno dei primi allievi di A.G. Venecianov. Dal 1824 studiò all'Accademia di Belle Arti di Pietroburgo e frequentò i corsi di K.P. Brjullov. Nel suo primo periodo di artista si dedicò prevalentemente a raffigurazioni di interni. Il suo primo lavoro rappresentava lo "Studio di Venecianov"; nel 1818 completò lo "Studio dei fratelli Černecov"; per la "Veduta prospettica della Biblioteca dell'Ermitage" l'artista ricevette la Piccola Medaglia d'Oro dall'Associazione per l'Incoraggiamento ai Pittori; nel 1830, per la "Veduta dell'interno della Chiesa Maggiore nel Palazzo d'Inverno", ricevette la Grande Medaglia d'Oro. Ebbe anche notevole fama di ritrattista. Nel 1832 ricevette il titolo di Libero Pittore e nel 1839 divenne Accademico. Negli anni tra il 1839 e il 1843 visse in Italia.

168
Veduta prospettica della biblioteca dell'Ermitage
1826
Olio su tela
cm. 93,5 × 73
Inv. ERŽ-2430
Acquisizione: 1956, dal Deposito Centrale dei Palazzi-Museo dei dintorni di Leningrado. Precedentemente nell'Ermitage, poi nel Palazzo di Tauride, poi nel palazzo di Caterina I a Carskoe Selo e nel palazzo di Gatčina.

La biblioteca fu costruita tra il 1783 e il 1790 su progetto dell'architetto G. Quarenghi. Era formata da una lunga galleria ad imitazione delle logge di Raffaello e da tre sale di cui quella centrale è raffigurata nel quadro. Nel dipinto si intravede la statua di Voltaire, opera di J.A. Houdon. Nell'ultima sala è collocata la biblioteca del filosofo francese, acquistata da Caterina II. Nel 1833 la biblioteca fu visitata da A.S. Puškin. Durante la costruzione del Nuovo Ermitage, verso la metà del XIX secolo, gli interni della biblioteca furono interamente distrutti.

Esposizioni: 1983, Caracas, n. 152; 1984, Mexico, n. 15; 1984, Habana, n. 15; 1986, Leningrad, Inter'ër v russkoj živopisi, n. 42; 1990, Essen, St. Petersburg um 1800, n. 49.
Bibliografia: 12 (p. 19); 16 (p. 611); 54 (pp. 29-30); 5 (pp. 152, 156); 78 (p. 36); 91 (p. 357).

(A.P.)

EVGRAF FËDOROVIČ KRENDOVSKIJ

Arzamas, 1810 - villaggio di Izmajlovo, distretto di Arzamas, governatorato di Nižegorod, dopo il 1854

Pittore, autore di icone, acquerellista, miniaturista, ritrattista. Ricevette le prime nozioni di educazione artistica alla scuola di pittura di Arzamas presso il pittore A.V. Stupin. Nel 1830-1835 studiò con A.G. Venecianov e contemporaneamente nelle classi di disegno dell'Accademia di Belle Arti di Pietroburgo. Insieme ad altri allievi di Venecianov dipinse gli interni del Palazzo d'Inverno e dell'Ermitage. Successivamente fu il più fedele propugnatore del metodo realista del maestro. Nel 1839 ricevette il titolo di Libero Pittore, ritrattista e miniaturista.

169
Veduta della sala del trono dell'imperatrice vedova Maria Fëdorovna nel Palazzo d'Inverno
Circa 1831

Olio su tela
cm. 91,5 × 120
Inv. ERŽ-2435
Acquisizione: Dal Fondo Centrale dei Palazzi-Museo nei dintorni di Leningrado. Precedentemente il quadro è stato nei palazzi di Caterina I e Alessandro I a Carskoe Selo.

L'arredo artistico della sala del trono dell'imperatrice Maria Fëdorovna (1759-1828) fu eseguito su progetto dell'architetto A. Monferrand nel 1827-1828, il soffitto da un disegno di G.B. Scotti, gli stucchi ad opera dello scultore S.S. Pimenov, i candelabri d'argento e le torce si devono alla bottega artigiana di Pietroburgo di I.V. Buch. Le pareti della sala sono rivestite di velluto rosso e adornate da aquile sovrapposte in argento dorato.
A destra e sul fondo sono raffigurati ufficiali e soldati della Compagnia dei Granatieri di Palazzo, mentre a sinistra sono raffigurati valletti e attendenti in livrea. Gli interni della sala non si sono conservati.

Esposizioni: 1985, Leningrad, Inter'ër v russkoj živopisi, n. 11; 1990, Essen, St. Petersburg um 1800, n. 23.
Bibliografia: 5 (p. 236); 54 (p. 31); 60 (tomo XI; pp. 190-197); 91 (p. 177).

(*A.P.*)

EFIM TUCHARINOV
Vjatka, attivo nella prima metà del secolo XIX

Pittore, ritrattista e maestro di prospettiva. Fu allievo di A.G. Venecianov dal 1831 e assieme ad altri allievi dipinse dal vero alcune sale del Palazzo d'Inverno. Per "La Rotonda nel Palazzo d'Inverno" gli fu donato un anello dall'imperatrice. Dal 1832 fu allievo esterno dell'Accademia di Belle Arti di Pietroburgo. Non ci sono pervenute notizie sulla sua vita dal 1837 in poi. Si sono conservati alcuni ritratti e quadri di interni che testimoniano lo straordinario talento del pittore.

170
La Rotonda nel Palazzo d'Inverno
1834
Sulla base della colonna di destra la firma: "Tucharinov 1834"
Olio su tela
cm. 104 × 81
Inv. ERŽ-2434
Acquisizione: 1956, dal Deposito Centrale dei Palazzi-Museo dei dintorni di Leningrado. Precedentemente si trovava nel palazzo di Caterina I a Carskoe Selo.

La Rotonda fu costruita nel 1830, su progetto dell'architetto A. Monferrand nella parte nord-occidentale del Palazzo d'Inverno, dove precedentemente era situata una buia sala quadrata. Per costruire la sala si unirono due file di stanze prima adibite ad abitazione. Dopo l'incendio del 1837 la Rotonda fu restaurata da A.P. Brjullov, che apportò trasformazioni di scarsa rilevanza architettonica.

Esposizioni: 1985, Leningrad, Inter'ër v russkoj živopisi, n. 41; 1986, Leningrad, August Monferrand, n. 42; 1990, Essen, St. Petersburg um 1800, n. 48.
Bibliografia: 51 (pp. 70-71); 54 (pp. 27-31); 78 (pp. 71-72); 5 (p. 196); 91 (p. 178).

(A.P.)

SERGEJ KONSTANTINOVIČ ZARJANKO
Villaggio di Ljada, Governatorato di Mogilev, 1818 - Mosca,
1870

Pittore, ritrattista. Studiò con A.G. Venecianov (dal 1830) e
contemporaneamente con M.N. Vorob'ev all'Accademia di Belle Arti di Pietroburgo (dal 1834). Nel 1836 per il quadro "Veduta prospettica della Sala dei Feldmarescialli nel Palazzo d'Inverno" ricevette la Piccola Medaglia d'Argento e nel 1838, per
l'opera "Veduta della sala di Pietro I (Sala piccola del trono)",
ricevette un'onorificenza artistica; nel 1843 divenne Accademico con il quadro "Veduta dell'interno della cattedrale di San
Nicola Vescovo di Mira". In seguito abbandonò il genere delle
vedute di interni e dipinse prevalentemente ritratti, ottenendo
grandi successi. Dal 1850 insegnò all'Accademia di Belle Arti.
Ancora in vita, espose a Pietroburgo, a Mosca e in rassegne internazionali.

171
Veduta prospettica della sala dei Feldmarescialli nel Palazzo d'Inverno
1836

Olio su tela
cm. 81 × 109
Inv. ERŽ-2437
Acquisizione: 1950, dalla Commissione Statale per le
Acquisizioni.

È la prima sala di gala del Palazzo d'Inverno dopo la scalinata
degli Ambasciatori. Fu costruita su progetto dell'architetto A.
Monferrand nel 1833-1834 sull'area di tre locali preesistenti.
Al momento della costruzione furono distrutte le camere del secondo piano al fine di elevare l'altezza della sala. È ispirata al
classicismo, stile predominante nell'arte e nell'architettura del
tempo. I ritratti dei feldmarescialli Potëmkin, Rumjancev, Suvorov e Kutuzov, ai quali si deve il nome della sala, sono collocati in nicchie poco profonde.

Esposizioni: 1985, Leningrad, Inter'ër v russkoj živopisi, n. 9;
1986, Leningrad, August Monferrand, n. 39; 1990, Essen, St.
Petersburg um 1800, n. 56.
Bibliografia: 77 (p. 5); 54 (pp. 28, 30); 5 (p. 252); 91 (p.
183).

(*A.P.*)

S.K. ZARJANKO
Per le notizie biografiche vedi Cat. n. 171.

172
Veduta della sala di Pietro I (Sala piccola del trono)
nel Palazzo d'Inverno
1837
A sinistra in alto sulla volta l'iscrizione: "1837 aprile 10
Zarjanko" (in russo)
Olio su tela
cm 86 × 109,5
Inv. ERŽ-2438
Acquisizione: 1937, dal Fondo Museale di Stato.
Precedentemente si trovava nel Grande Palazzo di Peterhof.

La sala fu costruita contemporaneamente alla sala dei Feldmarescialli su progetto e sotto la direzione di A. Monferrand. Le
pareti sono ricoperte di velluto rosso di Lione con ricami in argento raffiguranti aquile bicipiti. In una nicchia è esposto il
quadro del pittore italiano J. Amigoni (1675-1752) raffigurante
Pietro I, accanto a Minerva dea della guerra. Sulla parete laterale in alto sono raffigurate le due maggiori battaglie della
Guerra del Nord: la Battaglia di Poltava e la Battaglia di Lesna.
Nell'affrettata costruzione della sala venne impiegata una grande quantità di materiali in legno. Nell'inverno del 1837 scoppiò
un incendio nelle pareti e nei tramezzi delle sale di Pietro I e
dei Feldmarescialli che in poco tempo avvolse l'intero Palazzo
d'Inverno. In seguito le sale furono ricostruite dall'architetto
V.P. Stasov, che apportò alcune modifiche.

Esposizioni: 1983, Caracas, n. 154; 1984, Mexico, n. 17;
1984, Habana, n. 17; 1985, Leningrad, Inter'ër v russkoj živopisi, n. 10; 1986, Leningrad, August Monferrand, n. 40;
1990, Essen, St. Petersburg um 1800, n. 57.
Bibliografia: 76; 77 (p. 5); 54 (pp. 28, 30); 5 (p. 252); 91 (p.
181).

(*A.P.*)

BOTTEGA DEI THIERRY
Prima metà del secolo XIX

I fratelli Thierry furono litografi, comproprietari ed eredi del Laboratorio di G. Engelmann (1788-1839) attivo a Parigi dal 1816.

173
Panorama di Pietroburgo dall'impalcatura della colonna di Alessandro
1836

Dal disegno di G.G. Černecov del giugno 1834 conservato al Museo Russo di Stato
In basso, al centro, su tutti i tre fogli: "Lith de Thierry Frères, Succes ts de Engelmann à Paris"
Sul secondo e terzo foglio analoghe iscrizioni a matita del conservatore dell'Ermitage N.I. Utkin e di G.G. Černecov Panorama di San Pietroburgo in tre fogli. Ricevuto dal Deposito del Palazzo, il 19 febbraio 1837
Litografia in tre fogli
cm. 63,6 × 110,7; cm. 63,5 × 83,6; cm. 63,3 × 83,2; la tiratura non è visibile
Inv. ERG-27224, 27225, 27286
Acquisizione: 1837. Appartiene alle collezioni dell'Ermitage.

Nell'estate del 1834 fu completata la costruzione della colonna di Alessandro (architetto A. Monferrand) sulla piazza del Palazzo. Prima di smantellare l'impalcatura fu chiesto a G.G. Černecov, celebre artista del tempo, di eseguire un rapido schizzo del panorama della città dall'alto. Il disegno fu realizzato nel giugno del 1834. Nel 1835 l'imperatore Nicola ordinò una litografia tratta dal disegno.
Nel novembre dello stesso anno il disegno fu inviato al legato russo a Parigi, conte P.P. Palen che lo affidò ad Engelmann, proprietario del più stimato Laboratorio di incisione della città. Gli eredi di Engelmann, i fratelli Thierry, accettarono l'ordine e nel dicembre del 1836 realizzarono la litografia, che fu inviata con il disegno a Pietroburgo. Le lastre di pietra della litografia furono portate a Pietroburgo l'11 agosto 1837.
L'opera completa è formata da tre fogli. Sul primo è raffigurato l'edificio dello Stato Maggiore, il Ministero delle Finanze e il Ministero degli Esteri, uniti dall'Arco (1819-1829, architetto C.I. Rossi); in lontananza il profilo della città e al centro la cattedrale di Kazan (1801-1811, architetto A.N. Voronichin). Sul secondo foglio si può vedere l'Ammiragliato (iniziato nel 1704 e completato in pietra negli anni 1728-1738 dall'architetto I.K. Korobov), la cerchia dei *boulevards* e il lato sud-occidentale del Palazzo d'Inverno (1754-1762, architetto B.F. Rastrelli); in lontananza sul fiume Neva, edifici dell'isola Vasil'evskij. Sul terzo foglio la parte sud-orientale del Palazzo d'Inverno e il Piccolo Ermitage (1764-1775, architetto Ju.M. Fel'ten), l'Exerzierhaus (fine degli anni 1790-1800, architetto V. Brenna) e il lungofiume Mojka; in lontananza, oltre il fiume Neva, la Fortezza dei Santi Pietro e Paolo (iniziata nel 1703).

Esposizioni: 1987, Minneapolis, The art of Russia, n. 64; 1990, Essen, St. Petersburg um 1800, n. 227.
Bibliografia: 59 (p. VI; nn. 61, 63); 35 (pp. 35-37).

(G.K.)

326

329

ILLUMINISMO E *MENUS PLAISIRS* NELL'ARCO DELLE RESIDENZE EUROPEE

Andreina Griseri

Le residenze dei Savoia verso l'età moderna

San Pietroburgo. 1703-1825 approda dal Museo dell'Ermitage con arti e mestieri della corte, e approda alla Palazzina di Caccia di Stupinigi, una delle tappe del *grand tour* che si era indirizzato in tutt'Europa alla civiltà perfezionata del "vivere in villa".

«Amo la mia condizione di straniero dappertutto: francese in Austria, austriaco in Francia, l'uno e l'altro in Russia: ho cinque o sei patrie, e questo è il modo migliore per trovarmi bene in ogni luogo». Il pensiero del principe di Ligne rende bene l'idea del piacere del cosmopolitismo settecentesco, alla ricerca di tappe sempre più curiose, sofisticate e godibili, e sottolinea da vicino tanti scambi intrecciati anche per le residenze, quelle di alto rango, di rappresentanza, e quelle di *loisir*. Il filo lega, ancora oggi, la Palazzina di Caccia di Stupinigi alla Granja di Segovia, passa attraverso l'Amalienburg nel parco di Nymphenburg, il Belvedere di Vienna, le Orangeries di Würzburg, di Dresda, di Kassel, e dal castello di Oranienburg a quello di Charlottenburg, di qui alle residenze nella campagna di Pietroburgo.

Le stanze del Palazzo suggerivano altre strade, all'aria aperta. E si risale dalla *roulotte* escogitata nel 1463 dal duca di Borgogna, Filippo il Buono, per poche cene, con pochi amici nel bosco, alla casetta di legno di Pietro il Grande, sulla riva della Neva, con la barca per le gite lungo il fiume; o al padiglione di caccia che Vittorio Amedeo II aveva immaginato per sé a Stupinigi, come un rifugio alle porte di Torino. Ricetta sicura il giardino: «si calmano le passioni violente e distruttive, malefiche, e si nutrono, come per una dolce fermentazione, i sentimenti più onesti»; lo assicura il Morel nel 1776, dopo aver dato consigli anche per il parco di Ermenonville.

Per i duchi di Savoia l'insieme di ville e castelli, la "corona di delitie" messa in atto dal XVII al XVIII secolo, era la prova d'orchestra dove scegliere gli ingredienti essenziali a irrobustire la loro utopia politica, filtrata con cerimoniali su misura anche per il vivere in villa. Su quella linea avevano innestato una fitta rete di scambi con le corti europee, convinti che le Alpi, anziché dividere, uniscono, magari a doppi nodi di Savoia.

Tra le feste a lungo metraggio si era riservato spazio soprattutto alla caccia, «particolare piacere, mera recreatione» (negli editti del 1430); altra svolta nel Seicento, quando si rilegge il classico Senofonte che indicava la caccia come fondamento per l'educazione aristocratica; l'assolutismo vi trova dispiegate le arti per il buon governo, mentre lungo il Settecento crescerà il *loisir*, su un binario in competizione con Parigi e con Vienna, e si approda dal Castello della Venaria Reale alla Palazzina di Caccia di Stupinigi.

Il treno di vita di quelle dimore aveva spostato il teatro della meraviglia lungo i sentieri del giardino e nei parchi; per gli interni si erano trovate altre idee nel pittoresco, con quadri di principesse a cavallo nel paesaggio aperto e riprese delle cacce dal vero.

Un'attenzione anche più ossessiva per l'arredo della tavola e per la tavola, *loisir* preferito. Già nel 1585, da Madrid, con il matrimonio del duca Carlo Emanuele I e Caterina d'Austria, erano approdate alla corte di Torino dame di compagnia, *criadas* e ricette, che avrebbero mitigato l'etichetta severa dei Savoia e quella penitenziale dell'Escorial, mischiando aromi forti e speziati; una fra tutte aveva entusiasmato i piemontesi, e si trattava del cioccolato. Resterà alla base dei *Menus Plaisirs*, per sempre.

Sappiamo in quale modo la prima e la seconda Madama Reale, Cristina di Francia e Maria Giovanna Battista di Savoia Nemours, avevano irrobustito dal 1630 al 1680 il cerimoniale delle tavole ducali, e lo dice l'intrico meticoloso e aggrovigliato della "Spesa di Bocca", con gli elenchi sempre più fitti degli *attachés* e degli invitati che confluivano su quel palcoscenico ben aggiornato sulle cose europee. Con Cristina il rituale della tavola, al castello del Valentino, ha come sfondo il teatro, con i balletti — testo e regia sottile del conte San Martino d'Aglié, omaggio devoto e scoperto, per la duchessa —; con Maria Giovanna Battista emerge il *surtout* della caccia, intreccio di trofei e allegorie agresti ingigantite al castello della Venaria negli stucchi, affidati alle maestranze luganesi dall'architetto di

331

corte Amedeo di Castellamonte; su tutto il programma del letterato Tesauro, regista della grande metafora, arrovellata con il gusto del gioco a catena, nel labirinto delle residenze ducali.

E lungo il Sei e il Settecento, la Venaria Reale, Palazzo di Piacere e di Caccia, illustrata e commentata nel gran libro inciso del 1674-1679, diventa un traguardo per i viaggiatori europei; si appuntano le grotte, scalee e fontane, punte intelligenti riprese dalle ville del tardomanierismo romano; si ammira l'artificio che mischia naturalismo e teatro della ragione nel paesaggio globale del giardino, arredato di statue a tema venatorio, governato da Ercole e Diana sul filo delle visuali a volo d'aquila, alla francese.

Maestro delle Residenze Sabaude, Veduta del Valentino, c. 1670. Torino, Museo Civico.

bert de Cotte, "premier architecte du Roi", esperto riconosciuto di residenze europee; a lui si ricorrerà per il Buen Retiro e per l'Alcazar di Madrid, per i castelli di Poppelsdorf e di Brühl su richiesta dell'Elettore di Colonia Clemens August.

Alla Venaria interverranno Juvarra e Alfieri, con arti e mestieri coinvolti in una ricerca estrosa dell'*agréable*, tra stucchi bianchi e sovrapporte, porte volanti, lambrigghi e *boiseries*. Il *confort* ancora affidato al parco, alle allee di olmi e di pioppi cipressini, al viale della Fagianeria, ai boschetti. Oltre il Duparc, dal 1716 è Juvarra a decidere per il Giardino a Fiori alla francese; si lavora a carpini, bossi, citroni, tuberose; ma non bastano.

Stupinigi, un'isola privilegiata dei *Menus Plaisirs*

Ma il Settecento non si arresta a decifrare alla Venaria il "fare magnifico"; l'architetto Garove nel 1702 è incaricato di un progetto per nuovi appartamenti e per una fronte aperta sulla grande piazza; il duca, Vittorio Amedeo II, scalpita di fronte alle memorie ingombranti, «ayant trouvé le batiment de la Venerie manquant de toutes sortes de commodités, et de tout ce qui se requiest pour la majesté d'une maison royale, a résolu depuis quelques années de l'agrandir, embellir et sur toutes choses de la rendre commode, et de donné des apartements bien exposez pour toutes les saison de l'année».

Non era una strada facile, e i disegni "nuovi" del Garove sono mandati in supervisione a Parigi, a Ro-

Vittorio Amedeo II, che aveva sistemato con Juvarra, per Anna d'Orléans, la Villa della Regina, pensa dal 1729 a una nuova Palazzina di Caccia a Stupinigi e vi insiste anche il figlio, Carlo Emanuele, aggiornato sulle corti europee (sposa nel 1722 Anna Cristina di Baviera Sulzbach, nel 1724 Polissena d'Assia Rheinfelds, e sposerà nel 1737 Elisabetta Teresa di Lorena); per la casata al di qua delle Alpi i matrimoni erano importanti al pari delle battaglie vinte.

Le scelte per le residenze della corte e per quelle nuove dei nobili erano decise in un'ottica diversa rispetto alle consuetudini dell'Ancien Régime. In queste varianti lo stato assoluto di Vittorio Amedeo II aveva infatti segnato, dal 1720 al 1730, una svolta decisiva. Ed è stato sottolineato di recente da Geoffrey Symcox nella sua ricerca dedicata a *Vittorio Amedeo II. L'assolutismo sabaudo 1675-1730*, Torino 1985, con prefazione di Giuseppe Ricuperati (edizione inglese, Londra 1983), dove avverte che si era trattato di un «importante e originale esempio di processo di sviluppo istituzionale e delle sue conseguenze sociali. Tra il momento in cui assunse le redini del potere nel 1684 e la sua abdicazione nel 1730, Vittorio Amedeo II portò a compimento un programma di riforme che trasformarono interamente lo Stato, rafforzandone il potere mili-

tare, estendendo il controllo del governo centrale sulla periferia e completando il processo di attrazione degli ordini privilegiati nei ranghi dello stato. Per audacia e completezza i mutamenti che lui seppe realizzare eguagliano, e a volte superano, la radicale trasformazione della struttura statale intrapresa da sovrani dell'epoca, quali Luigi XIV in Francia, Carlo XI e XII in Svezia, Pietro il Grande in Russia, il Grande Elettore e Federico Guglielmo I nel Brandeburgo-Prussia.

Ne risultò che, verso il 1730, lo stato sabaudo era una delle monarchie d'Europa governate in maniera più efficiente. Si potrebbe anzi sostenere che il modo con cui Vittorio Amedeo II formulò e quindi mise in

opera la sua politica fornisce un'illustrazione compiuta dei metodi e degli obiettivi dell'assolutismo in atto. Le ridotte dimensioni dello stato a capo del quale si trovava ne fanno un esempio di assolutismo quasi da laboratorio...».

In quel terreno, dal 1729, con regio biglietto di Vittorio Amedeo II, prende quota il progetto di Juvarra per la nuova Palazzina di Caccia di Stupinigi. La residenza entra dal 1731 come un miraggio centrato nel nuovo cannocchiale politico di Carlo Emanuele III; il principe è alla ricerca di un piedistallo per il confronto difficile con il padre, negli anni dell'abdicazione poi rinnegata dal vecchio re, rinchiuso nel castello di Moncalieri e poi a Rivoli. La presa di potere è organizzata dai consigli del marchese d'Ormea e dall'ambizione inquieta di Polissena — si alternano a Stupinigi balli, merende, feste di carnevale, e con Polissena, altrettanto documentato per spese suntuarie, è il fratello Costantino d'Assia, ricordato per slitte e cappelli di castoro, nel 1733.

Arrivano stoffe da Lione, da Parigi, pizzi di Bruxelles; gros di Tours, bindelli, piume, ciniglie, per i bonetti; galloni d'argento per i cacciatori; confetture, conserve d'orzada, riso, champignons, verdure d'ogni sorta, piselli fini, triffole fresche, asparagi, zucchero fioretto, frutta candita, entrano nel pranzo all'aperto e imparentano le soste nei boschi di Stupinigi a quelle nella foresta di Fontainebleau, riprese nel *Déjeuner de chasse* da Carlo Andrea Van Loo nel 1737, di ritorno a Parigi da Torino.

La "scienza di saper vivere" passava attraverso i *berceaux* eleganti dell'esotismo: il cioccolato si accompagna in tutt'Europa alle porcellane della Cina acquistate sui mercati di Londra e di Amsterdam; a Torino mitiga l'anoressia di Vittorio Amedeo II, e con i grissini gli risparmia impossibili soste a tavola; le moltiplicava per Carlo Emanuele e per Polissena; per il vecchio re, rinchiuso a Rivoli, si provvede al vino Barolo e ai "diablotini" di cioccolato; vini da Vienna e cristalli di Boemia per le tavole della corte.

cioccolato, *Il brodo indiano* (1990), sull'onda dell'edonismo e dell'esotismo nel Settecento, all'avanguardia per una cucina attenta al piacere dell'occhio e dell'olfatto, raffinata e alleggerita.

«Le raffinatezze architettoniche del Settecento sabaudo avevano signorili proiezioni anche nella elaborata squisitezza della tavola e soprattutto della credenza e della pasticceria: delizie ben note all'Italia signorile settecentesca e alla nobiltà non subalpina che vedevano in quella di Torino "una corte arbitra per noi" — è il conte gesuita G.R. Roberti che parla, nel 1785», e lo riporta appunto il Camporesi. Nel 1766 era uscito a Torino *Il cuoco piemontese perfezionato a Parigi* e nel

È la cornice analizzata attraverso i tanti documenti in occasione delle mostre per *Porcellane e argenti del Palazzo Reale di Torino* (1986) e *Orologi negli arredi del Palazzo Reale e delle residenze sabaude* (1988), che hanno provato come la tavola e le arti preziose registrassero a Torino, da vicino, le punte inventive in atto nelle capitali europee: «La tavola contribuisce non poco a darci quell'allegria che, unita a una certa modesta dimestichezza, viene chiamata civiltà»; lo ricordava il Montesquieu, e lo ha commentato Piero Camporesi, nel suo *excursus* intelligente sulle fortune del

1790 uscirà *Il confettiere di buon gusto*, che riuniva ricette sperimentate a Corte da più di un decennio.

Siamo al 1733-35, ed è chiaro in Piemonte il percorso delle *maisons de plaisances* entrate dal 1718 nel disegno di Juvarra, deciso a sfoltire anche il programma degli appartamenti di rappresentanza in Palazzo Reale, con la Scala delle Forbici o con ambienti di *confort et d'agrément*. Più luce e meno metafore. La luce è misura esatta per i profili nitidi che segnano lo stacco del rococò francese e tedesco, sul punto di imbrigliare anche il capriccio settecentesco. Cancellata

334

l'impressione folta dei soffitti intagliati e dorati, suggeriti dal Barocco ondoso del Tesauro alla ricerca di archetipi vitali, a lume di torcia: per Juvarra l'educazione alla Bellezza passa attraverso la percezione sensibile e il gioco dell'intelligenza, fino a rendere godibile e vivibile la città capitale, per la gente.

Entra come protagonista di una storia in atto, in un Settecento che troppe volte è stato visto come realtà labile. Una festa qualitativa dell'intelligenza riconduce l'estetica alla vita, una calma emozione riesce a segnare il *trait-d'union* fra razionalismo e sensismo. Nel suo impegno per l'edilizia corrente, di architetto civile, Juvarra riversa tutto un serbatoio di idee e di tecniche

Stupinigi, affiora l'esperienza del vedutismo conosciuto nel soggiorno giovanile a Roma; così, per l'idea del Salone centrale, emergono i pensieri sperimentati nel circolo del cardinal Ottoboni, e le scene di quel teatrino che dal 1708 al 1714 gli aveva suggerito invenzioni e sorprese per "sale magnifiche", cortili, atrii, fontane ed esedre, giardini e rovine. A Roma aveva cercato di introdursi in Vaticano, inutilmente. Ma il suo modello del 1715, per la sagrestia di San Pietro, sarà apprezzato ancora dal Quarenghi nel 1776, che ne scriverà al Temanza a Venezia: «Si distingue quello di Don Filippo Juvarra, bizzarro al solito suo, ma però comodo e magnifico; il presente sarà ideato dal Sig. Carlo Mar-

Filippo Juvarra,
La Palazzina di
Caccia di Stupinigi
vista dalla parte di
Torino, *1729-31.*

sperimentate, come piacerà all'illuminismo e agli enciclopedisti. E in questo senso, lo ha osservato Roberto Gabetti (1982), «consiste l'importanza assunta da Juvarra — forse primo fra gli architetti del Settecento — ai fini di una lunga lezione, tendente ad operare sulle basi di un nuovo concetto di storia, a rifondare l'architettura come scienza, a legare scienza, tecnica e arte, in una prospettiva evolutiva, volta al miglioramento continuo del prodotto edilizio».

Nel nuovo disegno, che inserisce in un grande unitario paesaggio mentale i castelli di Venaria, di Rivoli e

chionni e sarà di gran lunga inferiore».

L'incontro con Vittorio Amedeo II aveva offerto a Juvarra un nuovo orizzonte, e Piranesi, altro ammiratore, gli invidiava quel committente deciso e soprattutto la capitale incompiuta, dove si sarebbero uniti il magnifico, ma anche l'utile, il comodo, e il piacere dei più moderni *Menus Plaisirs*. Era il settore cresciuto su misura della corte di Luigi XIV, che a Parigi includeva il "Département de L'Argenterie, des Menus Plaisirs et Affaires de la Chambre du Roi"; si era poi separata l'Argenterie, e si erano definite "spese ordinarie", per

Giovanni Battista
Crosato, Sacrificio
di Ifigenia, *1733,*
particolare della
volta. Stupinigi,
Palazzina di Caccia,
Anticamera del re,
poi della regina.

Carle VanLoo,
Colazione di caccia,
1737.
Parigi, Museo del
Louvre.

la persona del Re, e "spese straordinarie" per spettacoli, carnevali, ricevimenti e altre cerimonie di corte.

Torino si era inserita in questa traccia, e sull'ottica settecentesca dei *Menus Plaisirs*, che decideva molti scambi, ha attirato la mia attenzione Roberto Gabetti, che attende con Aimaro Isola, con le Soprintendenze e con la Fondazione Stupinigi, al restauro della Palazzina di Caccia, a quel paesaggio agrario, di caccia, di vita di corte del Settecento, tra le tecniche del Settecento, perfezionate e alleggerite per l'interno, fino a ricreare anche l'arte povera; mentre per l'esterno «singolare la disposizione del terreno agricolo, del giardino circostante, per quel continuo rimando – quasi un gioco – fra occasioni date a Juvarra nell'interpretare le

Da Juvarra a Rastrelli, attraverso le residenze europee

Su questa linea, che vede l'arte di corte giocare tutte le sue carte, certo le più preziose, si inseriscono Filippo Juvarra a Torino e Bartolomeo Rastrelli a San Pietroburgo, negli anni di Elisabetta Petrovna; è un traguardo inventivo, sostenuto da un mestiere di grande intelligenza, al Palazzo di Peterhof, oggi Petrodvorec (1745), ai palazzi Voroncov e Stroganov a San Pietroburgo, al palazzo grande di Carskoe Selo, oggi Puškin (1752-56), al Palazzo d'Inverno nella capitale, dal 1755.

È una sorpresa – allora e oggi – anche per gli occhi

preesistenze e le risposte date da Juvarra per modificarle, arricchirle, renderle visibili. Si pensi, nel parco esterno, ai lunghi tracciati rettilinei – intersecati e complessi –; si pensi ai raggiati incroci adatti a disorientare o a far incontrare...» (Gabetti, 1989).

Lungo questi percorsi si decidono molti confronti tra le capitali: le residenze del Settecento scoprono in realtà le loro radici diramate nelle ambizioni politiche, un'opera *in progress* sostenuta dalla straordinaria stagione parigina del dopo Luigi XIV, che tocca Torino, i castelli austriaci e tedeschi, fino al dispotismo illuminato di Federico II di Prussia, alle tappe decise da Pietro il Grande, da Elisabetta, da Caterina II, da Maria Teresa e da Giuseppe II a Vienna.

abituati al Barocco italiano, a quello bavarese e viennese. Rastrelli ricrea il paesaggio russo con ingredienti certo presi dal serbatoio di Borromini, per il bianco degli stucchi, pari a quelli che erano divulgati a piene mani dai cantieri luganesi, ma per risolvere una prospettiva srotolata con il gusto del teatro, ed è stato appuntato da un viaggiatore attento come Cesare Brandi. Aggiungerei che quei fondali stanno alla pari delle scenografie dei Bibiena, architetti delle feste di corte a Vienna, a Mannheim, a Berlino, a Praga. Era ancora una variante innestata alle idee del trattato di Guarini, passato tra le mani fertili di Fischer von Erlach, ma trafficato da Rastrelli puntando sulla volontà d'arte di straordinarie maestranze locali; di qui la policromia accesa – bleu, turchesi, verdi smeraldo, rossi – in forte contrappunto al bianco. Un'idea robusta, centrata come una svolta da Alvar Gonzalez-Palacios nel suo *Profilo per arti e mestieri europei* (1969).

Lo spettacolo di quel palcoscenico aggettante, a ritmo serrato, aveva trovato la strada del giardino – magari un giardino coperto di neve – filari di colonne come alberature di un padiglione viridario, governate da architetti-giardinieri, attenti al fastigio dei capitelli; l'artificio esalta il naturale e lo irrobustisce con i toni dell'oro, del finto bronzo, e poi telamoni, timpani e volute a coronamento delle finestre altrettanto fiorite, con stucchi a cespo, enormi *espagnolettes* con mascheroni, *cartouches* in cornici, a *treillages*.

Bartolomeo Francesco Rastrelli, Facciata del palazzo di Caterina, *1752-56, particolare. Carskoe Selo, Puškin.*

L'idea del monumento, che le facciate dell'assolutismo avevano fissato per mano di Le Vau e Mansart, era annullata.

La "bramata luce", la natura, sostenevano il dissolversi della *rocaille* con un diversivo tanto più innervato rispetto alla legge d'armonia del Barocco. Il punto di partenza era ancora il solco fertile che Gilles Deleuze (1988) ha ricondotto con intelligenza al labirinto stratificato di Leibniz, isolando un tratto distintivo, anzi una chiave di lettura, per il Barocco che «avvolge e riavvolge pieghe, le spinge all'infinito, piega su piega, piega secondo piega». Rastrelli ne è un esempio ben coltivato. Quel ritmo gioioso avrebbe schiarito l'orizzonte anche per il "luogo magnifico" della corte.

In un confronto misurato, a distanze sempre molto ravvicinate, per concentrare la percezione del *loisir* esibito si erano trovati nei Palazzi europei punti forti, sostenuti da un'ottica politica, con arti e mestieri ben coltivati: uno era lo Scalone, che offriva spazio sfaccettato allo spettacolo dell'andirivieni di tante comparse autentiche, e a quello più effimero, evocato con gli affreschi delle volte – specialista massimo sarà il Tiepolo; Juvarra aveva preferito, in Palazzo Madama, lo stucco bianco.

Altrettanto importanti le Gallerie e le grandi Sale, alleggerite con la luce degli specchi, cesellate dall'onda delle cornici in *boiseries* dorate, nella galleria di parata del Residenz di Monaco, con gli interventi di Effner, di Cuvilliés e di Zimmermann, o nell'Amalienburg, ancora con la grazia raffinata di Cuvilliés; approdo supremo la Sala di gala dei Cavalieri nel Palazzo di Caterina a San Pietroburgo.

Altra struttura, toccata dalle invenzioni del Settecento, era stata riservata ai Saloni da ballo per le ville. E per conto suo Juvarra aveva inaugurato a Stupinigi un'idea centrata sullo spazio illusivo, aperto alla luce del parco, sottolineato dall'affresco gioioso dei Valeriani; una regia intelligente, sul filo del relativismo del nuovo secolo, che toccherà il racconto voltairriano di Micromegas in visita ai giganti, e lo ha notato il Bauer, studiando le tappe della *rocaille*, nel 1957.

Altro *confort* era suggerito dall'esotismo, con itinera-

*Domenico e Giuseppe
Valeriani,* Affreschi
del Salone centrale.
*Stupinigi, Palazzina
di Caccia, 1731-33.*

ri aperti a un mondo "oltre", dove era chiaro il legame con la natura, lungo sentieri aperti al viaggio, al gioco. La luce delle lacche diventa la chiave per un nuovo tipo di ambienti, i Gabinetti alla cinese; così, con Juvarra, a Torino, lavorano artigiani locali come Pietro Massa, per assemblare lacche autentiche e aggiungerne altre; a Nymphenburg è attivo lo specialista Johann Georges Hörringer; a Schönbrunn, i Salotti e la grande sala cinese segnano il momento alto della *rocaille*, accanto alla Sala delle miniature indiane, un *unicum* tra l'eleganza asimmetrica delle cornici, entro legni di rosa della Guyana e delle Antille.

L'esotismo suggeriva riprese anche sul versante più aderente al vivere in villa: a Stupinigi, accanto alle car-

e fioriture gioiose. E sono le stanze imperiali a sottolineare il legame sensibile tra le affinità elettive di questi rivestimenti e le porcellane, quelle di Kaendler, ad esempio, a Lomonosov.

Era chiaro il rimando a una luce d'invenzione, in gara con la luce naturale del parco, con i richiami dei giochi d'acqua – una specialità che la corte russa aveva arricchito con gli automi musicali, a Peterhof.

Il gioco trovava un traguardo sicuro, misto agli ingredienti della luce e dei suoi riflessi, nei Gabinetti a Specchi, partendo dai modelli a intreccio fitto, con *boiseries* dorate a *treillage*, elaborati da Ferdinand Plitzner a Pommersfelden nel 1714-18; ed erano entrati nei *carnets* dei viaggiatori, da Wiesentheid a Ludwig-

Oranienbaum (Lomonosov), Palazzo cinese, Sala Cinese.

Giovanni Pietro Pozzo e Cristiano Werhlin, Grottesche e cineserie, 1765. Stupinigi, Palazzina di Caccia, Appartamento del duca di Chiablese, Sala da gioco.

te da parati provenienti dai mercati di Londra, per la sua Sala da Gioco, nel 1765, Christian Werhlin ritaglia con *humour*, per i suoi pannelli, scimmie e aironi, una fioritura di rami e nodi d'alberi surreali, scogli e gatti selvatici, fagiani, anatre, in una inquadratura rastremata, appuntata durante il viaggio in Oriente.

Altrettanto godibili le stanze con rivestimenti in legni pregiati e con figure in paesaggio, nel Palazzo Cinese a Lomonosov; qui, nel Palazzo di Pietro III, le lacche di Fëdor Vlasov, nei toni del verde tenero e dei rossi alla cinese dimostrano una diffusione capillare ben radicata a San Pietroburgo. Nella capitale, negli anni di Caterina II, i progetti del Cameron per le residenze inseriscono dal 1781 carte da parati con paesaggi azzurri

sburg, da Weikersheim e Merseburg, dai Residenz di Ansbach e di Monaco, agli ambienti di Alfieri nel Palazzo Reale di Torino e a Stupinigi, da Würzburg al Belvedere di Vienna.

Il gioco degli specchi sarà rialzato nelle residenze russe con la ricchezza di altre materie preziose, scegliendo la policromia accesa dell'agata, della malachite, l'oro dei bronzi e delle *boiseries* introdotte dal Rastrelli.

Nell'ottica dei suoi palazzi il Settecento aveva inserito i miti dell'Arcadia, trovando riflessi precisi, per l'elogio delle corti, nell'Olimpo dominato da Venere, ma anche con storie di Diana — le introduce Carlo Andrea Van Loo nel suo affresco a Stupinigi, sotto il se-

*Peterhof
(Petrodvoreč),*
Sala dei ritratti.

*Oranienbaum
(Lomonosov),
Palazzo cinese,*
Sala dei ritratti,
di Pietro Rotari.

gno dell'Accademia francese, con amorini, la dea e le ninfe in camiciole bianche, intente al bagno lustrale; la ripropone in trionfo anche il Valeriani, nei disegni per le residenze russe.

Ma compaiono, per la caccia, anche soggetti più realisti, con i contadini e i cacciatori, per mano del veneto Crosato, a Stupinigi nel 1733; è impegnato in una delle volte protagoniste con il "Sacrificio di Ifigenia", quasi una festa in villa, per un soggetto intriso di *suspense* e di *pathos* che passerà a Choderlos di Laclos e a Goethe, a Pier Jacopo Martelli e a Gluck, fino a Sade. Per altre stanze di rappresentanza erano invece preferiti Ercole e Apollo; troviamo Ercole — per Carlo Emanuele III — con bellezze perfette, negli affreschi del pittore di corte Claudio Francesco Beaumont, a Torino nel 1735; Ercole e Apollo sono invece figura del principe Eugenio di Savoia nel Belvedere di Vienna, una delle residenze giustamente riguardate come un Olimpo, da tutta Europa, il giardino con le terrazze, vertebra del paesaggio barocco trionfante, le voliere, le piante esotiche, la collezione di quadri fiamminghi che sarà acquisita dalla corte a Torino nel 1741. A Torino il principe era di casa, e non solo nel 1706, anno della battaglia che lo aveva visto vittorioso sui francesi, con Vittorio Amedeo II.

Le occasioni per festeggiarlo non mancavano, e ancora nel 1732, per feste a Stupinigi, sono ricordati per lui, nei documenti, «canna con pomo d'oro, spada d'argento dorato, servizio da viaggio per il caffè, tabacchiera preziosa, bottoni d'argento, tazze di porcellana del Giappone».

Mentre per le città si studiavano piazze e facciate dove la *rocaille* lasciava intravvedere profili di architetture ultrasensibili, per la pittura si era passati a Nymphenburg dalle metafore del Tesauro, affidate al pittore Triva, ai soffitti alitanti di Cuvilliés, in stucchi argentati; a San Pietroburgo il Valeriani era stato incaricato di allegorie politiche emblematiche, negli anni di Elisabetta; e a Lomonosov una intera *équipe* di pittori veneti e bolognesi aveva inserito nei soffitti allegorie con "Venere e le Grazie" (del Torelli), "Il Tempo che rapisce la Verità" (dello Zugno), "La Generosità e l'Invidia" (del Diziani), "L'Unione dell'Europa e dell'Asia" (del Barozzi), "Una offerta cinese alla divinità" (del Guarana), "Urania" (del Maggiotto), e ancora il Fontebasso.

La presenza dei pittori veneti a Lomonosov documenta una scelta ben orientata, verso i maestri delle ville euganee che avevano incamminato anche la decorazione *rocaille* sulla strada dell'illuminismo; erano soggetti in chiave non troppo difficile, dedicati allo sguardo dei viaggiatori, al loro colpo d'occhio impaziente, tra un ricevimento e un concerto.

A Schönbrunn, negli anni di Maria Teresa, una novità era venuta dal pittore romano Gregorio Guglielmi, attivo nel 1765 anche a Torino in Palazzo Reale e nel

Palazzo del duca di Chiablese: alla corte di Vienna, in rapporto al Metastasio, aveva scelto *Le Metamorfosi* d'Ovidio per un affresco nel soffitto dello Zoo; per la volta della Grande Galleria soggetti storici attuali, "Allegorie della guerra, della potenza militare austriaca durante la guerra dei sette anni; l'allegoria dei domini austriaci con i loro prodotti, al centro gli imperatori Maria Teresa e Francesco I; la glorificazione della pace, delle belle arti, della scienza, della tecnica e dell'agricoltura"; nella Piccola Galleria, nel 1761, "La dignità imperiale del Sacro romano impero in relazione allegorica con la casa imperiale degli Asburgo-Lorena", ed era un programma del Conte Luigi Malabaila di Canale, ambasciatore dei Savoia a Vienna.

Nelle residenze di campagna la corte russa aveva trovato un tono accostante anche per un settore del collezionismo: a Lomonosov, si affiancavano, entro le cornici a tempere di Fëdor Vlasov, una "Venere" del Liberi, "Paesaggi", "Vedute di fantasia" di mano fiamminga; "Vecchi sapienti" del Nogari, tratti da Rembrandt, e poi "Teste di carattere", del Rotari.

Questi ritratti idealizzati costituivano una novità rispetto alle Gallerie che nelle corti europee esibivano "le bellezze", le dame amate dai sovrani — a Nymphenburg erano raffigurate in una triplice sequenza con riferimento a tre generazioni di regnanti; si erano scelte invece, a San Pietroburgo, le bellezze aristocratiche, ma soprattutto giovani contadine e contadini; il pittore Pietro Rotari, veronese, le aveva ritratte in atteggiamento pensoso, semplificando Liotard e Greuze; appaiono così, sulle pareti delle stanze di Elisabetta Petrovna, decine e decine di giovani contadine in corsetti e camiciole autentiche, copricapi e pettinature alla buona, pochi nastri, un fiore. Quei primi piani classificavano un'intera classe sociale, ben riconoscibile, erano infatti i contadini della corte, ritratti in una sorta di "riposo contento"; e si pensa alle bambocciate dei piemontesi Olivero e Graneri, richiesti a Torino anche dai nobili per le ville della collina, compresa quella del ministro Bogino.

Le sequenze del Rotari entreranno nella sistemazione voluta da Caterina II; entro cornici semplici, confermavano una linea rousseauiana sempre ben accetta. Su altro versante i disegni e la pittura di Yermenev, che avevano invece fissato in primi piani realisti il senso della tragicità e la condizione umana dei contadini servi della gleba, in parallelo sorprendente con il lombardo Ceruti.

Caterina II e le arti dell'illuminismo

Negli anni 1770-80 Caterina II pensa ai nuovi palazzi, alla città, e affronta i problemi della capitale e del paese; «potrà vantarsi con Cesare d'averla trovata di legno e lasciata di pietra», annota il Quarenghi nel 1780.

Le ambizioni delle corti europee, puntate sulle residenze e le ville, nutrono anche il suo treno di vita per gli interni, che tengono testa a Parigi, a Madrid e a Vienna; il Cameron moltiplica nelle stanze i richiami accoglienti del gusto classico, stucchi luminosi alla Wedgwood, bronzi, malachite e agata, molte lacche e carte da parati alla cinese, stoffe di Lione, tempere verdi e rosa. Ma Caterina guarda a un altro tipo di immagine, di realtà, che la avvicina sempre più a Pietro.

Conta per lei la città e la vuole magnifica e moderna, aperta alle moltitudini della gente, tanto da superare le città della vecchia Europa. In questo senso passa oltre i traguardi dei palazzi barocchi, oltre i parchi con le sculture provenienti dall'Italia, che avevano creato una sorta di museo all'aperto, e pensa al nuovo profilo della città capitale.

Trova il suo braccio destro in un architetto che dedica intelligenza e il segno di Palladio a fissare un carisma spaziale (il punto sottolineato da Brandi); lo innesta al senso del giardino, alle grandi quinte di lauri e carpini, betulle, pini, larici e querce, aceri, tigli e faggi, un'idea romantica studiata attraverso infiniti disegni, capace di filtrare il classico e le ambizioni politiche.

Caterina punta su nuovi progetti anche per i giardini. Le incisioni divulgavano le vedute dei grandi parchi europei, quello di Charlottenburg, Berlino, e quello di Nymphenburg, o quello della Venaria Reale, ma Caterina cerca di superare l'ottica classica e le *folies* di Augustusburg, Brühl, con la Casa Indiana; scarta la *rocaille* di Sanssouci voluta da Federico II e preferisce i sentieri magnifici e le fontane del Giardino d'Estate di Pietro II, le cascate inserite a Peterhof da Le Blond e da Rastrelli, ma soprattutto ama il giardino inglese, curato a Carskoe Selo e ampliato con gli edifici del Cameron, mentre a Peterhof, nel parco, Quarenghi inserisce il suo Palazzo inglese.

Un'attenzione critica intelligente ha chiarito in anni moderni le tappe del percorso del Quarenghi a San Pietroburgo: una discussione capillare di Vanni Zanella per le lettere, in particolare nell'edizione del 1988, l'analisi delle architetture dei disegni da parte di Vladimir Pilijavskij, hanno affrontato molti problemi, e per il presente catalogo il capitolo di M. Koršunova riporta nuovi dati per il primo contratto che fissava l'impegno fertile del Quarenghi. L'occasione era stata offerta all'architetto bergamasco da una capitale in mano ad una committente decisa a lasciare il segno di una nuova identità culturale. Di fronte al problema di costruire edifici statali e privati d'importanza pubblica, in rapporto al crescere dei commerci, Quarenghi rifiuta l'architettura barocca come memoria storica e come cornice decorativa essenzialmente legata alla corte di Elisabetta I.

Gli ingredienti del suo neoclassico sono autentici e ben radicati. Passato a Roma studia l'antico nel circolo dei viaggiatori inglesi: amico di Robert Adam, dei *pensionnaires* dell'Accademia di Francia, confronta il se-

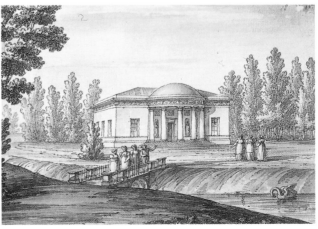

344

Giacomo Quarenghi,
Carskoe Selo,
Padiglione per
musica.
Bergamo, Biblioteca
Civica, Album O, n. 28.

Stupinigi, Palazzina
di Caccia, Sala degli
scudieri, *particolare.*
Vittorio Amedeo
Cignaroli, Scene di
caccia, *1777; Angelo*
Vacca, Trofei di
caccia, *1791.*

gno del Palladio e l'amatissimo vedutismo veneziano con il canone prospettico visionario di Piranesi, con la linea forte del Winckelmann, ispettore delle antichità, accanto al Clerisseau e a William Chambers, al Cameron che passerà a San Pietroburgo. Conosce Canova e il Mengs, e per tre anni, nella bottega del pittore Stefano Pozzi, cerca un'altra strada, e la scopre nella architettura che lo porta a San Pietroburgo.

Per primi saranno i nobili inglesi del *grand tour* a scoprire il suo talento, e lo scelgono per case fuori città e per palazzi di campagna.

Conosciamo il suo arrivo nella capitale da una lettera, tutta d'un fiato, che l'architetto aveva indirizzato il 1° maggio 1780 all'abate Serassi a Roma, suo compaesano e amico, che a Roma appunto era "guardiano" dell'Arciconfraternita dei Bergamaschi; con precedenti messaggi, tramite l'architetto Selva, il Quarenghi l'aveva già messo al corrente di «tutte le vicende passate nel viaggio e come mia moglie abbia partorito poche miglia prima d'arrivare in Pietroburgo, con tutte le sue circostanze che certo a raccontarle avranno più aria di romanzi che verità, sua Maestà però ha sollevato in parte con un presente, appena arrivati, di trecento zecchini, con mille altre dimostrazioni d'affetto, e fece chieder qualche mio disegno, io gli mandai que pochi che avevo fatti in Roma per mio studio già molt'anni e molto gli piacquero e disse in una festa pubblicamente che in Monsieur Quarenghi aveva trovato finalmente un architetto di tutto suo genio, con molte altre cose e mi ha accresciuto seicento rubli l'anno, e subito si degnò comandarmi di fargli un palazzo per solo suo uso in un luogo di delizie chiamato Peteroff, con sale gallerie e gran sallon a manger, questo l'ho finito, e l'altro giorno ce lo mandai...» (Era il progetto per il Palazzo Inglese di Peterhof). E ancora, «solo mi pesa il ritrovarmi qui senza gente con chi poter conversare, mentre gli Italiani che vi sono sono tutti di teatro, e però non confacenti secondo la maniera di pensare mia; li signori bisogna frequentare le loro tavole, e questo è peggio per me...». Unico amico il Paisiello, e poi il lavoro.

Risaltano agli occhi di tutti le capacità tecniche del Quarenghi e la dedizione assoluta, capace di coinvolgere il cantiere immenso, le maestranze italiane e quelle russe. E pare di assistere ancora al crescere della fortuna dei maestri luganesi, da Maderno a Borromini passati a Roma, al Garove e agli stuccatori attivi nei castelli della corte di Torino.

Emerge anche un altro filo conduttore, il "disegno"

di Caterina e la sua curiosità intellettuale, una delle doti più sicure, nutrita con tanti scambi intelligenti.

Nel suo *Settecento riformatore* Franco Venturi ha dato un risalto emblematico al lungo, sontuoso viaggio di Caterina II attraverso la Russia, all'inizio del 1787, all'incontro, in territorio polacco, con Stanislao Augusto e a Cherson con Giuseppe II, per proseguire in una minuziosa visita dei porti e città della Crimea, e ha vagliato le fitte *Notizie del Mondo* e la *Gazzetta universale*, sottolineando le feste e le cerimonie, con le barche che «formavano una specie di città in mezzo all'acqua», «concerti di musica» e «replicati spari di cannone»; «d'augusta sovrana magnificamente vestita», la nobiltà russa e polacca «in abito di gala», «il pranzo sotto un gran padiglione di ricco gusto persiano in numero di 85 coperte». «Per accrescere lo spettacolo si facevano scorrere lungo il monte de' gran torrenti di accesa trementina a guisa di lava, rappresentante al naturale la vera eruzione di un Vesuvio e sulla riva del fiume inalzavasi una gran colonna con i nomi dell'imperatrice e del re in lettere trasparenti e finalmente fu incendiata una superba macchina di fuochi artificiali». (Era un'idea presa dai quadri di Bonavia e di Vernet).

Importante la conclusione di Venturi, sulla «atmosfera culturale che circondò Stanislao Augusto e Caterina in quei giorni, forse più rivelatrice d'ogni rapporto confidenziale. Il re di Polonia ebbe accanto il principe di Ligne, il raffinato militare e scrittore belga, e il cav. Dillon, ritornato da un giro nell'Egitto», sempre disposto a mostrare a «S.M. i disegni da esso fatti sul luogo degli antichi più curiosi monumenti di quel paese».

È il clima che si ritrova nelle stanze di Caterina, con molte idee di lei prese dagli album di Clerisseau, dalle incisioni delle opere di Winckelmann confrontate con le vedute del *grand tour*, con molta attenzione alla luce del giardino; di qui un *ramage* unico anche per gli interni, misto alla conchigliomania e alle curiosità botaniche, all'esotismo elegante; lo ritroviamo a Stupinigi, a Monaco, a Fontainebleau, a Lomonosov, a San Pietroburgo più in grande e magnifico. Molte arti ma anche molti mestieri sostenuti dall'illuminismo, da Diderot e da Grimm, da Voltaire, con l'idea del *confort* per il vivere civile; e sono ancora le residenze di Caterina, con tanti oggetti venuti in mostra — scatolette, tabacchiere, servizi da tavola, per il tè, per lo scrittoio e la toeletta — a dirci quanto la bellezza potesse essere raffinata dalla patina inconfondibile dell'uso quotidiano, e come le cose all'apparenza inutili fossero in realtà tra le più necessarie.

LA CORTE RUSSA E L'EUROPA.
Simboli condivisi dell'assolutismo e oggetti di scambio diplomatico
Sandra Pinto

Le Arti del Disegno ancelle della gloria regale, e gli strumenti fiorentini di Pietro il Grande

«Je vous confie la chose du monde qui m'est la plus précieuse, qui est ma gloire»: il messaggio di Luigi XIV, rivolto nel 1663 ai membri della futura Académie des Inscriptions[1], si dirige con altrettanta precisione all'ambito delle arti del disegno che assumono così il mandato di configurare l'immagine del potere monarchico assoluto nelle sue caratteristiche essenziali: grandezza e onnipervasività. Il modello — che in tanta misura recupera e rinnova, a cominciare dal simbolo del Sole, materiali dell'eredità classica — si afferma quasi dovunque in Europa ma, si direbbe, prima e più fedelmente negli Stati più giovani e, se non immaturi, almeno più impazienti nel desiderio di crescita e di emulazione. Sotto questo aspetto la disposizione ad accettare il modello figurativo vincente del moderno Stato nazionale — il classicismo francese, con relativo ascendente nel grande barocco romano — da parte dello Stato sabaudo di Vittorio Amedeo II, divenuto regno ad apertura del Settecento, quasi nello stesso momento in cui viene fondata nell'impero russo la nuova città che dallo zar Pietro prende il nome, non appare molto diversa da quella di convinta assimilazione dello stesso modello da parte di quest'ultimo.

È al barocco classicista italiano, filtrato da Parigi, che Pietro il Grande dirige infatti la propria attenzione e attinge per i suoi rifornimenti soprattutto negli anni più prossimi al secondo viaggio in Europa nel 1717: a Roma, Firenze, Venezia, attraverso il canale istituzionale delle accademie o comunque dei diretti fiduciari della cultura di Stato o di corte.

«Cosimo III granduca di Toscana fu curiosissimo d'aver libri in lingue slave [...] Primo [...] tra i principi italiani se ne procurò l'acquisto, e pare che pensasse ad introdurne la conoscenza in Toscana». È Sebastiano Ciampi sulle pagine dell'*Antologia* nel 1828[2] a informarci dell'interesse per le lingue e le civiltà delle estreme propaggini d'Europa manifestato dal granduca che impronta della sua inquieta personalità l'autunno dell'evo mediceo, e della rete dei suoi scambi epistola-ri per procurarsi dizionari polacchi, lituani, moscoviti, finlandesi, islandesi, svedesi. Un interesse che non può, naturalmente, essere messo alla pari con la curiosità, incomparabilmente più creativa e storicamente costruttiva, di Pietro il Grande per il mondo occidentale. Ma un rapporto tra i due sovrani deve pure essere istituito, anche senza insistere troppo sul già detto atteggiamento, inconsapevolmente reciproco, che per entrambi è di curiosità verso le sponde rispettivamente più distanti della conoscenza; e senza voler vedere in coincidenze simboliche di gusto (che pure vale la pena, in occasioni come questa, di far rilevare) niente di più di ciò che rappresentano, e cioè il ricorso ad un medesimo codice culturale. Il caso specifico può essere trovato ad esempio nell'approvvigionamento obbligato di copie di statue antiche; dall'ammiratissimo Fauno con capretto di Cristina di Svezia (oggi al Prado) è tratta non soltanto la riduzione in bronzo di Massimiliano Soldani Benzi per il figlio di Cosimo, il Gran Principe Ferdinando (già documentata nel 1713 e conservata oggi al Bargello), ma anche la riproduzione in marmo, opera di "uno dei migliori scultori in Roma" ordinata nel 1719 da Pietro I (oggi non rintracciabile) che certo si era lasciato sedurre dalle versioni francesi del Fauno già collocate alla fine del Seicento nei parchi di Versailles e di Marly[3].

Siano pure, come si è detto, tali tangenze fatti comuni e intercambiabili tra i "vertici" europei del momento, è almeno incontrovertibile il fatto che i contatti diretti tra lo zar e il granduca siano tra i primi a venire alla ribalta nella storia moderna dei rapporti tra lo Stato russo e gli Stati italiani, e siano provati da doni del primo al secondo, non tutti oggi identificabili come lo straordinario tessile cinese in anni recenti fortunatamente recuperato a Palazzo Pitti[4], o il già noto vaso d'avorio istoriato con l'effigie di Pietro stesso[5], ma almeno puntualmente descritti nelle lettere riportate da Ciampi come i due vasi lavorati al tornio, accompagnati dal tornio medesimo, menzionati nel 1712.

Qualche anno più tardi, nel 1716, lo zar si rivolgeva poi in lingua italiana al «serenissimo principe» toscano per informarlo di aver «mandato [a Venezia e a Firenze] alquante persone della Nat. Rossiana per aprender l'Architetura Civile, e la Pittura». Proseguiva poi: «Et essendo l'Accademia di V. Alt. in Fiorenza con lode universale adornata di tutte le scienze, et Arti liberali amichevolmente preghiamo l'A.V. che si compiaccia comandare siino ancor questi accolti nella detta Accademia». I quattro studenti di pittura sono Ivan e Roman Nikitin, Teodor Čerkassov, Michail Sacharov. È Ivan Nikitič Nikitin (del quale sono stati recentemente identificati a Firenze[6] anche i ritratti dello zar e della zarina) colui che meglio profitta, tra il 1716 e il 1719, dell'insegnamento dell'accademico fiorentino Tommaso Redi, uno degli artisti che godono al momento della

piere nel 1726 del diciannovenne barone Sergej Grigor'evič Stroganov (oggi nel Museo Russo, Leningrado).

Terzogenito di un grande possidente che aveva contribuito a finanziare la guerra del Nord e ne era stato compensato dallo zar con il baronato, Sergej Stroganov rappresenta a sua volta una delle prime figure di nuovi aristocratici dell'entourage di corte rinnovato da Pietro il Grande e sarà uno degli astri maggiori del mecenatismo di modello europeo nel periodo di Elisabetta. Nel palazzo che egli si farà costruire tra il 1752 e il 1754 sul Nevskij Prospekt troverà sede una imponente galleria di quadri[8].

maggiore considerazione granducale. Nel momento in cui un altro fiorentino, il patrizio Carlo Bartolomeo Rastrelli, già espatriato a Parigi, accetta di trasferirsi in Russia, e vi diffonde il grandioso modello barocco romano di Giovanni Battista Foggini, primo scultore di Cosimo III, Redi declina invece l'invito ad andare a presiedere l'Accademia di Mosca.

Le sue qualità di maestro sono ad ogni modo provate dal confronto tra la sensuosa maniera romano-veneta, desunta da Maratta e Balestra, dei due autoritratti agli Uffizi[7] (il primo giunto nel 1730 direttamente dalle collezioni granducali, il secondo due generazioni più tardi, proveniente dalla raccolta di ritratti dell'abate Pazzi e prima appartenuto al medico di Cosimo III, Tommaso Puccini), e il bel ritratto che Nikitin, rientrato a San Pietroburgo nel 1720, ha occasione di com-

Ambasciatori del rococò europeo
alla corte torinese di Carlo Emanuele III
e a San Pietroburgo all'epoca di Elisabetta

La corte di Luigi XV offre il nuovo modello egemone per i decenni centrali del Settecento: alla grandezza, e alla sua altisonante misura classico-barocca, caratteristica del periodo precedente, subentra la ricerca di varietà sul doppio registro del capriccio e della raffinatezza. La richiesta di decoratori, di virtuosi o di maestranze manifatturiere di tecniche svariate, dalla miniatura al pastello, dal mosaico al cammeo, dalla pietra dura allo smalto, e di generi specifici, dalle "teste di carattere all'olandese" alle serie illustrative di costumi tradizionali, di scene di *vie paysanne* e ai tanti altri repertori figurativi utili ai più vari settori dell'arre-

Ivan Nikitin, Ritratti
dello zar Pietro I
e della zarina
Caterina I.
*Firenze, Intendenza
di Finanza.*

Tommaso Redi,
Autoritratto.
*Firenze, Galleria
degli Uffizi.*

A pagina 350: Cina,
Tessuto K' o-ssu del
sec. XVIII.
*Firenze, Palazzo
Pitti.*

damento, che siano sovrapporte, o paracamini, o arazzi, o altro, favorisce la circolazione, non solo di opere importate dai grandi centri artistici europei, ma anche di operatori. Il curriculum di molti artisti, particolarmente di quelli di formazione romana e veneta, gli ambienti cioè più favorevoli alle aperture cosmopolite, comprende adesso più di prima, come si sa, viaggi e soggiorni d'obbligo nelle corti europee. Queste sono d'altronde quasi tutte febbrilmente intente a pubblicizzare i nuovi assetti sortiti dalle guerre di successione polacca (trattati del 1735 e 1738) e austriaca (trattato del 1748). Nella penisola è il caso di Firenze e Milano ora asburgo-lorenesi e di Parma e Napoli ora borboni-

l'attività russa che occupa gli ultimi vent'anni della sua vita dal 1742 al 1762. Il modulo è il medesimo che impronta la ridondante scenografia *rocaille* messa a punto da Giuseppe stesso, assieme al fratello Domenico, due decenni prima (1731-1733) a Torino per il Trionfo di Diana nel salone centrale della nuova palazzina reale di caccia disegnata da Juvarra. Il caso Valeriani — formazione vedutistica, prospettica e scenografica romana e poi veneziana da Marco Ricci — ci conduce ad altri "specialisti" veneti coetanei. Uno è il veronese Pietro Rotari alunno del Balestra, la cui attività si conclude, esattamente come avviene al Valeriani, a San Pietroburgo nel 1762, dove era giunto nel 1756,

che; oltralpe la mutazione coinvolge variamente Monaco, Vienna, Budapest, Dresda, Varsavia. In Prussia Federico II, successo al padre nel 1740, e in Russia Elisabetta salita al trono nel 1741, impostano da parte loro risolutamente grandi programmi di adeguamento culturale.

Tornando a San Pietroburgo, si era fatto cenno nel paragrafo precedente al palazzo Stroganov: Giuseppe Valeriani vi lascia, con l'Olimpo raffigurato sulla volta di una sala da convito, la maggiore testimonianza del-

proveniente dall'Austria e da Dresda; sensibile traccia lasceranno alla corte russa sia il successo incontrato presso la zarina con le serie di teste femminili e di costumi tradizionali russi per decorare ambienti delle residenze di Oranienbaum e Peterhof, sia l'influenza esercitata in quanto ritrattista sugli allievi dell'Accademia di recente fondazione. Il caso del veneziano Giuseppe Nogari a Torino è, in anticipo cronologico, confrontabile; anch'egli allievo, oltre che del Pittoni, del Balestra, fornisce alla corte torinese negli anni intorno al 1740 una quantità di tele da sottomettere alla impaginazione architettonica di volte e pareti. Sono quasi sempre "teste di carattere", vale a dire il genere di opere che oggi, disseminate a Budapest, Dresda, Praga, Hampton Court, come anche a Leningrado, danno prova del cosmopolitismo della sua produzione.

«I colori che vi s'adoperano, superano in vivezza e leggiadria quanti mai quaggiù in terra da piante orientali o dalle viscere de' Boemici monti siansi estratti. Le pietre fattizie, che sulle rive del Tevere nel Vaticano imitano l'infinita varietà delle piante e de' fiori, sariano qui ancora grossolana materia ed imperfettissima...»: è nell'impareggiabile saggio *Bianco e oro* di Mario Praz, attualissimo malgrado il più che mezzo secolo che ci separa dalla sua prima stesura[9] che troviamo questa citazione dal poema in prosa di Carlo Denina, *Russiade* scritto in gara con i "famosi poeti russi" Keraskov, Lomonosov, Deržavin, per esser dedicato a Caterina II. La descrizione, estrapolata da quella di un ambiente russo vagheggiato tra realtà e fantasia, sembra, così come la si è isolata qui, quasi il referto di una analisi geologica comparata. Da scienziato, se non da geologo, giustappunto, Michail Vasil'evič Lomonosov sin dalla gioventù aveva affrontato le sperimentazioni sulla colorazione dei vetri con l'intenzione di far rinascere l'arte russa del mosaico, andata perduta dopo il XII secolo. Come si sa, il confronto con i mosaici prodotti dallo Studio Vaticano era stato assai attento. Disponibile, tra gli altri esempi di questi rapporti, anche una rara[10] opera di Alessandro Cocchi, il ritratto ovale di Elisabetta (Ermitage). Ma il proseguire degli esperimenti consente alla manifattura istituita a Ust'Rudica nel 1752 di ottenere una gamma più estesa di tonalità e sfumature rispetto al laboratorio romano. Il punto tuttavia non è forse costituito dal fattore tecnico, malgrado l'importanza assoluta che la cultura enciclopedica gli attribuisce giustamente nel processo artistico e la curiosità con cui di conseguenza si investigano e si resuscitano tecniche antiche, dall'encausto all'intaglio di gemme, dal niello allo smalto: queste ultime, come il mosaico, di antica tradizione in Russia e dunque tanto più, adesso, valorizzate. Il fattore produttivo essenziale però finisce per essere quello della destinazione e della circolazione di tali manufatti: si farà cenno nell'ultimo paragrafo a qualche esempio della diffusione e, in certo qual modo, della coproduzione russo-romana del mosaico dai primi anni dell'Ottocento in poi. Tornando alle origini del fenomeno, osserviamo che a Roma alla metà del Settecento l'accentuarsi della crisi occupazionale degli operatori dello Studio Vaticano sposta l'attività di costoro dal cantiere della Basilica verso sbocchi diversi. Va allora rapidamente individuandosi un mercato di amatori, aristocratici, ecclesiastici, viaggiatori, attratti dal manufatto prezioso e, come la miniatura e il cammeo, destinabile a doni e a *souvenir* di ampia diffusione: si confezionano quindi mosaici di piccole di-

mensioni con scene di genere, vedute, mitologie, copie e ritratti. La moda è testimoniata un po' più tardi anche alla corte torinese: un religioso di Tortona di nome Pellizza risulta attivo nel laboratorio romano nell'ultimo quarto del Settecento; nel 1785 un suo mosaico con una copia da Prassitele è inviato in dono dalla corte sarda a quella di Napoli; più tardi l'unica opera ancora conservata di lui, una veduta di Castel Sant'Angelo (Torino, Palazzo Reale) sarà pregiata al punto da essere, assieme ai capolavori delle collezioni sabaude, trasportata dai Francesi a Parigi[11].

Intellettuali e diplomatici di Caterina II al confronto europeo nelle accademie russe e nello studio di Pompeo Batoni a Roma

Kirill Grigor'evič Razumovskij era stato uno dei creati di Elisabetta, che lo aveva mandato nel 1743 a studiare matematica a Koenigsberg da Eulero e a Strasburgo, elevato alla nobiltà nel 1744, creato Ciambellano nel 1745; nominato Presidente dell'Accademia delle Scienze di San Pietroburgo l'anno seguente. Lasciata la carica nel 1765, il conte, che nel 1762 aveva partecipato alla rivoluzione di Palazzo grazie alla quale Caterina era pervenuta al trono ed egli stesso al titolo di Senatore e Aiutante Generale, affronta il *grand tour* europeo dal 1765 al 1767. A Roma nel 1766 posa per uno dei più spettacolari ritratti che Batoni abbia mai dipinto, conservato per discendenza austriaca in collezione privata a Vienna[12]. In posa a grandezza intera, il russo è circondato dai massimi esempi di marmi classici delle collezioni pontificie, l'Apollo e l'Antinoo del Belvedere, il Laocoonte, l'Arianna addormentata: solo in un caso, il ritratto di Thomas Dundas di due anni precedente, Batoni aveva dato alla scena lo stesso arredo, riuscendo però meno magniloquente. Contemporaneamente il conte acquista nello studio del pittore per ben 3000 zecchini un soggetto mitologico, un Ercole al bivio, al quale il lucchese aveva lavorato per più di tre anni nello scarso tempo lasciato libero dalle commissioni di ritratti, opera che oggi è all'Ermitage proveniente dalla collezione Jusupov alla quale era pervenuto nel 1823[13]. Il certificato di esportazione è datato 1° maggio 1766; neppure due settimane prima un certificato analogo aveva autorizzato la partenza, assieme ad opere di vari autori, di un altro dipinto di Batoni, il Ritorno del figliol prodigo, oggi a Pavlovsk[14] e che verosimilmente è redazione prima e autografa, rispetto alle copie o repliche, pure conservate, di Torino (Galleria Sabauda) e di Parigi (Louvre). Il quadro era stato acquistato dal conte Ivan Ivanovič Suvalov, il cui *cursus honorum* lo aveva portato, da *page de la chambre* di povere origini di piccola nobiltà a Consigliere privato, Gran Ciambellano, Aiutante di campo di Elisabetta, e inoltre fondatore dell'Università di Mosca, Presidente dell'Accademia di Belle Arti di San Pietro-

Giuseppe Nogari,
Teste di carattere
all'olandese.
*Torino, Palazzo
Reale, Gabinetto
delle miniature.*

Nicolai Stepanovič
Nikitin, La Galleria
dei quadri di Palazzo
Stroganov, *1832.
Leningrado, Museo
Russo.*

Pietro Antonio
Rotari, Teste di
carattere.
*Oranienbaum
(Lomonosov),
Palazzo cinese,
Sala dei ritratti.*

burgo, amico e protettore di Lomonosov. Anch'egli dopo l'avvento di Caterina – che ne diffidava, mentre aveva provato l'affidabilità di Razumovskij – passa all'estero, in posizione diplomatica. Due anni dopo l'acquisto per sé, nel 1768 il Generale Suvalov è incaricato di ordinare al Batoni per la zarina una coppia di soggetti mitologici; l'Educazione di Achille terminato e consegnato nel 1770 e la Continenza di Scipione terminato nel 1771, non ancora consegnato nell'aprile 1772, oggi entrambi all'Ermitage[15]. Anche in questo caso si tratta di opere alle quali è tributato un consenso superiore alla media sia tra gli spettatori romani sia in Russia: il primo dipinto verrà riprodotto anche in

di Aleksandr Golicyn[16], ben informato su un modello internazionale di ritrattistica, di matrice diversa anche se complementare a quella di Batoni, un modello che alla "grande maniera" sostituisce il gusto alla fiamminga dei dettagli, al tono celebrativo, "storico", pubblico, quello informale della cronaca mondana, se non domestica. Grande fautrice di tale gusto è la corte di Vienna, che ad esso si tiene costantemente aggiornata di decennio in decennio servendosi via via di pittori come Meytens, Wehrlin, Zoffany, Berczy, Dorffmeister, Guttenbrunn[17]. Uno dei figli di Giovanni Adamo Wehrlin, Venceslao, nato a Torino dove il padre si è stabilito come restauratore di corte, eseguirà quivi

arazzo e dal 1772 avrà a riscontro un altro soggetto omerico, la Creusa che implora Enea di salvare il padre, ordinata a Pietro Antonio Novelli.

Intanto – siamo giunti al secondo decennio di regno di Caterina – il cosmopolitismo sta guadagnando terreno anche all'interno dello Stato. È ormai un artista russo, grande ritrattista, certo il più grande della nazione nel suo secolo, Dmitrij Grigor'evič Levickij, allievo di Valeriani e di Lagrenée l'ainé, a ritrarre Diderot (Ginevra, Musée d'Art et d'Histoire) durante il suo soggiorno russo (1773-1774). Professore di ritratto dell'Accademia di San Pietroburgo dal 1771, Levickij si dimostra, almeno dal 1772 quando compie il ritratto

(1776-1778), per richiesta della corte di Russia, i ritratti di alcuni membri della famiglia del re di Sardegna (ad oggi non rintracciati). L'incarico è analogo a quello ricevuto nel 1773 di effigiare la famiglia del granduca di Toscana Pietro Leopoldo in un ritratto destinato a Vienna, e soddisfatto con una *conversation piece* che, a differenza dei ritratti russi sopracitati, è ancora documentata, conservandosi oggi ad Innsbruck nella Galleria dei ritratti del castello di Ambras (in deposito da Vienna, Kunsthistorisches Museum). Negli stessi anni, a partire cioè dal 1773, Levickij dipinge i sette incantevoli ritratti delle collegiali dell'istituto Smolnyj (Museo Russo, Leningrado) la cui informale

Alessandro Cocchi,
Ritratto della zarina
Elisabetta Petrovna,
mosaico.
Leningrado, Museo
dell'Ermitage.

Don Pelliccia da Tortona, Veduta di Castel Sant'Angelo, *mosaico, ante 1799.* Torino, Palazzo Reale.

Giorgio Weckler, Veduta di San Pietroburgo, *mosaico.* Roma, Collezione privata.

Pompeo Batoni,
Ritratto di Kiril
Grigor′evič
Razumovski.
*Vienna, Collezione
privata.*

*Johann Gottlieb Puhlmann da Pompeo
Batoni,* Ritratti del granduca Pavel
Petrovič (poi Paolo I) e della
granduchessa Maria Fëdorovna, *1782.
Darmstadt, Schlossmuseum.*

eleganza si confronta perfettamente con quella di tanti personaggi europei contemporaneamente documentati in pose analogamente non convenzionali, ad esempio da Zoffany a Firenze e a Parma.

Vale la pena soffermarsi ancora su un altro importante quadro di Levickij, il ritratto di Caterina legislatrice nel Tempio della Giustizia (Mosca, Galleria Tretjakov). Infatti non soltanto esso ci richiama il clima e la stagione di quella che Venturi ha definito «la lunga avventura di Beccaria in Russia»[18]: vale a dire l'invito non accolto dall'intellettuale italiano a recarsi a San Pietroburgo nel 1768, la traduzione "plagio" della sua opera, l'influenza esercitata da Beccaria sui depu-

Pavlovsk si trova oggi un'altra opera batoniana del 1741, Apollo, la Musica e la Metrica, di cui conoscono più versioni di provenienza lucchese, tra le quali notevoli per qualità le due in collezioni private torinesi[20].

Il mondo dei "grandi" a Roma d'altra parte continua ad ordinare nell'atelier di Batoni ritratti, vedute (se ne incarica il figlio di Pompeo, Felice) e altri soggetti, adesso impeccabilmente aggiornati alla moda neogreca Louis XVI, e adatti a tutte le possibili convenienze. La lista delle ordinazioni dei conti del Nord durante la loro visita allo studio dell'artista, così come viene ricordata dalle cronache contemporanee[21] è probabilmente una delle più cospicue in assoluto ma certo

tati della Commissione legislativa di Caterina, Andrej Naryškin e M.M. Ščerbatov più o meno negli anni che corrono tra il 1771 e il 1781. Interessa anche la circostanza probabile della committenza del dipinto: di omaggio alla zarina da parte del cancelliere Aleksandr Andreevič Bezborodkij. Questi ci riconduce a Batoni, le opere giovanili del quale sono adesso contese dal mercato collezionistico internazionale. Il cancelliere russo riesce infatti ad assicurarsi quattro splendide Allegorie degli anni Quaranta che escono a quel momento dalla lucchese collezione Talenti[19]; il caso Bezborodkij non sembra essere isolato, nel ricco panorama delle committenze prossime alla corte, se ad esempio a

rappresenta un modello canonico per la clientela regale di Batoni. Visita e ordini erano stati preparati dal principe Jusupov, diplomatico e grande collezionista egli stesso[22]. Questi al Batoni ordinerà per sé non il proprio ritratto, come richiederanno invece gli altri personaggi al seguito del granduca e della granduchessa, conte Bruce e principe Kurakin[23], bensì sofisticate allegorie "greche"[24] da accostare alle numerose altre simili di gusto e tematica di autori diversi quali Greuze, Kauffmann, Pecheux, via via ordinate a Parigi, a Roma, a Torino. Quanto ai ritratti del granduca Paolo e consorte vale la pena di rileggere la cronaca di Cracas, il 23 marzo 1782[25]: «il rinomato Pittore gli seppe delinear simili, e al naturale, nel breve spazio di meno di sei ore per ciascheduno così bene che i Gran Duchi, oltre di avergli dimostrata la loro soddisfazione gli ordinarono che di sua mano ne avesse fatti altri quattro originali di ambedue, parimente in grande come i primi, e due altri in ovato. Agli Scolari poi del detto Cavaliere hanno commesso di farne altre 16 copie per ciascheduno, pure in grande, con altre otto più piccolo, tutti ricavati dagli Originali del loro Maestro. / Il nominato Principe ha fatto acquisto ancora dal med. Pittore di un Quadro grande rappresentante la Sagra Famiglia, già esistente nel di lui Studio, e reputato da tutti gl'intendenti e nobili Forestieri, che lo hanno veduto il più bel Capo d'opera che il Sig. Cav. abbia fatto fino al presente giorno, avendone ricevuto dal nobile Personaggio il prezzo di 1500 zecchini. / Oltre di tal Quadro, il mentovato Principe ha fatto acquisto dal figlio del Sig. Cav., celebre anch'egli in Pitture di Paesi, di moltissime, e varie superbe vedute, disegni, ecc. pel valore di 150 zecchini».

Per consentire l'esecuzione delle trenta suddette copie e repliche (se ne conservano, tutte verosimilmente di mano di Johann Gottlieb Puhlmann, ad Archangelskoe, Pavlovsk, Darmstadt, Berlino), i ritratti originali (ad oggi non rintracciati) furono fatti partire soltanto nel 1784, via Livorno, assieme ad un'altra coppia di ritratti del granduca e della granduchessa, opera di Anton von Maron.

1815: l'immagine russa nello scenario europeo all'indomani del Congresso di Vienna

L'avventura napoleonica, per quanto la bufera bellica agiti lo stesso territorio russo e quali che siano i costi patriottici per respingere il nemico francese, impronta dei suoi più sfolgoranti connotati lo stile Impero di Paolo e di Alessandro, rispettando uno di quei paradossi storici cui la moda e il gusto non di rado ci pongono dinanzi. È invero attraverso il *medium* formidabi-

Heinrich Olivier,
La Santa Alleanza.
Dessau, Staatliche
Galerie.

le del bronzo dorato e della malachite, dei trionfi architettonici elevati in ogni scala, dai *surtout* da tavola agli apparati celebrativi del primo secolo di San Pietroburgo nel 1803, che l'Europa comincia a farsi un'immagine specifica del mondo russo, grande tra i grandi dell'occidente. Una fisionomia che la profusione di materiali preziosi fa sì apparire peculiare ed eccezionalmente sontuosa, ma che le rassicuranti grammatiche formali rendono figurativamente compatibile con tutte le altre declinazioni mondiali del neoclassicismo. Innestato dalla «grande barbara famelica» («Donnezmoi du Clérisseau» era stato l'appassionato mandato di Caterina agli architetti dell'Impero) il neoclassicismo

aveva provocato nel paesaggio russo la surreale metamorfosi delle immagini urbane, di villeggiatura e do-
mestiche così suggestivamente descritte dal già citato
autore di *Bianco e oro*[26]: «Grazie al Quarenghi, a Carlo
Rossi, a Luigi Rusca, a Thomas de Thomon, al Voro-
nikin, i templi di Roma, il teatro, i palazzi, le ville
di Vicenza si risvegliano tra le nevi e le nebbie e stu-
piscono che il sole più non baci i loro membri ingigan-
titi».

Lo stesso avviene dei marmi canoviani "innestati" in
Russia. Una particolare affinità tematica lega l'Amore
e Psiche giacenti, che il principe Jusupov aveva ordinato a Roma nel 1794[27], al gruppo di marmi già appartenuto a Giuseppina Beauharnais e nel 1815 acquistato da Alessandro, l'Ebe, l'Amore e Psiche stanti, la
Danzatrice con le mani sui fianchi, il Paride, le Grazie.
Il requisito essenziale di tali opere, il Bello ideale, come si definiva allora l'intenzionalità poetica di Canova
(idolatrata dai suoi ammiratori), ovvero la concezione
classica, squisitamente intellettuale e letteraria, dalla
quale esse sbocciavano come esercizi neogreci alla maniera di Catullo, si identificava nella conchiusa purezza
della materia marmorea. Sui nuovi sfondi russi, più
immacolati e glaciali dello stesso marmo, le medesime
si mostrano invece creature vive, tenere, palpitanti,
pronte ad assecondare le nuovissime inclinazioni ro-
mantiche per il sembiante "naturale". Tanto che viene
da associare loro immediatamente un'altra creazione
eccezionale che ne condivide oggi la collocazione al-
l'Ermitage, il molle Abele di Giovanni Dupré, pervenuto nel 1844 (a conclusione cioè della parabola romantica del "Bello naturale") alle collezioni imperiali
russe[28].

Ma «l'angelo bianco del Nord», Alessandro I, vuole
soprattutto che l'immagine della Russia da rinviare al-
l'Europa sia, oltre che assimilabile a quella ghermita
quasi di prepotenza da Caterina all'occidente, anche in
competizione vincente con esso. Non prevale più l'ac-
cumulo di simboli della cultura europea come compito

affidato a diplomatici e artisti con borse di studio, benché tanto gli uni che gli altri vadano visitando in cre-
scendo, cioè sempre più numerosi e smaniosi, tutte le
località d'arte dell'Europa di Restaurazione. Il fattore
di riequilibrio e di scambio è ciò che più interessa ed
è rappresentato dalla diffusione europea delle affasci-
nanti vedute di San Pietroburgo, di Mosca, dei monumenti russi, e dagli opulenti oggetti di "buon disegno"
che escono adesso dalle manifatture imperiali.

Le immagini dei luoghi si diffondono come d'uso
con le stampe, le porcellane, le tavole in mosaico di
Michelangelo Barberi, di Giorgio Weckler, e degli altri
operatori dello stabilimento russo del mosaico, che
avrà una propria sede anche a Roma[29], nonché con i
resoconti dei numerosi viaggiatori europei, attratti sia
dal contatto con la cultura ormai decifrabile e condivi-
sa dei grandi centri sia anche dall'esplorazione geogra-
fica dei luoghi dello Stato che rimangono pur sempre
"diversi": Crimea, Georgia, Caucaso, Siberia, Tarta-
ria. I nomi "nostri", dei de Maistre, di un Vidua, o di
un Vieusseux, si schierano così accanto a quelli dei vari corrispondenti di giornali europei, come Julius von
Klaproth, Marie Holderness, il Cochrane, il Lyall[30].

Nuovo secolo, *novus ordo*: il conflitto tra l'immagine
che di quest'ultimo intende dare la società borghese
europea, con i suoi gusti e i suoi interessi presto vin-
centi, e il precario modello soprastorico dello stile monarchico uscito dal Congresso di Vienna si commenta
da solo e lo troviamo riverberato tal quale anche nei
rapporti tra la cultura russa e quella del resto d'Europa. Basti esemplificarlo in conclusione con due simboli: l'omaggio reso all'arte russa del niello dal nostro
Leopoldo Cicognara in veste di storico battistrada degli
studi specialistici sulle arti "industriali" da una parte[31]
e dall'altra l'icona nazarena[32] della Santa Alleanza con
la ieratica presentazione dei triarchi guardiani di un
nuovo impossibile *ordine* politico europeo Francesco II
d'Austria, Guglielmo III di Prussia, Alessandro I di
Russia.

NOTE

[1] La citazione è ripresa da J. ADHÉMAR, *Le rôle du dessin dans les grandes entreprises du regne*, in *Collections de Louis XIV. Dessins, albums, manuscrits*, catalogo della mostra, Parigi 1977-1978, p. 234.

[2] S. CIAMPI, *Sullo stato dell'arti e della civiltà in Russia, prima del regno di Pietro il Grande*, in "Antologia", LXXXXII (agosto 1828) pp. 485-502, citazione a p. 502.

[3] Una scheda sul Fauno del Prado e le derivazioni che ne testimo-niano la fortuna si trova in F. HASKELL-N. PENNY, *Taste and Antique*, New Haven e Londra 1981, pp. 109-110.

[4] M. WESTERMAN-BULGARELLA, *Rediscovery, History and Conservat-ion of a K'O-ssu Set from the Grand-ducal Collection, Florence*, in «Textile History» 15 (1984) pp. 3-19, con bibliografia precedente.

[5] K. ASCHENGREEN PIACENTI, *Filippo Sengher* in *Artisti alla Corte*

granducale, catalogo della mostra, Firenze, Palazzo Pitti, 1969, pp. 152-153. Sui rapporti tra Cosimo III e Pietro il Grande cfr. anche gli articoli di F. BACI in *Giornale di bordo*, III, (4), 1970, pp. 325-334; (5), 1971, pp. 434-440; (6), 1971, pp. 507-512.

[6] Cfr. M.L. GUARDUCCI, *Appendice in Medaglie russe del Settecento*, catalogo della mostra a cura di G. TODERI e F. VANNEL, Firenze, Museo del Bargello, 1988, pp. 99-101, e S. MELONI, *Tommaso Re-di* in AA.VV., *La pittura in Italia. Il Settecento*, t. II, Milano 1990, p. 849. Pervenuti in Galleria nel 1718 i due ritratti sono stati rin-tracciati nella sede fiorentina dell'Intendenza di Finanza.

[7] S. MELONI, schede A740 e A739 rispettivamente per i dipinti inv. n. 1733 e n. 3363 in AA.VV., *Uffizi. Catalogo Generale*, Firenze 1980.

[8] Il ritratto di S.G. Stroganov è stato recentemente presentato a Pa-

rigi alla mostra *La France et la Russie au Siècle des Lumières*, 1986-1987, cfr. scheda n. 340.

[9] Pubblicato nella raccolta antologica *Gusto neoclassico* nel 1939 dopo aver visto la luce già qualche anno prima in un periodico, il saggio appare con bibliografia aggiornata nell'*editio princeps* della raccolta (Napoli, 1959), qui consultata (per la citazione cfr. p. 224).

[10] M. ALFIERI, M.G. BRANCHETTI, G. CORNINI, *Mosaici minuti romani del 700 e dell'800*, Roma 1986. Il ritratto di Cocchi è riprodotto alla fig. 54. Cfr. anche in questo catalogo p. 354.

[11] Un cenno moderno sul Pellizza che riporta anche le scarse fonti degli archivi torinesi è in S. PINTO, *Dalla Rivoluzione alla Restaurazione*, in AA. VV., *Arte di Corte a Torino da Carlo Emanuele III a Carlo Felice*, Torino 1987, p. 107. Il mosaico, identificato allora nei depositi del Palazzo Reale, è stato restaurato nel 1988 (da Emanuela Ozino Caligaris con direzione di Paola Astrua) ed è adesso esposto in permanenza nella sala originariamente biblioteca dell'appartamento degli archivi al primo piano.

[12] A.M. CLARK, *Pompeo Batoni Complete Catalogue*, a cura di E. Peters Bowron, Oxford 1985, cat. 299, ill. 274.

[13] *Ibidem*, cat. 288, ill. 264.

[14] *Ibidem*, cat. 281.

[15] *Ibidem*, cat. 340-341, ill. 310-311.

[16] Indirettamente presente in questa mostra per mezzo dell'incisione di Jacob, cfr. cat. n. 73.

[17] Sul tema dei professionisti del ritratto "di genere" itineranti nelle corti europee cfr. S. PINTO passim in *Curiosità di una reggia*, catalogo della mostra, Firenze, Palazzo Pitti, 1979; successivamente *La promozione delle arti negli Stati italiani dall'età delle riforme all'Unità* in AA. VV., *Storia dell'arte italiana*, VI, t. II, Torino 1982, pp. 817, 838; infine, in *Bâtir une ville au siècle des lumières*, catalogo della mostra, Carouge 1986, p. 575.

[18] F. VENTURI, *L'Italia fuori d'Italia*, in AA. VV., *Storia d'Italia. 3. Dal primo Settecento all'Unità*, Torino 1973, p. 1039 e segg., pp. 1086-1089.

[19] CLARK, *op. cit.*, cat. 107-110, ill. 102-105.

[20] *Ibidem*, cat. 45.

[21] Cfr. Cracas, "Diario Ordinario" 23 marzo 1782, cit. in CLARK, *op. cit.*, cat. 431-432.

[22] Cfr. DI MACCO in questo catalogo.

[23] CLARK, *op. cit.*, cat. 433, 434.

[24] V. ANTONOV, *Clienti russi del Batoni* in *Antologia di Belle Arti*, I, 1977, pp. 351-353, ha messo in rapporto il gusto per questi soggetti con l'infatuazione del principe per una nobile senese.

[25] Cfr. nota 21.

[26] Cfr. M. PRAZ, *Gusto neoclassico*, Napoli 1959, cit., p. 226.

[27] L'opera è la seconda versione del soggetto eseguito per la prima volta per il colonnello Campbell. Il principe la volle con una significativa variante nel panneggio di Psiche, motivata da quelle inclinazioni erotiche che lo Jusupov non era il solo in quel periodo a manifestare (cfr. F. HASKELL, *An Italian Patron of French Neo-Classic Art*, The Zaharoff Lecture for 1972, Oxford 1972, pp. 21-22; trad. *Un mecenate italiano nell'arte neoclassica Francese* in *Arte e linguaggio della Politica*, Firenze 1978).

[28] Il marmo del 1844 direttamente tratto dal gesso del 1842 fu acquistato presso lo studio dell'artista della granduchessa Maria. Il granduca di Toscana Leopoldo II si fece trarre una fusione in bronzo dallo stesso gesso.

[29] Cfr. M. ALFIERI, M.G. BRANCHETTI, G. CORNINI, *op. cit., fig. 152, p. 144.*

[30] *Cfr. L. DESIDERI, Spoglio Bibliografico* in *Notizie di viaggi lontani. L'esplorazione extraeuropea nei periodici del primo Ottocento 1815-1845*, a cura di M. BOSSI, Napoli 1984, *passim*.

[31] L. CICOGNARA, *Dell'origine, composizione, decomposizione de' Nielli*, Venezia 1827. Si tratta di una sorta di revisione all'opera del francese Duchesne, recensita in "Antologia", LXXXXI (luglio 1828), pp. 50-59.

[32] La gouache di Heinrich Olivier, oggi nella Staatliche Galerie di Dessau proveniente dalla casa ducale di Anhalt, era stata ispirata nel 1815 dal ditirambo dello storiografo di Metternich, Hormayr, *Österreich und Deutschland*.

I QUADRI DELLA FAMIGLIA VANLOO
NEI MUSEI RUSSI

Pierre Rosenberg e Marie-Catherine Sahut

Nella collezione di pittura francese dell'Ermitage e del museo Puškin a Mosca[1], le opere dei VanLoo occupano uno dei primi posti per numero e per qualità[2]. Certo non si può fare un paragone con il numero impressionante di quadri di Hubert Robert e di Joseph Vernet presenti a decine in URSS. Con una ventina di opere in Russia, Carle VanLoo si colloca comunque fra i pittori francesi del Settecento più apprezzati dai collezionisti russi, accanto a Greuze, Vigée-Lebrun, Boucher e Lancret.

Fra tutti questi artisti, esistono differenze di generazione che occorre tener presente per misurare il successo di ognuno. Quando il collezionismo si sviluppa in Russia poco dopo l'ascesa al trono nel 1762 di Caterina II, Jean-Baptiste VanLoo (1684-1745) è morto, suo nipote Carle VanLoo (1705-1765) è alla fine della sua vita. Per questi due pittori, quindi, il successo in Russia è postumo, come è il caso di Watteau, Lemoyne, Pater, Lancret, ecc. Più giovane, Louis-Michel VanLoo (1707-1771) beneficia di commissioni dirette, ma la sua importanza non può essere in nulla paragonata a quella dello zio Carle, unico pittore della dinastia dei VanLoo a raggiungere una statura internazionale.

Di origine olandese, questa famiglia prolifica e duratura — una decina di pittori VanLoo è registrata tra la fine del Cinquecento e l'inizio dell'Ottocento — si stabilisce in Francia nel Seicento, prima a Parigi, poi nel Sud. Le ordinazioni del re di Sardegna consacrano, all'inizio del Settecento, l'ascesa della dinastia: Jean-Baptiste VanLoo esegue la decorazione del Castello di Rivoli (1719); Carle VanLoo riceve l'incarico della volta di Diana a Stupinigi e del ciclo della "Gerusalemme liberata" che orna il Gabinetto del Pregadio della Regina nel Palazzo Reale di Torino (1732-1733)[3]. Legato da matrimonio con la cantante Cristina Somis, Carle VanLoo lascia con rimpianto Torino per Parigi. Nella capitale francese prosegue la sua brillante carriera, coronata nel 1762 dal titolo di Primo Pittore di Luigi XV. I due nipoti Louis-Michel e Charles-Amédée, nominati rispettivamente Primo Pittore del re di Spagna e del re di Prussia, estendono al di là dei confini la maniera del loro avo, del quale

adottano scrupolosamente i canoni pittorici. Sono soprattutto le commissioni realizzate a distanza per le varie corti europee (Inghilterra, Spagna, Svezia, Danimarca, Prussia, Polonia, Russia), che integrano fino alla fine del secolo gli acquisti trattati sul mercato dell'arte. È chiaro: la dinastia dei VanLoo è il simbolo di una Europa artistica senza frontiere di cui Parigi è allora il centro.

L'alleanza franco-russa del 1756 segna l'inizio di un periodo fecondo e stabile nei rapporti culturali tra i due paesi. Gli aristocratici russi vengono a Parigi, ordinano ritratti, monumenti funebri, oggetti d'arte di ogni specie agli artisti francesi. Di ritorno dalla Spagna nel 1753, Louis-Michel VanLoo occupa in Francia una posizione di primo piano fra i ritrattisti, a fianco di Tocqué, dello svedese Roslin e del giovane François-Hubert Drouais. Nel 1759, esegue il ritratto della "Principessa Ekaterina Dimitrievna Golicyna", figlia del principe di Moldavia e moglie del futuro ambasciatore russo a Vienna[4]. Con le sue membra sottili, questo ritratto possiede tutti gli artifici dell'eleganza, carattere tipologico del ritratto di corte: fondamentale il "bouillonnement" della stoffa di raso, la *parure* di perle.

Molto apprezzata alla corte di Francia, la principessa Golicyna si rese famosa per la sua commissione del 1757 a Carle VanLoo di un grande quadro offerto a Mademoiselle Clairon, la famosa attrice tragica della Comédie-Française. Anche se il quadro non fece mai parte delle collezioni russe, è interessante ricordare le circostanze della sua committenza che testimoniano di quale reputazione godesse l'artista nell'*élite* cosmopolita che gravitava in Parigi. Ecco l'aneddoto riportato dal biografo del pittore: «La Princesse de Galliczin, voulant donner un témoignage d'amitié à Mademoiselle Clairon, lui offre le choix d'un présent en vaisselle, en bijoux ou en étoffes précieuses et lui demande ce qui peut lui être plus agréable: Mon portrait de la main de C. VanLoo me flatteroit encore davantage, répond l'Actrice célèbre»[5]. Il quadro rappresentava la Clairon nel suo ruolo preferito, quello di Medea nel dramma di Longepierre. Pagato la somma considerevole di 30.000 libbre, questo quadro ebbe l'onore di

Jean-Baptiste VanLoo, Il trionfo di Galatea. *Leningrado, Museo dell'Ermitage. Inv. 1219.*

Jean-Baptiste VanLoo, Allegoria del Tempo, *volta affrescata, 1719. Rivoli, Castello (dopo il restauro del 1989).*

Carle VanLoo Il riposo di Diana e delle sue ninfe dopo la caccia, *bozzetto. Leningrado, Museo dell'Ermitage. Inv. 1140.*

essere presentato a Luigi XV, che offrì all'attrice la sontuosa cornice scolpita da Michelangelo Slodtz[6] e le spese dell'incisione. Non si trattava semplicemente di un ritratto: la realtà era trasposta nel linguaggio espressivo proprio del teatro e nel mondo della favola. Nella gerarchia dei generi, il quadro, monumentale, accedeva quindi al più alto rango, quello della pittura di storia.

Carle VanLoo era uno dei rari artisti che mantenesse in Francia una certa pratica della grande maniera, genere abbandonato dopo la morte di Luigi XIV a favore della pittura da *boudoir*. Questa capacità gli permise di

le premier de l'Ecole Moderne. Mais il lui faut de l'Etendue et des sujets graves et Héroïques. Son génie ne s'accomode pas au badinage et il n'est guère propre à faire du léger et du gracieux. Il n'aproche pas de la gentilesse de Boucher, qui excelle dans ce genre de Peinture».[8]

VanLoo raggiunse il suo apogeo verso il 1753, data in cui Grimm, fondatore della "Correspondance littéraire", lo presenta come «le premier peintre de l'Europe»[9]. L'artista, giudicato ammirevole nel ciclo di Sant'Agostino dipinto per il coro della chiesa di Notre-Dame-des-Victoires a Parigi, non fu all'altezza delle

distanziare nella corsa agli onori ufficiali il suo rivale François Boucher, pittore favorito di Madame de Pompadour e maestro della pittura *rocaille*. Il successo pubblico fu ottenuto in quei campi che richiedevano una certa nobiltà di tocco: i quadri per le chiese e le pitture eroiche ordinate dai sovrani stranieri per abbellire i propri castelli[7]. Sentiamo cosa ne dice Wasserschlebe, che a Parigi fu l'attivo agente di due mecenati della Corte di Danimarca, entrambi amanti della cultura francese, il conte Moltke e il conte Bernstorff: «Carl VanLo a fait des Morceaux admirables. Il est grand Peintre et on le regarde à cause de son coloris comme

aspettative quando dovette trattare temi desunti dall'Antichità. Il "Sacrificio di Ifigenia", ordinatogli dal re Federico II di Prussia nel 1755, fu accolto con freddezza a Berlino[10]. E nonostante il suo successo pubblico, il quadro di "Mademoiselle Clairon nel ruolo di Medea" non ottenne molti consensi. Diderot, che nel 1759 redigeva la sua prima critica dei *Salons* per la "Correspondance littéraire", fu particolarmente severo verso il quadro: «Enfin nous l'avons vu, ce tableau fameux de Jason et Médée. O mon ami, la mauvaise chose! C'est une décoration théâtrale avec toute sa fausseté; un faste de couleur qu'on ne peut suppor-

364

Carle VanLoo,
Il riposo di Diana,
affresco della volta,
1733.
Stupinigi, Palazzina
di Caccia; camera da
letto del re, poi della
regina.

Carle VanLoo,
Figura femminile
sdraiata, *studio*
preparatorio per
l'affresco di
Stupinigi.
Digione, Musée
des Beaux-Arts.

Carle VanLoo,
Figura femminile
con uno strumento
a fiato, *studio*
preparatorio per
l'affresco di
Stupinigi.
New York,
Metropolitan
Museum.
Inv. 87-12-125.

ter; un Jason d'une bêtise inconcevable [...] Ce peintre ne pense ni ne sent [...]»[11].

L'inizio degli anni 1760 segna una svolta nella carriera di VanLoo. Nominato Primo Pittore del re nel 1762, l'artista si sforza di partecipare al rinnovamento della pittura francese secondo il programma dei più influenti teorici dell'arte, a cominciare dal conte di Caylus. Appassionati dell'Antico, ammiratori fervidi dei maestri del Seicento, che considerano un antidoto alla depravazione della pittura *rocaille*, essi sono i sostenitori di una pittura che unisca la grandezza morale alla grazia dell'antico. Tralasciando i soggetti di azione criticati da Diderot, come il dipinto "Mademoiselle Clairon nel ruolo di Medea", VanLoo tenta nuove formule: allegorie dell'Amore all'antica, nudi a grandezza naturale ("Le Tre Grazie", "La Casta Susanna"), composizioni religiose rigorose, alla maniera di Le Sueur. Per un artista come lui, formato nello spirito rococò, è un aggiornamento difficile, tanto più che due artisti più giovani, Vien e Louis Lagrenée, hanno trovato risposte più felici a questi nuovi canoni estetici. La critica comunque non esita a elogiare i quadri esposti da VanLoo ai *Salons* del 1761, 1763 e 1765. Tuttavia non ci si deve accontentare di ascoltare la voce di una critica che si fa un vanto di essere militante o cortigiana. L'insuccesso ufficiale del ciclo di pittura di Choisy[12], il poco entusiasmo dimostrato da Caterina II per i quadri che le vengono inviati da Parigi, dimostrano che esiste ancora una certa distanza tra la teoria e la pratica.

Nessuna commissione diretta sarà conclusa tra Caterina II e Carle VanLoo che muore nel luglio 1765, troppo presto per beneficiare dei favori dell'imperatrice. Ma fra le opere che lascia nel suo studio, otto dipinti fra quelli che furono esposti con grande eco alcune settimane dopo al Salon del 1765 prendono la via di San Pietroburgo. Essi costituiscono le prime opere di pittura moderna della Scuola francese comprate da Caterina II assieme alla "Pietà filiale" di Greuze[13], all' "Allegoria delle Arti" di Chardin[14] e a un bozzetto di soffitto di Carle VanLoo che rappresenta l' "Assunzione della Vergine"[15] offerto dallo scultore Falconet in occasione del suo arrivo in Russia.

È possibile che Diderot abbia fatto da intermediario in questi primi acquisti, come farà ufficialmente in seguito fino al suo viaggio in Russia nel 1773. Dopo l'acquisto della sua biblioteca da parte di Caterina II nel febbraio del 1765 e a seguito delle facilitazioni finanziarie che l'accompagnarono, il filosofo si sentì obbligato nei confronti dell'imperatrice, senza parlare dell'interesse che presentava per lui la possibilità di applicare i principi dell'Illuminismo alla nuova nazione. Deciso a trasmettere alla Russia il «vrai goût de l'art», Diderot diverrà il consigliere e uno degli agenti d'arte di Caterina II a Parigi. Non si può dissociare questa attività pratica da quella, altamente teorica, che

lo portò a svelare, *Salon* dopo *Salon*, tutti gli arcani del processo creativo.

Esposta al *Salon* del 1765, la "Casta Susanna"[16] fu oggetto di un elogio di Diderot, il cui entusiasmo contrasta con la severità dei giudizi che aveva dato abitualmente su Carle VanLoo: «La belle figure! La position en est grande; son trouble, sa douleur, sont fortement exprimés; elle est dessinée de grand goût; ce sont des chairs vraies, la plus belle couleur et tout plein de vérités de nature répandues sur le cou, sur la gorge, aux genoux[17] (...). Si j'avois le malheur d'habiter un palais, ce morceau pourroit bien passer de l'atelier de l'artiste dans ma galerie»[18]. Bisogna riconoscere che l'invito fu ascoltato da Caterina II, lettrice assidua della "Correspondance littéraire", che lo acquistò.

I sette modelli del ciclo di San Gregorio preparati per la decorazione della cappella della chiesa di Saint-Louis des Invalides a Parigi seguirono esattamente lo stesso destino[19]. Questi modelli furono considerati una delle opere maggiori di Carle VanLoo. Esposti al *Salon* del 1765, con una "Testa d'angelo" nella stessa scala dell'affresco (Torino, Galleria Sabauda), accentuarono il rimpianto per la scomparsa di un pittore di cui si apprezzavano in Francia soprattutto le opere religiose. «Il y était presque toujours simple, grand, admirable» scrive Grimm[20]. Ispirate più o meno da Eustache Le Sueur (il cui ciclo di San Bruno per il convento dei Certosini serviva allora come punto di riferimento), le composizioni colpirono Diderot per l'unità e la concisione dell'azione[21]. La Surintendance des Bâtiments tentò di acquistarle per la collezione del Re, ma il prezzo proposto fu insufficiente e i modelli partirono per la Russia, come accadde nelle stesse circostanze per la "Pietà filiale" di Greuze.

C'è una certa confusione tra i quadri destinati all'Accademia delle Belle Arti di San Pietroburgo e quelli che l'imperatrice distoglie o compra a favore del museo dell'Ermitage, luogo riservato alla propria contemplazione. Gli otto quadri di VanLoo sono mandati all'Accademia, destinazione giustificata dal loro valore altamente didattico. Infatti non si poteva trovare un esempio più esplicito dei precetti in auge all'Accademia di Parigi — modello ufficiale della neonata Accademia di San Pietroburgo — delle ultime opere di Carle VanLoo, che fu direttore della Scuola reale "des Elèves Protégés", una sorta di scuola superiore creata per favorire in Francia il rinnovamento del "grande genere". Tuttavia, non si può nascondere che il fatto di aver relegato i quadri all'Accademia suona come il segno di un disconoscimento implicito di Caterina II nei confronti dei dipinti che le erano stati inviati[22].

Dal 1766, Diderot svolge in pieno il suo ruolo di promotore dell'arte francese presso Caterina II e presso l'ambasciatore di Russia, il principe Dmitrij Aleksevič Golicyn, parente dei Golicyn sopra citati. Lo scultore Falconet parte dietro sua raccomandazione per con-

*Carle VanLoo,
Pannelli con episodi
della ''Gerusalemme
Liberata'', 1733.
Torino, Palazzo
Reale; Gabinetto di
vestibolo all'oratorio,
Appartamento di
inverno del re.*

durre quello che sarà uno dei cantieri francesi più importanti a San Pietroburgo, la statua equestre di Pietro il Grande. Diderot si preoccupa soprattutto di passare le ordinazioni, conciliando in questo modo i suoi obblighi verso l'imperatrice e l'amichevole sollecitudine nei confronti degli artisti. Questo tentativo merita di essere analizzato, benché si sia concluso con uno scacco.

Paradossalmente, è all'epoca in cui Diderot scopre la debolezza dei moderni a confronto con la pittura antica[23] che ha l'opportunità unica di sostenerne la produzione. Nel 1767, in occasione del *Salon*, egli fa un quadro piuttosto negativo della Scuola francese[24]. I suoi favori vanno piuttosto ai paesaggisti Joseph Ver-

Carle VanLoo, Testa d'angelo (esposto al Salon del 1765). Torino, Galleria Sabauda.

net, Hubert Robert e Loutherbourg, ai pittori di genere come Greuze, ai ritrattisti come La Tour. La morte di Carle VanLoo e di Deshays nel 1765 priva la pittura di storia dei suoi talenti migliori e non è senza riserva che Diderot raccomanda Vien, Lagrenée, Doyen, Taraval, Durameau, Pierre, così come Fragonard, a condizione che continuasse nella via della grande pittura, il che non avvenne.

«Comptez bien, mon ami; et vous trouverez encore une vingtaine d'hommes à talens, je ne dis pas à grands talens; c'est plus qu'il n'y en a dans tout le reste de l'Europe. Avec tout cela je crois que l'Ecole a beaucoup déchu et qu'elle déchera davantage. Il n'y a presque plus aucune occasion de faire de grands ta-

bleaux. Le luxe et les mauvaises moeurs qui distribuent les palais en petits réduits anéantiront les beaux-arts. A l'exception de Vernet qui a des ouvrages commandés pour plus de cent ans, le reste des grands artistes chomme»[25].

Le commissioni per la Russia favoriranno forse un rinnovamento della pittura francese offrendogli nuovi temi di studio? L'incisore Cochin, uno dei principali promotori della pittura di storia in Francia, propose un ciclo sulla vita di Caterina II, che non ebbe seguito[26]. Diderot suggerì di rendere omaggio a Caterina esaltandone il ruolo di legislatrice e di protettrice delle arti[27], oppure la generosità verso la propria famiglia[28]. Non

furono mai eseguite. Bisogna sottolineare la scarsa attenzione di Caterina II per la pittura di storia e la sua avversione per l'allegoria. La zarina si distingue così dal re di Polonia Stanislao-Augusto che aveva appena ordinato tramite Madame Geoffrin, ad imitazione del ciclo di Choisy, quattro quadri allegorici che illustrassero le virtù monarchiche[29].

La politica di acquisto condotta congiuntamente da Diderot e dal principe Golicyn nel 1768 si caratterizza per l'assenza di un programma. Si trattava di ordinare un'opera ad ognuno dei buoni artisti dell'epoca, nel genere a ciascuno più consono, lasciando loro tutta la libertà nell'esecuzione del dipinto una volta che il soggetto fosse stato stabilito[30]. Da qui un certo eclettismo:

Carle VanLoo,
La lettura spagnola.
Leningrado, Museo
dell'Ermitage.
Inv. 2174.

Carle VanLoo,
Autoritratto, 1762.
Leningrado, Museo
dell'Ermitage.
Inv. 1211.

Carle VanLoo,
Assunzione della
Vergine, *1750.*
Leningrado, Museo
dell'Ermitage.
Inv. 4421.

Carle VanLoo,
Apoteosi di San
Gregorio.
Leningrado, Museo
dell'Ermitage.
Inv. 1217.

un quadro mitologico di Vien, una scena di genere di Louis-Michel VanLoo, un paesaggio di Casanova, un quadro di architettura di De Machy. In realtà, l'iniziativa fallisce. Non sono disponibili grandi artisti come Boucher[31] e Vernet. Ancor peggio: gli artisti interpellati, che figuravano fra i più rinomati a Parigi, non godono in Russia di successo scontato[32]. Louis-Michel VanLoo, diventato Direttore della Scuola "des Elèves Protégés" alla morte dello zio e beneficiando a questo titolo di un alto rango nella gerarchia dell'Accademia, manda un "Concerto spagnolo"[33], plagio del quadro di Carle VanLoo dipinto per Madame Geoffrin. Il bel quadro di Joseph-Marie Vien, "Marte e Venere", per il quale Diderot si vantava di aver ispirato il soggetto, non piace a Caterina II, che lo spedisce all'Accademia[34], così come il paesaggio di Casanova, pittore di battaglie molto apprezzato da Diderot.

A Diderot che si lamenta di questo insuccesso come di una «mauvaise plaisanterie» e fa appello al buon gusto dell'imperatrice[35], Grimm replica con una riflessione che aumenta il pessimismo espresso dal filosofo due anni prima: «Je n'ai point vu le tableau de Vien envoyé en Russie, mais supposé, mon cher philosophe, que le seul pays où l'on sache encore peindre [si tratta della Francia], ne prouvât autre chose sinon que l'on ne sait plus peindre nulle part, vous conviendriez qu'un tableau de Vien n'est pas plus en état de soutenir le parallèle avec quelque chef d'œuvre d'Italie qu'un tableau de Casanove avec un excellent tableau de l'école flamande. Je ne sais si c'est à tort ou à raison; mais après la musique française je ne connais rien de si décrié en Europe que les tableaux de l'école française»[37].

La reazione di Caterina II è la perfetta dimostrazione di questa sentenza: la zarina da allora non si preoccupò troppo di acquistare direttamente opere di pittori francesi[38], contrariamente al figlio Paolo I e ad Alessandro I, al quale la Russia deve il possesso di tanti quadri di Vernet, di Hubert Robert e di Greuze. Ormai, l'imperatrice si appassiona all'avanguardia romana, a Mengs e Angelica Kauffmann.

In effetti, Caterina II preferisce comprare quadri, antichi e moderni, di fama già consolidata. La voga straordinaria del collezionismo e del mercato d'arte del Settecento crea le condizioni favorevoli al cultore desideroso di mettere assieme in tempi brevi una grande collezione. Alla stregua dei re di Prussia, di Polonia e di Svezia, Caterina II si dota dei mezzi necessari: molto denaro, una rete di agenti competenti e l'impegno personale. Al cenno di ogni minima opportunità — in generale, la morte di un celebre collezionista — Caterina II si appropria di intere collezioni, a Berlino, a Londra, a Parigi soprattutto, approfittando senza scrupoli della crisi finanziaria che paralizza la Francia dal 1768 al 1773[39]. Affetta da una vera e propria «gloutonnerie en fait de beaux-arts»[40], riesce a comprare

per il suo museo dell'Ermitage più di tremila quadri di tutte le scuole, creando così nell'arco di trent'anni una delle più ricche raccolte d'Europa.

Diderot è più presente che mai in questa impresa della sovrana. Formatosi in compagnia del principe Golicyn in occasione dell'asta del collezionista Jean de Jullienne nel marzo 1767, ove il principe compra per l'imperatrice quadri olandesi e il "Mezzetin" di Watteau, Diderot tratta lui stesso gli acquisti dopo la partenza di Golicyn nel gennaio 1768, con la collaborazione di esperti quando è necessario. Continuerà a farlo felicemente senza preoccuparsi delle reazioni negative che accompagnano ogni partenza all'estero[41] di capolavori, le più vive delle quali furono suscitate dalla vendita all'imperatrice dei quattrocento quadri della raccolta Crozat, vero colpo da maestro di Diderot, che priva la Francia della più bella collezione dopo quelle del Re e del duca di Orléans.

Il mercato dell'arte parigino è costituito per la maggior parte da quadri di scuole del Nord e da quadri francesi della prima metà del XVIII secolo. Molti quadri degli anni trionfanti della *rocaille* vengono venduti, dopo la morte del committente o perché non trovano più posto in complessi decorativi riadeguati al gusto aggiornato. Caterina II compra, durante il suo regno, una decina di quadri dei VanLoo per l'Ermitage.

Quando Diderot tratta all'asta Gaignat nel febbraio 1769 quattro quadri di Gérard Dou e di Murillo, nel suo invio inserisce un'opera mitologica di Jean-Baptiste VanLoo, il "Trionfo di Galatea", «beau sujet, d'excellente couleur et d'un dessin très-correct». E Diderot aggiunge: «C'est une trouvaille; car cet artiste a peu fait de tableaux de chevalet»[43]. Dipinto verso il 1722 per il principe Vittorio Amedeo di Savoia Carignano, che fu protettore dell'artista prima a Torino, poi a Parigi (dove lo chiamò per decorare la sua residenza dell'Hôtel de Soissons), il quadro è dotato di tutti i caratteri del rococò internazionale: la composizione a spirale, la vaghezza graziosa delle figure, le tinte tenere, un effetto di sfavillio generale. Non ebbe la fortuna di piacere a Caterina II che scrisse a Falconet a proposito dei quadri arrivati dalla Francia e di cui egli faceva l'elogio: «Il n'y a qu'au VanLoo auquel je ne souscris pas: j'en sais bien la raison, c'est que je ne m'y entends pas assez pour voir ce que vous voyez»[44].

Non bisognerà pertanto dedurne una disaffezione di Caterina per questo genere di pittura. Il numero di quadri di Carle VanLoo comprati dall'imperatrice non si spiega soltanto con la casualità delle occasioni di mercato. Alcune scelte, come "Perseo e Andromeda"[45], "Diana"[46] e "Giunone"[47], manifestano una spiccata predilezione per lo stile liscio e decorativo dell'artista dopo il suo rientro dall'Italia.

Nel 1771, Caterina II compra le tele più preziose del maestro, la "Conversazione spagnola" (1754)[48] e la "Lettura spagnola"[49], nonché un "Autoritratto"

*Louis-Michel
VanLoo,* Ritratto
della Principessa
Ekaterina
Dimitrievna
Golicyna, *1759.
Mosca, Museo
Puškin.*

(1762)[50], tre opere dipinte per Madame Geoffrin, che le vendette all'imperatrice di Russia a un prezzo molto alto per fare un'elargizione a Julie de Lespinasse o alla vedova di Carle VanLoo (le destinatarie variano a seconda dei commentatori). I soggetti sarebbero stati suggeriti da Madame Geoffrin, sempre pronta a consigliare gli ospiti del suo famoso *Salon*, filosofi o artisti alla moda, fra cui figurava il fedele VanLoo. Il problema è quello dell'abbigliamento, oggetto di ampio dibattito che divise all'epoca il mondo dell'arte, tra i fautori dell'abito antico e quelli dell'abito moderno, che manca della nobiltà e del paludamento che si presta alla grande pittura. La scelta di un vestito spagnolo dalle forme ingannevoli è da collocare nel numero dei tentativi fatti per uscire da questo dilemma. Il problema è ridimensionato dal fatto che i due quadri, di ispirazione vagamente olandese — la critica fa il nome di Netscher per l'esecuzione — non escono dalla categoria della scena di genere, considerata inferiore nella gerarchia dell'Accademia. Eppure è in essa — vedi Greuze — che si concentrano i fermenti più promettenti del modernismo.

Contemporanee dei soggetti alla spagnola di Madame Geoffrin e non meno significative per la storia della moda, le due "Sultane"[51] di Carle VanLoo sono state eseguite per la camera "alla Turca" di Madame de Pompadour nel castello di Bellevue. Passate nel 1782 alla vendita del marchese di Marigny, erede della sorella, le tele furono comprate poco tempo dopo dal mercante di San Pietroburgo Klostermann.

L'acquisto in blocco della raccolta Walpole nel 1779 fa entrare all'Ermitage il "Ritratto di Walpole"[52] che Jean-Baptiste VanLoo dipinse durante il suo soggiorno in Inghilterra. Con la collezione del conte di Baudouin trattata nel 1784 da Grimm, che era succeduto a Diderot presso Caterina II come agente d'arte, l'Ermitage si arricchì di un bozzetto di Carle VanLoo per il soffitto della Palazzina di Stupinigi[53]: l'ultima opera dei VanLoo comprata da Caterina II[54].

Le raccolte costituite dai grandi aristocratici russi negli anni 1780 riflettono lo stesso interesse per le pitture decorative di Carle VanLoo. Molti quadri dell'asta del marchese di Marigny nel 1782 passano in Russia: la "Tragedia" e la "Commedia"[55], due sovrapporte dipinte per il castello di Madame de Pompadour a Bellevue; il quadro di "Giove e Antiope"[56] che costituiva con tre tele mitologiche di Boucher, Pierre e Natoire "le cabinet de nudités" del marchese di Marigny.

Tre quadri di Carle VanLoo passati all'asta del duca di Choiseul-Praslin nel 1793 si ritrovano oggi in Russia: il "Contratto di matrimonio"[57], un "Paesaggio"[58] e l' "Amore minaccioso"[59]. Ciò dimostra che l'interesse per le opere del maestro rimase vivo presso gli appassionati in un'epoca in cui la critica e gli artisti condannarono in coro il colorito artificioso, la pennellata fluida e brillante del loro avo.

NOTE

[1] Per la storia delle raccolte russe, i dati ci provengono dalle seguenti pubblicazioni: I. NEMILOVA, *Contemporary French Art in Eighteenth-Century Russia*, in "Apollo", n. 160, 1975, giugno, pp. 428-442; I. NEMILOVA, *La Peinture française du XVIIIᵉ siècle, Musée de l'Ermitage, Catalogue raisonné*, Leningrado 1982 (in russo, traduzione parziale in francese); I. KUZNECOVA, *Museo di Belle Arti A.S. Puškin. Pittura francese. Secolo XVI-prima metà del secolo XIX*, Catalogo, Mosca 1982 (in russo).
Sui rapporti tra Francia e Russia, vedi: L. RÉAU, *Histoire de l'expansion de l'art français moderne, le monde slave et l'Orient*, Parigi 1924; *La France et la Russie au Siècle des Lumières*, catalogo della mostra, Parigi, Grand Palais, 1986-87.
Sulla dinastia dei VanLoo, vedi C. GILLES-MOUTON, *Jean-Baptiste VanLoo*, tesi di dottorato presentata nel 1970 dall'Università di Paris IV (testo dattiloscritto); P. ROSENBERG, M.-C. SAHUT, *Carle Van-Loo, Premier peintre du roi*, catalogo della mostra, Nizza, Clermont-Ferrand, Nancy 1977; Louis-Michel VanLoo è il tema di una tesi preparata da Christine Buckingham negli Stati Uniti.
[2] L'Ermitage conserva 17 quadri dei VanLoo, di cui 13 di Carle, 2 di Jean-Baptiste, 2 di Louis-Michel (cfr. NEMILOVA, 1982, pp. 116-130; i numeri 35, 41 e 42 non sono stati considerati), il Museo Puškin di Mosca conserva 7 quadri dei VanLoo, di cui 6 di Carle e 1 di Louis-Michel (cfr. KUZNECOVA, 1982, pp. 84-88).
Due dipinti nei castelli russi completano questo inventario che non pretende di essere esaustivo: "L'amore minaccioso" di Carle Van-Loo, nel castello di Pavlovsk; un "Ritratto dell'Imperatrice Elisa-

betta I" di Louis-Michel VanLoo, nel castello di Petrovoretč, con un'attribuzione errata a Carle VanLoo. Due dipinti di Charles-Amédée VanLoo "L'Esperienza pneumatica" e L' "Esperienza elettrica", figuravano nella raccolta Jusupov. Due quadri del museo di Serpuchov, "La caduta della manna" e "Mosè che colpisce la roccia", un tempo attribuiti a Carle VanLoo e pubblicati sotto questo nome nel catalogo del museo nel 1979, sono stati restituiti a G.-A. Pellegrini da P. ROSENBERG (*A propos des tableaux vénitiens conservés dans les musées russes, deux Pellegrini inédits*, in "Arte veneta", annata XXXVII, 1983, pp. 210-211).
[3] La vita e l'opera dei VanLoo nel Piemonte è stata oggetto di un articolo molto ben documentato che è servito da riferimento: A. BAUDI DI VESME, *I VanLoo in Piemonte*, in "Archivio Storico dell'Arte", T. VI, 1893, pp. 333-368. Un importante quadro di Carle VanLoo, l' "Immacolata Concezione" (datato 1734) è stato ritrovato da F. MORETTI e A. CIFANI nel Seminario di Giaveno (*Bastava cercarlo: è sempre stato lì*, in "Il Giornale dell'Arte", n. 36, 1986, luglio-agosto).
[4] Mosca, Museo Puškin (KUZNECOVA, 1982, n. 747). Il principe Golicyn ordinò nel 1761 il proprio ritratto a François-Hubert Drouais.
[5] M. FR. DANDRÉ-BARDON, *Vie de Carle VanLoo*, Parigi 1765, facsimile, Ginevra, Minkoff Reprint, 1973, p. 47. L'opera oggi è nel castello di Sanssouci a Potsdam.
[6] La cornice, che tuttora inquadra il dipinto, fu pagata 5.000 libbre.

[7] Dopo la morte improvvisa di François Lemoyne nel 1737, Carle VanLoo si impose come suo successore e dipinse per il re di Spagna uno degli otto quadri della storia di Alessandro commissionati dall'architetto Filippo Juvarra per il castello de la Granja. Era quindi l'unico artista francese a competere con i migliori pittori italiani, Solimena, Trevisani, Conca, Masucci, Pittoni, Parodi e Creti. Nel 1757, dipinse per il re di Prussia Federico II una grande tela con il soggetto del "Sacrificio di Ifigenia", rimasto nel Nuovo Castello di Potsdam, il cui successo al Salon del 1757 preannuncia quello di "Mademoiselle Clairon nel ruolo di Medea".

[8] J. WASSERSCHLEBE, lettera a Bernstorff, Parigi 1751, 5 febbraio, ed. M. Krohn, *Frankrigs og Danmarks Kunstneriske Forbindelse i det 18 Aaarhundrede*, Kopenhague 1922, p. 106.

[9] BARONE F.M. DE GRIMM, *Correspondance littéraire, philosophique et critique*, 15 settembre 1753, ed M. Tourneux, t. II, Parigi 1877, p. 280. Dopo la morte del pittore nel 1765, Grimm esprime un giudizio più ponderato e più giusto: «Carle VanLoo n'était pas seulement le premier peintre du roi, mais aussi de la nation; il avait quelque réputation chez les étrangers».

[10] Cfr. MARCHESE J.B. DE BOYER D'ARGENS, *Examen critique des différentes écoles de peinture*, in Histoire de l'Esprit humain [...], Berlino 1768, pp. 161-162. Ciambellano del re di Prussia, il marchese d'Argens propose senza successo a Carle VanLoo, poi a Boucher, di entrare al servizio del re di Prussia (idem, pp. 160-161). Alla fine, fu Charles-Amédée VanLoo, fratello di Louis-Michel VanLoo, ad assumere la funzione di Primo Pittore del re di Prussia dal 1751 al 1769.

[11] D. DIDEROT, *Salons*, testo curato e presentato da Jean Seznec e Jean Adhémar, 4 voll., 1.a edizione, Oxford 1957-67, 2.a ed. (tre primi volumi), Oxford 1975-83, t. I, 1759, 1761, 1763, Oxford 1975, p. 64.

[12] Si tratta di quattro dipinti ordinati nel 1764 a Carle VanLoo, Vien, Hallé e Louis Lagrenée per la galleria del palazzo reale di Choisy. La novità consisteva nella scelta dei temi che illustravano l'*exemplum virtutis*. Questi dipinti austeri non piacquero a Luigi XV che li fece rimuovere (cfr. J. LOCQUIN, *La peinture d'histoire en France de 1747 à 1785*, Parigi 1912, riediz. 1978, pp. 21-30 e ss.).

[13] Nonostante il successo ottenuto al *Salon* del 1763, il quadro, ritenuto molto caro, non aveva trovato acquirente. Dopo essere stato proposto a Luigi XV, fu comprato da Caterina II nel 1765 (cfr. nota pubblicata da E. MÜNHALL nel catalogo della mostra *Diderot et l'Art de Boucher à David*, Parigi, Hôtel de la Monnaie, 1984-85, n. 62). Il quadro si trova all'Ermitage.

[14] Non si sa se Diderot, grande ammiratore di Chardin, sia intervenuto in questa commissione (cfr. articolo di P. ROSENBERG nel catalogo della mostra *Chardin*, Parigi, Grand Palais, 1979, n. 125). Il quadro, che fu ordinato da Caterina II per la sala delle conferenze dell'Accademia delle Belle Arti di San Pietroburgo e trasportato da Falconet nel 1766, rimase poi in effetti nel museo dell'Ermitage. I primi acquisti di pittura francese del Settecento compiuti da Caterina II sono i quadri di Raoux e di Jean-Baptiste Oudry, comprati assieme alla collezione del mercante tedesco Gotzkowski nel 1764 (cfr. NEMILOVA, 1982, p. 22).

[15] Museo dell'Ermitage (SAHUT, 1977, n. 117; NEMILOVA, 1982, n. 29).

[16] "Susanna al bagno". Museo dell'Ermitage (SAHUT, 1977, n. 184; NEMILOVA, 1982, n. 38).

[17] DIDEROT, *Salon de 1765*, ed. Seznec, t. II, 1979, p. 64.

[18] Idem, p. 66. Grimm aggiunge al testo di Diderot, sulle copie manoscritte del *Salon* che spedisce agli abbonati della "Correspondance littéraire": «Cette Suzanne de VanLoo n'est point vendue. On pourrait l'avoir, je crois, pour quatre ou cinq mille francs; mais il n'y aurait guère de temps à perdre» (idem, p. 66).

[19] Soltanto lo schizzo dell' "Apoteosi di San Gregorio" è attualmente in URSS (Museo dell'Ermitage; SAHUT, 1977, nn. 180 e 218-223; NEMILOVA, 1982, n. 37). Due degli schizzi erano in vendita a New York nel 1983 (cfr. articolo pubblicato da M.C. SAHUT nel catalogo della mostra *Diderot et l'Art de Boucher à David*, Parigi, Hôtel de la Monnaie, 1984-85, nn. 112-113). La decorazione della cappella fu affidata a Doyen dopo la morte di Carle VanLoo.

[20] Annotazione di Grimm al *Salon de 1765* di Diderot, ed. Seznec, t. II, 1979, p. 72.

[21] DIDEROT, *Salon de 1765*, ed. Seznec, t. II, 1979, pp. 67-72.

[22] Cfr. NEMILOVA, 1975, p. 434; NEMILOVA, 1982, pp. 22 e 125-126, n. 38.

[23] «Je n'ai bien senti toute la décadence de la peinture que depuis que les acquisitions que le prince de Galitzin a faites pour l'impératrice ont arrêté mes yeux sur les anciens tableaux» (Diderot a proposito dell'asta Jean de Jullienne, Lettera a Falconet, luglio 1767, ed. J. Assézat et M. Tourneux, *Œuvres complètes de Diderot*, t. XVIII, 1876, p. 238).

[24] *Etat actuel de l'Ecole française*, inserito nel *Salon de 1767*, ed. Seznec et Adhémar, t. III, 1963, pp. 316-318.

[25] Idem, p. 316.

[26] «Il est venu à Cochin une idée que je vous communique. Il voudrait qu'on fît exécuter en grand, par nos meilleurs peintres, les principales actions du règne de Catherine, et qu'on mît ensuite ces tableaux en gravures. Voyez, réfléchissez à cela. La nation apprendrait ainsi à connaître l'art, et elle aurait en même temps sous les yeux les motifs de son amour et de sa vénération pour sa souveraine» (Lettera di Diderot a Falconet, luglio 1767, ed. Assézat et Tourneux, 1876, p. 249).

[27] Cfr. Seznec, Adhémar, t. III, 1963, p. 349 e nota 1. Il tema è stato trattato dal pittore russo Levickij (Mosca, Galleria Tret'jakov) e da Falconet in uno degli abbozzi proposti per il monumento a Caterina II che egli sperava di erigere a San Pietroburgo in *pendant* con la statua di Pietro il Grande.

[28] «[...] élevez son Buste ou sa statue sur un pié d'estal; entrelassez autour de ce pié d'estal la corne d'abondance; faites-en sortir tous les simboles de la richesse. Contre ce pié d'estal, appuyez mon épouse; qu'elle verse des larmes de joye; qu'un de ses bras posé sur l'épaule de son enfant, elle lui montre de l'autre notre bienfaitrice commune; que cependant la tête et la poitrine nues, comme c'est mon usage, l'on me voye portant mes mains vers une vieille lire suspendue à la muraille» (DIDEROT, *Salon de 1767*, ed. Seznec e Adhémar, 1963, p. 111).

[29] Ordinati nel 1766 per la camera dei signori del castello di Varsavia, i quadri furono eseguiti da Vien, Hallé e Louis Lagrenée. Boucher vi aveva rinunciato, come aveva fatto per l'incarico di Choisy.

[30] «Le prince de Galitzin avait demandé, pour l'impératrice, un tableau à chacun de nos bons artistes: Michel VanLoo, Vernet, Vien, Casanove, Boucher. Il ne faut rien attendre de Vernet, il est trop occupé, et il doit, de reconnaissance, tout son temps à M. de Laborde qui lui paye la vente du prix de ses tableaux d'avance. Rien non plus de Boucher, qui est léger, caduc et paresseux. Casanove a presque fini le sien. Je ne vous en parlerai pas: je ne l'ai pas vu. C'est un sujet dans son genre, et qu'il a travaillé de son mieux» (Lettera di Diderot a Falconet, 6 settembre 1768, ed. Assézat et Tourneux, 1876, p. 301).

[31] Boucher aveva offerto nel 1766 all'Accademia di San Pietroburgo, tramite Falconet, un grande quadro con il soggetto di "Pigmalion et Galatée", oggi all'Ermitage. Caterina II aveva anche comprato prima del 1774 un importante quadro di Boucher, "Il riposo durante la fuga in Egitto", venduto all'asta dopo la morte della marchesa di Pompadour nel 1766 (cfr. l'articolo di A. LAING nel catalogo della mostra *François Boucher*, New York, Detroit, Parigi, 1986-87, n. 68).

[32] Sulle difficoltà incontrate da Diderot a Falconet, specialmente per i pagamenti, vedi le lettere di Diderot a Falconet, ed. Assézat et Tourneux, 1876, *passim*. Sull'insuccesso dei quadri in Russia e l'eventuale corresponsabilità di Falconet a tale incomprensione vedi NEMILOVA, 1975, pp. 432-433.

[33] "Il concerto spagnolo", detto anche il "Sestetto". Museo dell'Ermitage (NEMILOVA, 1982, n. 44). Il quaderno di musica reca i nomi dei compositori italiani Galuppi e Piccinni. Diderot commenta il quadro elogiandolo nel suo *Salon* del 1767 (ed. Seznec ed Adhémar, t. III, 1963, pp. 314 e 18) e nelle sue lettere a Falconet (in particolare quella del 6 settembre 1768, ed. Assézat et Tourneux, 1876, p. 301).

[34] Museo dell'Ermitage (TH. W. GAEHTGENS, J. LUGAND, *Joseph-Marie Vien Peintre du Roi (1716-1809)*, Parigi 1988, pp. 29, 90-91 e 182-184, n. 208, riprod.).

[35] Casanova, "Paesaggio montano" (L. RÉAU, *Catalogue de l'art français dans les musées russes*, Parigi 1929, pp. 19-20, n. 27). "L'interno di basilica" di De Machy si trova al Museo Puškin a Mosca.

[36] DIDEROT, *Salon de 1769*, ed. Seznec, t. IV, 1967, p. 75.

[37] Annotazione di Grimm al *Salon del 1769* di Diderot, *op. cit.*

[38] A proposito del *Salon del 1769*, Caterina II scriveva: «Je ne suis tentée de rien de ce qui se trouve au Salon, ni même des Greuze: je n'ose point lâcher le mot qui a pensé se mettre au bout de ma plume, à propos de Greuze. Mais d'où vient cette pauvreté en tableaux? Car il y a pourtant tout plein de gens qui s'y connaissent et qui les aiment» (Lettera a Falconet, 28 novembre 1768, ed. L. Réau, *Correspondance de Falconet avec Catherine II, 1767-1778*, Parigi 1921, p. 112).

[39] Le misure drastiche adottate per contenere il debito pubblico dal Controllore Generale delle Finanze Terray, detto "vide-gousset" (svuota tasche) ebbero gravi ripercussioni sull'industria di lusso e sulle Belle Arti: «Nous sommes gueux comme des rats d'église. Nous vendons nos diamants, et nous dépouillons nos galeries pour réparer les ravages du contrôleur général Terray» (Lettera di Diderot a Falconet, ed. Assézat et Tourneux, 1876, p. 322).

[40] L'espressione viene ripresa più volte da Caterina II nella sua corrispondenza con Grimm (L. RÉAU, *Correspondance artistique de Grimm avec Catherine II*, in "Archives de l'Art Français", t. XVII, 1932, pp. 1-207, *passim*).

[41] Vedi le lettere di Diderot a Falconet, ed. Assézat et Tourneux, 1876, pp. 239, 253, 325. «Les imbéciles qu'ils sont ne voient pas que ce qu'ils auraient de mieux à faire, ce serait de faire naître des hommes et non pas d'arrêter aux barrières les productions» (a proposito della raccolta Gaignat, maggio 1768, p. 253).

[42] Museo dell'Ermitage (GILLES-MOUTON, 1970, n. 23; NEMILOVA, 1982, n. 26).

[43] Lettera di Diderot a Falconet, 26 maggio 1769, ed. Assézat et Tourneux, 1876, p. 308. Diderot presenta il quadro come un acquisto fatto all'asta Gaignat, anche se esso non figura nel catalogo della vendita (cfr. E. DACIER, *Catalogues de ventes et livrets de Salons illustrés par Gabriel de Saint-Aubin*, t. XI, *Catalogue de la Vente de L.J. Gaignat (1769)*, Parigi 1921, pp. 37-43, ecc.).

[44] Lettera di Caterina II a Falconet, 7 agosto 1769, ed. Réau, 1921, p. 93. Caterina II ricorda spesso le proprie lacune nel campo dell'arte, ad esempio, quando cita Dennery fanatico dell'antico: «il me croit amatrice, moi qui ne suis qu'un glouton». (Lettera a Grimm, 23 settembre 1780, ed. Réau, 1932, p. 87).

[45] "Perseo che libera Andromeda", Museo dell'Ermitage (SAHUT, 1977, n. 37; NEMILOVA, 1982, n. 39).

[46] Mosca, Museo Puškin (SAHUT, 1977, n. 45; KUZNECOVA, 1982, n. 744).

[47] Mosca, Museo Puškin (SAHUT, 1977, n. 46; KUZNECOVA, 1982, n. 743).

[48] Museo dell'Ermitage (SAHUT, 1977, n. 147; NEMILOVA, 1982, n. 31).

[49] Museo dell'Ermitage (SAHUT, 1977, n. 174; NEMILOVA, 1982, n. 32).

[50] Museo dell'Ermitage (SAHUT, 1977, n. 176; NEMILOVA, 1982, n. 36).

[51] "Una sultana che prende il caffè" e "Due sultane che ricamano arazzi", Museo dell'Ermitage (SAHUT, 1977, nn. 148-149; NEMILOVA, 1982, nn. 34-33).

[52] Museo dell'Ermitage (NEMILOVA, 1982, n. 25).

[53] "Il bagno di Diana", schizzo. Museo dell'Ermitage (SAHUT, 1977, n. 15; NEMILOVA, 1982, n. 27).

[54] Citeremo come testimonianza una lettera di Caterina II a Grimm, nella quale rifiuta un acquisto: «Je n'ai pas grande opinion du dessin de VanLoo et je ne l'achèterai pas» (7 aprile 1775, ed. Réau, 1932, p. 14).

[55] Mosca, Museo Puškin (SAHUT, 1977, nn. 123-124; KUZNECOVA, 1982, nn. 741-742).

[56] Museo dell'Ermitage (SAHUT, 1977, n. 129; NEMILOVA, 1982, n. 30).

[57] Museo dell'Ermitage (SAHUT, 1977, n. 77; NEMILOVA, 1982, n. 28).

[58] Mosca, Museo Puškin (SAHUT, 1977, n. 116; KUZNECOVA 1982, n. 745).

[59] Castello di Pavlovsk (SAHUT, 1977, n. 175).

LA PORCELLANA TRA MAGIA E SCIENZA: GLI «ARCANISTI» E LE MANIFATTURE DI CORTE

Silvana Pettenati

Gli inizi della porcellana europea e l'alchimia

Uno dei motivi conduttori della produzione artistica del Settecento, in particolare nella sua accezione di arte di corte, è la porcellana, che si dirama e si intreccia e spesso coincide con l'altra inclinazione dell'epoca, cioè la cineseria. Le porcellane cinesi, giunte in Europa attraverso i mercati islamici fin dal Medio Evo, in rarissimi esemplari, ancor più raramente conservati fino ai nostri giorni, furono considerate oggetti magici, sia per le loro qualità intrinseche (di non essere corrose dai veleni, di essere trasparenti, di poter resistere al calore e al fuoco), sia per il mistero della loro fattura, di cui si davano le interpretazioni più fantasiose. Con l'infittirsi degli scambi alla fine del Quattrocento, le porcellane divennero simboli di prestigio presso le corti dell'epoca e furono impiegate non solo come ornamento, ma anche per il servizio della tavola. Intorno alla metà del Cinquecento Cosimo I de' Medici possedeva circa quattrocento pezzi a cui se ne aggiunsero altri cinquecento con il principe Ferdinando I, provenienti dalla raccolta formata a Roma; Carlo V vantava molti vasi e un servizio di piatti (ora a Dresda), già eseguito in Cina con il suo blasone; Filippo II possedeva tremila oggetti.

La passione per la scienza sperimentale, pur ammantata di mistero e magia, comune alle corti del Rinascimento, fu la molla per la ricerca del "segreto" della porcellana. Impasti simili alla porcellana tenera furono ottenuti all'inizio del Cinquecento a Venezia, dove era stata elaborata la tecnologia più avanzata nella produzione del vetro. L'avvio delle manifatture di corte (pietre dure, cristalli, vetri, porcellane) fu precoce a Firenze, a partire dagli anni Settanta del '500 fino al primo ventennio del '600, per impulso di Francesco I de' Medici. La produzione più famosa e imitata fu quella dell'Opificio delle pietre dure, che proseguirà per tre secoli. È meno noto però che in quegli anni Firenze accentrò gran parte dell'elaborazione figurativa e tecnica dell'*ars vitraria*, insidiando il primato di Venezia, e riuscì a creare la prima porcellana europea testimoniata da un esiguo numero di oggetti

(non più di cinquanta), nelle forme tardomanieristiche degli artisti di corte, quali Jacopo Ligozzi, Bernardo Buontalenti, Jacopo Bilivert, i quali fornirono modelli per gli orafi, i glittici, i maestri vetrai e si impiegarono essi stessi, insieme al "principe dello Studiolo", immerso nelle "sue ingegnose fantasie", a sperimentare nuove combinazioni chimiche. Vasari scrive: «a tutto Bernardo [Buontalenti] s'intermette: come ancora si vedrà nel condurre in poco tempo vasi di porcellana, che hanno tutta la perfezione ch'e' più antichi e perfetti» (VII, p. 615).

L'indirizzo naturalistico di tradizione aristotelica che caratterizza l'età del Rinascimento, causò una grande fortuna dell'alchimia come metodo di conoscenza dell'arcano, cioè dei legami tra il cielo e la terra, tra la natura e l'uomo, tra la vita e la morte. L'alchimista è inteso come colui che conoscendo i segreti dell'universo, tenta di riprodurne i processi; quindi è il medico, il quale riesce a ricostruire l'armonia dell'anima e del corpo guarendo da tutte le malattie e dalla malattia per antonomasia che è la morte, per mezzo dell'elisir di lunga vita o dell'immortalità. oppure lo scienziato che mediante la pietra filosofale cerca di trasformare i metalli vili in oro. L'intento è la trasformazione delle nature, la riproduzione artificiale del ciclo degli elementi: «Attraverso la corpificazione – scrive Sinesio – il volatile diventa solido, lo spirituale corporeo, il liquido compatto, l'acqua fuoco e l'aria terra, sicché i quattro elementi rinunciano alla propria natura per trasformarsi, nel corso nel ciclo, l'uno nell'altro»[1].

L'alchimista opera non soltanto sul piano teorico, ma anche e sopra tutto nella sperimentazione pratica, per cui deve inventare e costruire gli strumenti, le apparecchiature, sondare le proprietà dei più diversi materiali. Anche da questi brevi accenni, risulta non casuale il legame e lo scambio con la pratica delle botteghe e delle manifatture del vetro e della ceramica, che applicavano una vasta gamma di procedimenti di mestiere per arrivare ad un prodotto reale, risultato non casuale e unico, ma ripetibile e duraturo.

La richiesta sempre più intensa di porcellana orientale e la difficoltà di procurarsela, l'imitazione del suo

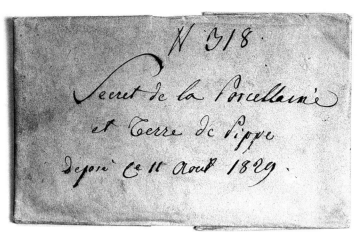

Documento contenente il Segreto della porcellana, depositato da Fréderic Dortu nel 1829. Torino, Museo Civico.

N° 318.

Secret de la Porcellaine
et Terre de Pippe
deposé le 11 Aout 1829.

Composition de Porcelaine avec seules matieres de Piemont

1050. Argille Caolin de Magiora
1050. Sable de Banditté
300. Quartz
150. Tessons de porcelaine

On lave le Caolin pour en Extraire l'argille

Le Sable, le Quartz et les tessons passent au moulin

Composition de terre de Pippe avec matieres du pays

450. Terre de Mondovi
300. Carbonate de Chaux
400. Fritte

Composition de la fritte

150. Sable de Castelamont ou Quartz
18. Litharge
6. potasse

La composition de terre de pipe passe toute au Moulin

aspetto decorativo per mezzo della maiolica, caratteristica dell'esotismo imperante della secoda metà del Seicento, indussero ad una ripresa delle ricerche per la sua creazione in Occidente, sia nell'ambito delle fabbriche ceramiche tradizionali sia nell'ambito dei misteriosi forni degli alchimisti. Così proprio nel periodo cruciale dell'avvento della chimica scientifica di Boyle e Lavoisier, l'alchimia s'avvia verso la sua fine in modo glorioso per merito dei suoi ultimi cultori, i quali sostenevano di conoscere il "segreto", l' "arcano" della fabbricazione della porcellana e promettevano (spesso millantavano) di cederne la formula: furono definiti all'epoca "arcanisti", vocabolo di nuovo conio che aggiunge all'assonanza con alchimisti, il fascino della magia e dell'occulto.

Altri aspetti collocano gli arcanisti sul discrimine tra la magia antica e la scienza moderna: l'esistenza degli alchimisti è caratterizzata da frequenti spostamenti e vagabondaggi, per il loro essere istituzionalmente in dissenso con l'ortodossia religiosa, quindi per la loro necessità di sfuggire alle persecuzioni e per l'esigenza di comunicare con la ristretta cerchia di iniziati e di eletti, che coltivavano l'arte alchemica, specialmente presso le corti. Gli arcanisti condividono questa vita errabonda, per scelta e per costrizione, e possono essere considerati sia epigoni degli alchimisti sia personaggi tipici del cosmopolitismo settecentesco, oscillanti nelle condizioni sociali di viaggiatori, di artisti, di avventurieri.

Talvolta i trasferimenti erano dovuti all'intolleranza religiosa: gruppi di maestranze ceramiste, spesso nuclei familiari, di confessione ugonotta perseguitati in Francia e nei Paesi Bassi, trovavano rifugio nei paesi protestanti. Il ruolo dei rifugiati nel dare origine a manifatture tecnologicamente avanzate fu ben presente a Federico Guglielmo I di Prussia, quando nel 1722 dettò il suo testamento politico: «I rifugiati hanno reso la nostra nazione capace di creare manifatture. Ergo ogni manifattura è una vera miniera per il paese»[2].

Esemplare è la storia di una famiglia di ceramisti di origine francese, i Dortu, i quali, se pur meno noti di altri, ebbero un ruolo importante per la diffusione del segreto della porcellana in Europa. Il capostipite Jean, originario di Vieux-Domperre (Champagne), dopo la revocazione dell'Editto di Nantes e la ripresa della persecuzione degli Ugonotti (1685), si rifugiò a Berlino, dove il pronipote Jacob, nato nel 1749, lavorando presso la manifattura reale di Berlino dal 1764 al 1768, vi apprese il metodo di fabbricazione della porcellana in pasta dura. In seguito rivelò il "segreto" alla manifattura di maioliche Joseph-Gaspard Robert di Marsiglia (1773-1777), alla manifattura di Marieberg, presso Stoccolma (1777-1778). Si stabilì infine a Nyon, sul lago di Ginevra, dove fondò una sua fabbrica (1781) e creò oggetti deliziosi di puro gusto Luigi XVI. Quando nel 1813 dovette chiudere a Nyon, a

causa delle difficoltà create dalle guerre napoleoniche, e si trasferì nella vicina Carouge, città fondata da Vittorio Amedeo III come avamposto del regno di Sardegna contro il Cantone di Ginevra, la storia dei Dortu s'intrecciò con quella di Torino. Un figlio di Jacob, Fréderic Dortu, insieme ad altri soci, fu invitato da Carlo Felice ad impiantare a Torino una fabbrica "di vasellame in terra da pipa", cioè terraglia di tipo inglese, e di porcellana (1823-1824). Ormai in epoca industriale, Fréderic, per salvaguardare l'esclusiva tecnica della famiglia, depositò nel 1829 presso la Città di Torino il tesoro tramandato per generazioni, cioè il "Secret de la Porcellaine et terre de Pippe" che il Museo Civico conserva[3].

La scoperta della vera porcellana: lo scienziato von Tschirnhaus e l'arcanista Böttger

Dopo tale vicenda emblematica, ma non unica, si può tornare agli inizi della porcellana tra alchimia e scienza. Non stupisce trovare tra i cultori degli esperimenti sulla misteriosa materia lo scienziato milanese Manfredo Settala. Se si deve prestar fede a un suo contemporaneo, egli era riuscito a fabbricare un vaso; su invito del gesuita padre Bohino, ambasciatore della Cina a Roma «prese motivo il sig. Manfredo d'intagliare nel vaso che pur di porcellana ei fece (segreto fin hora da niun de' nostri saputo) il proprio nome»[4]. Le porcellane del Settala andarono smarrite, ma è probabile che i risultati delle sue ricerche siano stati trasmessi all'insigne naturalista tedesco Ehrenfried Walther von Tschirnhaus, il quale aveva da tempo iniziato i suoi esperimenti e stava compiendo un viaggio per visitare le manifatture dove si pretendeva di produrre porcellana buona alla pari di quella orientale. Alla fine del 1676, provenendo da Lione e passando per Torino, von Tschirnhaus si recò appositamente a Milano per incontrare il Settala con cui intendeva discutere delle questioni riguardanti gli specchi ustori, usati per la fusione e per la vetrificazione delle terre, quindi proprio degli esperimenti fatti per risolvere il segreto della porcellana. Anche nella sua corrispondenza con Leibniz si parla di porcellane fabbricate dallo scienziato milanese[5]. Egli visitò inoltre Saint-Cloud dove si produceva una sorta di porcellana di pasta tenera o "a fritta", in cui è quasi assente il materiale costitutivo della porcellana orientale, cioè il caolino. Veniva usata una terra bianca, mescolata ad una "fritta" in cui prevale tra gli elementi il silicio, quindi assai simile alla pasta vitrea, per ottenere un impasto che, cotto ad una temperatura tra i 1000°-1200°, ricoperto da uno smalto piombifero bianco e sottoposto ad una seconda cottura, si presentava con una superficie lucida e morbida, particolarmente adatta ad essere dipinta con colori a smalto; questi venivano poi fissati sopra la vernice con una terza cottura a piccolo fuoco, cioè intorno ai 750°.

Lente ustoria doppia *di von Tschirnhaus. Dresda, Staatliche Kunstsammlungen, Mathematisch-Physikalischer Salon.*

Importa qui sottolineare che una gran parte della porcellana prodotta in Europa nella prima metà del Settecento e oltre, era di "pasta tenera": i deliziosi oggetti che esprimono in modo perfetto il gusto *rocaille*, creati nelle celebri manifatture francesi di Vincennes-Sèvres, Saint-Cloud, Chantilly, Mennecy, inglesi di Bow, Chelsea, Derby e tra le italiane quella di Capodimonte, fondata dai Borbone di Napoli, hanno questo impasto di base. Il loro pregio deriva oltre che dalla rarità, dato che lo scarto era ingentissimo, dal modellato e dalla perfezione dello smalto di copertura, dalla varietà e dalla qualità dei colori e della doratura, dal repertorio dei soggetti forniti dagli artisti (scultori e pittori). Ruoli fondamentali spettano al maestro preposto ai forni (che li costruiva e poi li utilizzava) e al maestro preparatore dei colori, i quali, applicando in maniera empirica leggi fisiche e chimiche, possono essere considerati degli "arcanisti".

La novità e la diversità dell'esperienza di Meissen, è la scoperta per la prima volta in Europa di una delle materie costitutive della porcellana orientale, il caolino. A tale scoperta e alla sua utilizzazione si arrivò partendo dai lunghi studi di von Tschirnhaus, dall'esperienza metallurgica del Sovrintendente alle miniere Gottfried Pabst von Ohain e della sua *équipe* di minatori e fonditori e dall'abilità di Johann Friedrich Böttger (Schleiz 1682 - Dresda 1719), personificazione in assoluto dell'arcanista nella sua commistione di genialità e ribalderia. I suoi inizi di alchimista avvennero presso il farmacista Zorn di Berlino, dove egli si dedicò alla tipica ricerca di ottenere l'oro per mezzo della fusione del mercurio con zolfo e sale; fuggì però dalla Prussia quando venne a sapere che il re Federico I era al corrente dei suoi esperimenti e si rifugiò a Württemberg in Sassonia. Qui venne immediatamente arrestato, condotto a Dresda (29 novembre 1701) e tenuto prigioniero perché continuasse i suoi esperimenti sui metalli in una parte del castello di Augusto il Forte chiamata appunto la Goldhaus, sotto la supervisione di Pabst von Ohain, il quale fu subito colpito dal talento di questo diciottenne. Il giovane nel 1703 cercò di fuggire verso Praga, ma fu ripreso e riportato nella sua prigione "dorata", dove è probabile che ad indirizzare le sue ricerche verso la porcellana sia stato il Tschirnhaus, il quale più volte aveva consigliato il re di Sassonia, divorato dalla passione di collezionare porcellane orientali, di liberarsi dalle "sanguisughe porcellaniere", come egli definiva le importazioni dalla Cina e dal Giappone. Trasferito nel 1705 nella fortezza di Albrechtsburg a Meissen, Böttger si sottomise forzatamente a queste esigenze e si lamentò di essere stato ridotto da "creatore d'oro" a "vasaio". Le condizioni di lavoro erano tremende, come testimonia uno degli operai delle miniere che fu chiuso con lui per diciotto settimane in un laboratorio tenuto così segreto, che metà delle finestre erano state murate, mentre erano in fun-

zione ventiquattro forni. Solo nel 1706, quando l'esercito svedese si approssimò a Meissen, egli fu riportato a Dresda, dove in un laboratorio situato nei sotterranei delle mura fortificate, continuò gli esperimenti di fusione dei minerali per ottenere porcellana rossa (*grés*) e bianca. In questo ambiente infernale, Böttger riuscì a trovare una "formula" o piuttosto una "ricetta" pratica degli ingredienti e delle operazioni per ottenere la porcellana, quindi non in modo analitico ma empirico; la scoperta è databile al 15 gennaio 1708. Prima di rivelarla ufficialmente al re, chiese il parere di una commissione di esperti a cui sottopose un documento di intenti "Unvorgreiffliche Gedancken": valutava i pro e i contro dell'invenzione, ma nel contempo esponeva il suo pensiero di artista in rapporto agli oggetti di sua creazione. All'inizio sono vasi di una specie di *grés* rosso, simile a quello cinese *Yi-Hsing* di tale durezza da dover essere lavorato a taglio o a mola come le pietre dure e i vetri-cristalli boemi, decorati con ornamenti in rilievo (foglie, mascheroni), disegni incisi, dorati, dipinti a lacca. La novità sta nel distacco cosciente dai modelli orientali e nel collegamento con la tradizione delle botteghe orafe tedesche e boeme, nell'intento di creare con il nuovo materiale rosso tutti gli oggetti finora realizzati in argento. Quindi egli cercò come collaboratori non tanto pittori, quanto orafi, scultori, stuccatori, intagliatori. A pochi mesi dalla fondazione della prima manifattura europea di porcellana in "pasta dura" e del suo trasferimento a Meissen, vi prestavano servizio il 5 agosto 1710 nove ceramisti, due orafi, due argentieri, tre smaltatori, due pittori, un pittore di cristalli e ben ventuno molatori e intagliatori di vetro della Sassonia e della Boemia. I modelli per le forme e le decorazioni sono ispirati dall'architetto e ornatista francese Raymond Leplat, attivo a Dresda e dall'orafo Johann Jacob Irminger, autore non solo delle complesse montature in argento dorato, ma sostanzialmente direttore di tutte le maestranze artistiche. Collaboravano inoltre il grande scultore Balthasar Permoser e il suo allievo Benjamin Thomae, attivi a Dresda per la decorazione dello Zwinger.

La porcellana vera e propria, bianca e trasparente, cominciò ad essere prodotta in discreta quantità solo dopo il 1713; fu rinnovato in parte il repertorio, poiché Irminger inventò forme più morbide e fantasiose, delicate applicazioni di tralci e foglie in rilievo ad imitazione dei cosiddetti *Blancs de Chine*. Fino alla morte di Böttger e all'arrivo di un maestro pittore di qualità eccezionale quale Johann Gregorius Höroldt, rimase irrisolto il problema dell'ornamento dipinto, essendo tutte le energie impegnate alla creazione dell'impasto costitutivo.

A Böttger, prigioniero di Augusto il Forte dal 1701, distrutto dalla malattia provocatagli dalle condizioni inumane di lavoro, tra forni ardenti e sotterranei umidi, privi di ventilazione, mentre si sprigionavano vapori

384

velenosi dalle fusioni, come racconta nelle sue memorie il fedele collaboratore Wildenstein, fu restituita la libertà nel 1714, troppo tardi ormai per ritrovare la salute: morì infatti il 13 marzo 1719, appenna trentasettenne.

Lo spionaggio industriale dell'arcanista Hunger all'origine della manifattura di San Pietroburgo

Lo stato di prigionia a cui fu obbligato Böttger, avrebbe dovuto evitare la propalazione dell' "arcano", del segreto per fabbricare la porcellana. Come era già accaduto e continuerà ad accadere per la produzione del vetro, monopolio delle maestranze veneziane e al-

Manifattura di Meissen, Vaso in porcellana bianca di Böttger su modello di Raymond Leplat, c. 1716, appartenente ad una parure da camino di sette vasi donata da Augusto il Forte a Vittorio Amedeo II nel 1725. Torino, Palazzo Reale.

Manifattura di Meissen, Vaso in grès rosso di Böttger su modello di Raymond Leplat, con dorature, c. 1716, particolare. Dresda, Staatliche Sammlungen, Porzellansammlung.

conoscenze sulla doratura e la pittura a smalto, dovette essere impegnato, insieme ad altri, a risolvere il problema della decorazione con la gamma dei colori usati per la porcellane dell'Oriente, compresi il blu oltremarino e l'oro. Nei primi tempi infatti, gli oggetti di Böttger sono dipinti a freddo da smaltatori e pittori allo stesso modo degli oggetti di oreficeria e di cristallo. Hunger durante la sua breve permanenza nel corso del 1717, cercò di aggiungere al suo bagaglio di conoscenze, quanto più poteva sulla fabbricazione dell'impasto. Prese poi contatto con l'ambasciatore dell'imperatore presso la corte di Sassonia, affermando di possedere il "segreto"; subito dopo fuggì a Vienna dove divenne socio di Claudius Innocentius Du Paquier:

A pagina 386: Raymond Leplat, Disegno preparatorio per un vaso in grès rosso di Böttger con ornamenti d'oro, 1716. Dresda, Staatsarchiv.

A pagina 387: Raymond Leplat, Disegno preparatorio per un vaso in porcellana bianca di Böttger, 1716. Dresda, Staatsarchiv.

taresi, e in seguito boeme per il cristallo, la creazione delle manifatture della porcellana avviene per mezzo di un vero e proprio spionaggio industriale, con risvolti di fughe, catture, processi, condanne, da cui tra l'altro si possono ricavare, con la certezza dei documenti, molte notizie sui personaggi e sugli aspetti tecnologici. L'avvenimento decisivo fu la trasmissione dei segreti di Meissen a Vienna, con tutta la rete di rapporti che si istituì tra le due sedi e la diffusione, oltre che in area tedesca, in Italia, in Svezia, in Russia.

Il primo ad approdare a Vienna fu Christoph Conrad Hunger, tipico esempio di arcanista avventuroso e girovago, più millantatore che scienziato, dotato però di buone capacità tecniche. Assunto a Meissen per le sue

l'imperatore concesse loro la privativa per venticinque anni, il 27 maggio 1718. I tentativi fatti con terre locali non diedero risultati soddisfacenti. Solo con l'arrivo a Vienna di un secondo importante tecnico, convinto da Du Paquier a tradire il segreto con la promessa di un salario e di un trattamento favolosi in confronto allo stato di semiprigionia e al salario misero di Meissen, iniziò realmente la seconda manifattura europea di porcellana in pasta dura. Costui era Samuel Stöltzel, originariamente minatore, appartenente al gruppo storico, attivo accanto a Böttger fin dal 1706, divenuto esperto di chimica e della fusione delle terre, necessarie per l'impasto, per lo smalto di copertura, per i colori. Si ottennero oggetti in vera porcellana soltanto im-

Deü vasse pareyllie En
Rouge que jay fait vernire
Et rougire aueg ornemen Et
or garnie de vermeille
à Par

3 basses blanche garniÿ
a peu pret Lune comme
L'autre .

387

Manifattura di Meissen, Tre vasi della parure da camino in porcellana bianca *di Böttger, donata da Augusto il Forte a Vittorio Amedeo II nel 1725, c. 1716. Già Torino, Palazzo Reale.*

portando l'argilla da una cava della Sassonia, la stessa usata da Meissen. Si propose immediatamente la questione che assillò tutti i produttori di porcellana per il resto del secolo, cioè il reperimento delle materie prime in ambito locale. Fu proprio questo problema a segnare la sorte degli arcanisti, i quali furono accusati di essere dei millantatori, quando non dei ciarlatani, si invischiarono spesso in vicende giudiziarie e furono costretti a peregrinazioni continue. Essi infatti si procuravano una piccola scorta dei materiali buoni sottraendoli alla manifattura, poi cedevano il "segreto" e dimostravano la sua validità eseguendo alcuni oggetti di buona qualità. Quando però terminavano i materiali originali, con le loro conoscenze empiriche, non erano in grado di indicare argille locali adatte. Solo le analisi e gli studi di scienziati esperti del territorio potevano sciogliere l'enigma.

Così accadde per la fabbrica viennese, dopo il ritorno a Meissen di Stöltzel (aprile 1720), il quale andandosene danneggiò stampi materiali e forni, e dopo che Augusto il Forte impedì l'esportazione delle terre per la porcellana. Fino a quando Du Paquier non trovò il caolino nel territorio dell'impero, in particolare in Ungheria.

Intanto Hunger, dopo aver avuto guai con la giustizia per una truffa, era fuggito da Vienna, non senza essersi accordato con l'ambasciatore della repubblica di Venezia, il quale lo indirizzò a Francesco e Giovanni Vezzi. Questi aveva intenzione di impiantare una fabbrica di porcellana: nella società istituita il 5 giugno 1720, Hunger portò come capitale il suo "arcanum" e venne nominato "Fabriciere principale". Le notizie del suo soggiorno viennese e veneziano ci sono conservate nella deposizione resa ad una commissione di Meissen a cui si presentò "pentito" nell'agosto del 1727, rivelando quanto sapeva su Du Paquier e Vezzi e sulla loro dipendenza dalla Sassonia per il caolino. Le opere prodotte dalla manifattura Vezzi, la prima in Italia a ottenere la pasta dura, nei quattro anni di presenza di Hunger non sono identificabili, dato che il primo oggetto datato è un piattino del Museo Civico di Torino marcato "Ven. a A. G. 1726", già di proprietà del marchese Emanuele d'Azeglio, da cui è partito il riconoscimento del resto della produzione. Il Museo di Torino possiede un gruppo cospicuo e di alta qualità di porcellane Vezzi, tra cui due tazzine del servizio per il cardinale Pietro Ottoboni, committente di Filippo Juvarra nel suo periodo romano.

Notizie sull'attività di Hunger a Venezia risultano al solito dagli atti giudiziari: nel 1724 Vezzi ottenne un decreto di sequestro della manifattura delle porcellane e la facoltà di «aprire il loghetto... nel quale vi è il Secreto per la Fabrica delle medeme, ove era solito operare D. Cristoforo Ungher»[6]; il contratto fu annullato, per incapacità del fabbriciere di portare a compimento i pezzi a causa della non idoneità del forno, che causa-

va molti scarti. Diversa è la versione data da Hunger ai commissari di Meissen: i veneziani preoccupati perché non arrivava più l'argilla, sospettando che volesse fuggire per raggiungere la moglie in Sassonia, avevano tentato di carpirgli il suo segreto e per questo aveva dovuto andarsene. Gli fu ridato il suo posto di "smaltatore in oro", ma presto si allontanò di nuovo e girovagò tra Svezia e Danimarca (Rörstrand, Copenaghen) tra il 1730 e il 1737 e poi tra Berlino e Vienna. Infine nel 1744 fu invitato da Elisabetta I a Pietroburgo per fondare una "manifattura di piatti olandesi" cioè di maioliche tipo Delft e "di porcellane come quelle fatte in Sassonia". Ancora una volta si ripetè il dramma come da copione, dopo vari esperimenti durati quattro anni. In questo caso egli ebbe accanto per controllare la sua attività e apprendere i suoi segreti un tecnico russo, Dmitrij Vinogradov. La formazione di quest'ultimo, era avvenuta in modo assai diverso, per merito della lungimiranza di Pietro I, il quale per adeguarsi al livello tecnologico delle altre nazioni europee, sosteneva gli studi di giovani promettenti per ingegno, anche se di umili origini e li mandava all'estero, specialmente in Germania. Lo zar stesso si recò più volte a Dresda, dove nel 1712 fu ospite dell'orafo Johann Melchior Dinglinger, uno degli stretti collaboratori di Böttger e visitò più volte la manifattura di porcellane di Meissen: di questo suo pressante interesse sono testimonianze due medaglioni in *grés* nero, incunaboli del primo materiale porcellanoso creato da Böttger[7] derivati forse da placchette portate in dono.

La tecnologia più avanzata in Sassonia era quella delle miniere e della metallurgia, che contava sulla tradizione codificata del *De re metallica* di Giulio Agricola (1556); dopo la guerra dei Trent'anni, le attività concernenti erano state riorganizzate come gestione e come formazione dei tecnici delle miniere e delle fonderie, con l'istituzione di borse di studio annuali, per superare lo stadio dell'apprendimento pratico con lo studio della matematica, della geometria, della chimica, secondo il principio "theoria cum praxi". Tra gli allievi non è poi così sorprendente ritrovare non solo Gottfried Pabst von Ohain, ma anche Michail Vasilevič Lomonosov e Dmitrij Ivanovič Vinogradov[8]. Lomonosov iniziò allora i suoi esperimenti sulla creazione dei vetri colorati e in particolare del vetro rubino, seguendo gli insegnamenti di Johann Kunckel von Löwenstjern (1638-1703) naturalista e alchimista, autore di un trattato fondamentale *Ars vitraria experimentalis o dell'arte sublime dei maestri vetrai* (1679), il quale nelle sue ricerche sulla "transmutatio metallorum", cioè sulla trasformazione dei metalli in oro, aveva scoperto il procedimento della fabbricazione del vetro rubino, un vetro che viene colorato in rosso intenso dall'oro allo stato colloidale.

Anche le capacità tecniche e scientifiche di Vinogradov, ebbero il sopravvento sulla pratica artigianale del-

Manifattura Vezzi,
Tazza e piattino *con
stemma del cardinale
Pietro Ottoboni,*
c. 1725.
*Torino, Museo
Civico.*

*Manifattura di
Meissen,* Ritratto
dello zar Pietro I,
*medaglione in grès
nero di Böttger,*
c. 1712-15.
*Dresda, Staatliche
Sammlungen,
Porzellansammlung.*

*Manifattura
Imperiale di
Pietroburgo, periodo
Vinogradov,* Servizio
personale di
Elisabetta Petrovna,
1756, particolare.
*Leningrado, Museo
Russo.*

390

l'arcanista Hunger, il quale fu allontanato nel 1748. Vinogradov continuò gli esperimenti, che gli permisero di ottenere non soltanto una serie di oggetti di piccole dimensioni, ma anche di scoprire il caolino nella cava di Gjelsk presso Mosca.

Il primo importante servizio in porcellana fabbricato in Russia fu il "Servizio personale di Elisabetta Petrovna", il cui squisito stile *rocaille* media tra le ghirlande e i fiori in rilievo di Vincennes, più corrispondenti alla predilezione della zarina per la Francia, e i minuti fiorellini della decorazione "a palle di neve" inventata da Kaendler per Meissen, appiattiti a formare una rete[9].

nobili più potenti delle corti, i quali, a loro volta, diventando committenti, promuovono e diffondono i gusti e le mode.

Segno di grande considerazione è il cospicuo dono di Augusto il Forte a Vittorio Amedeo II di Savoia nel 1725, registrato dalle fonti documentarie e citato negli studi specialistici; in anni recenti gli aspetti della vicenda si sono chiariti e altri elementi si possono aggiungere[10]. Fin dall'inizio di questo secolo gli studi su Meissen ricordano il "servizio Savoia" da té e da caffè (ma le fonti parlano anche di tazze per la cioccolata, cioè senza manico), decorato dal pittore Johann Gregor Höroldt, tra le poche sue pitture sicure e assai pre-

La porcellana come dono e committenza dinastica

Accanto all'ambizione per ogni casa regnante di istituire una manifattura privilegiata di porcellana all'interno del proprio stato, domina per tutto il Settecento il desiderio di possedere oggetti di ornamento e servizi di vasellame, simboli di prestigio prodotti in Europa, novità e rarità maggiori nei confronti della porcellana orientale, la cui moda comunque non era ancora tramontata. Le porcellane giocano un ruolo analogo ai ritratti, alle miniature, agli oggetti preziosi nei doni e negli scambi dinastici, nel suggellare alleanze e matrimoni, come dimostrazione di favore o di gratitudine dei

coci, quando, con il suo arrivo, la porcellana di Meissen riuscì a rivaleggiare anche per l'ornamento dipinto con i più squisiti prodotti orientali e si affermò nella porcellana europea lo stile *rocaille*. Di questo servizio possiamo seguire le tracce sia a Meissen sia a Torino, mentre oscure sono le vicende della dispersione: le tazze da cioccolata (o da caffè) furono consegnate dalla fabbrica al magazzino verso la fine di marzo del 1725, seguite dal servizio da té il 18 giugno. Ne ritroviamo traccia a Torino nel 1726, nei Conti della Tesoreria della Real Casa dove è registrato il pagamento tramite il banchiere Barbarossa Spirito e figlio:[11] si tratta quindi non di un dono, come si è scritto, ma di un'ordina-

zione. Il Clarke ripercorrendo in anni recenti le vicende di questo servizio, pubblica un piattino del Museo delle Porcellane di Firenze, con una descrizione entusiasta della pittura araldica, cioè lo stemma sabaudo sovrastato dalla corona, incorniciato dal collare dell'Annunziata, sorretto da due leoni, poggianti su trofei militari. Ancor più affascinante la pittura a soggetti cinesi sul retro della tazzina, conservata, con il piattino relativo, nel Museo Civico di Torino, a cui fu donata nel 1877 dal duca di Sartirana, dove lo stile di Höroldt risplende nelle fantasiose elaborazioni orientali.

Augusto di Sassonia regalò invece al re di Sardegna una *parure* da camino composta da sette vasi di porcellana bianca del primo periodo Böttger, che risultano collocati nella camera dell'alcova del Palazzo reale di Torino fino al 1815, mentre nel 1823 erano ridotti a cinque; attualmente sono solo due. Negli archivi delle Staatliche Kunstsammlungen di Dresda esiste una lista di spedizione di casse corrispondente ad una notevole quantità di porcellane offerte al re di Sardegna nel luglio del 1725. In queste casse erano certamente contenuti i sette vasi da camino, eseguiti su modello di Raymond Leplat. La messa in opera di questo modello nell'estate del 1716 fu una delle imprese più impegnative di Johann Jacob Irminger, orafo di corte e direttore artistico, e di Raymond Leplat, architetto del re.

Manifattura di Meissen, Piattino e tazza del servizio per Vittorio Amedeo II, *dipinto da Johann Gregor Höroldt, 1725.* Torino, Museo Civico.

L'intenzione era di costruire un vaso di grandi dimensioni: per questo venne modellato in tre parti, piede, corpo e coperchio; essendo però il corpo del vaso molto alto in rapporto al forno, presentò molte fenditure dopo la cottura. I due vasi ancora esistenti nel Palazzo Reale di Torino corrispondono ad un disegno di Leplat conservato negli archivi di Dresda, insieme ad un secondo che è il modello per un vaso a due anse, come quello descritto nell'Inventario del Reale Palazzo di Torino, 1823, fasc. 2, f. 4: «Un vaso grande di porcellana a vari ornati dorati con due maniglie e coperchio finiente con un fiorame e guarnitura di bronzo dorato. Due altri vasi di porcellana simile guarniti come il precedente. Due altri più piccoli di porcellana simile con fiori e fogliami in basso rilievo col piede cerchiato in bronzo dorato». Ancora una volta le opere d'arte anche se fragili, resistono alla volontà degli uomini e lasciano traccia di sè, in modo sorprendente: alla IV Esposizione Nazionale di Belle Arti di Torino, 1880, sezione di Arte antica erano esposti tre vasi riprodotti alla tav. II dell'album fotografico annesso al catalogo, con la seguente didascalia: «Vasi in porcellana del secolo XVIII (prima metà). Tre vasi di porcellana bianca - pasta dura - ricchi di mascheroni, di fogliami, di fiori in rilievo, decorati appena di qualche raro fregio in oro pallido, a rabeschi, a piccoli graticci, a ghirlandelle. Di fabbrica ignota. Il maggiore in dimensioni, con finissime legature in bronzo indorato e cesellato, porta sul coperchio un giglio che lo farebbe credere di origine fiorentina. I fiori e fogliami in rilievo ricordano invece le porcellane di Capodimonte. Vi ha pure chi crede i tre vasi di fabbrica tedesca. Altezza del vaso principale m. 0,65; altezza dei minori m. 0,50. Proprietà di S.M - Depositati presso il Museo Civico di Torino». Purtroppo furono ritirati dalla Casa reale nel dicembre del 1930[12]. Sono esattamente i primi tre descritti nell'inventario del 1823; il più grande e più bello, con un'ansa mutila, corrisponde al disegno di Leplat, compresi i fregi dorati. Dove sono finiti questi vasi dopo il 1930? È quasi certo che furono venduti ad un'asta di Christie's a Ginevra il 7-6-1966 «An important Collection of Early Meissen Wares, the property of the Head of an European Royal House»[13].

Gruppi plastici, ornamenti per le tavole, cioè i *surtout*, vasellame, sono doni ambiti o committenze costose non solo da parte dei regnanti, ma anche da parte della corte: per il piccolo regno di Sardegna si possono citare, oltre al più noto servizio del marchese Ferrero d'Ormea, il servizio di tazze per cioccolata per Girolamo Gabriele Falletti di Barolo, luogotenente generale e vicerè di Sardegna, con il motto "IN SPE", circa il 1740[14].

Naturalmente anche Elisabetta Petrovna possedette sculture e vasellame di Meissen: vasi dei Pianeti, modellati da Kändler nel 1744, un servizio modellato con il cosiddetto rilievo Gotzkowsky da Eberlein, dipinto al

centro con fiori e insetti e sul bordo con quattro medaglioni di paesaggio, ordinato nel 1745, conservato in gran parte all'Ermitage. Il suo feldmaresciallo conte Burchard Christoph von Münnich, poi esiliato in Siberia nel 1742, fu ricompensato da Augusto III, successore di Augusto il Forte, con un triplo servizio di porcellane (da pranzo, da tè a da caffè) per aver sostenuto con le truppe russe la sua salita sul trono di Polonia: il servizio terminato nel 1738 è paragonabile come modellato e pittura a quelli famosi per il conte Sulkowski e per il conte Brühl.

Più sistematica fu la committenza di Caterina II alle manifatture europee, in particolare a Sèvres e Meissen. Se fin dal 1755 come consorte dell'erede al trono aveva ordinato a Meissen il servizio con l'aquila imperiale e la croce di Sant'Andrea, nel 1772-74 affidò una cospicua commissione ricordata appunto come "russischen Auftrag", un progetto iconografico di quaranta tra statuine e gruppi che comprendeva modelli di Kändler di oltre trent'anni prima e modelli contemporanei del nuovo direttore di Meissen, il francese Victor Acier, diciassette gruppi mitologici e ventitré allegorici, destinati al Gabinetto delle Porcellane del Padiglione dello scivolo (o delle "montagne russe") della reggia di Oranienbaum, ora Lomonosov. Alcuni gruppi allegorici di soggetto marino glorificano la vittoria dei Russi sui Turchi nel 1770 nella battaglia di Chesme[15]. È frequente nelle varie regge russe la presenza dei preziosi vasi con il Schneeballdekor (decoro a palle di neve), apice del virtuosismo di Kändler, che si possono quasi considerare un *senhal*, un simbolo del gusto delle corti europee: questa decorazione assai lunga e costosa da eseguire, oltre che assai difficile, fu inventata intorno al 1739 e la sua produzione fu assai ridotta. Sono da ricordare un servizio da caffè per la principessa Maria Josepha di Sassonia, cinque grossi vasi per Luigi XV come dono di nozze di Augusto III al Delfino, che aveva sposato sua figlia, altri sei per Federico II di Prussia. Qualche anno prima l'Elettore di Sassonia, divenuto re di Polonia, era riuscito a stringere relazioni dinastiche con un altro regnante, dando in sposa la prima figlia Maria Amalia Cristina a Carlo II di Borbone, dal 1731 al 1735 duca di Parma, poi re di Napoli. La sposa aveva portato in dote diciassette servizi da tavola di porcellana; è ovvio immaginare che la sua origine abbia influito sulla istituzione della manifattura di Capodimonte e sulla creazione del famoso salotto di Portici, che porta il suo nome, ripetuto poi nei Palazzi di Aranjuez e di Madrid, quando Carlo di Borbone passò a regnare in Spagna. Dalle regge parmensi furono incamerati dai Savoia dopo l'unità d'Italia splendidi oggetti e servizi in porcellana, che subirono una complicata vicenda di spostamenti e dispersioni tra Torino, Firenze e Roma. Tra questi è da ricordare l'ornamento da tavola composto al momento dell'annessione di cento e otto pezzi di Meissen più il *pla-*

*Oranienbaum (Lomonosov), Padiglione
dello scivolo (o delle montagne russe),
Salotto delle porcellane.* Porcellane
della manifattura di Meissen eseguite
per Caterina II, 1772-74.

Oranienbaum (Lomonosov), Padiglione dello scivolo (o delle montagne russe), Salotto delle porcellane. Manifattura di Meissen, *Figura mitologica su modello di Johann Johachim Kändler eseguita per Caterina II, 1772-74.*

Oranienbaum (Lomonosov), Padiglione cinese. Manifattura di Meissen, *Vaso con decoro a palle di neve, su modello di Johann Johachim Kändler.*

teau argenteo in trentasei pezzi; tra questi, cinque vasi e due bottiglie con il decoro a palle di neve, fiori e uccelli, ancora conservati nel Palazzo reale di Torino[16].

Negli stessi anni Caterina II aveva ricevuto come dono diplomatico di Federico il Grande di Prussia il "Dessert" della manifattura di Berlino, un enorme centrotavola composto da figure e gruppi, ora al Museo dell'Ermitage, raffigurante la zarina in trono sotto un baldacchino, circondata da Virtù e Divinità, dai rappresentanti degli Stati russi e delle Provincie dell'impero, dalle allegorie delle Arti liberali e dei Turchi incantenati come trofei di guerra.

Se la committenza di Caterina II a Meissen rappre-

senta un tributo di stima nei confronti della prima manifattura che in Europa era riuscita ad eguagliare la porcellana di Oriente, le sue scelte culturali programmatiche si indirizzano verso la Francia: il ruolo di guida assunto dalla porcellana anche nei confronti della scultura, è ben rappresentato dall'invito a Pietroburgo, prima di Etienne-Maurice Falconet, poi di Jean-Dominique Rachette, ambedue maestri modellatori per la porcellana. Falconet fu assorbito dal progetto del monumento equestre a Pietro I, mentre la sua allieva e collaboratrice Marie-Anne Collot, ottenne dalla corte numerose commissioni di ritratti, la maggior parte collocati nella Galleria Cameron a Carskoe Selo. Nel ruo-

lo di ritrattista, dopo la sua partenza la sostituì il Rachette, il quale era nel contempo capo-modellatore della manifattura imperiale delle porcellane. Caterina II privilegiò la scultura francese, nella sua forma miniaturizzata del *biscuit*, anche per la commissione del celebre "Servizio dei Cammei" alla manifattura di Sèvres, nel 1778. Il progetto di questo servizio immenso, comprendente settencentoquarantaquattro pezzi per sessanta persone, reca un testo significativo per le origini del neoclassicismo, nello spiegare i soggetti mitologici scelti. Il costo di 63.324 rubli e 83 copechi (331.217 libbre) era così ingente, che la zarina lo pagò in quattro rate dal 1778 al 1779, mentre l'ultimo

versamento di 81.000 libbre, che salvò Sèvres dalla liquidazione, avvenne nel 1792. Il servizio aveva come complemento essenziale un surtout in biscuit composto di centodiciotto modelli, rappresentanti le Arti e le Scienze che rendono omaggio all'imperatrice, nelle sembianze di Minerva. Il monumentale insieme conosciuto come il "Parnaso di Russia", era stato concepito dallo scultore Louis-Simon Boizot, capo-modellatore a Sèvres dopo Falconet, dal 1773 al 1809. Caterina II fu un'appassionata ammiratrice di Boizot, di cui acquistò tutti i modelli, con il tramite dell'ambasciatore di Russia a Parigi, Ivan Sergeevič Barjatinskij. Il Servizio dei Cammei è ancora nella consueta porcellana tenera di Vincennes-Sèvres, mentre da un decennio era entrata in produzione la pasta dura dopo la scoperta di giacimenti di caolino nella regione di Limoges: il *surtout* è per l'appunto di porcellana dura[17].

Dal 1751 a Strasburgo, la famosa dinastia di ceramisti Hannong, conosceva il "segreto" e produceva pasta dura con l'aiuto di transfughi della Sassonia e con caolino non francese. Paul Hannong obbligato a chiudere le fornaci a Strasburgo da Luigi XV, il quale aveva concesso il privilegio a Vincennes, si trasferì a Frankenthal, dove ricominciò a produrre deliziosi oggetti e vasellame nell'omonima manifattura, ceduta in seguito all'Elettore del Palatinato Karl-Theodor. Tutti gli appartenenti alla famiglia degli Hannong possono ancora essere considerati degli arcanisti, poiché sono tutti geniali conoscitori delle tecniche, compresa la costruzione dei forni e delle caselle, mentre manca loro la conoscenza teorica e sperimentale della chimica.

Alla fine del Settecento però, la scoperta di giacimenti di caolino in tutte le regioni europee e l'affermazione della chimica come scienza, soppiantarono il ruolo degli arcanisti, eredi dell'alchimia.

NOTE

[1] MARIO DAL PRA, voce *Alchimia* in *Enciclopedia Einaudi*, vol. I 1977, pp. 274-286.

[2] Cfr. PETER WILHELM MEISTER e HORST REBER, *La porcelaine européenne du XVIII siècle*, Friburgo 1980, p. 34.

[3] Sui Dortu cfr. VALENTINO BROSIO, *Dortu, Tinelli, Richard. Porcellane e maioliche dell'Ottocento a Torino e Milano*, Milano 1972; SILVANA PETTENATI, voce *Dortu (famiglia)*, in *Dizionario Biografico degli italiani* (in stampa).

[4] GIUSEPPE MORAZZONI, *Le porcellane italiane*, Milano 1935, pp. 33-34; FRIEDERICH H. HOFMANN. *Das Porzellan der europäischen Manufakturen*, edizione aggiornata per la *Propyläen Kunstgeschichte*, con contributi di WINFRIED BAER. ELLEN KEMP, BARBARA MUNDT, Oldenburg 1980, pp. 29-30; ANTONIO AIMI. VINCENZO DE MICHELE. ALESSANDRO MORANDOTTI, *Musaeum Septalianum*, Firenze 1984, p. 30.

[5] AA.VV., *Johann Friedrich Böttger. Die Erfindung des Europäischen Porzellan*, Lipsia 1982 (consultato in edizione francese, Parigi 1984); INGELORE MENZHAUSEN, *Alt-Meissner Porzellan in Dresden*, Berlino 1988 (consultato in edizione inglese, Londra 1990).

[6] FRANCESCO STAZZI, *Porcellane della casa eccellentissima Vezzi (1720-1727)*, Milano 1967, p. 41.

[7] AA.VV., *J.F. Böttger*, 1982, cit., pp. 20 e 242; KLAUS-PETER ARNOLD, *Figurliches Porzellan aus der Sammlung Spitzner*, catalogo della mostra, Dresda 1988, p. 35, n. 5.

[8] AA.VV., *J.F. Böttger*, 1982, cit., pp. 23-24.

[9] A. ROZEMBERGH, *Les marques de la porcelaine russe*, Parigi 1926; AA.VV., *La porcellana russa. L'arte della prima manifattura di porcellana in Russia*, Leningrado s.d. (in russo con traduzione tedesca, inglese, francese).

[10] RAINER RUCKERT, *Meissener Porzellan (1710-1810)*, catalogo della mostra, Monaco 1966, p. 109; TIMOTHY H. CLARKE, *Böttger-Wappenporzellan*, in "Keramos", n. 95, gennaio 1982, consultato in estratto, pp. 25-26; AA.VV., *J.F. Böttger*, 1982, cit., pp. 158-159; AA.VV., *Porcellane e argenti del Palazzo Reale di Torino*, catalogo della mostra a cura di ANDREINA GRISERI e GIOVANNI ROMANO, Milano 1986, scheda n. 65, pp. 226-228 di CESARE BERTANA.

[11] Torino, Archivio di Stato, Camerale, Conti tesoreria Real Casa (art. 217), 1726, capo 14, n. 27: «provvista denaro a Bartolomeo Simeomo capitano del bagaglio di S.M. per acquisto in Dresda»; pagamento di 480 libbre.

[12] La restituzione è registrata in un inventario di cui esiste copia presso il Museo Civico, *Casa di S.M. Ispezione del R. Mobiliare. Elenco di oggetti diversi di Spettanza della Real Casa stati conceduti al Museo Civico di Torino a titolo di deposito precario*, nn. 4-5-6.

[13] AA.VV., *J.F. Böttger*, 1982, cit. pp. 158-159.

[14] R. RUCKERT, *Meissener Porzellan*, 1966, cit., p. 112 nn. 465-466-467; SILVANA PETTENATI, *Gusto europeo per la porcellana e committenze della corte sabauda*, in AA.VV., *Porcellane e argenti*, 1986, cit., p. 214; un altro piatto del servizio Ferrero d'Ormea mi è stato gentilmente segnalato da Maria Paola Soffiantino, che ringrazio, nel Kunst und Gewerbe Museum di Amburgo, inv. 1902.430.

[15] I. MENZHAUSEN, *Alt-Meissener Porzellan*, 1988, cit., pp. 205-206, n. 112.

[16] S. PETTENATI, *Gusto europeo*, in AA.VV., *Porcellane e argenti*, 1986, cit., pp. 220-224, pp. 236-241.

[17] AA.VV., *Sèvres, Le XVIII siècle* di PIERRE VERLET, Parigi 1953, pp. 37-38, 217-218; MARCELLE BRUNET e TAMARA PREAUD, *Sèvres des origines à nos jours*, Fribourg 1978, pp. 198, 232-233; GERARD MABILLE, *Porcelaine* in AA.VV., *La France et la Russie au Siècle des Lumières*, catalogo della mostra, Parigi 1986, pp. 339-347.

L'ORNATISTICA FRANCESE
MODELLO PER LE CAPITALI EUROPEE
DEL SETTECENTO
Angela Griseri

I viaggi di Pietro I e le scelte dei modelli francesi

Da una lettera dell'Algarotti da San Pietroburgo, il 30 giugno 1739, ricaviamo non solo un'immagine esatta della città, ma anche una traccia, di prima mano, dei commerci e degli scambi che il paese aveva intrecciato con l'Olanda, l'Inghilterra, la Svezia, la Francia: «Entrano in Russia una quantità incredibile di cose francesi, vini, drappi d'oro, d'argento, di seta, galloni, tabacchiere, ogni sorta di miscèe per alimentare il lusso della corte. Talché si fa conto che quanto ricavano d'Inghilterra, vada a colare in Francia. Sfoggiatissime fànnosi qui le gale: si studiano a Lione a fare entrare l'argento e l'oro a once nei drappi che fabbricano per la Russia. Non si sa bene se un tal lusso sia effetto del governo femminile, che ama naturalmente le gale; ...incominciò ai tempi di Caterina, crebbe sotto il fanciullo Pietro II, ed è ora al colmo sotto il governo presente».

I decenni dominati da Pietro il Grande (1694-1725), da Elisabetta (1741-1761) e da Caterina II dal 1762, emergono come un capitolo unico, segnato dall'apertura verso l'Europa. Le commissioni imperiali si erano concretate scegliendo modelli-paradigmi per l'architettura, per gli interni e per l'arredo.

Sulla stessa linea europea si ricercano i modelli di una civiltà perfezionata con oggetti preziosi: *girandoles*, orologi, candelabri, arazzi, porcellane, *boiseries* e stucchi dorati, intarsi e lacche, ricami, lavori in pastiglia e in vetro, di provenienza francese, tedesca, o ad opera di maestranze locali, avevano concluso gallerie e saloni con una qualità sicura, che ancora oggi è del tutto sorprendente.

Per l'arredo gli orientamenti erano soprattutto verso la Francia: e non si era trattato solo di preferire uno stile alla moda; Parigi forniva modelli legati al clima creato dai Luigi di Francia a Versailles, adatti per le grandi residenze di rappresentanza, e accanto suggeriva altri repertori, ben conosciuti dai viaggiatori russi, elaborati su misura dell'aristocrazia e dell'alta borghesia, per le ville attente al *confort* e all'*agrément*. È una chiave di lettura che ci è stata offerta a più riprese da

Pierre Verlet, nei suoi studi per il mobilio e i bronzi francesi (1982 e 1987).

I viaggi di Pietro I – passando da Königsberg a Berlino a Parigi – avevano inserito la Russia nell'orbita della politica europea, e sono il filo conduttore che spiega l'importazione di mobili e oggetti, di modelli della decorazione dall'Olanda, dalla Germania, dall'Inghilterra e soprattutto da Parigi, dove l'imperatore si reca nel 1717. È stato giustamente notato che i problemi politici non gli avevano impedito di interessarsi alle novità artistiche francesi. Era particolarmente attratto dalle arti e dai mestieri e aveva visitato con la massima attenzione le manifatture dei Gobelins. Aveva importato cartoni di Jouvenet e aveva ordinato una serie di arazzi, ora all'Ermitage, che segneranno un'apertura importante per il barocco in Russia. Ma è nel 1716 che, con Nicolas Pineau, si apre un capitolo decisivo.

Nato a Parigi nel 1684 e passato in Russia nel 1716, Nicolas Pineau aveva fissato le radici di un programma raffinato che avrebbe rinnovato profondamente i criteri della decorazione negli interni delle dimore imperiali. Discendente in linea diretta dai grandi maestri *ornemanistes*, figlio e allievo di Jean Baptiste Pineau, Nicolas si era formato nelle botteghe dell'architetto Boffrand, dello scultore Coysevox e dell'argentiere Thomas Germain. In queste fucine della *rocaille* aveva maturato il suo disegno asimmetrico, valutato al massimo da Blondel, ed era stato definito il "Watteau de l'ornement"; si era infatti avvicinato al massimo alle invenzioni di Berain, staccandosi dai modelli del padre, attivo a Versailles fino dal 1680 nello stile Luigi XIV.

A Pietroburgo egli aveva organizzato, con l'architetto Alexandre Le Blond e con il pittore Louis Caravaque, un suo cantiere che, dal 1716 al 1726, faceva capo a un'*équipe* di artigiani francesi, esperti in diverse specialità, tese ad arredare l'architettura con l'ornato. Grazie a Pineau era emersa, per gli interni, una meravigliosa unità delle arti: porte, camini, cornici erano studiate in un unico progetto. L'esempio più alto era il Gabinetto di Pietro il Grande a Peterhof: era stato ri-

400

vestito dallo scultore francese con *boiseries* di quercia, ed era uno dei riferimenti per i viaggiatori.

Dei quattordici pannelli che costituivano la *boiserie* del Gabinetto di Pietro il Grande ne restano ora otto, con porta e sovrapporte superstiti dopo le distruzioni della seconda guerra mondiale; l'insieme è stato restaurato nel 1960-1972 con un ottimo risultato. Un riferimento prezioso è nei disegni di Pineau, all'Ermitage, con fregi per le pareti che indicano riscontri con Berain e Audran; così altri, al Musée des Arts Decoratifs, con trofei di cacce e figure allegoriche per le Arti, studiati da Monique Mosser per il catalogo *La France et la Russie au Siècle des Lumières*, Parigi 1986.

I disegni preparatori di Pineau dimostrano in quegli anni la conoscenza profonda e intelligente delle grottesche elaborate dal Lemoyne (1638-1713), negli *Ornements Inventés et Gravés par Jean Lemoyne*, Parigi 1676, ma si avvicinano anche più strettamente, per la leggerezza dei *cartouches* e il ritmo fragile del pittoresco, ai disegni di François A. Vassé per le decorazioni dell'Hotel de Toulouse del 1718. Siamo di fronte ad un capitolo pionieristico del rococò francese, giustamente sottolineato e rivalutato da Fiske Kimball (1949) e da Hermann Bauer (1962). Risulta preziosa la diffusione in Russia di questi modelli in anni precoci e ben documentati, dal 1716 al 1726. Tornato a Parigi dopo il 1730, Pineau viene richiesto per le dimore degli aristocratici, quale apprezzato inventore di paradigmi eleganti del rococò pittoresco.

Gli stessi disegni indicano come fosse alleggerito l'impianto stesso dell'iconografia allegorica: faretre e scudi, elmi, globi, apparivano sforbiciati con andamento sinuoso, con una mobilità sensibile, inseriti in cornici sottilissime, con intrecci di *treillages*, coronati da *espagnolettes* ammiccanti. Si rileva in questo segno francese, tipico dello stile Luigi XV, un'eleganza autentica, che sarebbe stata trasferita a Pietroburgo in decorazioni per arazzi e ricami, o per ornati in vetro. Ci si riferisce ai trofei della Galleria degli Specchi a Versailles, ma con un'interpretazione che si distingue per un segno più leggero e dinamico, chiaramente in parallelo alle invenzioni di Meissonnier; lo confermano i progetti per le lanterne con l'aquila bicefala, ora al Musée des Arts Decoratifs.

Come "Premier sculpteur de Sa Majesté Czarienne", Pineau era stato incaricato di modelli scolpiti in legno, per fontane, ferri battuti, oggetti preziosi destinati ad essere cesellati per le residenze imperiali. Era stato richiesto per servizi in argento da Caterina I, e lo dimostrano i due disegni per il *surtout* imperiale, conservati rispettivamente a Parigi, Musée des Arts Decoratifs (cfr. Mabille, 1986) e a Berlino, Kunstbibliothek, Staatliche Museen Preussischer Kulturbesitz (cfr. A. Gruber, 1982); quest'ultimo può essere riferito con sicurezza a Pineau, perché presenta lo stesso segno e analoga impostazione, arricchita con i particolari della

saliera e della oliera. Nel 1725 aveva progettato le decorazioni per le pompe funebri di Pietro il Grande, che dovevano figurare agli occhi di tutta la Russia. Era ormai chiara e persistente la traccia della *rocaille* francese, e anche nei decenni successivi si terrà conto di quell'apertura.

Negli stessi anni si assiste, sotto il profilo degli arredi preziosi, all'importazione di modelli francesi di alto livello, ed è il caso degli argenti di Claude Ballin II; i suoi "surtouts de tables" (1724-26) erano una pietra miliare, sulla linea di un gusto sicuro. Avevano introdotto una morfologia *rocaille* alternando figure mitologiche ad una struttura architettonica ripresa dalle grottesche di Audran e dalla loro impaginazione; è evidente nell'esemplare del centrotavola, ora all'Ermitage, e nel disegno ritrovato e acutamente attribuito dal Mabille, ora a Parigi, Musée des Arts Decoratifs.

La corte russa era convinta che le residenze dovevano creare spettacolo, attingendo al pensiero di Luigi XIV per cui «ciò che si impiega nelle spese che possono apparire superflue servirà a procurare in realtà un'impressione molto proficua di magnificenza, di potenza, di ricchezza e di grandezza».

Per fissare l'immagine autentica della grandezza erano stati coinvolti tanto gli architetti quanto i maestri dell'arte dei giardini, e per gli interni si era richiesto il lavoro di arazzieri, di minusieri e argentieri. Di qui la diffusione di tipologie — saloni e gallerie — con modelli per *boiseries* prestigiose.

La Francia continuava ad offrire un serbatoio di risultati di primo piano: la reggia di Versailles era ancora per tutta Europa un punto di riferimento. Oltre al trionfalismo di Le Brun, una maggiore divulgazione toccava altri modelli e repertori, anche più in sintonia con le richieste di una decorazione moderna, interpretata come paradigma assoluto da Jean Berain (1637-1711), "dessinateur de la Chambre et du Cabinet du Roi", con l'obbligo di fornire progetti e disegni per le feste e i balletti. Alla morte di Le Brun, nel 1691, insieme a Boulle, al genero e all'orologiaio Thuret, aveva ottenuto alloggio al Louvre, punto di riferimento sicuro per i parigini e per i viaggiatori di passaggio nella capitale.

La pubblicazione dei disegni incisi di Berain, per mobili, *boiseries*, soffitti, avrebbe garantito una circolazione europea per quelle invenzioni eleganti, con motivi a grottesche, che univano modelli classici e pensieri capricciosi della *rocaille*. Lo dimostra il seguito dominato dal figlio, Jean Berain II (1678-1726), dagli Audran, in particolare Claude III (1658-1734), attivo anch'egli per arazzi e per grandi decorazioni parietali: si era fissata quindi la svolta che aveva portato ai risultati fertili di Pineau.

Berain aveva infatti creato uno stile inteso come rivestimento architettonico, giustamente analizzato da una moderna fortuna critica, da Fiske Kimball (1949) a Jerôme de La Gorce (1986). È stata sottolineata la precocità del suo impegno che, fin dal 1674, lo vede attivo nel settore dei *Menus Plaisirs*; la diffusione delle sue invenzioni era stata affidata — fatto molto importante — alle incisioni che ne assicureranno una divulgazione europea, fissando lo stile della Reggenza.

Un momento decisivo per le ricerche degli *ornemanistes*, che avevano interessato anche le residenze nordiche, comprese quelle russe, era stato determinato dall'attività di Gilles-Marie Oppenordt (1672-1742); conoscitore di tecniche sofisticate — era figlio di un ebanista olandese — aveva studiato a Roma, all'Accademia di Francia dal 1692 al 1698, confrontando il

cultura fertilissimo è la pubblicazione dell'*Œuvre de Juste-Aurèle Meissonnier* (1734 ca.), vero e proprio paradigma, accanto ai servizi da tavola in argento, ad esempio quelli per i principi Czartoryski e Bielinski. La sua consacrazione ufficiale era avvenuta a Parigi; nominato orafo di Luigi XV nel 1724, in seguito aveva sostituito Berain nella carica di "architecte-dessinateur de la Chambre et du Cabinet du Roi", elaborando progetti per le feste e le scenografie, che saranno ben apprezzati alla corte russa.

Alla fine del secolo e nel primo decennio del Settecento, grazie alle nuove idee degli *ornemanistes*, si era avviato uno scambio tra le arti e i mestieri che sarà at-

A pagina 400: Jean Berain, Decorazione a grottesche, c. 1700. Parigi, Biblioteca Nazionale.

Nicolas Pineau, Peterhof (Petrodvorec) Palazzo Grande, Gabinetto di Pietro I, Decorazione, legno di quercia, c. 1720.

barocco di Bernini e quello di Borromini, e al suo ritorno a Parigi aveva trovato un committente nel duca d'Orléans; nella chiesa di Saint-Sulpice, le *boiseries* della sagrestia (1730 ca.) aderivano al rococò che continuava con Pineau, con Meissonnier e Pillement.

Lo stile Luigi XV alla corte di Elisabetta I

Tra i pionieri della diffusione della *rocaille* era stata decisiva la presenza di Juste-Aurèle Meissonnier (1693 ca.-1750), apprezzato dagli aristocratici europei, tra questi Luigi d'Orléans, il duca di Mortemart, il conte di Charolais e il duca di Kingston. Serbatoio di

tentamente considerato dall'illuminismo. A questo proposito va ricordato un antefatto significativo, sottolineato da Franco Venturi nella sua ricerca per *Le origini dell'Enciclopedia* (1963), valutando l'importanza della Société des Arts, in cui nel 1726 si erano uniti inventori e tecnici per confrontare le loro esperienze. Accanto a matematici e fisici, figuravano Rameau, teorico della musica e compositore, Julien Le Roy, il celebre costruttore di orologi, con il figlio Pierre, accanto a Sully, l'orologiaio inglese.

Li ricorderà D'Alembert, avvertendo che essi «non solamente intendevano sposare, cosa ragionevole, ogni arte meccanica alle scienze da cui tale arte può trarre

Nicolas Pineau,
Progetto per un
surtout da tavola.
Berlino,
Kunstbibliothek,
Staatliche Museen
Preussischer
Kulturbesitz.

Giuseppe Valeriani,
Progetto per
decorazione di
una sala.
Michigan,
Università.

lumi, come l'orologeria all'astronomia, la costruzione di occhiali all'ottica, ma pretendevano inoltre unire ognuna di queste arti alla parte delle materie letterarie con cui essi immaginavano avesse maggiori rapporti: il ricamatore allo storico, il tappezziere al poeta». E Venturi commenta che l'idea esprimeva «già in qualche modo quell'unità del lavoro creativo umano che fu uno dei centri più vivi del pensiero enciclopedista».

Da quell'unità delle arti il lavoro degli *ornemanistes* aveva derivato l'impronta di una grande sicurezza di mestiere, oltre all'attenzione per le singole specialità

Gli scambi con la Francia segnano un capitolo altrettanto decisivo durante il regno di Elisabetta Petrovna (1741-1761), in stretto rapporto con la corte di Luigi XV. Emerge ancora la diffusione dello stile introdotto da Pineau che si riflette nei progetti per le decorazioni del 1754 ca. di mano di Giuseppe Valeriani nell'appartamento dell'imperatrice nel Palazzo costruito dal Rastrelli.

Il Valeriani aveva riscosso un successo sicuro, tanto da essere incaricato nel 1746 dei progetti per le feste dell'incoronazione; quotato come pittore e scenografo,

Bartolomeo Francesco Rastrelli, Carskoe-Selo (Puškin), Palazzo di Caterina. Salone, particolare decorativo.

perfezionate accanto alle scienze, con particolare riguardo alle esigenze dell'architettura.

Erano progetti di cultura destinati a suscitare interesse preciso alla corte russa, fin dagli anni di Pietro I, attento all'"utile sociale", ai problemi sostenuti da tecnici e intellettuali appunto a Parigi.

Il clima inaugurato a San Pietroburgo da Pineau e da Pillement favorisce in questo senso altri arrivi di stoffe, ad esempio da Lione, e si ritrovano ora al Museo dell'Ermitage, accanto ad intagli con *cartouches* animistici, ad opera di Andrej Nartov, 1729.

addetto alla direzione dei balli di corte, era stato nominato professore di prospettiva all'Accademia di Belle Arti di Pietroburgo. Di questa attività resta documento soprattutto negli studi grafici conservati all'Ermitage, al Museo d'Arte Russa e alla Biblioteca dell'Istituto Trasporti Ferroviari di Leningrado, al Museo Puškin di Mosca, all'Università del Michigan e alla Pierpont Morgan Library di New York.

I disegni dell'Ermitage chiariscono la sua evoluzione rispetto agli interventi precedenti, degli anni 1733-34, per gli affreschi del Salone centrale di Stupinigi, ese-

guiti sotto la direzione di Filippo Juvarra. I progetti del soggiorno a San Pietroburgo sono elaborati su una diversa struttura, che metteva in risalto l'impianto esuberante dell'ornato, concluso da cornici *rocailles*, affini ai modelli francesi; inserti di *espagnolettes* e conchiglie, intrecci e *cartouches* traforati, rimandano a Pineau; altre idee, per nicchie, colonne, vasi fioriti, cornici robuste e cascate vegetali, si ricollegano alle scenografie dei Bibiena, per una impostazione in profondità che segnava una decisa maturazione anche per il gusto degli *ornemanistes*. Interessanti le iconografie previste per la volta del grande Salone, nel Palazzo di Caterina, con l' "Allegoria della Vittoria" e l' "Allegoria della Pace", per risolvere il programma encomiastico richie-

sto dalla corte. L'*équipe* contava aiuti italiani, Antonio Battista Peresinotti, Pietro e Francesco Gradizzi, Angelo Carboni e una decina di decoratori russi. Di fronte a questi disegni si apre ancora il confronto con gli affreschi dei Valeriani, Giuseppe con il fratello Domenico, presenti a Stupinigi, realizzati prima del viaggio in Russia. Altro riscontro diretto porta, per i motivi decorativi, alle lesene della facciata juvarriana di Palazzo Madama, e agli stucchi dello stesso atrio, ma sottolinea anche il rapporto stringente con le invenzioni degli *ornemanistes* parigini, in particolare Pineau, serbatoio prezioso anche per Juvarra, che lo utilizzerà per cornici in Palazzo Reale, per le *consolles* e per gli argenti. Con questa cultura aggiornata Giuseppe Valeriani era

stato accolto alla corte russa e aveva trovato spazio nel
cantiere dominato dal Rastrelli.

Per gli interni di Elisabetta i modelli francesi erano
stati elaborati con attenzione all'intaglio pittoresco delle cornici dorate, sostenute dalla luce degli specchi;
era un suggerimento della cultura parigina che ritroviamo con il Cuvilliés nelle residenze di Nymphenburg
e nel Residenz di Monaco. A San Pietroburgo il risultato era sottolineato dalle grandi dimensioni delle sale
imperiali, risolveva l'accoglienza con la grandiosità,
staccandosi dai *cabinets* dei castelli austriaci e tedeschi. Nella capitale russa le residenze di corte avevano
richiesto, per le arti preziose, nuove tipologie per l'arredo, in particolare grandi candelabri e *consolles*: ma

soprattutto si erano rinnovati i servizi per le tavole imperiali e per quelle dell'aristocrazia legata alla corte.

L'argenteria emerge in questo senso, al centro di un
incremento decisivo che orienta le commissioni verso
Parigi, scegliendo botteghe di grande prestigio, con risultati eccezionali. Il *buffet d'ostentation* aveva trovato
spazio e fortuna alla corte, e per le tavole si era punta-
to sui servizi destinati al *Grand Couvert*, con scelte di
pezzi strettamente legati ai modelli francesi dei primi
decenni del Settecento. È il capitolo delle grandi tavole imperiali europee, magistralmente studiato da Alain
Gruber, in *L'Argenterie de Maison du XVIe au XIXe Siècle*, Friburgo 1982.

Parigi aveva conosciuto, già negli ultimi anni di Luigi XIV, decisivi cambiamenti di etichetta, con riflessi sulle tipologie per le tavole e il loro apparato; in coincidenza con la fortuna delle *maisons de plaisance* si era fatta strada appunto un'etichetta più libera, inaugurata al Grand Trianon, a Marly e nei castelli scelti dai membri della famiglia reale, passati a St. Cloud, a Meudon, a Sceaux, a Chantilly. Gli argenti lasciavano i grandi *buffets*, per essere presentati direttamente a tavola insieme alle porcellane e ai *parterres sablés*, che imitavano le aiuole dei giardini; si erano scelte nuove forme per le zuppiere, per i grandi piatti, che diventeranno paradigmi preziosi per la corte di San Pietroburgo; nel servizio "alla russa", dal 1810, saranno presentati in successione ai convitati, secondo l'ordine

pura *rocaille* — godronature, serti fioriti, *plateaux* a doppie scanalature pari a una valva di conchiglia, amorini, trofei di cacciagioni, aquile bicefali — del tutto in sintonia con una struttura che segnava un culmine al massimo raffinato. È lo stile che distingue un oggetto emblematico come lo Specchio ora al Palazzo di Petrodvorets, probabile dono di Luigi XV appunto ad Elisabetta.

Le arti preziose per Caterina II

Gli anni che segnano l'apogeo del regno di Caterina II, dal 1775 al 1790, vedono l'imperatrice impegnata a ristrutturare con l'architetto Cameron gli apparta-

delle precedenze, a differenza del servizio "alla francese" che prevedeva i grandi piatti posti in tavola.

Nel 1759, negli anni del regno di Elisabetta, il gusto parigino decide le decorazioni degli interni, che riprendono per le *boiseries* e per le policromie degli intonaci i paradigmi della *rocaille*, ancora con attenzione alle incisioni divulgate dai repertori di Meissonnier e del Cuvilliés; soprattutto sono in primo piano i modelli-capolavoro di François-Thomas Germain, che per il prestigioso servizio di Parigi (ora all'Ermitage e al Louvre), ordinato dall'imperatrice nel 1761, aveva ripreso in parte, con varianti, il decoro del servizio già destinato a Giuseppe I di Portogallo. Era un tipo di oreficeria apprezzato per la modellazione morbida, di

menti privati a Carskoe Selo, a seguire il palazzo di Pavlovsk e le nuove costruzioni del Quarenghi. L'arredo era in primo piano e continuavano gli arrivi dalla Francia, per mobili, specchi, stoffe, sculture. Caterina acquista nel 1772 la collezione di Pierre de Croizat, dimostrando un'attenzione per le arti preziose, sollecitata dalle discussioni con gli illuministi: gli scambi con Grimm, con Diderot e con Voltaire, sono alla base di molti suoi programmi. È appunto tramite il Diderot che lo scultore Etienne Maurice Falconet, direttore alla Manifattura di Sèvres nel 1757, aveva ottenuto a Pietroburgo la commissione per la Statua equestre di Pietro il Grande, ed era chiaro un preciso significato politico: Caterina intendeva rivendicare «audacemente

il proprio diritto ad essere rapportata a Pietro solamente, lapidariamente espresso nella frase *Petro primo
Catharina secunda*», così il commento di Isabel de Madariaga (1981). A sua volta il Falconet era stato intermediario per una commissione di gran classe, il servizio da tavola (ora all'Ermitage e al Louvre) destinato
dall'imperatrice al favorito conte di Orlov, e si era
scelto a Parigi l'argentiere Jacques-Nicolas Röettiers.
L'insieme contava 842 pezzi di fabbricazione francese, fra questi 22 zuppiere, a cui saranno aggiunti altri
pezzi complementari di manifattura russa; alla morte
del conte Grigorij Orlov fu acquisito ancora da Caterina e figurerà nelle collezioni imperiali fino alla Rivoluzione, smembrato in seguito tra i Musei di Leningrado
e Mosca, oltre che al Louvre, al Metropolitan Museum
di New York, al Museo Nissim de Camondo di Parigi e
in collezioni private. Röettiers si era impegnato per il
servizio Orlov come per un vero capodopera, che di-
venterà in seguito un esempio del primo stile neoclassico; la solennità monumentale dimostrava non solo la
conoscenza dell'antico, ma soprattutto l'adesione alle
grandi oreficerie di Luigi XIV, di cui era vivo il ricordo; in quel senso il servizio si era perfettamente inserito sulle tavole di Caterina II, nel clima delle residenze
russe. Accanto alle zuppiere e ai candelabri di Röettiers, figuravano i pezzi realizzati per lo stesso insieme
da Louis-Joseph Lenhendrick (1769-70) e ancora legati allo stile *rocaille*, per amorini, ghirlande, *cartouches*, modellati con robusta vitalità, con qualche inser-
to di motivi alla greca.

Gli arrivi da Parigi costituivano una vera e propria
antologia, per scelte di pezzi rari e per aggiornamenti
di cultura. Lo si riscontra di fronte agli argenti di Ro-
bert-Joseph Auguste, alle terrine per il servizio di Eka-
terinoslav (in parte all'Ermitage), ordinato nel 1776, a
cui erano seguiti altri detti di Nižnij Novgorod, di Kazan, di Mosca, che costituiscono il più vasto insieme
dell'oreficeria neoclassica francese.

Orefice reale, attivo per le corti internazionali — Li-
sbona, Londra e Copenaghen — Auguste aveva studiato per San Pietroburgo ornati e tipologie simboliche:
foglie d'acanto e rosoni, mascheroni e frutti di melo-
grano per le zuppiere, inserti di foglie di lauro, mostri
marini e festoni d'alghe, aquile bicefale per i rinfresca-
toi, partendo dai modelli superbi, tipici dello stile Luigi XVI, destinati a Gustavo III di Svezia. A questi anni
e allo stesso livello di qualità, appartengono le due
zuppiere battute in asta da Sotheby's il 9 dicembre
1990, firmate da Auguste a Parigi nel 1771, con ghirlande di ghiande, bordi di lauro, anse a testa d'ariete,
commissionate da Otto Blome, ministro danese a Parigi. La straordinaria struttura monumentale, sottolineata dalla qualità del cesello, dimostra come Auguste se-
gnasse un sensibile passaggio, oltre l'antico e i modelli
di Röettiers.

Il collezionismo russo attingeva anche all'area pie-

*Jacques-Nicolas
Roettiers, Servizio
del conte Orlov,
Zuppiera,
1770-1771.
Parigi, Louvre.*

*Giovan Battista
Boucheron,*
Autoritratto.
*Torino, Museo
Civico.*

*Giovan Battista
Boucheron*, Disegno
per centrotavola con
trofeo venatorio,
*1776.
Torino, Museo
Civico.*

*Giovan Battista
Boucheron*, Disegno
per centrotavola con
trofeo di vittoria,
*1776.
Torino, Museo
Civico.*

inventé et Dessinée par P. malieux 1776

413

montese: si indirizzava, per gli argenti alle Orfèvreries Royales e al suo direttore, Giovanni Battista Boucheron (1742-1815). Tra gli esempi più prestigiosi il "servizio di Torino", presente in mostra con due zuppiere, un rinfrescatoio e una legumiera; l'insieme consisteva di 220 pezzi, compresi i centrotavola con vasi in argento e in bronzo; era stato acquistato dai principi Golicyn e sarà venduto nel 1803 alla corte russa. Lo stile del Boucheron emerge con la sicurezza di un orafo colto, studioso a Roma dell'antico, dal 1760 con i Collino, attento alle novità del Piranesi e ai repertori animistici elaborati dal Petitot; altra fonte, come ha precisato Pier Luigi Gaglia (1980), gli ornati del Dela-

gno degli oggetti, appoggiandosi agli esecutori, quali Simone Duguet, allievo del Ladatte, o Bartolomeo Bernardi. Aveva anzi allargato la cerchia degli esecutori, coinvolgendo, accanto agli assaggiatori, orefici come Giuseppe Balbino, il cesellatore Giuseppe Marchisio, Pietro Andrea Depero argentiere doratore e Francesco Spinola — così risulta dai *Registri Recapiti* del 1782 —. Quanto allo scambio di Boucheron con la Russia, si può avanzare, come già affermava Vesme (1963), l'ipotesi di un soggiorno a San Pietroburgo: una lettera dell'ambasciatore Parella al conte di Hauteville, ministro a Torino, avverte che sarà inviata «...une caisse contenant des effects, qui appartiennent a M^r. Bouche-

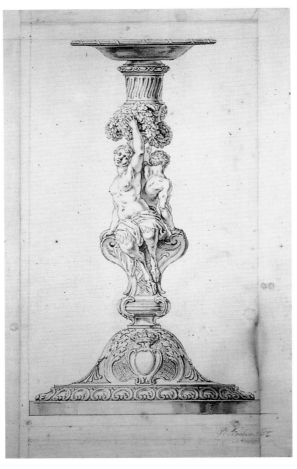

Giovan Battista Boucheron, Disegno per candeliere, *c. 1770. Torino, Museo Civico.*

fosse, evidenti nei candelieri raffinati, ora al Victoria and Albert Museum di Londra.

Per le zuppiere di Leningrado tornano i confronti con Luigi Valadier (1726-1785) indicati da Carl Hernmarck (1977), e confermati da Augusto Bargoni (1986) che ricordiamo anche in questa occasione come pioniere degli studi sugli argenti piemontesi, maestro di tante ricerche d'archivio. Con Bargoni si era discusso sull'importanza di questo servizio, pienamente avvalorato dal riscontro con i disegni dei centrotavola ora al Museo Civico di Torino, che chiariscono il metodo di lavoro del Boucheron, in qualità di orefice della Real Casa. Egli rivendicava a sé le invenzioni e il dise-

ron...» (A.S.T. Lettere Ministri Russia 1787, mazzo 2). È una conferma del prestigio ottenuto dall'orafo, che aveva elaborato uno stile in sintonia con il gusto delle corti europee.

Nel fertile clima del neoclassicismo, una scelta significativa di Caterina II si era rivolta a Clerisseau, entrato in contatto con l'imperatrice dopo il suo viaggio in Inghilterra del 1771-1773. A lui, amico di Piranesi e degli Adam, Caterina aveva ordinato per Carskoe Selo «le dessin d'une maison antique, distribuée intérieurment à l'antique...». In realtà il progetto fallì proprio per le dimensioni troppo grandiose suggerite dal Falconet, e solo nel 1778 Caterina II, con i consigli del

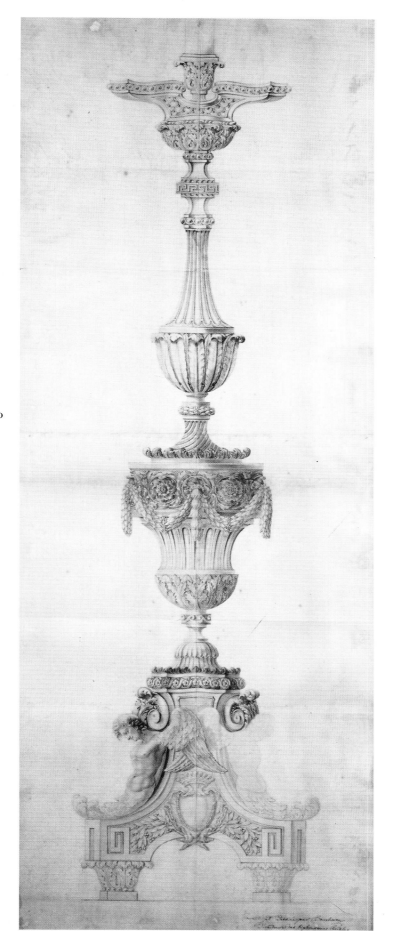

Giovan Battista Boucheron, Disegno per candelabro, *c. 1780. Torino, Museo Civico.*

415

Reifenstein, si interessò ancora a Clerisseau e alla collezione dei suoi disegni, allora messi in vendita. Riprese così l'idea del palazzo e della decorazione all'antica, senza tuttavia portarlo a termine. Ma lo scambio era destinato a segnare una traccia profonda per il Cameron e il Quarenghi.

Parigi era ancora un riferimento preciso: nel loro viaggio del 1782, i conti del Nord avevano visitato le botteghe dei mobilieri, e lo ricorda il Verlet (1982), citando i *Memoires* della baronessa d'Oberkirck; avevano programmato anche una sosta a Lione, per le sete destinate al castello di Pavlovsk.

Già in precedenza altra scelta giusta aveva guidato Caterina ai modelli di Philippe de La Salle, che a Lione aveva progettato per lei stoffe per le stanze di Carskoe Selo, nel 1771, in competizione con la *tenture des Perdrix* della camera di Maria Antonietta a Fontainebleau. I motivi riprendevano quelli di Oudry, accentuando tonalità giallo solare e azzurro, con iconografie emblematiche per fagiani, pavoni, inseriti nell'architettura elegante di cornici a *treillages*, con un effetto luminoso; un'altra serie era stata ordinata nel 1783 dall'imperatrice, per celebrare le vittorie in Crimea di Grigorij Potëmkin.

Il gusto del Settecento naturalista aveva suggerito un'idea molto originale per le stanze di Lomonosov, con decorazioni in vetro per ricreare un vero e proprio giardino; nei pannelli figurati, con uccelli, cigni e piante, era chiaro il rapporto con le stoffe del La Salle.

La competizione con le corti europee continuava con le richieste dell'imperatore Paolo I a Pierre Gouthière, già scelto per bronzi destinati a Madame du Barry e a Versailles; per Paolo I aveva lavorato a candelabri destinati al castello Michajlovskij; nell'arredo era stata prevista una *consolle* (1799) di Pierre-Philippe Thomire, ornata con cariatidi in bronzo dorato, fregio con danzatrici; accanto gli orologi dello stesso autore segnavano il momento più alto del neoclassicismo, attento ad introdurre un riflesso della calma grandezza degli antichi nel lusso privato.

A San Pietroburgo le scelte di Thomire fissavano nei bronzi prestigiosi le memorie dell'antico incontrate nei viaggi del *grand tour*, segnando nell'arredo un punto di riferimento per mobili, argenti, porcellane di Sèvres. Accanto alla malachite, il bronzo infatti era tra le materie preferite dallo stile Impero all'interno delle residenze di corte, elaborato con accostamenti originali, tanto da segnare un momento chiave nel panorama europeo, ed è un gusto attentamente indicato da Sandra Pinto (cfr. saggio in catalogo). Non si trattava di una pura e semplice divulgazione dei più fortunati modelli neoclassici, ma di un grande disegno unitario, attento alle patine e alle dorature, alle variazioni dei marmi, con preferenze per il 'verde antico', e soprattutto al loro risalto nell'insieme. La presenza di Thomire riesce dunque a essere un filo conduttore nell'architettura di quegli interni, e ne ritroviamo riflessi precisi nei mobili in ebano, nei candelieri di quelle stesse sale. Di qui il risultato autografo che distingue gli anni di Paolo I, un capitolo che seguiva alla *rocaille* voluta da Pietro I, al neobarocco sontuoso introdotto da Elisabetta e al neoclassico elaborato dal Quarenghi per Caterina II.

NOTA

L'interesse per la decorazione, come elemento essenziale per l'architettura di interni, inizia nell'immediato dopoguerra, con gli studi di F. KIMBALL, *Le style Louis XV. Origine et évolution du Rococo*, Parigi 1949, per proseguire con: H. BAUER, *Rocaille*, Berlino 1962; D. NYBERG, *Œuvres de J.A. Meissonnier*, Londra 1969; di recente J. DE LA GORCE, *Berain. Dessinateur du Roi Soleil*, Parigi 1986. Altri contributi importanti: H. HONOUR e J. FLEMING, *Dizionario delle arti minori e decorative*, Milano 1980; P. VERLET, *Les meubles français du XVIII* siècle*, Parigi 1982; A. GRUBER, *L'Argenterie de Maison du XVI* au XIX* siècle*, Friburgo 1982; B. PONS, *De Paris à Versailles 1699-1736*, Strasburgo 1986.
Per gli scambi con le corti europee: *La France et la Russie au Siècle des Lumières. Relations culturelles et artistiques de la France et de la Russie au XVIII* siècle*, catalogo della mostra, Parigi 1986-1987; A. CHENEVIERE, *Il Mobile russo. L'epoca d'oro 1780-1840*, Milano 1989; *St. Petersburg Um 1800. Ein goldenes Zeitalter des russischen Zarenreichs*, catalogo della mostra, Essen 1990.
Per il Valeriani decoratore a Pietroburgo: M.S. KONOPLEVA, *Giuseppe Valeriani scenografo*, Leningrado 1948; L. SALMINA, *Disegni veneti del Museo di Leningrado*, catalogo della mostra, Vicenza 1964; *Architectural and Ornament Drawings of the 16th to the early 19th centuries in the Collection of the University of Michigan Museum of Art*, Michigan 1965.
Per gli argenti, vanno segnalati: A. BARGONI, *Mastri orafi e argentieri in Piemonte dal XVII al XIX secolo*, Centro Studi Piemontesi, Torino 1976 (ristampa anastatica 1988); G. MABILLE, *Orfevrerie Française des XVI* XVII* XVIII* siècles*, Parigi 1984; M. GABETTI, *Argenti del Settecento*, Novara 1985; *Porcellane e argenti del Palazzo Reale di Torino*, a cura di A. GRISERI e G. ROMANO, Milano 1986.

IL SOGGIORNO DEI CONTI DEL NORD A TORINO NEL 1782. SEDI DIPLOMATICHE E COLLEZIONI DI AMBASCIATORI

Michela di Macco

Il viaggio del granduca e della granduchessa delle Russie negli stati del Re di Sardegna, compreso il soggiorno a Torino, data dal 22 aprile al 3 maggio 1782. Soltanto dieci giorni, instancabilmente impegnati, definiscono tuttavia il tempo per l'istituzione di relazioni diplomatiche fra le due corti e il modo di apprezzare la cultura figurativa sabauda riconoscendone le peculiarità e la qualità di aggiornamento. Paolo di Russia e Maria Fëdorovna viaggiano sotto il nome di Conte e Contessa del Nord «desiderando di godere della libertà dell'incognito», stratagemma che, se consente deroghe limitate all'ufficialità del cerimoniale, rende tuttavia possibili percorsi e soste culturali altrimenti contratti. La relazione stesa dal Mastro delle Cerimonie, Cavalier Cravetta di Villanovetta, costituisce il prezioso diario di quel soggiorno, che la natura propria del documento tende a sottolineare negli aspetti cerimoniali e protocollari fornendo, insieme, indicazione precisa sugli spostamenti degli "Imperiali Viaggiatori", guida utilissima per comprendere quale fosse l'immagine che la corte torinese intendeva presentare di sé agli illustri ospiti[1].

Come erano molto dettagliate le modalità di comportamento, impartite in "Articles d'Instruction", così erano ben determinati tanto l'itinerario di visita quanto la qualità d'accoglienza, con attenzione agli apparati ed al rinnovamento decorativo. Si escludono le Isole Borromeo, che pure i Conti del Nord avevano chiesto di vedere, per accelerare l'arrivo a Torino e privilegiare la sosta nella capitale, rendendo rapido anche il passaggio per Vercelli e l'alloggio presso l'Albergo dei Tre Re messo in decoro per l'occasione[2].

Un "pubblico Albergo" accoglie gli ospiti anche a Torino, per desiderio espresso dai Conti del Nord. La scelta, operata dal principe di Württemberg, fratello della granduchessa, cade, come già in occasione del soggiorno romano, sull'albergo delle Armi d'Inghilterra, a Torino ubicato in posizione di prestigio, di fronte alla chiesa di Santa Teresa, nel cantone Sant'Eusebio, uno dei due "alloggi per forestieri" segnalati dall'Almanacco Reale[3].

È già il Mastro di Cerimonie a precisare quanto fos-

sero immediati gli ordini di Vittorio Amedeo III perché si rendesse libero l'Albergo, indennizzando quanti vi alloggiavano, e perché si mettesse «in istato decente», prelevando «li opportuni mancanti mobili del suo Guardamobili»[4]. Ma è soprattutto lo spolio dei registri contabili che restituisce i retroscena di quel frenetico riarredo e dei preparativi per il soggiorno degli "Imperiali Viaggiatori" e del loro seguito, testimoniando quanto rilievo si desse all'avvenimento. Sostituzioni e attente manutenzioni rinnovano anche in modo sostanziale mezzi, mobili, oggetti, luoghi e persino abiti del personale, tanto da consentire di ricomporre *ad annum* il significato di decoro nella cultura di corte a Torino.

Affidato alla competenza delle maestranze luganesi, che ne restaurano i muri sotto la guida del capo mastro Angelo Adamino, l'Albergo d'Inghilterra, a lavori ultimati, doveva presentare una intonazione bicromatica di bianco e giallo studiata per la decorazione di volte, pareti, sguanci di finestre, porte e lambris con effetti di consistenza setosa e stucco lucido dati dai sapienti impasti addizionati di colla, e gesso e colla, praticati dall'imbianchino Gerolamo Trivella. Specchi, *appliques*, lampadari, presi in affitto dal vetraio Giacomo Deangeli, illuminavano i camini di marmo appena "lavati con acqua e spugna", i mobili intagliati (e restaurati con nuovi incollaggi delle decorazioni e nuove chiodature delle parti strutturali) e persino le chiavi, serrature e finiture dorate, sostituite per l'occasione. Le diverse intonazioni di colore si giocavano invece nell'arredo tessile, nel broccatello cremisi, preso in affitto, e nella seta pura di "diversi colori" dal mercante Andrea Brodel «provista e rimessa al Regio Guardamobili per formare, guarnire, e rappezzarne diversi mobili tanto in servizio de Reali Appartamenti in Torino, e fuori, che quelli dell'Oberge d'Inghilterra stati occupati dalli Conte e Contessa del Nord pendente il loro soggiorno in codesta capitale»[5].

Nei pochi giorni disponibili ogni scelta effettuata per presentare l'immagine della corte agli ospiti russi aveva un significato determinante.

Per la visita vengono privilegiate le residenze sabaude, data la singolarità e peculiarità di quelle per la corona, e fra le stesse vengono selezionati il castello di Venaria Reale, il palazzo di Stupinigi, il castello di Moncalieri, la Vigna della Regina: due residenze venatorie (le prime) e due per la "Reale Villeggiatura" (le seconde), tutte sottoposte ad interventi di ampliamento o ammodernamento a favore di componenti della famiglia o della stessa coppia reale ed ognuna presentata ai Conti del Nord dai destinatari di quei lavori. Il principe e la principessa di Piemonte (Carlo Emanuele e Maria Clotilde Saveria di Borbone) accompagnano gli ospiti a Venaria Reale, già rinnovata negli arredi e nella distribuzione degli appartamenti dopo le nozze del 1775, tanto del principe di Piemonte quanto del duca di Chiablese. Qui si palesava il gusto dell'ornatista di corte Leonardo Marini che impaginava sulle pareti colonne di piccoli quadri di paesaggio con cornici omogenee sormontate da nastri e ghirlande (come si vede in un disegno del 1778 per l'appartamento del duca di Chiablese); si ritrovavano i mobili disegnati ed intagliati da Giuseppe Maria Bonzanigo o dipinti dal Rapous (che si possono immaginare di modello confrontabile con il parafuoco del 1775 ed il paravento del 1783 conservati in Palazzo Reale a Torino); si proponevano arredi ornati con ghirlande intagliate di fiori e corone di perline "all'uso francese" (come è detto in un documento) per incontrare il gusto della principessa di Piemonte, sorella di Luigi XVI[6]. Gli ospiti imperiali potevano ammirare gabinetti e mobili "alla chinese" riproposti nelle diverse residenze, nella Vigna della Regina dove sono accompagnati dalla coppia reale ed a Stupinigi dove si recano in visita con Benedetto Maria Maurizio duca di Chiablese e Marianna di Savoia, titolari dell'appartamento di levante, ancora moderno nell'impianto decorativo proprio degli anni Sessanta del secolo[7].

Qui, come a Venaria, il percorso di visita si svolge nel parco e lungo le strade di caccia per raggiungere poi il palazzo, sottoposto per l'occasione ad attenta revisione manutentiva che comprende anche il trasporto di quadri di Werhlin, forse opere del ritrattista Venceslao che i Conti del Nord avrebbero potuto riconoscere come autore di quei ritratti sabaudi richiesti dal principe Golicyn per l'imperatrice Caterina e inviati in Russia nel 1778[8]. Non è soltanto dal diario del Cerimoniere, che riferisce espressioni protocollari, che si possa dedurre il grado di attenzione e di apprezzamento prestati dai Conti del Nord durante la visita alle residenze, ma una serie di indicazioni fornite dai documenti conferma quanto anche il soggiorno torinese fosse strumentale all'acquisizione di un repertorio aggiornato di forme e modelli da selezionare e riutilizzare al rientro in Russia dove, negli stessi anni, si andava edificando la rinnovata immagine dell'impero.

Di tutto quel possibile repertorio la scelta per la conservazione di appunti di memoria è estremamente significativa. Riguarda infatti due architetture di straor-

dinaria qualità e singolarità; due progetti di decorazione d'interni di assoluta modernità; oggetti di produzione statuaria di aggiornata cultura internazionale.

Per l'architettura parrebbe immediata la richiesta di acquisire copia della pianta di Stupinigi, per la quale vengono occupati, alle dipendenze del conte di Robilant, direttore dell'Ufficio dei Topografi, 7 ingegneri topografi, 3 assistenti e 2 disegnatori, impegnati per cinque giorni a rilevare anche la decorazione d'apparato per il ballo tenutosi in Palazzo Reale, il tutto consegnato da Vittorio Amedeo III ai Conti del Nord nel 1782[9].

Più tardi, e per via diplomatica, vengono invece inoltrate le piante del castello di Venaria giunte a San Pietroburgo nel 1788 in una cassa contenente anche due vedute del castello di Stupinigi. Le prime, che l'ambasciatore sabaudo de Ponchy ricorda contenute in un libro, erano state richieste dalla granduchessa e non sappiamo per ora se fossero realizzate appositamente o se fossero contenute nel seicentesco libro di Amedeo di Castellamonte, tornato d'attualità nel 1779 quando Leonardo Marini, estraendo le dieci incisioni di Tasnière per i ritratti equestri del salone centrale, aveva formulato un nuovo progetto decorativo inserendole in cornici "moderne" con indicazioni di riarredo dell'impianto seicentesco; le seconde, da identificare, come già proponeva Paola Astrua, con le due vedute del Padiglione di caccia di Stupinigi riprese da due diverse prospettive (dalla corte d'onore e dalla facciata sul giardino) opere di Ignazio Sclopis di Borgostura, presentate al re nel 1787, erano invece un omaggio inatteso di Vittorio Amedeo III che attribuiva a quelle vedute un evidente significato simbolico come quadri di memoria della vita e cultura di corte e come tali donati anche al nipote, re di Napoli, in ricordo celebrativo della visita della coppia reale siciliana a Torino nel 1785[10].

Come modello per la decorazione d'interni la granduchessa Maria Fëdorovna sceglie il progetto ideato da Leonardo Marini per la Camera di ricevimento dei Principi di Piemonte nel castello di Moncalieri, richiedendone una copia all'autore incaricato anche di realizzare nuovi disegni di arredo da spedire in Russia. La scelta, che promuove definitivamente la fortuna del Marini a corte, evidenzia anche quanto a quella data fosse consonante il gusto della granduchessa con quello di Clotilde di Borbone, ambedue attestate sul riferimento alla cultura francese dell'ornamentazione in un momento immediatamente precedente un maggior rigore di impaginazione realizzato in Piemonte per gli appartamenti del duca d'Aosta su progetto degli architetti Piacenza e Randoni[11].

L'affinità culturale riconosciuta dalla granduchessa con la principessa di Piemonte rimarrà viva nella memoria, come lo stesso ambasciatore Parella sottolinea in un dispaccio inviato da San Pietroburgo nel 1783 quando, di fronte al ritratto di Clotilde di Borbone, do-

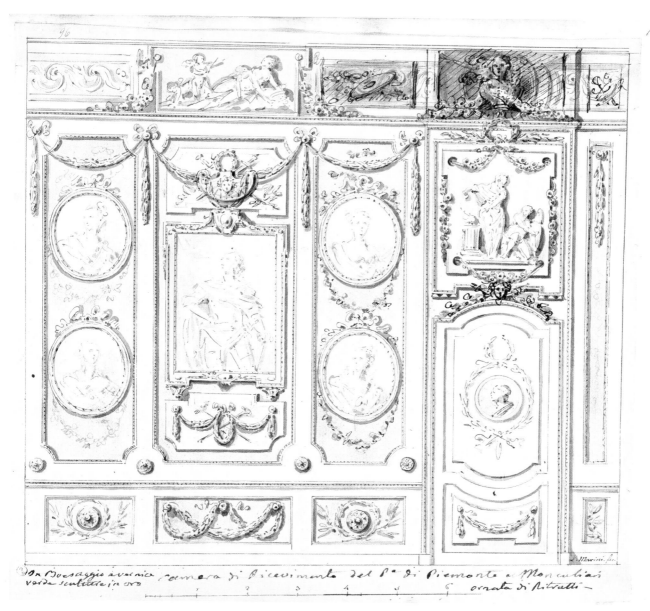

Leonardo Marini, Progetto di
decorazione per la ''Camera di
ricevimento del Principe di Piemonte''
nel Castello di Moncalieri.
*Torino, Biblioteca Reale, Ms. Varia
218, fol. 15, n. 96.*

natole dall'ambasciatore sardo, la granduchessa si lamenta della mancata rassomiglianza con il modello, cogliendo l'occasione per decantare le lodi dell'effigiata.[12] Attenta e scrupolosa osservatrice Maria Fëdorovna fa tesoro di quanto vede durante il viaggio in Italia raccogliendo come in un prezioso scrigno ogni memoria nella sua reggia di Pavlovsk, descritta dalla stessa granduchessa nel 1795 con tale precisione da rispecchiarne il carattere. Qui tra le altre preziosità trovavano posto le opere degli artisti piemontesi e, nella distribuzione delle sale, un richiamo preciso al viaggio in Italia doveva essere quella "sala all'italiana", tarda testimonianza di un gusto al quale Leonardo Marini in Piemonte aderisce prontamente. Dall'incontro con gli ospiti russi nasce infatti, nell'ambito di nuove proposte di arredo esotico, quella "sala russa con veduta di Neve e figure nel costume di quei Popoli" progettata dal Marini, sempre interessato al tema del costume, nello spirito della Encyclopédie e in funzione della sua attività di costumista teatrale.[13]

Erano stati disegnati da Leonardo Marini gli abiti per Il Trionfo della Pace (Olivieri-Bianchi), l'opera rappresentata al Teatro Regio il 22 Aprile del 1782, primo giorno di permanenza a Torino della coppia imperiale. «Fù il Dramma cantato e rappresentato dai migliori Musici,... ornato de' più sontuosi e particolari spettacoli, con una vaga e splendidissima illuminazione»: così racconta il Cerimoniere e i registri riportano le note di pagamento per la ridoratura con foglie d'oro falso di *boiserie* e «girandole, cimase, e plache, quali hanno servito alle loggie e Proscenio» del Teatro Regio, indirizzate agli "indoratori" Monticelli, mentre allo scultore in bronzo Simon Duguet vengono pagati gli ornamenti in cartapesta per le logge del teatro dove lavora anche l'"ottonaio" Pietro Agazzino con una girandola in bronzo dorato cesellata con foglie di rovere e montata con viti dorate[14].

Come la consapevolezza della cultura musicale degli ospiti aveva raccomandato l'impiego di artisti di grande prestigio tra cui il soprano Luigi Ludovico Marchesi, protagonista de Il Trionfo della Pace, così l'ostentazione del "buon gusto" aveva determinato l'impegno degli artisti accademici torinesi per gli apparati di gala, di tale qualità da essere ridisegnati e consegnati in copia ai Conti del Nord.[15]

La regia dell'architetto Francesco Dellala di Beinasco, erede culturale dell'Alfieri, e la maestria di una serie di artigiani, guidati dallo scultore Simon Duguet, e del pittore Guglielmo Levera (in seguito attivo nel castello di Rivoli) per il gran ballo, che il 27 aprile del 1782 conclude idealmente le feste in onore degli ospiti russi, avevano trasformato la Sala delle Guardie del Corpo in Palazzo Reale a Torino inserendo il *plafond* dell'orchestra, diviso in cinque campi dipinti dal Levera in grigio con cornici dorate e motivi di fiori, e inventando colonne "fatte alla greca" e "capitelli ornati di foglie, fioroni, modiglioni, chiodi romani grandi, e piccoli", il tutto di cartapesta e scagliola[16]. Probabilmente allo stesso architetto si deve il progetto di nuova sistemazione del Museo della Regia Università, luogo che i Conti del Nord dimostrano di apprezzare particolarmente, tanto da esprimere il desiderio di tornarvi[17]. Ordinati dal direttore Tarino fin dal 1781, almeno con sei mesi di anticipo rispetto al viaggio imperiale (a riprova di quanto non fosse improvvisata la visita e di come le informazioni circolassero tra gli accademici) i lavori comportarono, insieme ad interventi di manutenzione nel "Camerone degli esperimenti di Fisica" e nel "Museo delle Monete", il trasferimento di statue dallo scalone di Palazzo Reale e di busti da quello di Palazzo Madama e la collocazione degli stessi nel Museo su piedistalli dipinti a finto marmo[18]. Il nuovo arredo esaltava la funzione decorativa e simbolica della scultura, sempre promossa dalla cultura di corte ed incrementata con imponenti investimenti, dopo il rientro a Torino dei Collino e di Bernero (reduci dall'alunnato accademico a Roma) con commissioni per Stupinigi, Venaria, Palazzo Reale e, da ultimo, per il mausoleo di Vittorio Amedeo II a Superga dove i Conti del Nord si recano in visita a conclusione del viaggio[19].

La qualità della scultura e l'aggiornamento proprio della cultura plastica dei Collino, in quegli anni ancora sostanziata di archeologismo arcadico, determinano la scelta a favore dei due scultori operata dai Conti del

Nord che a Pavlovsk si circondano di sculture di diversa provenienza, comprese le copie in scagliola di statue antiche di proprietà del re di Napoli e, tra queste, della copia del "Fauno sdraiato" eseguita per la prima volta ed ottenuta, come dichiara la granduchessa, «soltanto per le mie preghiere alla regina di Napoli»[20]. Da Torino, all'indirizzo dei Conti del Nord, partono «due custodie contenenti figure di marmo inviatesi d'ordine di Sua Maestà in Russia», come si deduce dal pagamento trascritto a favore dei "serraglieri" Gaggia e Golzio (autori dell'armatura per le stesse custodie) pagamento approvato dallo scultore Biagio Ferrero che, proprio nel 1782, viene alla ribalta per il conferimento della patente di scultore regio, attribuita a seguito di prove date di singolare abilità[21]. È troppo poco nota oggi l'attività di questo scultore, ma un serie di indizi fa supporre una sua fortunata accoglienza anche presso la nobiltà sabauda tanto che in un progetto di decorazione, per la "Camera a Mangiare" del marchese d'Ormea, Leonardo Marini propone di inquadrare dipinti già realizzati dal Nogari in "arabeschi di scultura" da commissionare al Ferrero[22]. Non è neppure troppo esplicito un altro documento che riferisce dell'imballaggio di "diverse pezze di Marmo" spedite ai Conti del Nord[23]. Tuttavia si auspica che si possa verificare l'eventuale esistenza di opere dello scultore in Russia come si sono ora identificate le due sculture dei Collino che le fonti contemporanee sostenevano essere state spedite alla corte imperiale[24].

Si tratta dei due gruppi statuari raffiguranti la "Vestale" e il "Ratto di Proserpina", il primo andato perduto durante la seconda guerra mondiale e il secondo tuttora conservato nella residenza di Pavlovsk. La bella iscrizione e la data 1781 fugano ogni dubbio sulla paternità e cronologia del "Ratto di Proserpina", opera di collaborazione dei due fratelli Ignazio e Filippo come di collaborazione risultava la "Vestale", non datata, ma prossima per cronologia e stile[25].

La discussione sulla datazione finora si era fondata sulle sculture in terracotta, di stesso soggetto, conservate in Accademia Albertina a Torino, ora confrontabili con le traduzioni in marmo di Carrara inviate in Russia e identificabili come modelli per le stesse[26]. Vissuti nel primo periodo romano sotto la protezione del cardinale Alessandro Albani in quel clima culturale promosso dall'Accademia dell'Arcadia, rivolto allo studio dell'antico e dei maestri del Rinascimento, i Collino traducono in idillica serenità i temi cari al barocco romano e in particolare al Bernini, non perdendo memoria della cultura *rocaille* di elezione francese del loro antico maestro, Francesco Ladatte.

Lo si vede bene nei due gruppi inviati in Russia dove il marmo è trattato con tenerezza di sfumature nella definizione anatomica e nelle pieghe dei panneggi, in piena consonanza con quel momento della cultura di corte tuttavia prossima ad assumere più sintetici

*Ignazio e Filippo
Collino, Vestale. Già
Palazzo di Pavlovsk.*

*Ignazio e Filippo
Collino*, Ratto di
Proserpina, *1781.*
Palazzo di Pavlovsk.

*Ignazio e Filippo
Collino, Vestale,
modello in terracotta.
Torino, Accademia
Albertina.*

Ignazio e Filippo
Collino, Ratto di
Proserpina,
modello in terracotta.
Torino, Accademia
Albertina.

indirizzi neoclassici, promossi dagli stessi Collino.

Conosciuti in ambiente accademico di San Pietroburgo, soprattutto i Collino, Bernero, Boucheron e Duguet godono di dignità di esportazione essendo presenti con le loro opere, come vanta il Denina nel 1792, negli appartamenti imperiali e granducali e nelle dimore di qualche principe russo[27].

Insieme ai Conti del Nord uno dei maggiori responsabili di tanta fortuna poteva essere stato il principe Nicolaj Borisovič Jusupov (1751-1831).

Assegnato dalla stessa Caterina II al seguito della coppia granducale durante il viaggio in Europa, il principe era noto per le sue qualità di colto collezionista e in ambiente diplomatico del regno sardo fu subito considerato meritevole di ogni attenzione fin nei dispacci che precedono il suo arrivo a Torino nell'aprile del 1782[28].

Definiti i rapporti diplomatici fra le due corti con lo scambio del marchese di Parella a San Pietroburgo e del principe di Jusupov a Torino, quest'ultimo si stabilisce nella capitale a partire dal 14 novembre 1783, insediandosi nella casa Cigliè davanti alla chiesa di Santa Maria di Piazza, nel cantone Sant'Andrea[29]. La mobilità insita nel proprio ruolo di inviato straordinario dell'imperatrice russa consente al principe di raggiungere Roma (nel 1784) e San Pietroburgo dove nel 1786 ha modo di riferire all'imperatrice sulla corte di Sardegna e dove rientra definitivamente nell'ottobre del 1789[30].

I diversi viaggi sono anche occasione per arricchire la propria collezione di opere d'arte trasferita nel sontuoso palazzo di San Pietroburgo e nella dimora di Archangelskoe nei dintorni di Mosca e qui rimasta intatta ed anzi accresciuta fino agli inizi del Novecento, sebbene danneggiata dal drastico intervento di pulitura effettuato dal restauratore Prakhof soprattutto sui dipinti dei maestri francesi e in particolare sui diciotto quadri di Greuze[31]. La collezione, considerata da Louis Réau, che la conosceva bene come direttore dell'Istituto francese di San Pietroburgo, tra le più importanti d'Europa insieme a quella dei Lichtenstein a Vienna e tra le più interessanti fra le raccolte formatesi in Russia nel XVIII secolo, come le collezioni Chauvalov e Stroganov, comprendeva una gran quantità di dipinti di scuole, francese, nordica e italiane, le prime sistematicamente schedate in anni recenti nei cataloghi editi del Museo dell'Ermitage, dove le opere della collezione sono confluite nel 1925[32].

Per quanto riguarda gli acquisti fatti in Italia da Jusupov in questa sede interessa far cenno degli approvvigionamenti torinesi, sebbene siano ancora in corso di studio i rapporti del collezionista con gli artisti attivi alla corte di Sardegna. Un bel disegno di Cornice che doveva contenere un ritratto della zarina si conserva nell'album di progetti per decorazione autografi di Leonardo Marini, a ulteriore conferma del ruolo assunto dall'ornatista come depositario di fiducia dell'incontro del gusto tra le corti di Sardegna e di Russia. La convergenza d'attenzione sulla figura del Marini, tanto della granduchessa Maria Fëdorovna quanto del principe Jusupov, non è che una dimostrazione ulteriore della unità di intenti collezionistici riscontrabile in altre occasioni nei due nobili personaggi, come si era già verificato a Roma nel 1782 in occasione della visita nello studio di Pompeo Batoni, visita foriera di numerosi acquisti e determinante per comprendere le scelte figurative del principe russo. È noto che il quadro di Batoni raffigurante "Venere che accarezza Amore", acquistato nel 1784, fu trasferito nella dimora torinese del principe russo; ed è pure noto che Carlo Antonio Porporati ne trasse una incisione con dedica che fa riferimento alla quadreria di Jusopov sicuramente frequentata dal Porporati che dalla stessa trae l'incisione per il "Garde à vous!" di Angelica Kauffmann[33].

È invece ancora da sottolineare come l'iconografia di queste opere costituisca filo conduttore per individuare le predilezioni del principe russo per immagini di sottile voluttuosità. Tali predilezioni dovevano essere note agli artisti come è evidente da una lettera di Pompeo Batoni che scrivendo a Jusupov del proprio quadro dice: «come sia dipinto il quadro lo dirà di sé la medesima opera, quello che io posso dire si è che innamora lo stesso Pittore e più di una volta mi ha dato voglia di baciarlo, come Apulione la sua statua di Venere che pregò che venisse in vita»[34]. La circolazione culturale, che non lascia isolato il principe russo nelle proprie predilezioni d'immagine, sembra favorire i contatti anche del Batoni con Lorenzo Pécheux, tanto quel brano epistolare sembra fare da commento al quadro che il pittore dipinge per Jusupov, firmato e datato "Pecheux Taurini 1784" (Leningrado, Ermitage) dove è rappresentato Pigmalione innamorato della sua statua[35]. Le commissioni più note ad artisti diversi, scalate nella cronologia successiva, risultano ulteriori conferme di fedeltà a quel sentimento d'immagine. È il caso del gruppo di "Amore e Psiche giacenti" (Leningrado, Ermitage) richiesto ad Antonio Canova nel 1794, tanto amato da essere replicato, tenendo tuttavia a modello la precedente versione ora conservata al Louvre, come ornamento di coperchio per la zuppiera, parte del servizio di gala realizzato nel 1825 nella bottega di Paulus Magnus Tenner[36]. Così anche per l'"Amorino alato", che sostituisce la statua di Ebe (realizzata invece per Giuseppe Giacomo Albrizzi ed ora a Berlino)[37]. E infine per il dipinto di David raffigurante "Saffo Faone e l'Amore" (Leningrado, Ermitage) del 1808, in "style gracieux", opera da Francis Haskell presa ad esempio per sottolineare l'affinità di gusto con un altro grande collezionista italiano, il Sommariva[38].

Quella grazia insinuante, dagli aulici fondamenti teorici, vive una stagione felice nella Torino Ancien Régi-

Leonardo Marini,
Progetto di cornice
per il ritratto della
zarina.
*Torino, Biblioteca
Reale, Ms. Varia
218, fol. 19 v., n.
142.*

Lorenzo Pécheux,
Pigmalione
innamorato della sua
statua, *1784.
Leningrado, Museo
dell'Ermitage.*

*Carlo Antonio
Porporati*, Venere
che accarezza Amore
(da Pompeo Batoni),
*1790. Torino, Biblioteca
Reale, Cassaferrata,
cartella 29.*

428

Carlo Antonio Porporati,
Garde à vous!
(da A. Kauffmann),
1790. Torino, Biblioteca
Reale, Cassaferrata,
Cartella 29.

Antonio Canova,
Amore e Psiche,
1794-1796.
Leningrado, Museo
dell'Ermitage.

me assecondata dagli artisti residenti, principi dell'Accademia, e da artisti di passaggio che entrano in contatto con il principe Jusupov, per poi raggiungere la corte russa.

Non sfugge all'attenzione di Jusupov Ludwig Guttenbrunn, ritrattista di corte a Torino dal 1783 ed attivo in Russia dal 1795 al 1800, autore di un "Ritratto di dama in veste di Arianna" (pervenuto dalla collezione Jusupov al Museo di Leningrado nel 1925) e neppure Elisabetta Vigée Le Brun, di passaggio a Torino nel 1789[39]. Rifugiatasi in una "vigna" sulla collina di

Elisabeth Vigée Le Brun, Ritratto di Tatiana Vassilievna Jusupov. Tokyo, Fuji Art Museum.

cipe Aleksandr Michailovič succeduto a Jusupov nell'incarico diplomatico presso la Corte di Sardegna[41].

L'ambasciatore del re di Sardegna Zappata de Ponchy annuncia con un dispaccio del dicembre 1789 la nomina della zarina a favore di Belosel'skij, che tuttavia giunge a Torino soltanto nel 1792[42]. Descritto come piccolo, dolce di carattere ma un po' caustico, amante delle scienze e delle arti, autore di un saggio sulla musica, Belosel'skij arriva a Torino all'età di 35 anni con un bagaglio culturale straordinario dopo aver visitato l'Italia, essere stato nominato socio corrispon-

Moncalieri, la pittrice evita la città invasa di profughi francesi e, nel suo diario, ricorda solo due incontri, quello con l'amico Porporati, già conosciuto a Parigi, e quello con il principe russo: «Je peignis une baigneuse, d'après ma fille, et je vendis tout de suite ce tableau au prince Ysoupoff, qui était venu me trouver dans ma Thébaide»[40].

Subito dopo Jusupov torna a San Pietroburgo dove riprende contatto con la pittrice che dipinge il ritratto di Tat'jana Vasil'evna Jusupov (Tokio, Fuji Art Museum) firmato e datato 1797 e contemporaneo al ritratto di Anna Grigor'evna Belosel'skij, seconda moglie del prin-

dente dell'Accademia delle Scienze di Bologna ed aver stabilito rapporti epistolari con Rousseau e Voltaire[43]. Collezionista e mecenate è in corrispondenza con il cavaliere de Bernis, il barone Gleichen e Casanova raccogliendo prima a Dresda poi a Torino una gran quantità di opere d'arte. La lettura del suo Vademecum, diario che lo accompagna dal soggiorno italiano, dovrebbe fornire dati sostanziali sui suoi incontri ed acquisti torinesi altrimenti poco rintracciabili[44]. Le tre *Lettres sur la peinture et les Beaux-Arts* restituiscono bene la sua educazione sentimentale in materia di gusto che privilegia sulle altre arti la pittura definita

«contre-épreuve de la création»[44]. Le opere dei Greci e poi degli Italiani di Roma, di Firenze e di Bologna sono indicate come le più belle composizioni e le più graziose mentre Belosel'skij non apprezza la pittura fiamminga per quanto preziosa. "Tableau de Cabinet", prezioso, ha diritto ad essere riconosciuta una Accademia dipinta da Mengs (che il principe possedeva) poiché le Accademie sono considerate corretta pratica di apprendimento per i giovani artisti[45]. Da questi fondamenti teorici deriva il buon rapporto stabilito da Belosel'skij a Torino con il pittore Lorenzo Pécheux che dipinge per l'ambasciatore russo l' "Allegoria della Ragione in figura di Minerva che consiglia la Natura in forma di Venere"

(Chambéry, Musée des Beaux-Arts)[46].

Il quadro, di piccole dimensioni, corrisponde al gusto artistico di Belosel'skij, tanto che la figura di Venere è una copia con qualche variante dalla Venere di Urbino di Tiziano, pittore che il principe russo classifica come esemplare del concetto in vero di pittura[47].

Sebbene meno interessato alla scultura, per la moglie Varvara Jakovlevna che l'aveva raggiunto nella capitale piemontese e che qui era morta in giovane età il 25 novembre 1792, il principe Belosel'skij fa erigere un monumento sepolcrale ad opera dello scultore Vincenzo Spinazzi, sistemato originariamente in una edicola del cimitero di San Lazzaro a Torino[48].

ESTAMPE DU MAUSOLÉE

de Barbe Princesse Beloselsky née a Moscou le 17 Mars 1764

morte, & remontée a son origine le 23 Nov. 1792 a Turin

Fait en Marbre par Inn.te Spinazzi Sculpteur
de S.A.R. le Grand Duc de Toscane

Gravé a Turin par Valperga Gr. du Roi

La fama dello scultore ottenuta per l' "Allegoria della Fede" (1781) nella chiesa di Santa Maria Maddalena dei Pazzi a Firenze ed il riferimento ai valori del bello ideale, secondo la teoria di Winckelmann, facilitano la scelta dell'artista da parte del principe russo, scelta che può non sorprendere poiché coincidente con anni difficili per la scultura torinese, dopo la morte di Ignazio Collino avvenuta il 26 dicembre 1793.

Tuttavia parrebbe da assegnare alla volontà del principe una disposizione quasi pittorica del gruppo statuario, in omaggio alle sue convinzioni teoriche. Tale disposizione accentuata dalla presentazione che Luigi Valperga ne dà nella stampa del mausoleo, trova confronto in un'opera, ancora del 1780, di Lorenzo Pecheux che raffigura Giuseppina di Lorena Carignano con la sorella Carlotta che sacrificano all'altare dell'amicizia (Stupinigi, Palazzina di caccia).

Il quadro, omaggio al culto dell'amicizia, sentimento che vince l'amore, costituiva un'immagine emblematica del clima culturale torinese illuminista cui aderivano grandi eruditi, da Vernazza a Tommaso Valperga di Caluso, legati da profonda affinità con la principessa di Carignano. Ospiti dei visitatori russi nel 1782, Carlotta di Carignano e Giuseppina sono destinatarie delle visite ufficiali dei diplomatici stranieri, a Torino come nel castello di Racconigi dove avrebbero potuto intrattenere colti rapporti anche con il principe Belosel'skij che si rivela, nell'epigrafe composta per la giovane moglie, poeta pienamente partecipe della temperie culturale torinese di fine secolo[49].

NOTE

Per i generosi suggerimenti di documenti e bibliografia desidero ringraziare Andreina Griseri, Isabella Massabò Ricci, Silvana Pettenati, Sandra Pinto che hanno reso possibile, con amicizia, la stesura di questo testo.

[1] Torino, Biblioteca Reale, St. p. 726 (9-3). *Registro de' Cerimoniali di Corte dal Primo del 1781 sino a tutto li 25 aprile 1784. Del Cav. Cravetta di Villanovetta Mastro delle Cerimonie et Introduttore degli Ambasciatori*, vol. III, fol. 107, 1782. *Relazione della venuta e soggiorno in questa Capitale delle LL.AA. II. E. RR.li Li Signori Gran-Duca e Gran Duchessa delle Russie sotto li Nomi di Conte e Contessa del Nord.*

[2] Torino, Archivio di Stato, Archivio Alfieri, m. 96. Lettere e minute dell'anno 1782. Torino, Biblioteca Reale, St. p. 726, cit.

[3] ONORATO DEROSSI, *Almanacco Reale per l'anno 1783 in cui vengono indicate le abitazioni, nomi, cariche delle persone...*, Torino 1783, p. 226.

[4] Torino, Biblioteca Reale, St. p. 726, cit.

[5] Torino, Biblioteca Reale, Registri Recapiti, 1782, vol. 39, fol. 255 (8 maggio 1782); foll. 321-336 (29 maggio 1782); fol. 370 (6 giugno 1782); fol. 401 (12 giugno 1782); vol. 40, fol. 650; foll. 687-688 (26 luglio 1782).

[6] Torino, Biblioteca Reale, Registri Recapiti, 1776, vol. 3, fol. 1353: cfr. SILVIA GHISOTTI, *Regesto delle fonti documentarie relative all'arredo del Palazzo di Venaria Reale: 1775-1798*, dattiloscritto presso la Soprintendenza per i Beni Artistici e Storici del Piemonte, p. 5.

[7] Per due mobili "in forma chinese" acquistati per il Castello di Venaria Reale nel 1776, cfr. S. GHISOTTI, cit., p. 6. Per il gusto per la cineseria nell'arredo cfr. ANGELA GRISERI, *Un inventario per l'esotismo. Villa della Regina 1755*, Torino 1988. SANDRA PINTO, FABRIZIO CORRADO, SANDRA BARBERI, SILVANA PETTENATI, ANDREINA GRISERI, ANGELA GRISERI, ELISABETTA BALLAIRA, MERCEDES VIALE FERRERO, in: *I tesori del Palazzo Imperiale di Shenyang*, catalogo della mostra, Torino 1989, pp. 399-445.

[8] Il trasporto dei quadri di Werhlin a Stupinigi è annotato nei Registri Recapiti: Torino, Biblioteca Reale, Registri Recapiti, 1782, vol. 39, fol. 522. Per i dipinti di Venceslao Werhlin inviati in Russia cfr. SANDRA PINTO, in: *Bâtir une ville au siècle des Lumières. Carouge: modèles et réalités*, catalogo della mostra a cura di Barbara Bertini Casadio, Marco Carassi, Elisa Mongiano, Isabella Massabò Ricci, Carouge 1986, p. 575, n. 434.

[9] Torino, Archivio di Stato, Relazioni a Sua Maestà, vol. 39, 1782, 1° semestre, fol. 365, Relazione del 13 maggio 1782.

[10] L'arrivo a San Pietroburgo di opere d'arte nel 1788 è segnalato in due lettere dell'ambasciatore De Ponchy datate 22 febbraio 1788 e 11 marzo 1788: Torino, Archivio di Stato, Lettere Ministri, Russia. Sui disegni di cornice di Leonardo Marini per le incisioni di Tasnière cfr. MICHELA DI MACCO, in: *I rami incisi dell'Archivio di Corte: Sovrani, battaglie, architetture, topografia*, catalogo della mostra a cura dell'Archivio di Stato di Torino, Torino 1981, p. 328. Sulle vedute di Stupinigi di Ignazio Sclopis di Borgostura cfr. PAOLA ASTRUA, in: *Bâtir* cit., 1986, pp. 559-561.

[11] Il progetto di Leonardo Marini è inserito nell'album di disegni conservato nella Biblioteca Reale di Torino, ms. Varia 218, fol. 15, n. 96, accompagnato da un biglietto autografo che dice: «Avendo incontrato il genio della GranDuchessa del Nord [questa] Dimandò al Re che voleva conoscerne l'autore fui presen[t]ato a Lei dallo stesso Re dopo avermi lodato mi ordinò di fargliene il Disegno come feci con totale sua sodisfazione e mi regalò una superba Tabacchiera d'oro Smaltata ordinando altri Disegni di Decoraz[i]one per Pietesborgo e che le furono poi da qualche Tempo Inviati della P[rincipess]a di Piemonte». Cfr. MERCEDES VIALE FERRERO, *La Scenografia dalle origini al 1936*, in: *Storia del Teatro Regio di Torino*, vol. III, Moncalieri 1980, pp. 287-288. L'argomento è stato di recente approfondito da PAOLA ASTRUA, *Le scelte programmatiche di Vittorio Amedeo duca di Savoia e re di Sardegna*, in: *Arte di corte a Torino da Carlo Emanuele III a Carlo Felice*, a cura di SANDRA PINTO, Torino 1987, pp. 88-89. Per il gusto di corte a Torino cfr. ENRICO COLLE, *L'elaborazione degli stili di corte*, in: *Arte* cit., 1987, in part. p. 195.

[12] Torino, Archivio di Stato, Lettere Ministri, Russia, 15 novembre 1783. Il carteggio diplomatico degli ambasciatori della corte di Sardegna in Russia si trova in parte edito in EDOUARD DEL MAYNO, *Lettres et dépêches du Marquis de Parelle premier ministre du Roi de Sardaigne à la cour de Russie (1783-1784) et du Baron de la Turbie troisième ministre (1792-1793)*, Roma, 1901.

[13] Torino, Biblioteca Reale, ms. Varia 218, fol. 57, n. 389.

[14] Torino, Biblioteca Reale, Registri Recapiti, 1782, vol. 39, fol. 278 (16 maggio 1782); fol. 349 (31 maggio 1782); vol. 40, fol. 652 (14 luglio 1782). Per i costumi del Marini cfr. M. VIALE FERRERO, *La scenografia* cit., 1980, p. 287.

[15] Cfr. nota 9. Sui musici e gli artisti impegnati per gli ospiti russi

cfr. ROSY MOFFA, *Storia della Regia Cappella di Torino dal 1775 al 1870*, Torino 1990, pp. 29, 33, 55, 56.

[16] Torino, Biblioteca Reale, Registri Recapiti, 1782, vol. 39, foll. 273 e 274 (10 maggio 1782); fol. 282 (16 maggio 1782); fol. 289 (19 maggio 1782); fol. 314 (26 maggio 1782); fol. 411 (14 giugno 1782); vol. 40, fol. 730 (30 luglio 1782); fol. 885 (16 settembre 1782); fol 915. Il ballo in onore dei Conti del Nord è ricordato anche da CLEMENTE ROVERE, *Descrizione del Reale Palazzo di Torino*, Torino 1858, p. 192.

[17] Torino, Biblioteca Reale, St. p. 726, *Registro* cit.: la visita nell'Arsenale e nella Cavallerizza impedì di tornare a vedere il Museo.

[18] Cfr. Torino, Archivio di Stato, Relazioni a Sua Maestà, vol. 40, 1782, 2° semestre, fol. 77. Relazione del 5 agosto 1782; vol. 39, 1° semestre, fol. 445, Relazione del 17 giugno 1782.

[19] Per i Collino cfr. MICHELA DI MACCO, in *Dizionario Biografico degli Italiani*, vol. XXVII, 1982, pp. 65-70. PAOLA ASTRUA, *Le scelte* cit., 1987. Per la visita a Superga cfr. Torino, Biblioteca Reale, St. p. 726, *Registro*, cit. Negli stessi Recapiti si conservano le registrazioni per ogni tipo di spesa sostenuta in occasione della visita dei Conti del Nord: per i portantini (vol. 39, fol 279), per i decoratori di tavola (vol. 39, fol. 355), per il rifacimento di portantine utilizzate per il passaggio del Moncenisio (vol. 39, fol. 317), per la sistemazione del Monastero dei Santi Pietro e Andrea alla Novalesa dove i Conti del Nord alloggiarono (vol. 40, fol. 616).

[20] Cfr. *Descrizione del Palazzo di Pavlovsk redatta dalla Granduchessa Maria Fedorovna*, 1795, in: ANTOINE CHENEVIERE, *Il mobile russo. L'epoca d'oro 1780-1840*, Milano 1989, p. 298. Sulle importazioni in Russia di calchi da statue antiche nel corso del Settecento cfr. FRANCIS HASKELL e NICHOLAS PENNY, *Taste and Antique*, Ed. it. *L'antico nella storia del gusto*, Torino 1984, pp. 106-107.

[21] Su Biagio Ferrero cfr. ALESSANDRO BAUDI DI VESME, *L'arte in Piemonte dal XVI al XVIII secolo, Schede Vesme*, Torino 1963-1982, vol. II, 1966, pp. 467-468. Per il pagamento a favore dei "serraglieri" cfr. Torino, Biblioteca Reale, Registri Recapiti, vol. 40, fol. 668 (14 luglio 1782).

[22] Torino, Biblioteca Reale, ms. Varia 218, fol. 55.

[23] Torino, Biblioteca Reale, Registri Recapiti, vol. 39, fol. 522.

[24] Cfr. *Remerciement d'un bon Piemontais à Monsieur ... [Rohan] ... auteur de lettres écrites de Suisse, d'Italie, de Sicilie, et de Malte. Imprimé à ... sous la date d'Amsterdam 1780 ayant pour epigraphe: qui mores multorum hominum vidit et urbes. Par M. Fois Gaziel [Garriel] cytoien de Turin, membre d'aucune Académie qui prend pour divise celle si connüe ridendo dicere verum quid vetat. Avec la description de la reception des Comtes du Nord à Turin, de l'Opera donné a cette occasion et du sejour et départ de ces princes pour la France*, Venezia 1783, pp. 27-28. Le fotografie delle due opere dei Collino sono state gentilmente inviate, su richiesta, da Galina Komelova che ringrazio insieme ad Eugenij Vladimirovic Koralev, collaboratore del Palazzo Museo di Pavlovsk, che ha concesso le stesse fotografie.

[25] La "Vestale" in marmo (di 83 cm. di altezza) recava la seguente descrizione: «PAR LE FRERES COLLINI DE TURIN, SCULPTEURS DU ROI DE SARDAIGNE». Il Ratto di Proserpina in marmo, alto 75 cm., reca la seguente iscrizione: «PAR LES FRERES COLLINI DE TURIN SCULPTEURS DU ROI DE SARDAIGNE FAITE A TURIN L'AN 1781 MARBRE DE CARRARA».

[26] Cfr. MICHELA DI MACCO, in: *Cultura figurativa e architettonica negli stati del Re di Sardegna. 1773-1861*, Catalogo della mostra a cura di ENRICO CASTELNUOVO e MARCO ROSCI, Torino 1980, vol. I, p. 38, con bibliografia.

[27] CARLO DENINA, *Considerations d'un italien sur l'Italie sur l'état actuel des lettres et des arts en Italie. Premier Mémoire, précédé de quelques observations sur la Savoie et le Piémont lu à l'Académie de Berlin le 5 Juillet 1792*, p. 27.

[28] Torino, Archivio di Stato, Archivio Alfieri, m. 96, Lettere di Giovanni Domenico Morello del 15 aprile 1782. Cfr. *La France et la Russie au siècle des Lumières*, catalogo della mostra, Parigi 1986, p. 119.

[29] Torino, Archivio di Stato, Lettere Ministri, Russia, Lettere del conte di Hauteville al marchese di Parella del 15 novembre 1783. La sede della rappresentanza diplomatica russa a Torino è indicata in ONORATO DEROSSI, *Almanacco Reale per l'anno 1786*, Torino 1786, p. 11.

[30] Torino, Archivio di Stato, Lettere Ministri, Russia, Lettera da Torino del conte di Hauteville al marchese di Parella del 17 gennaio 1784; lettera da San Pietroburgo del marchese di Parella del 29 settembre 1789.

[31] Cfr. P.P. WEINER, in A.A.V.V., *Les anciennes Ecoles de Peinture dans les Palais et Collections privées Russes*, Bruxelles 1910, p. 8.

[32] Cfr. LOUIS REAU, *Saint-Petersbourg*, Paris, 1913, pp. 158-162. Per le edizioni moderne relative alle collezioni dell'Ermitage cfr. VALENTINA N. BEREZINA; *French Painting Early and Mid-Nineteenth Century*, New York e Firenze 1983; INNA S. NEMILOVA, *French Painting Eighteenth Century*, Firenze 1986; NICOLAI N. NIKULIN, *German and Austrian Painting*, Firenze 1987.

[33] Il disegno per cornice di Leonardo Marini è inserito nell'album conservato a Torino, Biblioteca Reale, ms. Varia 218, fol. 19v, n. 142. Per i rapporti di Pompeo Batoni con la corte russa cfr. VICTOR ANTONOV, *Clienti russi del Batoni*, in "Antologia di Belle Arti", 1977, 4, pp. 351-353; ANTHONY M. CLARK, *Pompeo Batoni*, Oxford 1985, pp. 17, 355-356, 361 (per il quadro di Venere che accarezza Amore). Per le due incisioni di Porporati cfr. FRANCA DALMASSO, in: *Cultura figurativa* cit., 1980, I, pp. 28-29; SANDRA PINTO, *La promozione delle arti negli Stati italiani*, in: *Storia dell'arte italiana dal Cinquecento all'Ottocento*, 6, Torino 1982, p. 881.

[34] La lettera di Pompeo Batoni inoltrata al principe Jusupov con data 24 luglio 1784 si trova edita in V. ANTONOV, *Clienti* cit., p. 352.

[35] Cfr. SYLVAINE LAVEISSIERE, *Laurent Pécheux (1729-1821): trois tableaux inédits*, in: "La Revue du Louvre et des Musées de France", dicembre 1983; F. DALMASSO, in: *Bâtir* cit., 1986, p. 598; VITTORIO NATALE, in: *Bâtir* cit., p. 608; I.S. NEMILOVA, *French*, cit., 1986, p. 252, n. 179.

[36] Cfr. in questo stesso catalogo scheda n. 147.

[37] Per la committenza di Jusupov della "Ebe" di Canova cfr. GIUSEPPE PAVANELLO, in: *Venezia nell'età di Canova*, catalogo della mostra, Venezia, 1978, p. 82, n. 108. Una fotografia edita in VITTORIO MALAMANI, *Canova*, Milano 1911, riproduce l'Amorino alato nel palazzo del principe Jusupov a Pietroburgo.

[38] FRANCIS HASKELL, *Un mecenate italiano dell'arte neoclassica francese*, in *Arte e linguaggio della Politica e altri saggi*, Firenze 1978, p. 119. A proposito dei rapporti intercorsi fra il principe Jusupov e David per il Saffo e Faone cfr. B. ADAMS, *Painter to patron: David's letters to Yousoupoff about the Sapho, Phaon and Cupid*, in "Marsyas", 1977-1978, 19, pp. 29-36 (in particolare pp. 30-31); di recente: *Jacques-Louis David 1748-1828*, catalogo della mostra, Parigi 1989, p. 440, n. 185.

[39] Cfr. N.N. NIKULIN, *German* cit.

[40] ELISABETH VIGEE LEBRUN, *Mémoires d'une portraitiste*, ed. Parigi 1989, p. 122.

[41] Per i due ritratti cfr. LADA NIKOLENKO, *The Russian protraits of Madame Vigée-Lebrun*, in "Gazette des Beaux-Arts", luglio-agosto 1967, pp. 91-120 e in particolare pp. 105, n. 17 e 107, n. 22. Comparso sul mercato antiquario e riprodotto nel n. 396-397, 1988, della rivista "L'Œil" (come gentilmente segnala Vittorio Natale), il ritratto della principessa Jusupov è stato utilizzato per l'apparato iconografico dei diari della Vigée Lebrun (cfr. nota 40) e quindi pubblicato nel catalogo del Fuji Art Museum di Tokio (1990) che ha acquistato il dipinto.

[42] Torino, Archivo di Stato, Lettere Ministri, Mosca, 11 dicembre 1789.

[43] Cfr. *Russi in Italia. Dal secolo XVII ad oggi*, a cura di ETTORE LO GATTO, Roma 1971, p. 43. PIERO CAZZOLA, *Diplomatici russi a*

Torino nel Settecento. Il principe Beloselskij, in: "Piemonte vivo", 3, 1968, pp. 3-8.

[44] Cfr. ANDRE MAZON, *Deux russes écrivains français*, Parigi 1964, p. 149.

[45] Cfr. A. MAZON, cit., p. 381.

[46] Cfr. F. DALMASSO, *Bâtir* cit., pp. 597-598.

[47] Cfr. A. MAZON, cit. p. 378.

[48] Cfr. DANIELE PESCARMONA, *Il monumento sepolcrale alla principessa Beloselskij di I. Spinazzi (Torino 1794) e il tema iconografico della figura femminile velata*, in: "Studi Piemontesi", marzo 1977, pp. 69-75. Cfr. anche, a proposito del principe Belosel'skij, della moglie Varvara e della figlia Zenaide Wolkonsky, per il busto di quest'ultima opera di T. Cardelli da P. Tenerani (Roma, Galleria Nazionale d'Arte Moderna) ELENA DI MAJO e STEFANO SUSINNO, *Bertel Thorvaldsen, 1770-1844 scultore danese a Roma*, catalogo della mostra, Roma 1989, p. 323, n. 202.

[49] Su Giuseppina di Carignano cfr. GAETANO GASPERONI, *Giuseppina di Lorena Principessa di Carignano (1733-1787)*, Torino, 1938; S. PINTO, in: *Bâtir* cit., 1986, pp. 578-579. Per il dipinto di Pécheux cfr. F. DALMASSO, in: *Bâtir* cit., pp. 576-577. In Biblioteca Reale a Torino si conservano numerosi documenti relativi alla principessa di Carignano (Varia 176 e Varia 394). Per il clima culturale torinese di fine secolo cfr. MARCO CERRUTI, *La ragione felice e altri miti del Settecento*, Firenze, 1973, pp. 13-120; ID., *Le buie tracce. Intelligenza subalpina al tramonto del Lumi*, Torino, 1988, pp. 16 segg.

LO SGUARDO DEGLI AMBASCIATORI SABAUDI SULLA VITA DI CORTE NELLA RUSSIA DI FINE SETTECENTO

Isabella Massabò Ricci e Marco Carassi

Un coinvolgente viaggio nel tempo e nello spazio potrebbe già essere un soddisfacente risultato della lettura dei dispacci degli inviati di Vittorio Amedeo III in Russia negli anni Ottanta del XVIII secolo. Tale corrispondenza propone infatti un'ampia documentazione di eventi politici e militari nella travagliata vicenda del continente europeo al tramonto del secolo dei Lumi.

In questa sede tuttavia l'attenzione sarà concentrata sulle notazioni che i mittenti consideravano allora accessorie ed occasionali, ma che rivelano gli strumenti culturali mediante i quali, due secoli fa, alcuni membri della classe dirigente sabauda entravano in contatto con la realtà di un paese pressocché sconosciuto.

Si trattava infatti delle prime relazioni diplomatiche stabilite tra il regno di Sardegna e l'Impero russo. Una terra lontana e misteriosa, nota attraverso relazioni di viaggio e trattati storico-geografici, non sempre oggettivamente documentati. Gli inviati sabaudi certamente disponevano della recente pubblicistica relativa alla Russia. Nel 1759 era uscita a Ginevra ad opera di Voltaire, la *Description de la Russie*, e Voltaire stesso l'anno dopo aveva dato alle stampe una *Histoire de Pierre le Grand*, completata nel 1763. D'altra parte circolava pure il *Voyage en Siberie ... contenant les moeurs, les usages russes...* (1768), dell'abate Chappe d'Auteroche, che tali reazioni polemiche aveva suscitato da indurre la stessa imperatrice Caterina II a contestarne puntigliosamente i contenuti in una vigorosa replica dal titolo *Antidote*.

Al di là delle informazioni politico-militari, si preferisce in questa sede far emergere dai rapporti dei diplomatici sardi tre profili di una variegata visione del mondo russo, fortemente condizionata dalle capacità di osservazione dei diplomatici estensori dei rapporti. Ci si soffermerà pertanto sul paesaggio, i costumi degli abitanti e la vita di corte.

Il 31 maggio 1783, Alessio San Martino, marchese di Parella, lasciava la capitale del Regno di Sardegna per raggiungere Pietroburgo, sede della rappresentanza diplomatica, per la prima volta aperta presso l'Impero russo. Come è noto, il recente viaggio dei Conti del Nord a Torino aveva favorito l'istituzione di rap-

porti ufficiali tra le due corti, oltre al consolidamento di affettuose relazioni personali.

Da tale momento una regolare corrispondenza[1] si stabilisce tra l'ambasciatore e il conte Perrone di San Martino, primo segretario di Stato per gli Affari Esteri; solo quattro anni dopo il Parella potrà far ritorno in patria, avendo passato le consegne al suo successore, il conte Zappata de Ponchy.

Il viaggio si presentava sin dalle prime battute pieno di incognite e difficoltà. Già a Milano il diplomatico aveva l'impressione di sperimentare in anticipo il temuto clima del Nord: «il n'y a que l'almanach qui nous apprenne que nous sommes ici en été»[2]. Il viaggio si svolge con lentezza, toccando Trento, Klagenfurt, Vienna, Dresda, Berlino e Riga. Una puntigliosa difesa delle prerogative derivanti dalle consuetudini diplomatiche vieta al Parella di raggiungere Pietroburgo prima che il principe Jusupov, il suo omologo russo destinato a Torino, abbia intrapreso il viaggio verso la residenza assegnatagli.

L'auspicato ritardo nell'arrivo in sede è d'altra parte favorito da alcuni incidenti di percorso. Egli ironizza sul fatto che delle strade boeme e sassoni la sua carrozza è stata due volte la vittima : «elle s'est cassée sur le bord de l'Elba et au pied de la montagne de Nolendorf»[3]. Finalmente il 28 ottobre il Parella mette piede sugli Stati di S.M. l'Imperatrice di tutte le Russie, e non è conquista da poco poiché «depuis Berlin jusqu'à Königsberg j'ai combattu contre les sable, de Königsberg à Memel contre la mer, et de Memel ici contre la boue». Evitato di cadere in mare nel tratto in cui la strada non è altro che una lingua di spiaggia, il Parella percorre le prime strade russe coperte di rami, talora freschi (ed allora il viaggiatore sobbalza nella sua vettura), talora marciti (ed allora l'avanzare è reso penoso dalla poltiglia immonda). «Malgré ça je me porte à merveille, et je ne suis point du tout mécontent de ma course, si ce n'est les embarras que j'ai eu ici avec la douane».

Malgrado il passaporto diplomatico l'ambasciatore deve sottostare infatti ad un primo rude contatto con la burocrazia russa. I funzionari di dogana gli fanno sigil-

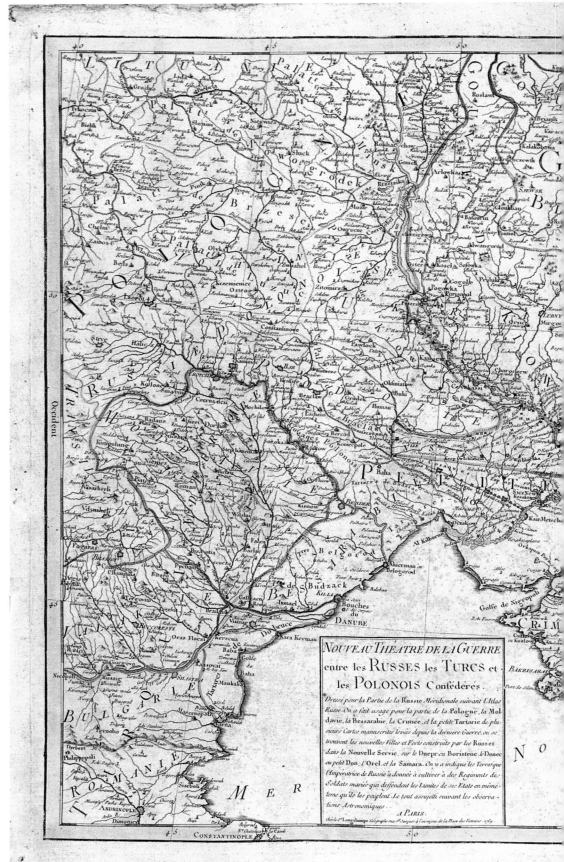

"Nouveau Théatre de la Guerre entre les Russes, les Turcs et les Polonois Confédérés", edita da Longchamps, incisa a Parigi nel 1769 da Petit. Incisione acquerellata montata su tela, cm. 58 x 82. Torino, Archivio di Stato, Corte, Carte Topografiche segrete, 8 E.IV. rosso.

lare in albergo tutti i bagagli concedendogli soltanto di trattenere la camicia da notte e gli effetti personali indispensabili, dopo averli scrutati uno ad uno con la più scrupolosa attenzione. Il viaggio da Riga a Pietroburgo risulta, se possibile, ancora peggiore delle tratte precedenti. Giunto fortunosamente alla capitale, Parella scrive di non poterne dire ancora nulla, per non averla ancora potuta vedere in quanto totalmente coperta di neve. Superata la stanchezza del faticoso viaggio, a mente più serena, il marchese scrive al suo sovrano dandogli un ragguaglio meno emotivo, ma ugualmente circostanziato. Alla bellezza delle città centro-europee egli contrappone le lande desolate di Lituania, Estonia e Ingria, da lui appena viste immerse in una tragica miseria. Quando ormai aveva perso ogni illusione sulla possibilità di raggiungere la meta del suo viaggio, disperando di poter trovare, avvicinandosi al Polo, la magnificenza e la ricchezza che gli erano state decantate, ecco Pietroburgo. Essa gli si presenta come una splendida città «qui se distingueroit si elle etoit placée dans les regions les plus magnifiques de l'Europe: des trés beaux palais, des rues extrêmement larges, et bien allignées, une quantité innombrable des colonnes, des marbres, du granite, des quais...»[4].

La capitale d'altronde è un cantiere in evoluzione se ancora nel settembre del 1790, il successivo ambasciatore sardo Zappata de Ponchy, nella relazione conclusiva stilata al suo ritorno in patria, annota le trasformazioni in corso: «des maisons de bois joliment peintes en déhors: à Petersbourg elles se renouvellent en briques par ordonnance...»[5].

Alludendo forse polemicamente al suo predecessore, il de Ponchy rileva gli errori nei quali sono incorsi taluni ambasciatori che hanno riferito alle loro corti non avendo visto del paese altro che la capitale, «...sans faire attention que Petersbourg, à proprement parler, n'est point une ville russe, mais un ramas confus et indistinct de toutes les nations...»[6].

Nel suo complesso, il giudizio finale del de Ponchy, fortemente critico nei confronti della Russia appena lasciata, sembra partecipare del mutato clima delle relazioni tra Russia e cultura europea nell'ultimo decennio del Settecento. Disprezzo, invidia, ostilità erano i sentimenti che un po' ovunque alla zarina pareva di rilevare da parte di ambienti europei un tempo favorevoli alla sua politica riformatrice[7]. La severità del giudizio di de Ponchy, più che l'aggravarsi retrospettivo di un'opinione personale, pare cogliere l'eco di un più ampio dibattito sugli esiti reali dell'ambizioso esperimento dell'assolutismo illuminato di Caterina II. Quando la zarina era salita al trono, essa era portatrice di un progetto limitato dalle oggettive condizioni del paese[8], ma certamente riformatore.

Tuttavia il programma politico che ebbe il suo vero manifesto nel *Nakaz*, largamente ispirato ai principi dell'Illuminismo ed alle opere di Beccaria e Montesquieu, rimase in gran parte sulla carta. Quando dalla teoria si passava alla pratica della politica, applicata al paese, l'autocrazia si rivelava unico strumento di governo. Il *Nakaz* risultava pertanto «un misto di aspirazioni generose e di rese alle statu quo»[9].

La disuguaglianza delle classi sociali vi era utilizzata quale strumento di funzionamento dello Stato burocratico assolutistico. I "Reglements pour l'administration des gouvernements de l'Empire des Russies" pubblicati nel 1778, testimoniavano a distanza di circa 10 anni l'assestamento del progetto politico. Dopo le prime illusioni nei confronti di «... un despote juste, ferme, éclairé»[10], era subentrata nella valutazione dei *philosophes* una duplice considerazione critica, da un lato sui deludenti risultati effettivi della politica di Caterina, e dall'altro sulla stessa ammissibilità teorica di un riformismo, imposto dall'alto: «le meilleur des princes, qui auroit fait le bien contre la volonté générale, seroit criminel, par la seule raison qu'il auroit outrépassé ses droits»[11]. Le *Consideration sur le Nakaz*, commento alla " Grande Istruzione" di Caterina, ad opera di Diderot, giungono nella corte russa nel 1785, un anno dopo la morte del filosofo. La zarina, contrariata dalle critiche di Diderot, nella lettera a Grimm del 28 ottobre 1785, sottolinea la distanza tra teoria e pratica nell'arte del governo: «Cette pièce est un vrai babil dans lequel on ne trouve ni connaissance de choses, ni prudence ni prévoyance... La critique est aisée mais l'art est difficile»[11].

Dalla corrispondenza con Friedrich Melchior Grimm, ci è dato recuperare molti risvolti del progetto politico e culturale della zarina. Al fine intellettuale, responsabile della *Correspondance littéraire*[12], Caterina confidava liberamente i suoi pensieri e le sue angosce. Al Grimm stesso ella aveva affidato le commissioni artistiche della corte russa nella capitale francese, come pure la vigilanza sulla condotta di Aleksis Bobrinskij, il figlio avuto dal favorito Grigorij Orlov[13].

I sintomi di un permanente disagio sociale emergono di frequente nei dispacci diplomatici inviati a Torino, come nella lettera del 21 agosto 1787 con la quale il Parella segnala una sommossa popolare legata alla carestia ormai cronicamente radicatasi nell'Impero[14].

Certamente più benevola verso il paese ospite era stata anni prima la penna di Parella: egli apprezzava la capitale e le residenze di campagna della famiglia imperiale, ove aveva occasione di essere accolto. La villa del granduca, situata a Camminiostroff, «maison qui n'est qu'à une demie heure de la Ville dans une des plus belles isles qu'il y aie aux environs de Petersbourg» lo colpisce per la sua suggestiva bellezza invernale. «Si je ne l'avois pas vu et prouvé par ma propre experience je n'aurois jamais cru que dans un climat si peu eloigné du pole, au milieu de l'hiver on put traverser une rivière toute glacée pour aller faire un partie de campagne sans être excedé par le froid»[15].

Una parte dell'ammirato stupore dell'ambasciatore deriva dall'aver egli riferito solo un mese prima di un disastroso incendio subito dalla stessa casa di campagna, incendio la cui estinzione era stata ostacolata dalle acque completamente ghiacciate.

Le lettere vivaci e minuziose non trascurano altri particolari: la città, costruita su canali vicino al mare, con una scelta puramente politica, giudicata irrazionale dall'estensore della voce dell'*Enciclopédie* di Diderot e D'Alembert[16], subisce un'inondazione, che puntualmente l'ambasciatore riferisce: «la nuit du 26 le gros vent de mer a causé une elevation de la Newa et canaux, de 10 pieds au dessus de leur surface ordinaire. L'eau remplissoit deja les rues; s'il avoit duré quel-

prevalenza di agricoltori. Informazioni acquisite in via quasi ufficiale, tramite i funzionari autori del censimento del 1783, consentono invece all'ambasciatore de Ponchy di trasmettere alla propia corte un dato più realistico.

Per corrispondere ad una sempre più pressante domanda di redistribuzione del carico fiscale, Caterina II aveva ordinato, infatti, l'aggiornamento dell'ormai superato censimento del 1747, ottenendo una valutazione globale di 16.843.698 sudditi così ripartiti: proprietari, nobili ed altri possidenti di terre, miniere e schiavi, addetti alle fabbriche e manifatture: 4.547.976; nel demanio imperiale: 1.356.442; in Ucraina: 657.880; in Livonia: 422.675; acquisizioni

AL SIG. LUIGI MARCHESI

Che sotto nome di PIRRA *e colla vivace proprietà dell'azione, e colla impareggiabile melodia del canto esprime per eccellenza il personaggio di* ACHILLE *nel Dramma dello stesso nome nel Regio Teatro*

ALLA PRESENZA DELLE MM. LL.

nel carnovale dell'anno 1785.

Ritratto del soprano Luigi Ludovico Marchesi: "Al Sig. Luigi Marchesi che... colla impareggiabile melodia del canto esprime per eccellenza il personaggio di Achille nel Dramma dello stesso nome nel Regio Teatro alla presenza delle MM. LL. nel carnovale dell'anno 1785". Incisione, cm. 30,4 x 43. Torino, Archivio Castelli-Borroni, Disegni, n. 159/7.

ques heures on auroit essuyé la meme époque de l'année 1777 et les bateaux auroient pris la place des voitures en ville»[17].

Mentre il progetto della zarina per la capitale si realizzava con grandi opere pubbliche e con l'incentivazione dell'intervento privato, la politica imperiale non trascurava lo sviluppo delle città provinciali. L'imperatrice si sforzava di affrontare il nodo, più volte emerso negli scritti di Diderot, relativo alla necessità di creare poli di attrazione per l'ancora scarsa popolazione dispersa nell'immenso spazio russo. D'altra parte la consistenza demografica dell'impero era stata valutata da varie fonti in maniera difforme, pervenendo talora a cifre largamente approssimative. Così le fiorentine *Notizie del Mondo* del 20 gennaio 1787 computavano a ventisette milioni gli abitanti di tutte le Russie, con una

della Russia bianca sulla Polonia: 336.876; per un totale di 7.321.849 assoggettati all'imposta. Inoltre 350.000 tra nobili e clero, 400.000 militari e 350.000 uomini reputati liberi tra i quali imprenditori, mercanti, figli di preti e di soldati. In base ad un'approssimativa uguaglianza numerica tra i sessi, raddoppiando il totale maschile di 8.421.849 si ottiene la cifra sopra indicata di 16.843.698. La popolazione risulta inadeguata all'estensione del paese: si tende infatti ad integrarla con una politica di immigrazione dai risvolti talora drammatici. Nel 1791 l'ambasciatore sardo La Turbie riferiva al proprio sovrano della morte per fame di un gruppo di emigranti italiani[18].

Le importanti notizie demografiche, sottratte al segreto della burocrazia russa, fanno parte della complessiva relazione del de Ponchy, i cui capitoli spazia-

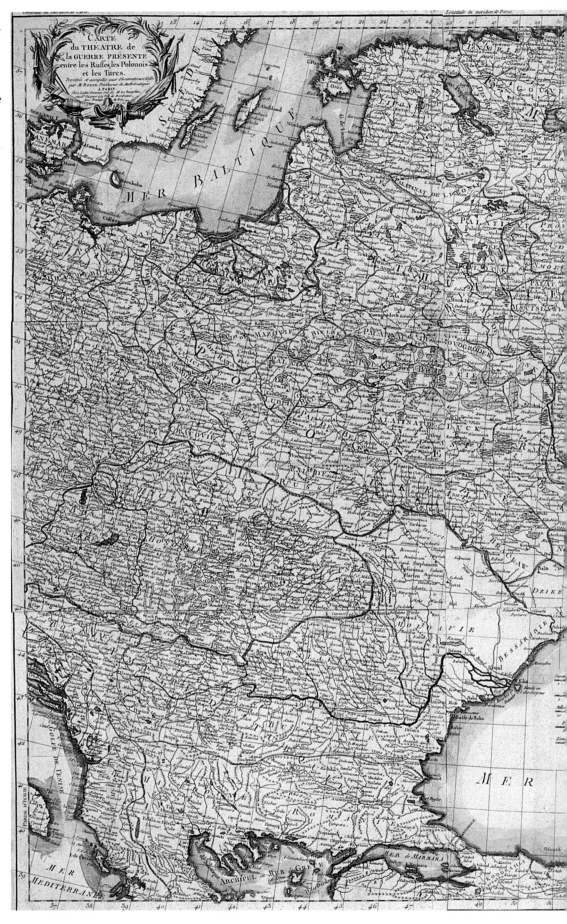

no dalla forma del governo alla vita economica, dai costumi alla vita di corte.

Per la sua complessità ed approfondimento val la pena di citarne alcuni brani che appaiono significativi dell'ottica con la quale l'ambasciatore filtrava una realtà controversa sottoposta ad un vigoroso sforzo di trasformazione.

Se l'ambasciatore avesse inserito in un dispaccio suscettibile di cadere sotto gli indiscreti occhi dell'apparato di controllo, talune osservazioni che si permette di formulare al suo rientro in patria, sarebbe stato certamente espulso dal paese. Ma al termine della sua missione egli dimostra di non avere alcuna indulgenza di giudizio. Ad esempio nel tratteggiare il carattere del "russo" egli sembra accumulare tutti i possibili pregiudizi di una certa cultura europea: «le russe est faux, traitre, mechant, insolent, poltron, paresseux, gourmand, yvrogne, jouant tout jusq'à sa femme et possedant tous les vices possibles, mais par contre mieleux, insinuant, courtisan, aussi vil dans sa souplesse devant son superieur que haut envers son inferieur. Il est aussi sauvage qu'il l'était le siècle passé, à ceci prés qu'ayant pris du gout aux usages d'Europe, il sçait si bien se composer, que dans ses voyages ou chez lui, il se montre vis à vis des étrangers comme un homme raisonnable, et doué de toutes les qualités qui distinguent l'homme civilisé, mais, rentré dans son foyer, il retombe».

L'ambasciatore fa un tentativo di analizzare le cause di una così incresciosa situazione e crede di riconoscerne alcune nel contributo che i precettori europei danno all'educazione dei giovani russi. Questi gli risultano per la maggior parte «des fugitifs par déséspoir, ou pour des crimes et... des filles publiques qui ne trouvant plus de subsistance chez eux, s'en vont en Russie ...sans compter les laquais des étrangers qui y arrivent et que les russes soulèvent par de hautes promesses pour en faire des gouverneurs de leurs enfans»[19].

Immagini della Russia più sfumate e benevole circolavano tuttavia negli stessi anni nel mondo delle lettere: dalla *Histoire de Russie* di Pierre Charles Levesque, pubblicato a Parigi nel 1782, ai *Fasti di Caterina II* dell'olandese Pieter van Woensel, apparso a Firenze nel 1784, dai volumi di Nicolas Gabriel Le Clerc a quelli di William Coxe rispettivamente del 1783 e 1790[20].

La relazione del de Ponchy, malgrado talune pesanti interpretazioni, contiene tuttavia una solida base informativa, dalla quale emerge la professionalità della diplomazia sabauda, per tradizione affidata a membri dell'aristocrazia. Di particolare interesse risultano le annotazioni relative al commercio e alle manifatture. Le merci destinate all'esportazione risultano principalmente essere pelletterie, pellicce, lino, colla di pesce, ferro, rame, legno da costruzione, pece, miele, cera,

Ignazio Sclopis di Borgostura, Veduta di Stupinigi dalla parte dei giardini, *1783. Stupinigi, Palazzina di Caccia, Appartamento del principe di Carignano.*

444

proveniente dal Baltico; diamanti delle Indie, tele di cotone, sete di Persia, in provenienza dal Caspio; ancora cotoni lane, sete, vini e frutti dal Mar Nero. A tale commercio in uscita, per lo più in mano di inglesi, francesi, tedeschi e qualche italiano, fa riscontro un'ampia importazione in cui spiccano i beni di lusso. La corrispondenza degli ambasciatori ci informa di una certa presenza di piemontesi tra cui negozianti e fabbricanti di cioccolato, come lo Zaccaria di cui parla La Turbie nel dispaccio del 3/14 giugno 1791, o commercianti in seta, o più frequentemente militari appartenenti alla piccola nobiltà piemontese arruolatisi nell'esercito russo. Alla tipologia di oggetti esportati corrisponde una struttura produttiva in espansione: «des batimens immenses en nombre qui constituent des petites villes...». Fabbriche di porcellane, di vetri e cristalli, di stoffe di ogni genere, compresi i Gobelins, sono talora sostenute da investimenti statali. Al 1716 risaliva la fondazione della manifattura imperiale di tappezzerie in Pietroburgo, ad 'opera di Pietro I: la decisione si ispirava alle coeve analoghe iniziative delle maggiori corti europee; in tale linea, nel 1744, Elisabetta I aveva dato vita alla manifattura imperiale di porcellane[21]. Se molto minuziosa è la descrizione dei prodotti del paese, altrettanto lo è l'immagine tratteggiata della corte e degli usi cerimoniali. L'ambasciatore afferma di voler sorvolare sul carattere e sulle abitudini dell'imperatrice, ma non si trattiene dal fornire particolari piccanti sulle relazioni della zarina con il favorito di turno, senza contare gli occasionali incontri con ufficiali e sergenti del reggimento di cui ella è colonnello: «Outre le favori qui loge aux entresolles de son appartement ou existent des escaliers derobes, entre autres un imperceptible, qui est dans l'alcove à coté de son lit, on assure que la czarine prend des extraordinaires avec des officiers, ou sergents des gardes, qui sont nobles, que les lieutenants colonels (La czarine est colonel de tous les regiments aux Gardes)»[22]. Il de Ponchy, nel corso del suo soggiorno a Pietroburgo, aveva tuttavia spesso riferito dei saldi vincoli che univano la zarina e Gregorij Aleksandrovič Potëmkin, avvalorando, con assicurazioni ricevute, la tesi corrente di un matrimonio segreto tra i due. Nella nota del 20 gennaio 1789 egli scriveva: «Toutes les affaires sont suspendues jusqu'à l'arrivé du prince Potemkin que la Czarine attend à chaque instant... Ce prince jouira toujours de la plus grande faveur, puisque d'autres vices politiques le rendent inseparable de cette Souveraine. En effet je viens de etre assuré qu'il est marié avec elle dépuis environt dix à douze ans. Son pouvoir immense s'etend sur tout...»[23]. L'eventualità che la notizia trasmessa dall'ambasciatore fosse fondata sembrerebbe confermata dalla sicurezza con la quale Potëmkin agiva e dal trattamento riservatogli a tutti gli effetti: frequentemente gli inviati sardi riferiscono sugli onori pubblici e i privati privilegi che

Ignazio Sclopis di Borgostura, Veduta di Stupinigi dalla parte di Torino, *1783.*
Stupinigi, Palazzina di Caccia, Appartamento del principe di Carignano.

446

a lui vengono tributati.

Ogni arrivo del principe a Pietroburgo è sottolineato da festeggiamenti grandiosi e da fervore di opere; onori e celebrazioni legati a successi militari conseguiti, ma spesso, semplice manifestazione di benevolenza verso un favorito che conservava un ascendente molto forte sulla zarina[24]. Un episodio in tal senso, riferito dal de Ponchy, si legge nella lettera del 17 novembre 1789: «La czarine a recu ces jours passés un courier du Prince Potemkin du quel on a rien appris. Le lendemain elle a ordonné la contruction à l'Hermitage d'une vaste salle, en quatre semaines de tems; l'architecte lui marqua son embarras. Coute qu'il coute lui repliqua la Czarine qu'elle soit pret dans ce terme. On

Jean-Dominique Rachette, Grigorij Alexandrovič Potëmkin, principe di Tauride, *c. 1792. Leningrado, Museo dell'Ermitage.*

presume de là que le prince Potemkin sera de retour vers ce tems et que Bendery sera pris»[25]. La previsione circa l'imminente risultato strategico, formulata dal de Ponchy, si sarebbe avverata puntualmente: la guarnigione turca di 20.000 uomini stanziati a Bandery si arrendeva, infatti, al Potëmkin nelle stesse ore in cui a Pietroburgo si apprestavano i citati festeggiamenti. Caterina si compiacque molto dei successi alleati e elargì molti favori: i soldati vennero ricompensati con un rublo a testa; Suvorov in tale occasione veniva creato conte dell'Impero russo e del Sacro Romano Impero e riceveva pure una spada incisa e altri preziosi doni, tra cui «una carrettata di diamanti»[26].

Di grande suggestione sono le pagine dedicate alle

cerimonie e alle feste che hanno luogo nell'edificio costruito a tal fine nel complesso della reggia e adiacente al Palazzo d'Inverno: «Cet Hermitage est un palais à coté du sien contenant le théatre, avec de grands appartements, remplis d'une grande quantité de tableaux bons et mauvais, une galerie contenant les Loges de Raphael peintes à Rome, un grand jardin sur voute, une grande voliere, deux grands cabinets de mineralogie, un autre cabinet avec une vingtaine de grands armoires ouverts, ou fermés par des glaces, contenants beaucoup de bijoux avec des diamants d'ancien gout, et autres pris aux turcs, avec des vases d'or d'Asie et de Chine etc. Dans cet appartement une fois admis il faut suivre les loix y établies et qui sont écrites sur un catalogue: la principale de ces loix est une égalité parfaite pour tous, à commencer par la Czarine».

Lo sfarzo dei rituali di corte è narrato con dovizia di particolari dagli ambasciatori sardi, attenti a riferire ogni dettaglio utile ai destinatari per immergersi nell'atmosfera esotica di cui da lontano a fatica ci si poteva rendere conto.

Una solennità religiosa di grande rilievo nella Chiesa russa, quale la commemorazione del battesimo di Gesù Cristo, è occasione di un largo concorso di truppe, che sfiora la grandiosità di una parata militare.

I fastosi ricevimenti, che in tali ed altre circostanze vedono ammessi i rappresentanti stranieri a corte, hanno episodi di incontri inconsueti, riferiti con gustosa partecipazione. È il caso ad esempio del *galá* di capodanno del 1784 cui partecipa una deputazione di Kirghisi «qui a attiré les yeux de tout le monde... le fils du Kan accompagné de cinq autres formoit la meme (deputation). Des bonnets ronds et pointus, et deux capots d'etoffe de soie coupes à la facon des esclaves turcs, mis l'un sur l'autre, formoit toute leur singuliere parure. Quand à la phisionomie ils paroissoient insensibles à tous les objets qui les environnoient, et quoique tout le monde fut attroupé autour d'eux, je n'ai jamais remarqué le moindre signe d'etonnement, d'ennui ou de plaisir sur leur visage... on auroit cru que c'etoient tout autant de pagodes placées exprés pour l'ornement de la chambre».

La corte non era semplicemente la residenza privata del sovrano ma il centro dal quale "la vita culturale diffondeva la propria luce sul paese"[27]: gli ambasciatori riferiscono puntualmente del teatro e dell'opera di corte; le commedie messe in scena sia in russo che in francese talora vedono quale autore la stessa zarina. Sono note le quattro commedie satiriche dedicate da Caterina II, con evidente intento didascalico, alla superstizione, alla pigrizia, all'ignoranza e ai matrimoni combinati. Tali lavori erano apparsi nel 1772, ma della attività letteraria della sovrana si coglie spesso eco nelle relazioni del de Ponchy: egli riferisce ad esempio di una *pièce* teatrale composta dalla zarina in occasione del ritorno del principe Potëmkin, nel 1789[28].

Il *Kapellmeister* Giovanni Paisiello lascia la corte russa nel gennaio 1784 e l'ambasciatore Parella crede di poter individuare i motivi della partenza più che nel desiderio di rivedere Napoli, sua patria, nella richiesta, non ancora soddisfatta, di una conferma nella nomina di maestro di cappella della corte, ma «tout à fait independant du committé au quel S.M. a donné la direction des theatres». E l'ambasciatore aggiunge che «il s'en va chargé de presents et des regrets des amateurs»[29].

Il ruolo politico svolto con precisione e competenza dagli inviati sardi, consentiva alla Segreteria di Stato in Torino di seguire quasi quotidianamente l'evoluzione della complicata politica estera condotta dall'impero russo. Nello scorcio di secolo che vede alla guida della politica russa, accanto a Caterina, Gregorij Aleksandrovič Potëmkin, l'uomo delle conquiste degli anni Settanta e Ottanta, era infatti in corso il grandioso processo di colonizzazione delle coste settentrionali del Mar Nero[30].

Dei trattati politici ed economici si riferiscono i più minuti risvolti fino ai minimi particolari del cerimoniale. Apprendiamo in tal modo, al di là dei delicati equilibri internazionali perseguiti, quali doni preziosi suggellino gli accordi e premino i diplomatici, artefici delle raggiunte intese. Ad esempio riferendo sul problematico accordo commerciale franco-russo, conclusosi con il trattato dell'11/22 gennaio 1787, l'ambasciatore

sardo stila un lungo elenco di doni che l'inviato francese Louis-Philippe de Segur ha consegnato al vicecancelliere russo Aleksandr Andreevič Bezborodko. «M.r de Segur a remis à M.r de Bezborodko 4/m. ducats de Hollande, et une boite enrichie de gros brillants avec le portrait du Roi son maitre de la valeur de 9 a 10 milles roubles pour chaq'un des quatre Plenipotentiaires qui ont signé pour la Russie: outre les susdits presents il y avoit 7/m roubles pour distribuer aux segretaires et chanchellier, qui y ont travaillé. En echange l'imperatrice outre 4/m ducats remis à M.r de Segur et une forte retribution pour sa chanchellerie. Elle a fait cadot au ministre d'une riche boite avec son portrait ....Maintenant on prepare une colection complete en or des medailles de cet Empire pour les heritiers de M.r de Vergennes et une boite riche avec portrait pour M.r de Montmorin»[31].

Una nota di doni, altrettanto cospicua, è inserita nel rapporto relativo al trattato di commercio stipulato nello stesso anno con il Regno di Napoli. Apprendiamo dal de Ponchy: «Samedi le duc Serra Capriola a echangé avec les ministres plenipotentiaires deputes par cette souveraine les ratifications du traité de commerce...; les presents en argent ont eté remis de part et d'autre en meme tems. De plus le ministre de Naples a remis 1) quatre boites enricies de brillants, dont trois avec le portrait du Roi son maitre etoient destinees pour le vice chanchelier comte Bezborodko et comte de Vorontrof, la quatrieme avec le chiffre pour M.r Marcof; 2) trois bagues en brillants destinees pour les trois premiers segretaires.... En echange S.M.I. a fait donner 1) une boite de 4 ou 5 milles roubles avec son portrait emaillè au duc Serra Capriola, 2) une bague de 800 roubles à son segretaire, 3) deux riches boites de 10 à 12 m. roubles chaq'une avec son portrait en miniature pour M.r le Marquis Caracioli et M.r Acton, 4) une boite enrichie de diamants et medaillon en email dont la peinture est allusive à la neutralité armee et au commerce pour l'abbè Galiani; 5) quatre bagues en brillant dont trois pour les premiers commis des departements de M.r Caracioli et chevalier Acton et la quatrieme qui est un beau solitaire pour le directeur des douanes napolitaines»[32].

Una successiva missiva dell'ambasciatore informa del curioso incidente diplomatico, legato a tale scambio di doni: il plenipotenziario russo Marcof, con grande e sdegnata meraviglia del de Ponchy, risulta avere fortemente protestato in quanto il dono ricevuto dal re di Napoli gli appare di minor valore di quello avuto in analoga occasione dal re di Francia.

Certamente il valore simbolico del dono talora doveva superare quello venale. L'ambasciatore dell'Imperatore M.r de Cobenzl, ad esempio, in occasione della presentazione delle credenziali, grazie al ruolo a lui riconosciuto, riceve una tabacchiera con ritratto, arricchita di diamanti, un «bouquet de fleurs en diamants à

Manifattura Russa,
Tabacchiera, *dono
dello zar Alessandro I
all'ambasciatore
Joseph de Maistre.
Collezione privata.*

Manifattura Russa,
Saliera, 1810, *dono
dello zar Alessandro I
all'ambasciatore
Joseph de Maistre.
Collezione privata.*

sa femme», 12 mila rubli e una tabacchiera con diamanti per il suo consigliere di legazione. Nella stessa circostanza, al ministro della Baviera viene invece offerto in dono un orologio guarnito di brillanti con la sua catena.

Allo scambio di regali tra la corte sarda e quella russa e più particolarmente tra il principe e la principessa di Piemonte e i granduchi di Russia, è dedicata molta della attenzione degli inviati sardi a Pietroburgo. Un cordiale e affettuoso rapporto si era stabilito con i granduchi a seguito del loro viaggio a Torino del 1782; alla fitta corrispondenza tra le due corti si accompagna poi consuetamente lo scambio di libri, stampe, quadri. Il dispaccio del Parella diretto al re, datato 9 novembre 1783, riferisce sulla cerimonia di presentazione dell'ambasciatore sardo all'intera famiglia imperiale, accolto con molto calore dai granduchi. Il Parella riferisce in tale lettera di un ritratto della principessa di Piemonte, inviato alla granduchessa[33]: «la Grande Duchesse ...s'est recriée avec moi de ce qu'il n'etoit pas du tout ressemblant. Je n'ai pu disconvenir puisque meme quand on me l'a remis à Turin il m'avoit fait la meme sensation...». Probabilmente per la poca rassomiglianza del primo ritratto inviato, si provvede, nel 1784, a far pervenire a Pietroburgo un nuovo dipinto che raffigura la principessa di Piemonte[34]. Un dispaccio del de Ponchy, datato 4 marzo 1788, comunicava l'arrivo dei "quadri rappresentanti il castello di Stupinigi". Doveva trattarsi delle due vedute della Palazzina di Caccia, a più riprese riprodotte da Ignazio Sclopis di Borgostura e utilizzate sovente dalla corte sabauda per doni ufficiali: nel 1786 erano state eseguite dallo Sclopis due vedute destinate al re di Napoli «colle facciate del palazzo... di Stupinigi, ornate di numerose figure...»; in tale occasione Vittorio Amedeo III, si era riservato di far «formare altri due quadri di dette facciate che abbiamo destinato di mandare ad altra corte». Le vedute risultano pronte e presentate al Re il 15 settembre 1787. La lettera del de Ponchy del 4 marzo 1788, sopra citata, ne individua la possibile destinazione per la corte russa[35]. Dallo stesso dispaccio risulta essere stato inviato ai granduchi di Russia anche il volume relativo alla Venaria

Reale mostrando come a distanza di un secolo il volume del Castellamonte assolva ancora alla originaria funzione celebrativa. Dagli ambasciatori vengono trasmesse spesso in Piemonte carte geografiche della Russia per agevolare, da lontano, la conoscenza del paese e delle terre di recente acquisite dalla zarina. Così l'invio di Almanacchi risulta molto frequente: essi sono lo strumento più idoneo per la diffusione delle informazioni relative alla corte e alla società civile. La gazzetta di Pietroburgo con regolarità viene rimessa alla segreteria degli esteri sarda, a corredo delle informazioni politiche e militari.

Tutto quanto è opera della zarina ovviamente risulta oggetto di particolare segnalazione. La guerra con la Svezia, che dal giugno 1788 impegnava la Russia, risulta più di una volta oggetto delle attenzioni letterarie della zarina. Puntuale, l'inviato sardo nel gennaio 1789 fa pervenire «un ouvrage historique sur la guerre de Suede... On pretend que cet ouvrage est de S.M.I.»; pochi giorni dopo, nella nota del 10 febbraio, il de Ponchy informa: «La comedie faite par la Czarine à qui donne secretement le titre de *Pierre I et Charles XII* à été jouèè hier au soir pour la premiere fois au Pétit Hermitage par les acteurs russes. Telle est l'aigreur personnelle de la Czarine avec le roi de Suede».

Il 12 novembre 1796 Paolo I, divenuto ormai imperatore e autocrate di tutte le Russie, scriveva a Carlo Emanuele IV, anche egli da poco succeduto al padre: «Il a plû à l'Etre Supréme de retirer de ce monde Sa Majesté l'Imperatrice et Autocratrice de toutes les Russies Catherine Alexiewna, notre tres chère et tres honorée mère decedée le 6 de ce mois»[36].

Si era così chiuso il lungo regno di Caterina II, segnato negli anni Ottanta e Novanta dalla durezza della rinnovata guerra con i turchi e dall'aspro confronto con la Svezia nonché dalla necessità di resistere al ricatto imposto dalla triplice alleanza.

Di tale epoca gli ambasciatori sardi avevano tracciato per la propria Corte una cronaca minuziosa, spaziando dagli affari politici a quelli militari, dalla vita artistica a quella letteraria, dalle vicende private ai fasti della corte.

NOTE

[1] Archivio di Stato di Torino (AST), *Corte, Materie Politiche relative all'Estero, Lettere Ministri Russia (d'ora in poi LMR), Mazzi 1-5*. La corrispondenza diplomatica del marchese di Parella e del barone de La Turbie, è parzialmente pubblicata in EDOUARD DEL MAYNO, *Lettres et dépèches du marquis de Parelle ....(1783-1784) et du baron de La Turbie... (1792-1793)*, Bocca, Roma, 1901, p. 145. L'edizione fa riferimento a due copialettere in possesso dell'autore e non ai carteggi dell'Archivio di Corte.
[2] AST, LMR, m. 1, Lettera del 21 giugno 1783, da Milano.

[3] Ibidem, Lettera del 29 ottobre 1783, da Riga.
[4] Ibidem, Lettera del 18 novembre 1783, da Pietroburgo.
[5] AST, Corte, *Corti Straniere, Russia*, mazzo 1, n. 49, "Relazione del conte de Ponchy sullo stato della Russia...", 25 settembre 1790.
[6] Ibidem.
[7] FRANCO VENTURI, *Settecento riformatore. La caduta dell'antico regime*. Torino, IV-2, p. 809.
[8] A tale proposito, Cfr. LUCIANO GUERCI, *L'Europa del Settecento*.

Permanenze e mutamenti, Torino 1988, pp. 534-541.

[9] LUCIANO GUERCI, op. cit., p. 357.

[10] Tale era il giudizio sull'opera di Caterina, inserito da Diderot nell'opera di GUILLAUME-THOMAS-FRANÇOIS RAYNAL, *Histoire philosophique et politique des établissemens et du commerce des Européens dans les deux Indes*, Genève 1780, pp. 481 ss.

[11] DENIS DIDEROT, *Melanges et morceaux divers*, edizione a cura di Gianluigi Goggi, Siena 1977, tomo II, pp. 356 ss. cit. in FRANCO VENTURI, op. cit., p. 811.

[12] La *Correspondance Littéraire*, notiziario fondato dall'abate Raynal, era diretta dal 1754 dal Grimm. Era un notiziario quindicinale di teatro, pittura, scultura e letteratura con larga circolazione nelle Corti europee.

[13] Nella lettera dell'ambasciatore sardo Parella è reperibile una vivace cronaca relativa alla nascita e alla condotta del figlio di Caterina II, Cfr., AST, Corte, LMR, m. 1, Lettera da Pietroburgo, 30 marzo 1784. A tale proposito, Cfr. ISABELLA DE MADARIAGA, *Caterina di Russia*, traduzione italiana a cura di Enrico Bisaglia e Michela Lernitz, Torino 1988, p. 35.

[14] AST, Corte, LMR, m. 2, Lettera citata nel testo.

[15] AST, Corte, LMR, m. 1, Lettera del 12 gennaio 1784 da Pietroburgo.

[16] *Enciclopédie ou Dictionnaire Raisonné des Sciences, des Arts et des Métiers, par une Societé de Gens de Lettres*, Paris 1751-1772, ad vocem, p. 424.

[17] AST, Corte, LMR, m. 2, Lettera di Luigi Zappata de Ponchy, 3 ottobre 1788 da Pietroburgo. Luigi Zappata de Ponchy, segretario del marchese di Parella, inviato in Russia e ivi incaricato d'affari redige al suo ritorno in patria un'aspra relazione sulla Russia di Caterina II.

[18] Cfr. GIOVANNI LEVI, *Les projets du gouvernement sarde sur les relations économiques avec la Russie à la fine du XVIII siècle*, in *La Russie et l'Europe, XVI-XX siècles*, Paris-Moscou 1970, cit. in FRANCO VENTURI, op. cit., p.793.

[19] Cfr. nota n. 18.

[20] Per l'interpretazione della civiltà russa in tali opere ed il rapporto con la cultura illuministica, cfr. FRANCO VENTURI, op. cit., pp. 816-854.

[21] A tale proposito, cfr. in questo volume il saggio di Silvana Pettenati. Si veda pure *La France et la Russie au siècle des Lumières*, catalogo della mostra, Parigi 1986.

[22] AST, Corte, *Materie politiche relative all'Estero, Corti Straniere*, catalogo della mostra m. 1, n. 49.

[23] AST, Corte, LMR, m. 2, Lettera del 20 gennaio 1789 da Pietroburgo.

[24] Sul favoritismo di Caterina II, cfr. CASIMIRO WALISZEWSKI, *Caterina II di Russia*, Milano 1957, pp. 431-458. Si veda pure ISABELLA DE MADARIAGA, op. cit., pp. 459-482.

[25] AST, Corte, LMR, mazzo 2, Lettera del 17 novembre 1789.

[26] L'episodio è riferito in: ISABELLA DE MADARIAGA, op. cit., p. 553.

[27] ISABELLA DE MADARIAGA, op. cit., p. 437.

[28] AST, Corte, LMR, m. 2, Lettera del de Ponchy da Pietroburgo del 10 febbraio 1789.

[29] AST, Corte, LMR, Lettera del 26 gennaio 1784. Il Paisiello era stato preceduto a Pietroburgo, nella direzione dell'orchestra di corte dal Galuppi e da Tomaso Traetta. Gli succedettero Giuseppe Sarti, dal 1784 al 1788, e Domenico Cimarosa e Vincente Martin y Soler, dal 1788 al 1791. A tal proposito cfr. ISABELLA DE MADARIAGA, op. cit., pp. 439-440.

[30] A tale proposito cfr. I. DE MADARIAGA, op. cit., pp. 507-598. Si veda pure per la valutazione della politica coloniale a tali eventi connessa F. VENTURI, op. cit., pp. 790 ss.

[31] AST, Corte, LMR, Lettera del de Ponchy da Pietroburgo del 7 aprile/8 maggio 1787.

[32] AST, Corte, LMR, m. 2, Lettera da Pietroburgo del 22 giugno/3 luglio 1787.

[33] Maria Fëdorovna Sophia Dorothea di Wurrttenberg aveva sposato il granduca Paolo il 26 settembre/7 ottobre 1776.

[34] AST, Corte, LMR, m. 1, Lettera da Pietroburgo del 16 aprile 1784.

[35] Per la datazione delle vedute di Stupinigi eseguite dallo Sclopis più volte su committenza del sovrano sabaudo, cfr., PAOLA ASTRUA, *Vue de Stupinigi* in *Batire une ville au Siècle des Lumières: Carouge modeles et realités*, a cura di BARBARA BERTINI CASADIO, MARCO CARASSI, ELISA MONGIANO, ISABELLA RICCI MASSABO', catalogo della omonima mostra, Torino 1986, pp. 559-561. La lettera del de Ponchy, che qui si pubblica, conferma le indicazioni della Astrua. Si veda pure a tale proposito, *Vedute di Torino e di altri luoghi notabili degli Stati del Re*, a cura di ROSANNA ROCCIA e ADA PEYROT, Torino 1990.

[36] AST, Corte, *Materie Politiche Relative all'Interno, Lettere Principi Forestieri*, m. 1, "Lettere di Paolo I".

GLI ARTISTI PIEMONTESI DI FRONTE ALLA CAMPAGNA DEL GENERALE SUVOROV.

Un suddito sabaudo a San Pietroburgo:
Xavier de Maistre
Vittorio Natale

L'ingresso nella città di Torino delle truppe austro-russe il 26 maggio del 1799 venne salutato, almeno da una parte della popolazione, con manifestazioni di esultanza. L'impatto concreto dell'occupazione francese, nonostante la sua brevità, aveva infatti non solo confermato le paure di chi si vedeva danneggiato dalla perdita di antichi privilegi, ma anche raffreddato gli entusiasmi di chi si credeva ormai alle porte di una nuova era di libertà e di autonomie repubblicane. Le aspettative, «che nascevano dall'ostilità all'ordine repubblicano e specialmente ai francesi occupanti, dal bisogno in molti di rassicurazioni contro lo spauracchio di un'improbabile eversione giacobina della proprietà, dal ricompattarsi dei nostalgici della monarchia, degli aristocratici, del clero controrivoluzionario, del ceto medio deluso dalla politica del governo provvisorio»[1], si riversavano soprattutto sulla figura del generale russo Aleksandr Vasil'evič Suvorov Rymniskij. Accolto dall'arcivescovo Buronzo in Duomo come "novello Ciro e inviato del Signore"[2], aveva nello spazio di pochi giorni cancellato con un colpo di spugna ogni innovazione legislativa francese ed invitato poco dopo Carlo Emanuele IV a rientrare dall'esilio sardo per riprendere possesso dei suoi territori. Le sue vittorie militari contro i francesi e i suoi atteggiamenti politici ne favorirono una repentina, quanto breve, fortuna piemontese; una fortuna letteraria, come testimonia la pubblicazione di un nutrito corpo di sonetti e canzonette in suo onore[3], ma anche iconografica.

Fra i primi a cimentarsi in questo tipo di raffigurazione elogiativa fu il giovane Amedeo Lavy, che quello stesso anno modellò, come ricorda nel suo diario[4], «in cera il ritratto del generale Suvarof», opera sopravvissuta in un calco in gesso del Museo Civico d'Arte Antica di Torino[5]. Il rilievo presenta, come altre analoghe raffigurazioni, tra cui il pressoché contemporaneo dipinto del viennese Kreutzinger esposto in questa occasione a Stupinigi, il personaggio visto di scorcio, con in primo piano, in adeguata evidenza, la batteria di decorazioni alle quali era quasi ossessivamente legato: una soluzione che sembra polemicamente voler rivendicare il legame con la cultura dell'Ancien Régime, soprattut-to se paragonata ai ritratti di profilo, di impostazione neoclassica, che negli anni immediatamente successivi Lavy avrebbe dedicato ai generali francesi. Lo scultore non poté, come probabilmente era nelle sue intenzioni, offrire la medaglia a Carlo Emanuele in occasione del suo rientro nella capitale sabauda. Il dono dovette essere presentato al re a Poggio Imperiale, presso Firenze, dove questo era stato bloccato dallo svolgersi della diplomazia internazionale austro-russa. Il gesto non gli valse neppure la nomina ad artista di corte: a lui veniva ancora preferito, quale "intagliatore di monete e scultore", l'ormai anziano zio Giuseppe, che compare in una lista di possibili stipendiati compilata a Poggio Imperiale nel febbraio del 1800, quando il ritorno al trono dei Savoia sembrava imminente[6].

La figura di Suvorov, apertamente diffidente anche nei confronti degli alleati austriaci, divenne un punto di riferimento quasi emblematico per lo schieramento politico realista, anche con la conclusione della sua permanenza piemontese. Un intaglio in legno di Giuseppe Maria Bonzanigo conservato presso la Pinacoteca Civica di Asti[7] si presenta infatti come una testimonianza privata di fede monarchica e sabauda, in una dimensione minuta che, se aderiva ad un gusto collezionistico particolarmente diffuso all'epoca, offriva anche il vantaggio di un agevole occultamento in caso di improvvisi, ma tutt'altro che improbabili, rivolgimenti politici. L'esecuzione del piccolo ritratto fu certamente posteriore al passaggio in Svizzera di Suvorov nel settembre del 1799, dove fu intagliata dallo stesso Bonzanigo l'opera di maggiore impegno da cui deriva: opera, questa, celebrativa e ufficiale sia per dimensione che per composizione[8]. Come attesta un'iscrizione sul retro del ritratto, lo scultore, che si era garantito con il suo comportamento l'inserimento nei prefigurati ranghi degli artisti di corte compilati a Poggio Imperiale, fu condotto a Zurigo dalla prestigiosa commissione della Confederazione Svizzera[9]; a spingerlo a varcare i confini del regno sardo dovettero tuttavia contribuire anche l'incertezza e la confusione che gravava sul Piemonte, allora sospeso tra fedeltà sabauda e occupazione austriaca o francese.

L. GENERAL SOUVAROW.

La stessa incertezza aveva portato in Svizzera, al seguito dell'armata russa, un altro suddito sabaudo, Xavier de Maistre (Chambéry 1763 — San Pietroburgo 1852). Figlio del conte François-Xavier, presidente del Senato della Savoia, vi era giunto accompagnato dalla notorietà procuratagli dal successo di *Voyage autour de ma chambre*, una delicata e autoironica opera letteraria la cui prima edizione era apparsa a Losanna nel 1795. A lui si deve un altro ritratto di Suvorov, eseguito in miniatura negli ultimi mesi del 1799 e posseduto, negli anni precedenti la Rivoluzione d'Ottobre, dal Granduca Nikolaj Michajlovič[10]. Il generale vi è raffigurato quasi colto di sorpresa, con un sorriso accennato e "un peu sarcastique"[11], i capelli non curati

ses élèves qui lui fait le plus d'honneur"[15]. Per quanto riguarda più specificamente la pratica della miniatura, invece, a Torino era stato in rapporto con Gian Filippo Bozzolino, il quale in seguito sarebbe divenuto anche maestro della nipote Adèle[16]. Ma di questo artista, del quale alcuni ritratti in miniatura erano presenti alle esposizioni torinesi del 1805 e del 1820, non è attualmente nota alcuna opera[17].

Pur nell'incertezza che ancora grava sulla conoscenza della ritrattistica miniata piemontese, è tuttavia probabile che Xavier avesse compiuto un alunnato torinese. Il tono sottilmente ironico, anticelebrativo e quasi confidenziale del dipinto di de Maistre appare ad esempio accostabile ad un ritratto di Palmieri recente-

Giuseppe Maria Bonzanigo,
Ritratto del generale Suvorov.
Torino, collezione privata.

Carlo Randoni,
Veduta dell'incendio di Torino fattosi dalle Armate Imperiali Austro Russe nell'anno 1799.
Torino, Biblioteca Reale.

e in maniche di camicia, ma sempre addobbato con le sue medaglie. La fattura del ritratto è documentata precisamente nella corrispondenza di Xavier: «Ce matin, j'ai diné chez le fameux Maréchal Souvaroff — scriveva alla sorella da Lindau il 26 ottobre del 1799 — On lui a dit que j'étais peintre et que je voulais faire son portrait. "Eh bien! Oui, a-t-il dit, et si je ne me tien pas bien, vous me donnerez un soufflet"»[12]. La miniatura era ancora in esecuzione il 31 dicembre, quando da Praga informava il fratello Joseph: «J'ai fait le portrait de la princesse de La Tour, sœur de la reine de Prusse... Je fais à présent celui du grand Souvarov... je compte envoyer celui de Souvarov au roi»[13].

Non abbiamo molte notizie sulla formazione di Xavier come pittore. A Chambéry aveva frequentato i corsi di Louis Gringet all'Ecole de dessin[14] e a Torino quelli di Lorenzo Pecheux, che anni dopo l'avrebbe ricordato, con un tocco di adulazione, come "celui de

mente individuato come rara opera di Pietro Visca[18]. Questa deriva da un eccellente disegno di identico soggetto firmato dallo stesso Visca, che ha goduto di una ventennale ma erronea fortuna come autoritratto del pittore bolognese e che ci permette oggi di riconsiderare il ruolo dell'artista, figura non di secondo piano nell'ambito della cultura figurativa torinese degli ultimi decenni del Settecento[19]. Le stesse considerazioni che infatti hanno in passato suggerito di riconoscere, sulla base soprattutto del confronto con il foglio citato, in Palmieri l'autore dei finti disegni a *trompe-l'œil* che ornano la Sala di legno del palazzo comunale di Riva presso Chieri[20], consigliano oggi di attribuire tale decorazione, eseguita nel 1786 a stretto contatto con i fratelli Torricelli, a Visca.

Anche se l'opposta collocazione politica di quest'ultimo e di Xavier de Maistre rende improbabile un loro rapporto diretto[21], sono possibili comuni frequentazio-

Xavier de Maistre,
Ritratto del generale
Suvorov.
Già collezione del
Granduca Nikolaj
Michajlovič.

ni: forse lo stesso Bozzolino, o altri miniatori dei quali oggi ci sfugge la personalità, come Vincenza Benzi, nominata regia pittrice in miniatura nel 1788 e confermata nel 1800[22], o Franco Trossarelli, nominato regio pittore ritrattista in miniatura nel 1779, confermato anch'egli nel 1800 e presente all'esposizione torinese del 1805, tre anni prima della morte[23]. Artisti tutti della vecchia guardia, ai quali stava proprio in quegli anni sovrapponendosi una nuova generazione di miniatori, più attenti alla levigatezza formale e all'artificio tecnico e dediti anche all'esercizio della copia di quadri di artisti celebri attivi a Roma, come Gaetano Pecheux e Sofia Giordano Clerk. Il primo, allievo del padre Lo-

dei Vacca miniatori, che fu allievo di Bozzolino e, protetto dal Principe Borghese, autore di un "Portrait de jeune dame" presentato all'esposizione del 1812[28]. Un'opera di identico soggetto, raffigurante una giovane donna a figura intera intenta a riempire un cesto di rose colte in un giardino, comparve ad un'asta viennese nel 1923[29].

Ma torniamo a Xavier de Maistre, filo conduttore di questo intervento. Giunto in Russia al seguito dell'esercito di Suvorov, Xavier scelse di esercitare per un quinquennio il mestiere di ritrattista in miniatura. Una scelta che l'aveva già tentato durante il viaggio di trasferimento[30] e verso cui nutriva sentimenti contrastanti.

Sofia Giordano Clerk, Ritratto di Antonio Maria Vassalli Eandi. *Torino, Museo Civico d'Arte Antica.*

renzo, fu autore di copie da Batoni e da Mengs[24] e di un ritratto del medico, filosofo e poeta di ideali giacobini Edorado Calvo recentemente identificato nelle collezioni del Museo Civico d'Arte Antica di Torino[25]. Il ritratto è anteriore al 1804, data di esecuzione di un'incisione di Pietro Palmieri figlio che, essendo da quello derivato, ne ha permesso il riconoscimento[26]. Sofia Clerk, dopo aver studiato a Roma presso Teresa De Maron, sorella di Mengs, fu presente a tutte le esposizioni torinesi con copie da Reni, Albani, Domenichino e De Maron e venne premiata con la medaglia d'oro nel 1812 per un ritratto del fisico Vassalli Eandi, anch'esso conservato presso il museo torinese[27]. A questi è da aggiungere almeno Angelo, il più anziano

«Hereux celui que le spectacle de la nature a touché, qui n'est pas obligé de faire des tableaux pour vivre, qui ne peint pas uniquement par passe-temps, mais qui, frappé de la majesté d'une belle physionomie et des jeux admirables de la lumière qui se fond en mille teintes sur le visage humain, tâche d'approcher dans ses ouvrages des effets sublimes de la nature!» aveva scritto nel suo *Voyage*[31], per contraddirsi diversi anni dopo, con un sentimento di rimpianto per le esperienze passate: «Les arts et les sciences embellissent le bonheur, mais ils ne guérissent pas de la tristesse, à moins que l'on ne soit savant ou artiste de profession, parce qu'alors ces occupations sont un but principal et nécessaire, et qui nous force à courir grand point.

Pietro Visca,
Ritratto di Palmieri.
*Torino, Museo Civico
d'Arte Antica.*

Gaetano Pecheux,
Ritratto di Edoardo
Calvo.
*Torino, Museo Civico
d'Arte Antica.*

Xavier de Maistre,
Ritratto della moglie
Sophie Zagrjažskaja.
Collezione privata.

Comment, en effet, courir et se donner une peine quelconque sans raison déterminante?»[32]. Il salto da aristocratico dilettante a professionista inserito nel mercato venne vissuto inizialmente, in un curioso parallelo con le successive considerazioni di Massimo d'Azeglio[33], con orgoglio ed entusiasmo. Egli si inseriva in una situazione di mercato che, con la partenza dalla Russia di grandi ritrattisti internazionali come Ludwig Guttenbrunn, nel 1800, ed Elisabeth Vigée Le Brun, nella primavera del 1801, si presentava come particolarmente favorevole.

Il suo lavoro iniziò a San Pietroburgo, alloggiato nella residenza del principe Gagarin delle cui figlie era anche precettore, per proseguire con maggiore impegno a Mosca, dove si era recato per l'incoronazione dello zar Alessandro I, a partire dagli inizi di ottobre del 1801. Qui, dove "il n'y a absolument que les petits marchands et les mauvais artistes qui aillent à 2"[34], risiedeva presso la dimora della principessa Anna Petrovna Čakovskaja, che gli procurò i primi clienti. «J'ai commencé ma carrière *Pittoresque*... Je suis donc peintre en miniatures et rattrappe quelques ressemblances et beaucoup d'argent: le prix courant est de 150, quelque fois 200 et même 250 roubles... J'ai gagné 2.500 roubles» scriveva nel febbraio del 1802 al fratello Joseph[35]; ed entrando nel merito della qualità del proprio lavoro commentava: «Maintenant, mes miniatures commencent à prendre couleur: je suis, malgré tous mes soins, d'un talent fort inégal. Je brise quelquefois mes portraits, où il n'y a pas ombre de ressemblance: je suis alors honteux, découragé; bientôt après, un portrait, fait sans prétention, réussit au delà de mon espoir et me remet bien avec moi-même. J'en ai fait de vraiment ressemblants: ceux-là font des petits et, quand un filon me manque par un mauvais portrait, un autre et — quelquefois 2 — s'ouvrent, d'un autre côté»[36].

L'anno successivo, l'arrivo a Mosca di "une nuée de peintres"[37] avrebbe reso la situazione del mercato più difficile, spingendo Xavier a trasferirsi per alcuni mesi a San Pietroburgo, dove nel frattempo era inaspettatamente arrivato il fratello Joseph, il noto intellettuale conservatore e cattolico, apologeta dell'Ancien Régime, inviato straordinario dei Savoia presso la Corte russa; qui si sarebbe stabilito pressoché definitivamente nel 1805, ricevendo la nomina a direttore del dipartimento dell'Ammiragliato che comprendeva una biblioteca, un museo e un gabinetto di fisica. Una nomina ottenuta grazie all'intervento del fratello, ma congeniale agli interessi scientifici di Xavier, spesso tangenti alle esperienze artistiche, come le ricerche per ottenere un olio incolore da utilizzare in pittura, oggetto di una memoria presso l'Accademia delle Scienze di Torino nel 1799[38]. Altri esperimenti di chimica, finalizzati ad ottenere un rosso dall'ossidazione dell'oro, utilizzabile per colori ad olio più inalterabili di quelli fino

Xavier de Maistre,
Paesaggio russo.
Collezione privata.

460

ad allora noti, avrebbe eseguito in seguito a San Pietroburgo, anch'essi sfociati in memorie inviate all'Accademia di Torino[39]. Durante il successivo soggiorno in Italia, inoltre, il suo interesse si sarebbe rivolto alle speculazioni sulla meccanica dell'assorbimento e della riflessione della luce e sulle cause fisiche di effetti di colore, come nel caso dell'azzurro del cielo o delle acque profonde[40]. L'incarico a San Pietroburgo segnò comunque il suo ritorno nei ranghi militari e l'abbandono della carriera professionale di pittore.

Il ritratto di Suvorov rimane oggi una testimonianza rara, quasi isolata, del lavoro di Xavier miniatore[41]. È noto invece un piccolo gruppo di ritratti, per lo più eseguiti a matita e in anni posteriori, di familiari[42]. A questo tipo di attività Xavier si era dedicato fin dalla fine degli anni Ottanta del XVIII secolo, quando aveva eseguito un ritratto del padre utilizzato nel 1791 da Giovanni Moretti, allievo dei Collino, per scolpire un busto in marmo che dovrebbe ancora conservarsi a Bissy, presso Chambéry, nella residenza dei de Maistre[43].

Dal 1805, quindi, Xavier tornò a rivestire i panni di artista dilettante, dedito soprattutto alla pittura di paesaggio, "le genre pour lequel je crois avoir le plus de facilité et qui fait mon bonheur", scriveva già nel 1802[44]. A parte alcune modeste opere giovanili, ancora risalenti al periodo piemontese[45], la restante produzione paesaggistica aderisce agli ideali neoclassici del *paysage composé*. Confermano la sua simpatia per i procedimenti pittorici suggeriti da Pierre-Henri de Valenciennes in *Eléments de Perpective Pratique à l'usage des Artistes suivis de Réflexions et Conseils à un élève sur la Peinture et particulièrment sur le genre du Paysage*, apparso nel 1799-1800[46], oltre all'ammirazione per Lorrain e Poussin[47], le considerazioni inviate, seppure alcuni anni dopo, al pittore ginevrino Rodolphe Töpffer, nelle quali rivendica la scelta e l'accostamento di diversi elementi tratti dalla natura quale più efficace metodo compositivo per un dipinto[48].

Dovrebbero risalire al periodo del primo soggiorno a San Pietroburgo, prima del viaggio in Italia intrapreso nel 1826, un "Paesaggio con pastora" e un "Paesaggio con eremita" del museo di Chambéry, ispirati, come ha riconosciuto Pierre Dumas, a una coppia di quadri di Poussin allora riuniti all'Ermitage[49]. Altri dipinti, sia quelli conservati presso i musei di Chambéry, di Ginevra e in collezione privata svizzera[50], sia quelli che qui si pubblicano per la prima volta di collezione privata piemontese, si collocano invece nel periodo italiano o nell'ultimo periodo di vita di Xavier, dopo il definitivo ritorno a San Pietroburgo del 1839. Si tratta essenzialmente di paesaggi napoletani con scene idilliache, nel gusto di Pierre-A. Chauvin[51], o di paesaggi italiani o italianizzanti nella scia di pittori francesi classicheggianti, in genere formatisi nell'orbita di Valenciennes, come lo stesso Chauvin, Jean-Victor Bertin o

Xavier de Maistre, Paesaggio con eremita. Chambéry, Musée des Beaux-Arts.

Jean-Joseph-Xavier Bidault[52]. In queste composizioni, tuttavia, l'inserimento di personaggi e scene anedottiche rispecchia le esperienze e le frequentazioni vissute durante gli anni italiani.

Passato da Chambéry e da Torino, dove nell'ottobre del 1826 fu ricevuto a Racconigi da Carlo Alberto di Carignano[53], Xavier soggiornò a Pisa fino alla fine del 1828. Sarebbe stato realizzato qui l'unico suo dipinto sacro noto, inviato in dono alla chiesa di La Bauche, in Savoia[54]: un' "Assunzione della Vergine" derivata dal quadro di Tiziano ai Frari di Venezia, probabilmente visto nella copia che Francesco Sabatelli aveva esposto con successo nel 1827 all'Accademia di Firenze[55].

A partire dal 1829 Xavier visse tra Roma, Napoli e Castellamare. L'amicizia con il conte de Marcellus, diplomatico che si era guadagnato una buona notorietà per aver contribuito, durante una missione in Oriente nel 1820, all'acquisizione da parte del Louvre della Venere di Milo, e con la moglie Valentine, anch'essa pittrice dilettante, fu tramite di contatti con gli ambienti di artisti e amatori francesi in Italia. Fra questi Auguste de Forbin, il padre di Valentine, pittore paesaggista e direttore dei Musées Royaux durante la Restaurazione, verso il quale Xavier professò più volte la sua ammirazione[56]; ma soprattutto François-Marius Granet, che ai quadri dell'amico de Forbin collaborò spesso per le figure e che grazie alla protezione di questi ottenne la nomina a direttore prima del Louvre e poi di Versailles. A Roma, tra il 1829 e il 1830, de Maistre e Granet ebbero una frequentazione assidua, facilitata dal fatto che entrambi abitavano in piazza Barberini[57]. «Nous avons été avec Granet dessiner sur les ruines du mont Palatin»[58], scriveva Xavier all'amica Valentine, ragguagliandola anche sull'attività del pittore francese: «Il peint de petites choses en attendant que le temps froid change, et lui permette d'aller finir son grand tableau du cloître des Chartreux. Il est toujours à la recherche des souterrains et de tous les endroits obscurs et qui sentent le moisi; il fait un joli tableau: *la jeune Cenci devant ses juges* et quelques aquarelles»[59]. Durante il viaggio di ritorno in Russia nel 1838, Xavier avrebbe ancora incontrato a Parigi sia de Forbin che Granet, visitando i loro atelier e notando in quello di quest'ultimo "un tableau représentant une scène d'*Hernani* de Victor Hugo, qui, à mon avis, est supérieur à celui de *Capucins* qui a fait sa réputation... Ce tableau a déjà été à l'exposition, mais il n'était pas fini; maintenant c'est un véritable chef-d'œuvre"[60].

Un'altra pittrice dilettante, compagna di Xavier in gite fuori porta alla ricerca di siti pittoreschi da ritrarre, a Roma era Madame de Menou, che organizzava «des lundis très-agréables, où toute la ville abonde, y compris les artistes les plus distingués, Schnetz, les Vernet, etc»[61]. Di Jean-Victor Schnetz ella possedeva un dipinto raffigurante «une paysanne de Sonino affrayée de l'arrivée d'un buffle, et se cachant derrière un tom-

Xavier de Maistre, Paesaggio italiano. *Chambéry, Musée des Beaux-Arts.*

beau avec son nourrisson»[62], una scena di vita popolare italiana, al pari di quelle predilette dall'amico Léopold Robert, ma trattata con intonazioni tragiche di gusto romantico. Due dipinti di Schnetz, presentati in Campidoglio nel 1830 alla mostra organizzata dalla Società degli Amatori e Cultori di Belle Arti, avrebbero meritato secondo Xavier il primo premio[63]. In quella stessa occasione Horace Vernet espose "Il papa Pio VIII portato nella basilica di San Pietro sulla sedia gestatoria" e la "Giuditta e Oloferne"[64]. Su questo dipinto Xavier si dilungava, anticipando le critiche alla sua impostazione antipurista e neosecentesca[65] che sarebbero state ripetute a Parigi in occasione della presentazione al Salon del 1830[66]. Anche "L'arrivo dei mietitori dalla palude Pontina"[67] di Léopold Robert veniva apprezzato, sia da Xavier, come il migliore tra i dipinti di genere[68], che da Madame de Menou, la quale ne possedeva un disegno autografo pagato 17 napoleoni[69]. Più rari, tra Roma e Napoli, i rapporti col diplomatico francese duca di Blacas, grande collezionista conosciuto a San Pietroburgo e rimasto a lungo in contatto epistolare anche col fratello Joseph[70].

In procinto di partire per Napoli nell'estate del 1829 assieme alla nipote della moglie, Natalie, il progetto era di avere come maestro di pittura il tedesco Franz Ludwig Catel[71]. Fu lui, probabilmente, a presentare a Xavier l'amico Giacinto Gigante, che negli anni successivi avrebbe impartito lezioni di acquerello a Natalie e a Pauline de la Ferronays, figlia di altro diplomatico francese in stretto rapporto di amicizia con Xavier[72].

Rientrava naturalmente nelle frequentazioni di de Maistre anche la colonia dei russi residenti a Roma e a Napoli, dove erano una quarantina "sans compter les femmes; tout ce monde vient chez nous"[73]. Fra questi l'ambasciatore russo a Napoli principe Gagarin, nella cui casa si riuniva talvolta "toute la société russe"[74]; Giulia Samojlova, ritratta in piedi dal pittore Brjullov, che ella porterà a Milano "où elle veut lui faire un établissement solide"[75]; e naturalmente Zenaida Volkonskaja, la figlia di primo letto del grande collezionista Belosel'skij, che era stato ambasciatore dello Zar a Torino. Già frequentata a partire dal 1829, sarebbe stata nel 1836 una dei pochi invitati, assieme alla madre principessa Belosel'skij, al matrimonio della nipote Natalie con il diplomatico austriaco Gustave de Friesenhof[76]. Oltre a Goethe, Rossini, Donizetti, Gogol' e Belli, frequentavano il suo salotto i pittori russi Kiprenskij, Bruni e Brjullov[77]. Questo, nonostante avesse "tant de choses commandées par la Cour de Russie, qu'il a renoncé aux portraits et refuse tout le monde"[78], aveva eseguito nel 1830 il ritratto di Xavier, della moglie e di Natalie[79].

Altre notizie sui rapporti che Xavier ebbe con artisti ci sono fornite dai suoi ritratti, un elenco ad ampio spettro culturale: un profilo schizzato dal miniatore gi-

Xavier de Maistre,
Paesaggio con
torrente.
Collezione privata.

467

*François-Marius
Granet*, Abitazione
campestre.
*Già collezione Xavier
de Maistre.*

nevrino François Ferrière, che risiedette a San Pietroburgo e a Mosca tra il 1805 e il 1817, dovrebbe ancora essere conservato in una collezione svizzera[80]. Un busto in gesso venne eseguito da Carlo Marochetti in epoca imprecisata, forse durante i primi anni del soggiorno romano di de Maistre[81]. Carattere certamente diverso ha un busto in marmo scolpito nella capitale papale da Raimondo Trentanove, allievo di Canova, che lo ritrae in forme neoclassiche e paludato[82]. Probabilmente una miniatura era un ritratto opera dello svizzero Jacques-Louis Comte, artista che sarebbe restato in rapporto epistolare con Xavier anche dopo il suo ritorno a San Pietroburgo[83]. Un dipinto qui eseguito nel 1843 da Steuben è stato infine recentemente esposto a Chambéry[84].

Quando torna definitivamente a San Pietroburgo, nel 1839, Xavier de Maistre ha ormai superato i 75 anni. Nonostante ciò, seppure saltuariamente, l'esercizio della pittura riesce ancora a catturarlo. Una fitta corrispondenza lo tiene in contatto col ginevrino Töpffer, di cui ammira incondizionatamente i lavori, anche tramite la mediazione di Philippin Duval, il fratello adottivo di François, del quale continuava a San Pietroburgo e

Mosca la prosperosa attività di scambi e promozione di oggetti preziosi e opere d'arte destinati all'aristocrazia russa[85]. Nel 1841 assiste all'arrivo di Théodore Gudin, che nonostante fosse «maintenant en grande faveur auprès de l'Empereur» non riesce a farsi pagare il prezzo richiesto per le sue opere[86], e incontra più volte Horace Vernet, di cui descrive con un certo stupore un grande ritratto della famiglia imperiale di gusto neomedievale in opera nel 1843: "...ce cera la rápresentation d'un tournoi, l'Empereur armé en guerrier du moyen âge, l'Impéretrice en costume analogue, les jeunes grands-ducs en pages et tout le monde à cheval"[87].

Le novità tecniche che permettono il diffondersi di procedimenti meccanici di riproduzione della realtà, la dagherrotipia e la galvanoplastica, lo interessano vivamente. Ma i profondi cambiamenti vissuti dalla capitale durante la sua assenza contribuiscono ad accentuare il suo senso di estraneità dai settori più vivi della società, fino alla morte, avvenuta a San Pietroburgo nel 1852: "les artistes ne se rencontrent nulle part. Je n'ai pas pu voir Bruloff depuis mon arrivée. Il s'est marié, a battu sa femme qui l'a abandonné. Il fait, dit-on, de fort belles choses et ne voit personne"[88].

NOTE

Fra le persone che mi hanno aiutato e agevolato nella ricerca iconografica desidero rivolgere un ringraziamento particolare a Giuseppe Carità, Pierre de Maistre, Mauro Natale, Veronique Palfi, Silvana Pettenati e Caterina Thellung.

[1] U. LEVRA, *Un consenso mancato: torinesi e francesi di fronte*, in *Ville de Turin 1798-1814*, a cura di Giuseppe Bracco, Torino 1990, vol. II, p.181.

[2] D. CARUTTI, *Storia della corte di Savoia durante la Rivoluzione e l'Impero francese*, Roma 1892, vol. II, p. 57.

[3] U. LEVRA, 1990, nota 36 a p. 181.

[4] *Schede Vesme*, vol II, Torino 1966, p. 611.

[5] D. PESCARMONA, scheda n. 231, in *Cultura figurativa e architettonica negli Stati del Re di Sardegna. 1771-1861*, catalogo della mostra a cura di Enrico Castelnuovo e Marco Rosci, Torino 1980, vol. I, p. 214.

[6] B. SIGNORELLI, *La proposta di riordinamento degli artisti della corte sabauda durante la prima restaurazione (1799-1800). (Una aggiunta alle Schede Vesme)*, in "Bollettino S.P.A.B.A", 1984-1987, p. 112, che però confonde Giuseppe con Amedeo.

[7] C. BARELLI, scheda n. 35, in *Giuseppe Maria Bonzanigo. Intaglio minuto e grande decorazione*, catalogo della mostra a cura di Claudio Bertolotto e Vittoria Villani, Asti 1990, p. 72.

[8] Torino, collezione privata.

[9] *Giuseppe Maria Bonzanigo...*, 1990, pp. 42-43 e 72.

[10] GRAND-DUC NICOLAS MIKHAÏLOWITCH, *Portraits russes*, Mosca 1905-1909, vol. III, n. 184.

[11] Ibidem.

[12] C. DE BUTTET, *Aperçu de la vie de Xavier de Maistre*, Grenoble 1919, p. 39 e F. KLEIN, *Lettres inédites de Xavier de Maistre à sa famille*, in "Le Correspondant", 1902, a. LXXIV, vol. CCIX, p. 902.

[13] F. KLEIN, 1902, pp. 904-905.

[14] P. DUMAS, *Xavier de Maistre peintre*, in "Revue du Louvre", 1983, nn. 5-6, p. 426.

[15] Lettera del 20 dicembre 1817 dall'Accademia delle Scienze di Torino a Xavier a Pietroburgo, Torino, Accademia delle Scienze, ms 9878 d.

[16] «J'ai écrit à Buzzolin qu'il fit argent des deux tableaux que je lui ai laissès», scrive nella già citata lettera alla sorella. Per Adèle cfr. J. DE MAISTRE, *Œuvres complètes*, Lyon 1884-1886, vol. X, p. 543, lettera di Joseph da San Pietroburgo del 23 dicembre 1807 (edizione anastatica Hildesheim-Zürich-New York, 1984). Quello stesso anno Adèle inviò a Xavier a San Pietroburgo un ritratto di Bozzolino da lei eseguito, cfr. F. KLEIN, 1902, p. 917.

[17] *Objets d'arts manufactures et métiers étalés dans les sallons d'exposition honorés de l'auguste présence de LL. MM. H. et RR. Napoléon et Josephine*, Turin 1805, p. 9; *Notizia delle opere di pittura e di scultura esposte nel palazzo della Regia Università*, Torino 1820, p. 14: «27. Ritratto dell'Avvocato Chiotti, vestito d'abito militare; 28. Ritratto della moglie dell'Avvocato Chiotti», entrambe proprietà di Eleonora Chiabrera; *Schede Vesme*, vol. I, Torino 1963, pp. 205-206; V. NATALE, *Le esposizioni a Torino durante il periodo francese e la Restaurazione*, in *Arte di Corte a Torino da Carlo Emanuele III a Carlo Felice*, a cura di Sandra Pinto, Torino 1987, p. 255.

[18] Torino, Museo Civico d'Arte Antica, N. Inventario Generale 3662; Scheda n. 213/M: tempera su avorio, mm 38 × 45; cfr. V. NATALE, scheda n. 457, in *Bâtir une ville au siècle des lumières. Carouge: modèles et réalités*, catalogo della mostra, Carouge 1986, p. 617.

[19] V. NATALE, ibidem. All'elenco delle opere di Visca attualmente già rintracciate è da aggiungere una incisione col ritratto di Vittorio Amedeo III che Domenico Cagnoni trasse da un disegno del pittore (cfr. *Bâtir une ville...*, 1986, p. 17).

[20] F. DALMASSO, *Alcuni problemi relativi al palazzo comunale di Ri-*

va presso *Chieri*, in "Bollettino S.P.A.B.A.", 1969-70, pp. 196-202.

[21] Visca, nominato regio pittore in miniature il 13 dicembre 1782 (*Schede Vesme*, vol. III, Torino 1968, p. 1098), venne «licenziato assolutamente per cattive informazioni» nel 1800 (B. SIGNORELLI, 1984-1987, p. 113), a causa dei suoi rapporti col generale francese Grouchy, di cui aveva eseguito un ritratto inciso da Antonio Arghinenti (F. DALMASSO, in *Cultura figurativa...*, 1980, vol. III, p. 1495).

[22] *Schede Vesme*, vol. I, Torino 1963, p. 115; L.R. SCHIDLOF, *La miniature en Europe*, Graz 1964, vol. I, p. 81; B. SIGNORELLI, 1984-1987, p. 113. Un'opera firmata citata da Vesme presso il Museo Filangeri di Napoli, «una giovane donna sedente, nuda il torso e le braccia, avvolto il basso della persona nelle pieghe di una tunica azzurrina, con Amore tra le braccia, in atto di avvincergli le ali», è andata perduta durante l'ultima guerra.

[23] *Objets...*, 1805, pp. 8-9: «Agar chassée par Abraam, l'autre representant plusier Divinités»; *Schede Vesme*, vol. III, Torino 1968, pp. 1058-1059; V. NATALE, 1987, p. 255.

[24] *Salon de Beaux-Arts et Manufactures a Turin a la S.t Napoléon*, Torino 1812, p. 5; *Notizia...*, 1820, p. 107; *Schede Vesme*, vol. III, Torino 1968, p. 795; L.C. BOLLEA, *Lorenzo Pecheux maestro di pittura nella R. Accademia delle belle arti di Torino*, Torino 1936, pp. 179 e 194-196; F. MAZZOCCA, in *Cultura figurativa...*, 1980, vol. I, p. 461 e vol. III, p. 1470; S. PINTO, *Dalla Rivoluzione alla Restaurazione*, e V. NATALE, in *Arte di Corte...*, 1987, passim.

[25] Inventario Generale 3736; Scheda n. 343/M; tempera e acquerello su avorio, mm 75 x 67.

[26] V. NATALE, 1987, fig. 3 a p. 253.

[27] Inventario Generale 3943; scheda n. 8/M di Caterina Thellung, tempera su pergamena, mm 205 x 185 con cornice. *Objets...*, 1805, p. 8; *Exposition d'ouvrages de Beaux-Arts et manufactures*, Torino 1811, p. 1; *Salon...*, 1812, pp. 4 e 5; L. RICHERI, *La sala delle bell'arti e manifatture in Torino nella festa di S. Napoleone 1812 poeticamente descritta*, Torino 1813, pp. 5-6; *Notizia...*, 1820, p. 102; V. VIALE, *Una mostra di miniature al "Faro"*, in "Torino", n. 12, dicembre 1933, fig. 46 a p. 17; *Schede Vesme*, vol. II, Torino 1966, pp. 530-534; F. MAZZOCCA, in *Cultura figurativa...*, 1980, vol. I, pp. 457-458 e vol. III, p. 1447; *Arte di Corte...*, 1987, passim.

[28] *Salon...*, 1812, p. 5; *Schede Vesme*, vol. III, Torino 1968, pp. 1063-1064.

[29] L.R. SCHIDLOF, 1964, vol. II, p. 857 e vol. IV, tav. 1201.

[30] «Si... je n'obtienne rien en Piémont, je ne pourrai continuer ici et je resterai dans la première ville où je trouverai des portraits à faire» scrive da Lindau alla sorella il 26 ottobre 1799 (F. KLEIN, 1902, p. 903).

[31] X. DE MAISTRE, *Œuvres complètes*, Paris 1839, p. 16.

[32] Lettera del 15 novembre 1819 (?) al fratello Nicola (F. KLEIN, 1902, p. 1107).

[33] S. PINTO, *La promozione delle arti negli Stati italiani dall'età delle riforme all'Unità*, in *Storia dell'arte italiana*, vol. VI, tomo 2, Torino 1982, pp. 999-1001.

[34] C. DE BUTTET, 1919, p. 47.

[35] C. DE BUTTET, 1919, p. 46.

[36] Ibidem.

[37] Lettera del 4 marzo 1803 alla sorella de Constantin (C. DE BUTTET, 1919, p. 49). Per una panoramica della ricca produzione di ritratti in miniatura in quegli anni, soprattutto a San Pietroburgo, il contributo più recente si trova in *St. Petersburg um 1800*, catalogo della mostra, Essen 1990, pp. 239-251; cfr. anche L.R. SCHIDLOF, 1964, vol. I, p. 30.

[38] X. DE MAISTRE, *Expériences sur les huiles*, in *Mémoires de l'Académie des Sciences de Turin*, vol. XI, 1, 1801, pp. 199-214.

[39] X. DE MAISTRE, *Mémoire sur l'oxidation de l'or par le frottement*, e *Procédé pour composer avec l'oxide d'or une coleur pourpre qui peut être employée dans la peinture a l'Huile*, in *Memorie della Reale Accademia delle Scienze di Torino*, vol. XXIII, 1818, pp. 1-6 e 387-396. Per l'occasione avrebbe anche inviato dalla Russia un dipinto con prove di panneggi, oggi non più conservato presso l'istituzione torinese (Accademia delle Scienze di Torino, ms. 9878 d).

[40] X. DE MAISTRE, *Sur les causes des couleurs dans les corps naturels* e *Sur le couleur de l'air et des eaux profondes*, in *Bibliothèque Universelle de Sciences, Belles-Lettres et Arts redigée a Genève*, 1831, pp. 17-39 e 1832, pp. 259-278.

[41] Altre due opere sono citate in P. CAZZOLA, *Xavier de Maistre, da Torino a Pietroburgo*, in "Studi Piemontesi", 1975, fasc. 2, p. 271: un ritratto di Nadezda Osipovna, madre del poeta Puškin (riprodotto in *Kratkaia literaturnaja enciklopedija*, vol. IV, Mosca 1967, alla voce Xavier de Maistre); e un ritratto di Andréj Iànovic, padre del poeta Viàzemskij. Andrebbe verificata la possibilità che sia da attribuire a Xavier de Maistre un ritratto di S. N. Marin, approdato all'Ermitage dalla collezione V. S. Popov di Mosca (inv. n. PP-8651, cfr. *St Petersburg...*, 1990, scheda n. 155 e tav. a p. 242), la cui impostazione di profilo ricorda da vicino un ritratto del nipote Rodolph eseguito a matita da Xavier nel 1810 (cfr. R. GUASCO, *Xavier de Maistre peintre*, in "Studi Piemontesi", 1975, fasc. 2, pp. 278-279 e fig. 5).

[42] R. GUASCO, 1975, pp. 276-280.

[43] «J'ai reçu le buste de mon père, exécuté à Turin, dans l'atelier de MM. Collin, par le sieur Moretti, leur premier élève, d'apres le modèle de mon frère du régiment de la marine, en 178...» annota Joseph il 20 luglio del 1791 (E. DENARIÉ, *Xavier de Maistre peintre*, in *Mémoires de l'Académie des Sciences Belles-Lettres et Arts de Savoie*, tomo VI, 1897, pp. 274-275; C. DE BUTTET, 1919, p. 26 e tavola fuori testo tra le pp. 12 e 13). Su Moretti cfr. *Schede Vesme*, vol. II, Torino 1966, p. 722.

[44] C. DE BUTTET, 1919, p. 44.

[45] Alcuni disegni, tra cui «une jeune bergère qui garde toute seule son troupeau» descritto nel *Voyage autour de ma chambre* (X. DE MAISTRE, 1839, p. 47), sono stati pubblicati in C. DE BUTTET, 1919, tavole fuori testo tra le pp. 24-25 e 26-27; due disegni a penna valdostani, quindi databili durante il suo soggiorno ad Aosta nell'ultimo decennio del Settecento, raffiguranti "Il ponte di Châtillon" e "Il villaggio e la cascatella di Liverogne sulla strada di Courmayeur", sono pubblicati in H. BORDEAUX, *Les amours de Xavier de Maistre à Aoste*, Chambéry 1931, p. 34 e tavv. IV e V.

[46] G. ROMANO, *Studi sul paesaggio*, Torino 1978, pp. 149-166.

[47] «...l'aspect d'un paysage du Lorrain ou du Poussin suffirait pour me faire jeter tout mon atelier par la fenêtre» scriveva nel 1819 (?) al fratello Nicolas (F. KLEIN, 1902, p. 1107).

[48] X. DE MAISTRE, *Lettres inedites à son ami Töpffer*, a cura di Léon-A. Matthey, Genève 1945, pp. 37-38 (lettera da San Pietroburgo del 19 dicembre 1839). «Le peintre *transforme*. En analisant ce mot, qui ne peut signifier autre chose que changer de forme, je me demande où je prendrai cette nouvelle forme sinon dans la nature, soit que je la copie directement, soit que je la retrouve dans mes souvenirs, soit enfin que j'imagine une nature *possible*; mais cette dernière méthode, qui est celle des hommes de génie, n'est autre chose que la faculté de combiner des souvenirs qui toujours doivent être pris dans la nature et n'en jamais sortir. Ainsi, *transformer* revient à *choisir* pour ce qui regarde les objets individuels, et, pour ce qui regarde la composition générale d'un tableau, c'est combiner et arranger les objets individuels de manière à obtenir l'effet désiré; il n'y a dans cette opération aucune transformation...Je pense donc que l'on doit copier le plus servilment possible tout ce qui nous plait dans la nature, car la mémoire la plus forte ne sauroit y suppléer. Au talent ensuite à coordonner le tout, à retrancher ou à ajouter tout ce qui peut contribuer à augmenter le premier effet qui l'a frappé dans la nature».

[49] "Paesaggio con Polifemo", Leningrado, Ermitage, e "Paesaggio con Ercole e Caco", Mosca, Museo Puškin (J. THUILLIER, *L'opera completa di Poussin*, Milano 1974, nn. 166 e 215. Per i paesaggi

di Chambéry cfr. P. DUMAS, 1983, pp. 427-428, che però li ritiene posteriori al 1840; J. AUBERT, *Catalogue sommaire des peintures néo-classiques du Musée de Chambéry*, in "Echo des Musées de Chambéry" n. 12, giugno 1985, p. 11.

[50] J. AUBERT - P. DUMAS, *Musée de Chambéry. Peintures*, Chambéry 1982, pp. 66-67; J. AUBERT, 1985, p. 10.

[51] Come il "Paysage composé con la grotta di Posillipo" del Musée d'art et d'histoire di Ginevra, inv. n. 1914.124 (cfr. P. DUMAS, 1983, fig. 1 a p. 426); quello pubblicato in C. DE BUTTET, 1919, tavola fuori testo tra le pp. 78-79 e così descritto in A. BERTHIER, 1918, p. 154: «Le port de Capri, sa mer lumineuse, et, sur une terrasse ombragée, de joyeaux Capriotes qui dansent aux sons de la mandoline et du tambour de basque... propriété de M. de Buttet»; o il "Paesaggio con la villa di Posillipo" pubblicato in R. GUASCO, 1975, fig. 8. Per questo tipo di produzione di Chauvin cfr. *Il paesaggio napoletano nella pittura straniera*, catalogo della mostra, Napoli 1962, pp. 39 e tav. 22.

[52] Come il "Paesaggio d'Italia" del Musée d'art e d'histoire di Chambéry, cfr. P. DUMAS, 1983, fig. 3 a p. 426; J. AUBERT, 1985, p. 10; e la serie di collezione privata che qui si pubblica. Per i pittori francesi cfr. *De David à Delacroix*, catalogo della mostra, Parigi 1974, passim; *Aspects du paysage néo-classique en France de 1790 à 1855*, catalogo della mostra, Parigi, Galerie du Fleuve Jacqueline Bellonte, 1974, passim. Per la fortuna di Chauvin in Russia cfr. V.N. BERZINA, *The Hermitage Catalogue of Western European Painting. French Painting early and mid-nineteenth century*, Firenze 1983, pp. 94 e 95.

[53] F. KLEIN, 1902, p. 1114.

[54] P. DUMAS, *Joseph et Xavier de Maistre*, n. 60 di "L'histoire en Savoie", dicembre 1980, fig. a p. 13.

[55] *Cultura neoclassica e romantica nella Toscana granducale. Sfortuna dell'Accademia*, catalogo della mostra, Firenze 1972, p. 221.

[56] X. DE MAISTRE, *Œuvres inédites*, a cura di Eugène Réaume, Parigi 1877, vol. I, pp. 139, 141, 179 e 233; vol. II, pp. 100 e 145.

[57] X. DE MAISTRE, 1877, vol. I, p. 164: «Je vois de ma fenêtre celle de l'atelier de Granet» scrive il 23 novembre 1829 a Valentine de Marcellus.

[58] X. DE MAISTRE, 1877, vol. I, p. 169.

[59] X. DE MAISTRE, 1877, vol. I, p. 148.

[60] X. DE MAISTRE, 1877, vol. II, p. 100.

[61] X. DE MAISTRE, 1877, vol. I, p. 164.

[62] X. DE MAISTRE, 1877, Vol. I, p. 151.

[63] X. DE MAISTRE, 1877, vol. I, p. 152.

[64] *Horace Vernet (1789-1863)*, catalogo della mostra, Roma 1980, schede 52 e 53.

[65] S. PINTO, 1982, p. 969.

[66] X. DE MAISTRE, 1877, vol. I, pp. 151-152: «La manière dont il a traité le sujet a été justement critiquée. Holoferne endormi a l'air de faire un mauvais, ou plutot un trop bon rêve, il rit en montrant les dents comme un satyre, et serre fortement un coussin qu'il prend apparemment pour Judith... ce grand artiste a rendu admirablement une mauvaise pensée. Ce tableau représentant un trait de l'histoire sacrée, ne pourra jamais être placé dans une église».

[67] C. STERLING - H. ADHEMAR, *Musée National du Louvre. Peintures de l'école française di XIXme siècle*, Parigi 1958-1961, vol. IV, n. 1649.

[68] X. DE MAISTRE, 1877, vol. I, p. 152.

[69] X. DE MAISTRE, 1877, vol. I, p. 192.

[70] X. DE MAISTRE, 1877, vol. I, 157 e vol. II, p. 15; E. DAUDET, *Joseph de Maistre et Blacas*, Parigi 1908; S. PINTO, 1982, pp. 944, 963 e 968.

[71] X. DE MAISTRE, 1877, vol. I, p. 149.

[72] X. DE MAISTRE, 1877, vol. I, pp. 159 e 181 e vol. II, pp. 9 e 15. I contatti con l'artista napoletano duravano ancora nel 1835, quando Xavier racconta di un suo gesto impulsivo: «Le bon Gigante s'est dégoûté de la peinture à l'huile, et il a vendu trente-cinq esquisses d'après nature à un artiste pour cent ducas. C'est une sottise insigne dont il se repent maintenant, car il y en avait de fort jolies» X. DE MAISTRE, 1877, vol. II, p. 64. Su Gigante acquerellista cfr. *Campania Felix. Acquerelli di Giacinto Gigante*, catalogo della mostra, Gaeta 1984.

[73] F. KLEIN, 1902, p. 1123.

[74] X. DE MAISTRE, 1877, vol. I, p. 172.

[75] X. DE MAISTRE, 1877, vol. I, p. 189; S. PINTO, 1982, pp. 1026-1027; *St Petersburg...*, 1990, scheda n. 29 p. 165.

[76] X. DE MAISTRE, 1877, vol. I, p. 145; J. LOVIE, *Lettres et Notes sur le séjour de Xavier de Maistre en Italie entre 1829 et 1839*, in "Bulletin du centre d'études franco-italien", 1978, n. 3, p. 35.

[77] S. PINTO, 1982, p. 978.

[78] X. DE MAISTRE, 1877, vol. I, p. 165.

[79] X. DE MAISTRE, 1877, vol. I, p. 179.

[80] X. DE MAISTRE, 1945, p. 78.

[81] C. DE BUTTET, 1919, pp. 69 e 92.

[82] C. DE BUTTET, 1919, p. 73 e tavola fuori testo fra le pp. 73 e 74.

[83] X. DE MAISTRE, 1945, pp. 78 e 93; il ritratto era forse quello di cui parla in una lettera da Napoli senza data alla de Marcellus (X. DE MAISTRE, 1877, vol. II, p. 70).

[84] *Exposition des Archives Historique de Savoie*, Chambéry 1952, n. 197.

[85] X. DE MAISTRE, 1945, pp. 40, 44, 112, 113, 117 e 158; su François Duval cfr. M. NATALE, *Le goût et ler collections d'art italien à Genève du XVIIIe au XXe siècle*, Genève 1980, pp. 52-57.

[86] X. DE MAISTRE, 1877, vol. II, pp. 147-150 e 162.

[87] X. DE MAISTRE, 1877, vol. II, pp. 171-172.

[88] X. DE MAISTRE, 1877, vol. II, pp. 132 e 142.

BIBLIOGRAFIA
a cura di Simone Baiocco

1765

MICHEL-FRANÇOIS DANDRÉ-BARDON, *Vie de Carle Vanloo* (ed. anastatica, 1973).

1766

G.R. ROBERTI, *Il cuoco perfezionato a Parigi*, Torino.

1780

GUILLAUME-THOMAS-FRANÇOIS RAYNAL, *Histoire philosophique et politique des établissements et du commerce des Europeens dans les deux Indes*, Ginevra.

1783

Remerciement d'un bon Piemontais à Monsieur ... [Rohan] ... auteur de lettres écrites de Suisse, d'Italie, de Sicilie, et de Malte. Imprimé à ... sous la date d'Amsterdam 1780 ayant pour epigraphe: qui mores multorum hominum vidit et urbes.
Par M. Fois Gaziel [Garriel] cytoien de Turin, membre d'aucune Académie qui prend pour divise celle si connue; ridendo dicere verum quid vetat.
Avec la description de la reception des Comtes du Nord à Turin, de l'Opera donnée a cette occasion et du sejour et départ de ces princes pour la France, Venezia.
ONORATO DEROSSI, *Almanacco Reale per l'anno 1783 in cui vengono indicate le abitazioni, nomi, cariche delle persone...*, Torino.

1786

ONORATO DEROSSI, *Almanacco Reale per l'anno 1786*, Torino.

1792

CARLO DENINA, *Considerations d'un italien sur l'Italie et sur l'état actuel des lettres et des arts en Italie*, Berlino.

1805

Objets d'arts manufactures et métiers étalés dans les sallons d'exposition honorés de l'auguste présence de LL.MM.H. et RR. Napoléon et Josephine, Torino.

1811

Exposition d'ouvrages de Beaux-Arts et manufactures, Torino.

1812

Salon de Beaux-Arts et Manufactures à Turin a la S.t Napoléon, Torino.

1813

LUIGI RICHERI, *La sala delle bell'arti e manifatture in Torino nella festa di S. Napoleone 1812 poeticamente descritta*, Torino.

1818

XAVIER DE MAISTRE, *Mémoire sur l'oxidation de l'or par le frottement*, in "Memorie della Reale Accademia delle Scienze di Torino", vol. XXIII, pp. 1-6.
XAVIER DE MAISTRE, *Procédé pour composer avec l'oxide d'or une coleur pourpre qui peut étre employée dans la peinture a l'Huile*, in *ibidem*, pp. 387-396.

1820

Notizia delle opere di pittura e di scultura esposte nel palazzo della Regia Università, Torino.

1827

LEOPOLDO CICOGNARA, *Dell'origine, composizione, decomposizione de' Nielli*, Venezia.

1828

S. CIAMPI, *Sullo stato dell'arti e della civiltà in Russia prima del regno di Pietro il Grande*, in "Antologia", LXXXXII, agosto, pp. 485-502.

1831

XAVIER DE MAISTRE, *Sur les causes des couleurs dans les corps naturels*, in "Bibliothèque Universelle de Sciences, Belles-Lettres et Arts redigée a Genève", pp. 17-39.

1832

XAVIER DE MAISTRE, *Sur le couleur de l'air et des*

eaux profondes, in "Bibliothèque Universelle de Sciences, Belles-Lettres et Arts redigée a Genève", pp. 259-278.

1839
XAVIER DE MAISTRE, *Oeuvres complètes*, Parigi.

1858
CLEMENTE ROVERE, *Descrizione del Reale Palazzo di Torino*, Torino.

1877
F.M. DE GRIMM, *Correspondance litteraire, philosophique et critique (1753)*, a cura di M. TOURNEUX, Parigi.
XAVIER DE MAISTRE, *Oeuvres inédites*, a cura di E. REAUME, Parigi.

1880
L'esposizione d'arte antica in Torino nel 1880. Tavole fotografiche, Torino.

1884-1886
JOSEPH DE MAISTRE, *Oeuvres complètes*, Lione. (ed. anastatica, Hildesheim-Zurigo-New York 1984).

1892
DOMENICO CARUTTI, *Storia della corte di Savoia durante la Rivoluzione e l'Impero francese*, Roma.

1893
ALESSANDRO BAUDI DI VESME, *I Van Loo in Piemonte*, in "Archivio Storico dell'Arte", t. VI, pp. 333-368.

1897
EMMAUEL DENARIÉ, *Xavier de Maistre peintre*, in "Mémoires de l'Academie des Sciences Belles-Lettres et Arts de Savoie", t. VI.

1901
EDOUARD DEL MAYNO, *Lettres et dépêches du Marquis de Parelle premier ministre du roi de Sardaigne à la cour de Russie (1783-1784) et du Baron de la Turbie troisième ministre (1792-1793)*, Roma.

1902
FELIX KLEIN, *Lettres inédites de Xavier de Maistre à sa famille*, in "Le Correspondant", a. LXXXIV, vol. CCIX.

1905-1909
NICOLAS MIKHAILOWITCH, *Portraits russees*, Mosca.

1908
E. DAUDET, *Joseph de Maistre et Blacas*, Parigi.

1910
AA.VV., *Les anciennes Ecoles de Peinture dans les Palais et Collections privées Russes*, Bruxelles.

1911
VITTORIO MALAMANI, *Canova*, Milano.

1912
JEAN LOCQUIN, *La peinture d'histoire en France de 1747 à 1785*, Parigi (riedizione 1978).

1913
LOUIS REAU, *Saint-Petersbourg*, Parigi.

1919
C. DE BUTTET, *Aperçu de la vie de Xavier de Maistre*, Grenoble.

1921
E. DACIER, *Catalogues de ventes et livrets de Salons illustrés par Gabriel de Saint-Aubin. XI Catalogue de la vente L.-J. Gaignat (1769)*, Parigi.
LOUIS REAU, *Correspondance de Falconet avec Catherine II*, Parigi.

1924
LOUIS REAU, *Histoire de l'expansion de l'art français moderne. Le monde slave et l'Orient*, Parigi.

1926
A. ROZEMBERGH, *Les marques de la porcelaine russe*, Parigi.

1929
LOUIS REAU, *Catalogue de l'art français dans les musées russes*, Parigi.

1931
HENRY BORDEAUX, *Les amours de Xavier de Maistre à Aoste*, Chambéry.

1932
LOUIS REAU, *Correspondance artistique de Grimm avec Catherine II*, in "Archives de l'Art Français", t. XVII, pp. 1-207.

1933
VITTORIO VIALE, *Una mostra di miniature al "Faro"*, in "Torino", n. 12, dicembre.

1934
S.M. ZEMKOV, *Materialy dlja biografii Kvarengi (Materiali per la biografia di Quarenghi)*, in "Architektura SSSR", n. 3.

1935
GIUSEPPE MORAZZONI, *Le porcellane italiane*, Milano.

1935-37
MARIA GIBELLINO KRASCENINNICOWA, *Storia dell'arte russa*, 2 voll., Roma.

1936
LUIGI CESARE BOLLEA, *Lorenzo Pecheux maestro di pittura nella R. Accademia delle Belle Arti di Torino*, Torino.

1938
GAETANO GASPERONI, *Giuseppina di Lorena Principessa di Carignano (1733-1787)*, Torino.

1948
M.S. KONOPLEVA, *Giuseppe Valeriani scenografo*, Leningrado.

1949
FISKE KIMBALL, *Le style Louis XV. Origine et évolution du Rococo*, Parigi.

1952
Exposition des Archives Historiques de Savoie, Chambéry.

1953
PIERRE VERLET, *Le XVIII siècle*, in AA. VV., *Sèvres*, Parigi.

1957
CASIMIRO WALISZEWSKI, *Caterina II di Russia*, Milano.

1958-1961
CHARLES STERLING e HELÈNE ADHEMAR, *Musée National du Louvre. Peintures de l'école française du XIXe siècle*, 4 voll., Parigi.

1959
MARIO PRAZ, *Gusto neoclassico*, Napoli.

1960
ETTORE LO GATTO, *Il mito di Pietroburgo*, Milano (riedizione 1991).

1962
HERMANN BAUER, *Rocaille*, Berlino.

1963-1982
ALESSANDRO BAUDI DI VESME, *Scheme Vesme. L'arte in Piemonte dal XVI al XVIII secolo*, 4 voll., Torino.

1964
ANDRÉ MAZON, *Deux russes écrivains français*, Parigi.
LARISSA SALMINA, *Disegni veneti del Museo di Leningrado*, catalogo della mostra, Vicenza.

LEO R. SCHIDLOF, *La miniature en Europe*, Graz.

1965
Architectural and Ornament Drawings of the 16th to the early 19th centuries in the Collection of the University of Michigan Museum of Art, Michigan.

1966
An important Collection of Early Meissen Wares, the property of the Head of an European Royal House, catalogo d'asta, 7 giugno, Christie's, Ginevra.
RAINER RUCKERT, *Meissener Porzellan (1710-1810)*, catalogo della mostra, Monaco.

1967
CESARE BRANDI, *Struttura e architettura*, Torino.
LADA NIKOLENKO, *The Russian portraits of Madame Vigée-Lebrun*, in "Gazette des Beaux-Arts", luglio-agosto, pp. 91-120.
FRANCESCO STAZZI, *Porcellane della casa eccellentissima Vezzi (1720-1727)*, Milano.
VANNI ZANELLA, *Giacomo Quarenghi. Due lettere da Pietroburgo*, in "Bergomum", n. 3-4.

1968
PIERO CAZZOLA, *Diplomatici russi a Torino nel Settecento. Il principe Beloselskij*, in "Piemonte vivo", 3, pp. 3-8.

1969
KIRSTEN ASCHENGREEN PIACENTI, *Artisti alla Corte Granducale*, catalogo della mostra, Firenze.
ALVAR GONZALES-PALACIOS, *Mobili d'Arte. Storia del mobile dal '500 al '900*, Milano.
DANIEL NYBERG, *Oeuvres de J.A. Meissonnier*, Londra.

1969-1970
FRANCA DALMASSO, *Alcuni problemi relativi al palazzo comunale di Riva presso Chieri*, in "Bollettino della Società Piemontese di Archeologia e Belle Arti", a. XXIII-XXIV, pp. 196-202.

1969-1987
FRANCO VENTURI, *Settecento riformatore*, 5 voll., Torino.

1970
C. GILLES-MOUTON, *Jean-Baptiste Vanloo*, tesi di dottorato, Parigi.
GIOVANNI LEVI, *Les projets du gouvernement sarde sur les relations économiques avec la Russie à la fin du XVIIIe siècle*, in *La Russie et l'Europe. XVI-XX siècles*, Parigi-Mosca.

1971
Russi in Italia. Dal secolo XVII ad oggi, a cura di ET-

TORE LO GATTO, Roma.

1972
VALENTINO BROSIO, *Dortu, Tinelli, Richard. Porcellane e maioliche dell'Ottocento a Torino e Milano*, Milano.
SANDRA PINTO (a cura di), *Cultura neoclassica e romantica nella Toscana granducale. Sfortuna dell'Accademia*, catalogo della mostra, Firenze.

1973
MARCO CERRUTI, *La ragione felice e altri miti del Settecento*, Firenze.
AUDREY KENNETT, *The Palaces of Leningrad*, Londra.
MILICA F. KORŠUNOVA, *Novye materialy o Dž. Kvarengi* (Nuovi materiali su G. Quarenghi), in "Trudy Gosudarstvennogo Ermitaza", XIV.
FRANCO VENTURI, *L'Italia fuori d'Italia*, in AA.VV., *Storia d'Italia. 3. Dal primo Settecento all'Unità*, Torino, pp. 985-1481.

1974
AA.VV., *Aspects du paysage néo-classique en France de 1790 à 1855*, catalogo della mostra, Parigi.
AA.VV., *De David à Delacroix*, catalogo della mostra, Parigi.
AA.VV., *L'URSS et la France. Les grands moments d'una tradition*, catalogo della mostra, Parigi.
TAMARA SOKOLOVA, *Interiors of the Winter Palace*, in "Apollo", n. 154, dicembre, pp. 444-453.
JACQUES THUILLIER, *L'opera completa di Poussin*, Milano.

1975
PIERO CAZZOLA, *Xavier de Maistre, da Torino a Pietroburgo*, in "Studi Piemontesi", vol. IV, fasc. 2, pp. 267-275.
RENZO GUASCO, *Xavier de Maistre peintre*, in "Studi Piemontesi", vol. IV, fasc. 2, pp. 276-280.
INNA S. NEMILOVA, *Contemporary French Art in Eighteenth-Century Russia*, in "Apollo", 160, giugno, pp. 428-442.

1976
AUGUSTO BARGONI, *Maestri orafi e argentieri in Piemonte dal XVII al XIX secolo*, Torino (ristampa anastatica 1988).
E. IVANOVA (a cura di), *Russian Applied Art*, Leningrado.

1977
VICTOR ANTONOV, *Clienti russi del Batoni*, in "Antologia di Belle Arti", a. I, n. 4, pp. 351-353.
MARIO DAL PRA, voce *Alchimia*, in *Enciclopedia Einaudi*, vol. I, Torino, pp. 274-286.
DENIS DIDEROT, *Mélanges et morceaux divers*, edizione a cura di GIANLUIGI GOGGI, Siena.

JOHN FLEMING e HUGH HONOUR, *The Penguin Dictionary of Decorative Art*, Londra (ed. it. 1980).
DANIELE PESCARMONA, *Il monumento sepolcrale alla principessa Beloselskij di I. Spinazzi (Torino 1794) e il tema iconografico della figura femminile velata*, in "Studi Piemontesi", vol. VI, fasc. 1, pp. 69-75.
MARIE-CATHERINE SAHUT, *Carle Vanloo. Premier peintre du roi*, catalogo della mostra, Nizza-Clermont-Ferrand-Nancy.

1977-1978
B. ADAMS, *Painter to patron: David's letter to Yousoupoff about the Sapho, Phaon and Cupid*, in "Marsyas", 19, pp. 29-36.

1978
AA.VV., *Venezia nell'età di Canova*, catalogo della mostra, Venezia.
MARCELLE BRUNET e TAMARA PREAUD, *Sèvres des origines à nous jours*, Friburgo.
FRANCIS HASKELL, *Arte e linguaggio della Politica e altri saggi*, Firenze.
JACQUES LOVIE, *Lettres et notes sur le séjour de Xavier de Maistre en Italie entre 1829 et 1839*, in "Bulletin du centre d'études franco-italien", n. 3.
GIOVANNI ROMANO, *Studi sul paesaggio*, Torino.

1979
AA.VV., *Curiosità di una reggia. Vicenda della Guardaroba di Palazzo Pitti*, catalogo della mostra a cura di KIRSTEN ASCHENGREEN PIACENTI e SANDRA PINTO, Firenze.
Lomonosov (guida), Lenizdat (in russo).

1980
AA.VV., *Cultura figurativa e architettonica negli Stati del Re di Sardegna. 1771-1861*, catalogo della mostra a cura di ENRICO CASTELNUOVO e MARCO ROSCI, Torino.
AA.VV., *Horace Vernet (1789-1863)*, catalogo della mostra, Roma.
AA.VV. *Uffizi. Catalogo generale*, Firenze.
PIERRE DUMAS, *Joseph et Xavier de Maistre*, in "L'histoire en Savoie", n. 60, dicembre.
FRIEDRICH H. HOFMANN, *Das Porzellan der europäischen Manufakturen*, in AA.VV., *Propyläen Kunstgeschicte*, Oldenburg.
PETER WILHELM MEISTER e HORST REBER, *La porcelaine européenne du XVIIIe siècle*, Friburgo.
MAURO NATALE, *Le goût et les collections d'art italien à Genève du XVIIIe au XXe siècle*, Ginevra.
MERCEDES VIALE FERRERO, *La Scenografia dalle origini al 1936*, in *Storia del Teatro Regio di Torino*, a cura di ALBERTO BASSO, vol. III, Torino.

1981
AA.VV., *I rami incisi dell'Archivio di Corte. Sovrani,*

battaglie, architetture, topografia, catalogo della mostra a cura di BARBARA BERTINI CASADIO e ISABELLA MASSABÒ RICCI, Torino.

MICHELA DI MACCO, *I ritratti equestri*, in *ibidem*, pp. 328-333.

FRANCIS HASKELL e NICHOLAS PENNY, *Taste and the Antique. The Lure of Classical Sculpture 1500-1900*, New Haven-Londra (trad. it., Torino 1984).

BORIS B. PIOTROVSKIJ, *Ermitage. Storia e collezioni*, Firenze.

1982

AA.VV., *Johann Friedrich Böttger. Die Erfindung des Europäischen Porzellan*, Lipsia.

JEAN AUBERT e PIERRE DUMAS, *Musée de Chambéry. Peintures*, Chambéry.

TIMOTHY H. CLARKE, *Böttger-Wappenporzellan*, in "Keramos", n. 95, gennaio.

MICHELA DI MACCO, voce *Collino, Ignazio e Filippo*, in *Dizionario Biografico degli Italiani*, XXVII, Roma, pp. 65-70.

ROBERTO GABETTI, *Architettura italiana del Settecento*, in *Storia dell'arte italiana*, VI, t. II, Torino, pp. 661-721.

ALAIN GRUBER, *L'Argenterie de Maison du XVIe au XIXe siècle*, Friburgo.

I. KOUZNETSOVA, *Museo di Belle Arti A.S. Puškin. Pittura francese, XVI - prima metà del XIX secolo. Catalogo*, Mosca (in russo).

INNA S. NEMILOVA, *La Peinture française du XVIIIe siècle, Musée de l'Ermitage. Catalogue raisonné*, Leningrado (in russo, con traduzione parziale in francese).

SANDRA PINTO, *La promozione delle arti negli Stati italiani dall'età delle riforme all'Unità*, in *Storia dell'arte italiana*, VI, t. II, Torino, pp. 793-1079.

PIERRE VERLET, *Les meubles français du XVIIIe siècle*, Parigi.

1983

Architectural Monuments of Leningrad Suburbs, Leningrado (in russo).

Art and Culture in Nineteenth-Century Russia, a cura di THEOFANIS G. STAVROU, Bloomington.

VALENTINA N. BEREZINA, *The Hermitage Catalogue of Western European Painting. French painting. Early and mid-nineteenth century*, Firenze.

PIERRE DUMAS, *Xavier de Maistre peintre*, in "Revue du Louvre et des Musées de France", 5-6, pp. 426-428.

ANTOINETTE FAŸE HALLÉ e BARBARA MUNDT, *La porcelaine européenne au XIXe siècle*, Friburgo.

Kuskowo. Landsitz des 18. Jahrhunderts. Museum für Keramik, Leningrado.

SYLVAIN LAVEISSIÈRE, *Laurent Pécheux (1729-1821): trois tableaux inédits*, in "La Revue du Louvre et des Musées de France", 5-6, pp. 407-408.

Le portrait russe à l'acquarelle et au crayon de la première moitié du XIXe siècle dans les musées de la Russie, Mosca.

PIERRE ROSENBERG, *A propos des tableaux vénitiens conservés dans les muséees Russes: deux Pellegrini inédits*, in "Arte Veneta", a. XXXVII, pp. 210-211.

1984

AA.VV., *Diderot et l'Art de Boucher à David*, catalogo della mostra a cura di MARIE-CATHERINE SAUHT e NATHALIE VOLLE, Parigi.

ANTONIO AIMI, VINCENZO DI MICHELE e ALESSANDRO MORANDOTTI, *Museum Septalianum*, Firenze.

SANDRO ANGELINI, VLADIMIR PILJAVSKIJ e VANNI ZANELLA, *Giacomo Quarenghi* (Monumenta Bergomensia LXVII), Bergamo.

Campania Felix. Acquerelli di Giacinto Gigante, catalogo della mostra, Gaeta.

Hubert Robert et le paysage architectural de la seconde moitié du XVIIIe siècle. Peintures et dessins, catalogo della mostra, Leningrado.

VERA LEMUS, *Pushkin. Palaces and Parks*, Leningrado.

GÉRARD MABILLE, *Orfèvrerie Française des XVIe XVIIe XVIIIe siècles*, Parigi.

N.V. MURAŠOVA, *Kontrakt Džakomo Kvarengi* (Il contratto di Giacomo Quarenghi), in "Leningradskaja panorama", L, n. 9.

Notizie di viaggi lontani. L'esplorazione extraeuropea nei periodici del primo Ottocento 1815-1845, a cura di M. BOSSI, Napoli.

MARY WESTERMAN-BULGARELLA, *Rediscovery, History and Conservation of a K'O-ssu Set from the Grand-ducal Collection, Florence*, in "Textile History", 15, pp. 3-19.

1984-1987

BRUNO SIGNORELLI, *La proposta di riordinamento degli artisti della corte sabauda durante la prima restaurazione (1799-1800). (Una aggiunta alle Schede Vesme)*, in "Bollettino della Società Piemontese di Archeologia e Belle Arti", n.s, XXXVIII-XXXIX-XL-XLI, pp. 111-115.

1985

JEAN AUBERT, *Catalogue sommaire des peintures néoclassiques du Musée de Chambéry*, in "Echo des Musées de Chambéry", n. 12, giugno.

ANTHONY M. CLARK, *Pompeo Batoni. Complete Catalogue*, a cura di EDGAR PETERS BOWRON, Oxford.

MARGHERITA GABETTI, *Argenti del Settecento*, Novara.

GEOFFREY SYMCOX, *Vittorio Amedeo II. L'assolutismo sabaudo 1675-1730*, Torino (ed. originale Londra 1983).

V.A. SOMOV e N.S. TROFIMOVA, *O biblioteke architektora Džakomo Kvarengi. Kniga i ee rasprostranenie v*

Rossii v XVI-XVIII vv (Sulla biblioteca di Giacomo Quarenghi. Il libro e la sua diffusione in Russia nei secoli XVI-XVIII), Sb. naučnyh trudov BAN, pp. 159-171.

1986

AA.VV., *Bâtir une ville au siècle des lumières. Carouge: modèles et réalités*, catalogo della mostra, Carouge.

AA.VV., *François Boucher 1703-1770*, catalogo della mostra, New York.

AA.VV., *La France et la Russie au Siècle des Lumières*, catalogo della mostra, Parigi.

AA.VV., *Porcellane e argenti del Palazzo Reale di Torino*, catalogo della mostra a cura di ANDREINA GRISERI e GIOVANNI ROMANO, Milano.

MASSIMO ALFIERI, MARIA GRAZIA BRANCHETTI e GUIDO CORNINI, *Mosaici minuti romani del 700 e dell'800*, catalogo della mostra, Roma.

JEAN DE LA GORCE, *Berain. Dessinateur du Roi Soleil*, Parigi.

L'Ermitage. Arts décoratifs, Leningrado.

INNA S. NEMILOVA, *The Hermitage Catalogue of Western European Painting. French painting. Eighteenth Century*, Firenze.

SILVANA PETTENATI, *Gusto europeo per la porcellana e committenze della corte sabauda*, in AA.VV., *Porcellane e argenti del Palazzo Reale di Torino*, catalogo della mostra a cura di ANDREINA GRISERI e GIOVANNI ROMANO, Milano.

BRUNO PONS, *De Paris à Versailles 1699-1736*, Strasburgo.

1987

AA.VV., *Arte di corte a Torino da Carlo Emanuele III a Carlo Felice*, a cura di SANDRA PINTO, Torino.

PAOLA ASTRUA, *Le scelte programmatiche di Vittorio Amedeo duca di Savoia e re di Sardegna*, in *ibidem*, pp. 65-100.

ALAN BIRD, *A History of Russian Painting*, Oxford.

ENRICO COLLE, *L'elaborazione degli stili di corte*, in AA.VV., *Arte di corte a Torino da Carlo Emanuele III a Carlo Felice*, a cura di SANDRA PINTO, Torino, pp. 185-198.

SILVIA GHISOTTI, *Regesto delle fonti documentarie relative all'arredo del Palazzo di Venaria Reale: 1775-1798*, Torino (dattiloscritto).

VITTORIO NATALE, *Le esposizioni a Torino durante il periodo francese e la Restaurazione*, in AA.VV., *Arte di corte a Torino da Carlo Emanuele III e Carlo Felice*, a cura di SANDRA PINTO, Torino, pp. 249-312.

NICOLAI N. NIKULIN, *The Hermitage Catalogue of Western European painting. German and Austrian painting*, Firenze.

SANDRA PINTO, *Dalla Rivoluzione alla Restaurazione*, in AA.VV., *Arte di corte a Torino da Carlo Emanuele III a Carlo Felice*, a cura di SANDRA PINTO, Torino, pp. 101-128.

1988

AA.VV., *Orologi negli arredi del Palazzo Reale di Torino e delle residenze sabaude*, catalogo della mostra a cura di GIUSEPPE BRUSA, ANDREINA GRISERI e SANDRA PINTO, Milano.

KLAUS-PETER ARNOLD, *Figurliches Porzellan aus der Sammlung Spitzner*, catalogo della mostra, Dresda.

MARCO CERRUTI, *Le buie tracce. Intelligenza subalpina al tramonto dei Lumi*, Torino.

THOMAS W. GAEHTGENS e JACQUES LUGAND, *Joseph-Marie Vien Peintre du Roi (1716-1809)*, catalogo della mostra, Parigi.

Giacomo Quarenghi, Architetto a Pietroburgo. Lettere e altri scritti, a cura di VANNI ZANELLA, Venezia.

ANGELA GRISERI, *Un inventario per l'esotismo. Villa della Regina 1755*, Torino.

LUCIANO GUERCI, *L'Europa del Settecento. Permanenze e mutamenti*, Torino.

ISABELLA DE MADARIAGA, *Caterina di Russia*, Torino.

INGELORE MENZHAUSEN, *Alt-Meissner Porzellan in Dresden*, Berlino.

1989

AA.VV., *I tesori del Palazzo Imperiale di Shenyang*, catalogo della mostra, Torino.

AA.VV., *Il Cantiere della Palazzina di Caccia di Stupinigi*, a cura della Soprintendenza per i Beni Ambientali e Architettonici del Piemonte, Milano.

Bertel Thorvaldsen 1770-1844. Scultore danese a Roma, catalogo della mostra a cura di ELENA DI MAJO, BJORNE JØRNAES e STEFANO SUSINNO, Roma.

ANTOINE CHENEVIÈRE, *Il mobile russo. L'epoca d'oro 1780-1840*, Milano.

ANDREINA GRISERI, *Il Diamante. La villa di Madama Reale Cristina di Francia*, Torino.

Jacques-Louis David 1748-1828, catalogo della mostra a cura di ANTOINE SCHNAPPER e ARLETTE SERULLAZ, Parigi.

Russian and Soviet Art Glass. 11th - 20th Centuries, catalogo della mostra a cura di TAMARA MALININA, Leningrado (in russo, con riassunto in inglese).

ELISABETH VIGÉE-LEBRUN, *Mémoires d'una portraitiste*, Parigi.

1990

AA.VV., *Giuseppe Maria Bonzanigo. Intaglio minuto e grande decorazione*, catalogo della mostra a cura di CLAUDIO BERTOLOTTO e VITTORIA VILLANI, Asti.

AA.VV., *La pittura russa nell'età romantica*, catalogo della mostra a cura di GRIGORIJ GOLDOVSKIJ, ENGENIJA PETROVA e CLAUDIO POPPI, Bologna.

PIERO CAMPORESI, *Il brodo indiano*, Milano.

LAURA CERWINSKE, *Russian imperial style*, New York.

UMBERTO LEVRA, *Un consenso mancato. torinesi e francesi di fronte*, in AA.VV., *Ville de Turin 1798-1814*, a cura di GIUSEPPE BRACCO, Torino, vol. II.

SUZANNE MASSIE, *Pavlovsk. The Life of a Russian Palace*, Boston.

ROSY MOFFA, *Storia della Regia Cappella di Torino dal 1775 al 1870*, Torino.

ROSANNA ROCCIA e ADA PEYROT. *Vedute di Torino e di altri luoghi notabili*, Torino.

DMITRI V. SARABIANOV, *Arte russa*, Milano.

St. Petersburg um 1800. Ein goldenes Zeitalter des russichen Zarenreichs, catalogo della mostra di Essen, Recklinghausen.

MARIA GRAZIA VINARDI, COSTANZA ROGGERO BARDELLI e VITTORIO DEFABIANI, *Ville Sabaude*, Milano.

1991

PAUL SCHAFFER, *La Table des Tsars*, in "Connaissance des Arts", 469, marzo, pp. 59-64.

SILVANA PETTENATI, voce *Dortu (famiglia)*, in *Dizionario Biografico degli Italiani*, Roma (in corso di stampa).

s.d.

AA.VV., *La porcellana russa. L'arte della prima manifattura di porcellana in Russia*, Leningrado (in russo con traduzione tedesca, inglese, francese).

СПИСОК ЛИТЕРАТУРЫ

1. В. Я. Адарюков, Гравер Иван Васильевич Ческий, Москва 1924.

2. Степан Филиппович Галактионов и его произведения, составитель В. Я. Адарюков, С. Петербург 1910.   Адарюков

3. М. А. Алексеева, Документы о творчестве М. И. Махаева. В книге: Русское искусство XVIII — первой половины XIX века. Материалы и исследования. Под редакцией Т. В. Алексеевой, Москва 1971.   Алексеева М. (2)

4. М. А. Алексеева, Гравировальная палата Академии наук. В книге: Русское искусство XVIII века. Метериалы и исследования. Под редакцией Т. В. Алексеевой, Москва 1968, с. 72-95.   Алексеева М. (1)

5. Т. В. Алексеева, Художники школы Венецианова, Москва 1981.   Алексеева

6. Т. В. Алексеева, В. Л. Боровиковский и русская культура на рубеже 18 — 19 веков, Москва 1975.

7. Н. И. Архипов, А. Г. Раскин, Петродворец, Ленинград — Москва 1961.

8. Н. И. Архипов, А. Г. Раскин, Б. К. Растрелли, Ленинград — Москва 1964.

9. З. А. Бернякович, Русское Художественное серебро XIX — начала XX века в собрании Эрмитажа, Ленинград 1977.   Бернякович. Русское серебро

10. А. В. Виннер, Материалы и техника мозаичной живописи, Москва 1953.

11. Виды Петербурга и его окрестностей середины XVIII века. Составитель и автор текста Г. Н. Комелова, Ленинград 1968.   Комелова, 1968

12. О. Э. Вольценбург, Внутренний вид Эрмитажной библиотеки времени Пушкина. В книге: СГЭ. Выпуск 4, Ленинград 1947.

13. А. Н. Воронихина, Малахит в собрании Эрмитажа, Ленинград 1963.   Воронихина, Малахит

14. М. Г. Воронов, Гавриил Игнатьевич Козлов. Жизнь и творчество, Ленинград 1982.

15. Н. В. Воронов, М. М. Дубова, Невский хрусталь, Ленинград 1984.

16. Л. Ф. Галич, А. Н. Савинов, А. В. Тыранов. В книге: Очерки жизни и творчества художников первой половины XIX в, Ленинград 1954.

17. Гарднеровские сервизы среди коллекционеров, 1921, № 10.

18. Н. М. Гершензон-Чегодаева, Дмитрий Григорьевич Левицкий, Москва 1964.

19. В. М. Глинка, Русский военный костюм XVIII — начала XX века. Каталог, Ленинград 1968.

20. Государственный Русский музей. Скульптура. XVIII — начало XX века. Каталог, Ленинград 1988.

21. Государственный Эрмитаж. Памятники русской художественной культуры X — начала XX века. Альбом (авторы-составители З. А. Бернякович, Н. В. Калязина, Г. Н. Комелова, и др. Автор вступительной статьи Г. Н. Комелова), Москва 1979.   Памятники, 1979

22. Е. М. Ефимова, Русский резной камень в Эрмитаже, Ленинград 1961.

23. Императорский фарфоровый завод. 1744 — 1904. Составители Н. Б. Вольф, С. А. Розанов, Н. М. Спилиотти, А. Н. Бенуа, Санкт-Петербург 1906.   Вольф, 1906

24. Н. В. Калязина, Г. Н. Комелова, Русское искусство петровской эпохи. Альбом, Ленинград 1990.   Русское искусство петровской эпохи

25. Н. В. Калязина, Материалы к иконографии А. Д. Меншикова (прижизненные портреты). В книге: Культура и искусство петровского времени, Ленинград 1977.

26. Н. Н. Качалов, Стекло, Москва 1959.   Качалов, Стекло

27. Г. А. Князев, Академический план С.-Петербурга. Известия Всесоюзного Географического общества, том 85, Ленинград 1953.

28. Г. Н. Комелова, Д. И. Евреинов — русский миниатюрист на эмали. В книге: Памятники культуры. Новые открытия. Ежегодник. 1979, Ленинград 1980.   Комелова, 1980

29. Г. Н. Комелова, Первый русский миниатюрист Г. С. Мусикийский. В книге: Русское искусство первой четверти XVIII века. Материалы и исследования. Под редакцией Т. В. Алексеевой, Москва 1974.   Комелова. Мусикийский, 1974

30. Г. Н. Комелова, К истории создания гравированных видов Петербурга и его окрестностей М. И. Махаевым. В книге: Труды Государственного Эрмитажа, том XI, Ленинград 1970.   Комелова, 1970

31. Г. Н. Комелова, Серия гравированных видов окрестностей Петербурга начала XIX века. К истории гравировально-ландшафтного класса Академии художеств. В книге: Культура и искусство России XIX века, Ленинград 1985.   Комелова, 1985

32. Г. Н. Комелова, Русский гравер Гавриил Иванович Скородумов 1755—1792. В книге: Труды Государственного ордена Ленина Эрмитажа, том XV, Ленинград 1974.   Комелова. Скородумов, 1974

33. А. Корсаков, М. И. Ваятель, Козловский — Русский архив, том I, 1892, с. 446—448.

34. М. А. Корф, Жизнь графа Сперанского, том I, Санкт-Петербург 1861.   Корф. Жизнь графа Сперанского

35. М. Ф. Коршунова, К истории создания литографированной панорамы Петербурга 1836 года. В книге: Сообщения Государственного Эрмитажа. Выпуск 46, Ленинград 1981.

36. Т. Т. Коршунова, Костюм в России XVIII — начала XX века из создания Государственного Эрмитажа, Ленинград 1979.   Коршунова. Костюм в России

37. Т. Т. Коршунова, Русская шпалера. Петербургская шпалерная мануфактура, Ленинград 1975.   Коршунова. Русская шпалера

38. А. К. Лансере, Русский фарфор. Искусство первого в России фарфорового завода, Ленинград 1968.   Лансере. Русский фарфор

39. Г. Э. Ливен, Путеводитель по кабинету Петра Великого и Галереи Драгоценностей, Санкт-Петербург 1901.   Ливен. Путеводитель

40. Г. Дукомский, Историческая выставка архитектуры и художественной промышленности. Старые годы, апрель, 1911.

41. Г. К. Дукомский, Санкт-Петербург, Мюнхен 1923.

42. Н. Е. Макаренко, Мозаичные работы Ломоносова, Петроград 1917.

43. В. К. Макаров, Цветной камень в собрании Эрмитажа, Ленинград 1938.   Макаров. Цветной камень

44. В. К. Макаров, Ломоносовские мозаики, Ленинград 1949.

45. В. К. Макаров, Художественное наследие М. В. Ломоносова. Мозаики, Москва—Ленинград 1950.

46. Т. А. Малинина, О некоторых сервизах XIX века Императорского стеклянного завода. В книге: Культура и искусство России XIX века, Ленинград 1985, с. 101—112.

47. Малченко М. Д. Тульские златокузнецы. Альбом. Ленинград 1973.   Малченко. Тульские златокузнецы

48. Малченко М. Д. Художественные работы тульских мастеров XVIII века. Труды Государственного Эрмитажа. 1974. Т. 15.   Малченко. Художественные работы

49. Д. М. Мигдал, Иоганн-Георг Майр и его виды Петербурга. В книге: Сообщения Государственного Русского музея. Выпуск VI, Ленинград 1959.

50. Е. Ю. Моисеенко, "Колокольцовские" изделия в собрании Государственного Эрмитажа. В книге: Памятники культуры. Новые открытия. Ежегодник, Ленинград 1986.

51. А. Н. Мокрицкий, Воспоминания о Венецианове и учениках его. В книге: Венецианов в письмах художника и воспоминаниях современников, Ленинград 1931.

52. Е. А. Некрасова, Ломоносов-художник, Москва 1988.

53. Л. Р. Никифорова, Русский фарфор в Эрмитаже. Альбом, Ленинград 1973.   Никифорова. Русский фарфор

54. Н. И. Никулина, Виды залов Зимнего дворца и Эрмитажа работы учеников А. Г. Венецианова. В книге: СГЭ. Выпуск XIII, Ленинград 1958.   Никулина

55. «Отечественные записки» (журнал), 1822, часть X, № 25. Статья неизвестного автора "Два новых русских художника" (о скульпторе Б. И. Орловском).

56. Памятники русской культуры первой четверти XVIII века в собрании Государственного ордена Ленина Эрмитажа. Каталог. Под общей редакцией В. Н. Васильева и В. М. Глинки, Москва — Ленинград 1966.
Памятники первой четверти XVIII века

57. Э. К. Пекарский, Путеводитель по Музею антологии и этнографии имени императора Петра Великого. Галерея Петра I, Петроград 1915.

58. Петербург в произведениях Патерсена. Авторы-составители Г. Н. Ко мелова, Г. А. Принцева, И. Г. Котельникова, Москва 1978.
Петербург в произведениях Патерсена. 1978

59. Петербург-Петроград-Ленинград в произведениях художников. Авторы альбома Г. Грими и Л. Кашкарова, Москва 1958.

60. Т. А. Петрова, Тронный зал императрицы Марии Федоровны в Зимнем дворце и картина Е. Ф. Крендовского. В книге: Труды Государственного Эрмитажа. том XI, Ленинград 1977.

61. В. Н. Петров, Памятник А. В. Суворову в Ленинграде. В. Книге: Из бронзы и мрамора, Ленинград 1965.

62. В. Н. Петров, Михаил Иванович Козловский, Москва 1977.

63. А. В. Помарнацкий, Портрет М. Н. Кречетникова работы Левицкого в собрании Эрмитажа. — СГЭ, Ленинград 1954, выпуск 6.

64. А. В. Помарнацкий, Портреты А. В. Суворова. Очерки иконографии, Ленинград 1963.
Помарнацкий. Портреты Суворова

65. В. А. Попов, Русский фарфор. Частные заводы, Ленинград 1980.
Попов. Русский фарфор

66. Портретная миниатюра в России XVIII — начала XX века. Из собрания Государственного Эрмитажа. Авторы вступительной статьи и каталога Г. Н. Комелова и Г. А. Принцева, Ленинград 1986.
Портретная миниатюра. 1966

67. Г. М. Преснов, Михаил Иванович Козловский, Ленинград 1953.

68. Г. А. Принцева, Произведения П. Ф. Соколова в собрании Эрмитажа. Памятники культуры. Новые открытия. Ежегодник 1981, Ленинград 1983.
Принцева, 1983

69. Д. А. Ровинский, Подробный словарь русских гравированных портретов, том I-IV, Санкт-Петербург 1886—1889.
Ровинский (1)

70. Д. А. Ровинский, Подробный словарь русских граверов XVI-XIX вв., том I—II, Санкт-Петербург 1895.
Ровинский (2)

71. Д. А. Ровинский, Русский гравер Е. Чемесов, С. Петербург 1878.

72. Русская академическая школа в XVIII веке, Москва-Ленинград 1934.

73. Русская акварель в собрании Государственного Эрмитажа. Альбом-каталог. Автор-составитель Г. А. Принцева, Москва 1988.
Русская акварель

74. Русская эмаль XII — начала XX века из собрания Государственного Эрмитажа (авторы вступительной статьи и составители альбома Н. В. Какязина, Г. Н. Комелова, Н. Д. Косточкина, О. Г. Костюк, К. А. Орлова), Ленинград 1987.
Русская эмаль

75. В. Б. Семенов, Малахит, том 1—2, Свердловск 1987.
Семенов. Малахит

76. А. В. Сивков, Петровский зал Зимнего дворца, Ленинград 1949.

77. Г. В. Смирнов, Зарянко, Москва 1951.

78. Г. В. Смирнов, Венецианов и его школа, Ленинград 1973.

79. Т. М. Соколова, Орнамент-почерк эпохи, Ленинград 1972.

80. Т. М. Соколова, К. А. Орлова, Русская мебель в Государственном Эрмитаже, Ленинград 1973.
Соколова Т., Орлова К. Русская мебель

81. А. А. Татевосова, Отечественная война 1812 года в произведениях петербургского стеклянного завода. В книге: Проблемы развития русского искусства. Тематический сборник трудов Института живописи, скульптуры и архитектуры им. И. Е. Репина, выпуск IX, Ленинград 1977.

82. С. Тройницкий, Медальные табакерки времени императрицы Екатерины II, Старые годы, 1915, июнь.

83. А. А. Федоров-Давыдов, Федор Яковлевич Алексеев, Москва 1955.

84. А. А. Федоров-Давыдов, Русский пейзаж XVIII — начала XIX века, Москва 1953.   Федоров-Давыдов

85. А. Е. Фелькерзам, Описи серебра двора. Его Императорского Величества, том 1—2, Санкт-Петербург 1907.   Фелькерзам. Описи серебра

86. Н. В. Черный, Фарфор Вербилок, Москва 1970.   Черный. Фарфор Вербилок

87. Б. А. Шелковников, Русское художественное стекло, Ленинград 1969.

88. Б. А. Шелковников, Художественное стекло, Ленинград 1962.

89. Я. И. Шурыгин, Борис Иванович Орловский. 1792—1837, Ленинград—Москва 1962.

90. Б. Н. Эмме, Русский художественный фарфор, Москва—Ленинград 1950.

91. Эрмитаж. История и архитектура зданий, Ленинград 1989.   Эрмитаж, 1989

92. T. Anderesen. Vigilius Eriksen in Russia. — "Artes", I, October 1965. Copenhagen.

93. H. Hyvönen Russian Porceloin. Collection. Vera Saarela. Helsinki, 1982.

94. Korshounova T. Le costume en Russie XVIIIe — debut de XXe siècle. Musée de l'Ermitage. Leningrad, 1983.

95. M.C. Ross. Russian Porcelains. The collection of Marjorie Merriweather. Post. Unviersity of Oklahoma Press, 1966.

96. Slater H. Engravings and their Value. London, 1929.

97. Wessely J.E. Georg Friedrich Schmidt. Stiche und Radirungen. Hamburg, 1887.